Bestselle

Dello stesso autore

nella collezione Oscar

ANDREA DE CARLO

DI NOI TRE

OSCAR MONDADORI

© 1997 Arnoldo Mondadori Editore S.p.A., Milano

I edizione Scrittori italiani ottobre 1997
I edizione Bestsellers Oscar Mondadori ottobre 1999

ISBN 88-04-46404-6

Questo volume è stato stampato
presso Mondadori Printing S.p.A.
Stabilimento Nuova Stampa - Cles (TN)
Stampato in Italia. Printed in Italy

Ristampe:

5   6   7   8   9   10   11   12   13   14

2003   2004   2005   2006   2007

www.andreadecarlo.net

www.mondadori.com/libri

Di noi tre

a Eleonora

PARTE PRIMA

Uno

Misia Mistrani l'ho conosciuta il 12 febbraio del 1978. Al mattino mi ero laureato in storia antica, con una tesi sulla Quarta Crociata che aveva provocato una quasi-rissa con la commissione per come mi era venuta polemica e coinvolta, dopo di che ero stato liquidato con 110 senza lode, anche se avevo lavorato un anno e scritto duecentocinquanta pagine abbastanza appassionate e documentate. Il presidente mi aveva detto nella sua voce monocroma «La Storia è *prospettiva*. Non si può parlare di eventi di sette secoli fa come se fossero successi l'altro ieri e lei ci fosse stato in mezzo. Le mancano totalmente il distacco e l'equilibrio, la capacità di una valutazione a mente fredda». Non aveva torto, su questo: mi sembrava che non mi bastassero le scorte di indignazione e di rabbia e di paura e di parzialità per tornare indietro nel tempo, altro che distacco.

Anche il mio migliore amico Marco Traversi solo poche settimane prima aveva avuto una discussione furiosa per la sua tesi su Cristoforo Colombo e la distruzione delle Americhe, ma invece di retrocedere sotto l'onda di stizza della commissione aveva finito per mandare al diavolo tutti, rinunciare a laurearsi. Mi intristiva essere stato molto meno fermo di lui al momento buono, avere preferito portarmi a casa il diploma come un bravo ragazzo un po' ingenuo e impulsivo, fare contente mia madre e mia nonna invece di difendere a oltranza quello che pensavo. Così la sera della laurea non avevo telefonato a Marco come avrei voluto, e per non restare a casa a deprimermi ero andato da solo in un posto che adesso è diventato un finto pub inglese ma allora era una finta cantina sudamericana piena di fumo e musica e calore e umidità corporea che si condensava sui soffitti bassi e gocciolava sopra le teste delle persone che parlavano e bevevano e ballavano sul pavimento di cemento grezzo. Ero vicino a un gruppetto di tipi secchi e freddi che conoscevo appena, bevevo birra con le spalle al muro nel ritmo ripetitivo della musica salsa che quasi sfondava gli altoparlanti di cattiva qualità, e avevo visto arrivare questa incredibile ragazza bionda con un gruppo di amici che andavano a sedersi a un tavolo ancora mezzo libero, in una sovrapposizione di gesti e sguardi.

Non c'erano molte possibilità di non notarla, anche nella densità estrema dell'aria e nel rumore grattato e martellato ai timpani: aveva quest'aria luminosa, questa naturalezza leggera, questo profilo teso e intelligente quando si girava verso qualcuno dei suoi amici per ascoltare o dire qualcosa o sorridere in un modo così non-affatturato da farmi quasi male al cuore. La sua luce speciale sembrava trasmettersi come un fenomeno elettrico alle persone che le stavano intorno, attraversava lo spazio pieno di gente fino a me che la guardavo a occhiate intermittenti dalla parete opposta; e c'erano altri sguardi nella ressa confusa, non facevano che accentuare il mio senso di mancanza e bisogno, consapevolezza intollerabile dei miei limiti.

Ma in tutta la sera non ero riuscito a trovare nessun pretesto ragionevole per andare a parlarle o stabilire un qualsiasi punto di contatto, anche solo avvicinarmi di qualche metro: avevo passato e ripassato dozzine di gesti e frasi nella mia moviola mentale e li avevo riavvolti tutti al punto di partenza, irrigidito dall'imbarazzo solo per averci pensato. L'unica cosa che ero riuscito a fare era stato bere altra birra e assorbire a distanza ogni sua minima variazione di angolo rispetto ai suoi amici, per capire se era irrimediabilmente vicina a uno di loro. Mi sembrava di no, anche se gli sguardi e i gesti di tutti i maschi del gruppo convergevano in modo ricorrente su di lei, in particolare quelli di un tipo dai capelli folti che cercava di prenderle la mano o di parlarle all'orecchio appena poteva: mi sembrava di vederla troppo libera e allegra per essere stretta da legami o vincoli fissi, mi sembrava troppo in movimento.

Verso l'una tutto il gruppetto si era alzato, e lei era andata verso l'uscita con la stessa leggerezza con cui era entrata; l'intera cantina piena di gesti e parole e suoni aveva perso da un secondo all'altro qualunque motivo di interesse. Ero rimasto lì appoggiato al muro con il mio bicchiere in mano, con la percezione nitida che essermi laureato in storia antica non avesse migliorato neanche di poco la mia vita. Mi sentivo la bocca piena di frasi disidratate, il cuore congelato; le risa e i timbri delle voci e le espressioni ripetute e moltiplicate tutto intorno mi davano un fastidio intollerabile, non riuscivo a restare lì dentro.

Ero andato verso l'uscita senza salutare nessuno, con un'incertezza che mi faceva camminare ancora più asimmetrico del solito, nel mio poncho marrone di lama peruviano ingombrante come una coperta. La sua tessitura aveva una trama troppo ingenua rispetto all'umidità cattiva della città; mi ero guardato intorno nella via senza traffico per il gusto di assorbire altra desolazione, e in una macchina ferma a forse cinquanta metri avevo visto la ragazza bionda che cercava di scendere e non ci riusciva perché qualcuno cercava di tirarla dentro. Ero lontano, tutto quello che potevo distinguere erano i suoi capelli che prendevano la poca luce di un lampione quando lei riusciva a sporgersi dalla portiera destra prima di venire ristrappata dentro, ma non avevo avuto il minimo dubbio che fosse lei.

Mi era venuto un istinto incredibilmente rapido che mi aveva riscaldato il sangue al punto di incandescenza e me lo aveva mandato alla testa in un lampo bianco, mi aveva fatto correre verso la macchina con le suole che battevano piatte sull'asfalto bagnaticcio, le braccia che pompavano avanti e indietro. Avevo in testa le parole di una canzone sudamericana di poco prima, ma accelerate di due volte e mezza: precipitavo a 78 giri giù per la via desolata senza pensare a niente.

Poi quando ero arrivato all'altezza della macchina una barriera di dubbi mi aveva fatto frenare come in un cartone animato; mi ero bloccato di fianco alla portiera con la paura improvvisa di essere uno scemo impulsivo che si intromette in un litigio di innamorati. Ma la portiera era socchiusa e la ragazza bionda tutta inclinata verso l'esterno, il tipo dall'altro lato cercava di tirarla a sé con un'ostinazione totale: c'era questa applicazione di forze contrastanti come in un incontro di catch, quando i due rivali arrivano a una quasi-immobilità, sull'orlo di un punto di rottura.

Così avevo aperto la portiera e mi ero affacciato nell'abitacolo, e la ragazza bionda si era girata a guardarmi piena di sorpresa; e non sapevo se stavo facendo la cosa giusta ma non mi importava più, mi importava del tipo alla sua sinistra che fino a dieci minuti prima era seduto tutto galante al tavolo con lei e adesso le stava abbrancato come un predatore che cerca di trascinare la preda nella tana. Mi guardava dal basso in una contrazione di brutti sentimenti, con i capelli da bravo ragazzo che gli coprivano la fronte, il naso piccolo e corto dalle narici dilatate.

Ho detto alla ragazza bionda «C'è qualche problema?»; ansimavo per la corsa e l'agitazione.

Lei non ha risposto, mi fissava in un modo che non era propriamente una richiesta di aiuto ma sembrava pieno di domande aperte.

Ho guardato il tipo che le stava abbrancato, ho detto anche a lui «C'è qualche problema? Eh?». E siccome il suo sguardo era ottusità allo stato puro, mi sono affacciato più a fondo nell'abitacolo e gli ho picchiettato una mano sulla spalla, gli ho detto di nuovo «C'è qualche problema, per caso?».

Lui era tutto raccorciato nei suoi brutti sentimenti, ha detto «Chi cazzo è questo qui?». Guardava la ragazza bionda, guardava me e ancora non la lasciava, con una irritazione scomodata e pesante che lo faceva arretrare in una molla di rancore ma tardava a prendere slancio.

Ero lì mezzo infilato dentro la macchina di due estranei totali, affacciato in una scena che avrebbe potuto anche essere puramente privata e invece mi riguardava come poche altre al mondo, tra sguardi e lineamenti e respiri che non conoscevo e che mi sembrava di conoscere troppo bene. Ho picchiettato più forte sulla spalla dell'abbrancatore, gli ho detto «Com'è la storia, non la volevi fare scendere o cosa?».

«Cazzo c'entri tu?» ha detto l'abbrancatore, non riusciva a capire.

Ho detto alla ragazza «Volevi scendere, no? Volevi scendere e lui non ti lasciava?».

Lei mi ha fissato ancora, e mi sembrava che avrebbe potuto non rispondermi mai: che avremmo potuto rimanere tutti e tre indefinitamente nell'abitacolo, lui abbrancato con ostinazione da grosso insetto, lei chiara e vibratile come l'abitante di qualche mio sogno ricorrente, io spencolato in avanti tra loro, con la testa dentro e i piedi fuori. Invece alla fine la ragazza bionda ha detto «Sì, volevo scendere».

La sua voce m'è arrivata come una sorpresa totale: il timbro strano di velluto appena ruvido. Mi ha mandato una scossa al cuore, così intensa che sono andato indietro con la testa e ho sbattuto sul soffitto dell'abitacolo; poi mi sono rituffato in avanti e ho cominciato a strappare la ragazza bionda verso di me. Il tipo le si è aggrappato alla giacca per avere una presa migliore, io tiravo dall'altra parte; lei è riuscita a mettere un piede fuori dalla macchina, io ho dato uno strattone più forte, siamo quasi caduti sul marciapiede quando la resistenza di colpo è venuta meno.

Ci siamo guardati nell'alone di luce malata del lampione, con un genere molto simile di sorriso fragile e fuori luogo. Mi veniva da ridere e mi veniva da piangere, pensavo che forse avrei dovuto presentarmi o forse chiedere chiarimenti, dire una frase conclusiva, prenderla per un braccio e portarla di corsa al sicuro.

Invece sono stato zitto e fermo a guardarla, e il suo abbrancatore è sceso e ha fatto il giro della macchina, più grosso di come mi era sembrato nel chiuso dell'abitacolo, mi è arrivato addosso e mi ha preso per il poncho peruviano a due mani. Ho cercato di liberarmi ma non ci riuscivo; lui mi ansimava contro, mi ha stretto il collo in una morsa che mi ha tolto l'aria in un istante; e mi sono reso conto di non essere affatto preparato all'idea che le cose potessero voltarmisi contro in questo modo, per una volta che ero così inequivocabilmente dalla parte della ragione. Questa perplessità mi ha fatto restare quasi fermo mentre le sue mani si stringevano intorno al mio collo sempre più forte, non mi ha fatto venire in mente nessuna mossa di contrattacco o di evasione, a parte un tentativo inutile di spingergli indietro i polsi.

Poi di colpo lui ha cacciato un grido e ha mollato la presa, si è piegato come per raccogliere qualcosa da terra; e nella sorpresa semisoffocata ho visto la ragazza bionda che prendeva lo slancio e gli dava un secondo calcio alla caviglia, con un movimento molto rapido e forte e preciso della punta del piede. L'abbrancatore ha cercato di spostare il peso sull'altra gamba ma ha perso l'equilibrio, è caduto su un fianco, ha urtato contro il cofano della sua macchina. Non riuscivo ancora a muovermi: guardavo la scena con una sensazione di ritardo incolmabile sugli avvenimenti.

La ragazza bionda mi ha preso per un braccio, ha detto «Andiamo, andiamo, dai». Era fluida adesso, senza più traccia di perplessità o esitazioni; mi ha trascinato di corsa lungo il marciapiede, veloci come se volassimo. Ho visto che dietro di noi l'abbrancatore si era rialzato e ci correva dietro, ma doveva essersi fatto male perché non aveva un buon modo di stare in piedi, veniva avanti in un mezzo trotto difettato. La ragazza bionda mi ha detto «Hai una macchina, per caso?», quasi nell'orecchio o così mi è sembrato: la vibrazione della sua voce mi ha provocato una sensibilizzazione diffusa dalla tempia a tutto il lato sinistro del corpo. Ha detto «Eh? Hai una macchina?».

«Sì sì» ho detto io, con un gesto verso la mia cinquecento Fiat rosso aragosta a una trentina di passi da noi in fondo alla strada.

Ci siamo arrivati di corsa, ho cercato le chiavi in tasca, e intanto l'abbrancatore al margine del mio campo visivo aveva preso velocità, anche se il suo equilibrio restava scadente; ho aperto la portiera con mani molto nervose, mi sono tuffato dentro e ho aperto alla ragazza bionda; mentre lei saliva ho messo in moto. Sono partito di scatto proprio quando l'abbrancatore ci stava arrivando contro come un rinoceronte ferito; gli sono scivolato via e in un istante ero a dieci venti cinquanta metri da lui con la ragazza bionda palpitante di fianco a me, ho visto nello specchietto retrovisore la sua figura furiosa diventare sempre meno leggibile nella nebbia alonata della via.

Ma a quel punto la rabbia bianca che mi si era bloccata con la sorpresa dello strangolamento mi è rifluita dentro in modo abbagliante: mi ha fatto frenare di colpo, ingranare la retromarcia e tornare indietro a tutta velocità. La ragazza bionda alla mia destra ha detto «Che cosa fai?», in un tono di allarme. Ma non c'era verso di fermarmi: avevo il sangue pieno di desiderio incontrollabile di rivalsa per tutti i torti e le sopraffazioni della storia: per gli abitanti di Costantinopoli massacrati dai crociati e per i cavalli di bronzo rubati all'ippodromo e portati a San Marco e per mia madre molestata dal suo datore di lavoro quando ero bambino e per le facce e i nomi orrendi dei politici sulle pagine dei giornali e alla televisione ogni giorno e per il tono monocromo del presidente della commissione di laurea, per la bruttezza senza pietà della via dove eravamo.

Sono tornato a marcia indietro con l'acceleratore schiacciato a tavoletta fino all'abbrancatore e ho abbassato il finestrino con la manovella, gli ho gridato «A pensarci bene, brutto cavolo-rapa fradicio e cotto, hai anche il coraggio di correrci dietro? Il coraggio magari di sentirti offeso e pieno di conti da pareggiare? Tu brutto bufalo-rana impuzzolentito dal marciume di tutte le cose deteriorate che hai dentro? Con quella liquirizia di idiozia pura che hai in fondo agli occhi?».

Gridavo al massimo sgolato della mia voce da megafono, e mi veniva forte in un modo che è difficile da credere a chi non l'abbia mai sentita: potevo percepire l'onda d'urto nell'aria. L'abbrancatore ha fatto un mezzo passo indietro, con un'ombra di paura o almeno di sconcerto nella faccia ottusa da bravo ragazzo persistente figlio di mamma. Anche la ragazza bionda alla mia destra sembrava spaventata, mi guardava come se avesse scoperto di essere seduta di fianco a un essere di una specie non identificata; mi sono spaventato anch'io di riflesso, avrei voluto dirle qualcosa per rassicurarla. Ma lei ha gridato «Attento!» e ho sentito il peso bruto dell'abbrancatore che arrivava contro la fiancata della macchina, ho visto la sua mano dalle dita larghe che entrava dal finestrino aperto per aggantarmi una spalla.

Ma allora mi muovevo come una specie di animale a ruote, sulla mia cinquecento: potevo fare lo slalom tra le macchine in corsa, salire e scendere dai marciapiedi, sguisciare sotto il naso di un vigile prima che facesse in tempo a prendermi la targa, scattare avanti e indietro e di lato meglio di un giocatore di pallacanestro. Credo che facesse uno strano effetto vedermi andare in giro lì dentro, piegato in due quando faceva freddo e con la testa che spuntava fuori dal tettuccio apribile di tela quando faceva caldo, perché non era una macchina costruita per persone più alte di un metro e sessanta. Ho accelerato in retromarcia quanto bastava a fare scivolare la mano dell'abbrancatore in fondo al finestrino; ho frenato di scatto, tirato su il finestrino con la sinistra a tutta velocità. Quando lui ha capito cosa facevo ha cercato di ritirare la mano ma era troppo tardi, le sue dita erano imprigionate tra il bordo di vetro e la cornice di metallo e io avevo già ingranato la prima e levato il piede dalla frizione e accelerato al massimo. L'abbrancatore ha gridato con un volume di voce che si avvicinava in modo sorprendente al mio, si è fatto trascinare per due o tre metri, pesante e renitente com'era, finché le dita gli si sono sfilate fuori nel modo più sbucciapelle e rompinocche che ci si può immaginare. La ragazza bionda ha gridato di raccapriccio; le ho detto «Basta, basta, non ti preoccupare»; ho ingranato la seconda e sono arrivato in fondo alla via al massimo dei giri, ho tagliato la curva con il piccolo motore bicilindrico raffreddato ad aria che faceva un rumore da aeroplano in decollo.

Poi eravamo in un viale che portava verso sud-ovest lungo una linea circolare, avevamo ripreso tutti e due fiato, anche se il mio cuore continuava a tornare veloce ogni volta che la guardavo seduta di fianco a me alla luce intermittente dei lampioni.

Dopo un po' mi ha detto «Be', grazie». Si è messa a ridere, era ancora scossa.

Ho riso anch'io, senza nessuna sicurezza; ho detto «Per favore non ringraziarmi. Non ci pensare neanche. E mi avrebbe strangolato, senza di te».

Lei ha detto «Sarei riuscita a scendere dalla macchina anche da sola, credo».

Le ho detto «Chi cavolo era?».

«Un amico di miei amici» ha detto lei. «Visto due volte.» Ha scosso la testa. «Che cosa *stupida*. Pensi di poter essere come sei senza stare in difesa tutto il tempo, e subito uno si mette a leggere segnali sbagliati e diventa così totalmente insensibile.»

«Bastardo» ho detto io, con scie della rabbia abbagliante di prima che ancora mi passavano dentro. Ma ero preso dal colore della sua voce, dal leggero odore di arancia candita che potevo sentire quando apriva la bocca: la palpitazione vitale e calda della sua persona nell'abitacolo di latta leggera.

Lei mi ha indirizzato a gesti e frasi brevi per le strade quasi vuote a quell'ora, fino a un edificio ex giallo milanese davanti alla darsena, dove da bambino mia madre mi aveva portato a vedere i barconi carichi di sabbia che arrivavano dal fiume Ticino lungo un sistema di canali. Ha detto «Arrivata».

Mi sono infilato nel passo del portone, ho spento il motore; la mia confidenza esile si è dissolta insieme al movimento.

Nel tono più sbagliato ho detto «Va be', io mi chiamo Livio», le ho porto la mano.

Lei me l'ha stretta, ha detto «Misia»; sorrideva.

Siamo stati lì zitti forse dieci o quindici secondi interi; poi lei ha detto «Perché non mi dai il tuo numero di telefono?».

E mi era sembrato una specie di miracolo: le avevo scritto il mio numero sul retro di una multa e mi ero fatto scrivere il suo e avevo strappato il foglietto in due ed ero sceso per salutarla e ci eravamo stretti di nuovo la mano e baciati sulle guance, lei era andata verso il portone e l'aveva aperto, era scomparsa dentro con un movimento rapido, definitivo.

Due

Il mattino mi sono alzato in uno stato incredibile di elettricità, dopo una notte passata a girarmi e rigirarmi nel letto con la testa piena di immagini di Misia che mi arrivavano a scatti: lei a dieci metri da me tra i suoi amici nella cantina, lei a pochi centimetri nella mia macchina, lei che scompariva dentro il suo portone, lei che parlava, lei che sorrideva.

Mi sono lavato la faccia con acqua fredda, rasato molto prima del solito, vestito con tutta l'attenzione che mi veniva, eppure non riuscivo a smettere di pensare a lei. Era una specie di interferenza sistematica: il suo modo di girare la testa inclinandola un poco, la piega delle sue labbra mentre parlava, i suoi occhi chiari visti da vicino; il suono della sua voce, la naturalezza lunare nel suo modo di fare, l'aura della sua persona, la tensione intelligente e ostinata del suo profilo. Mi sentivo come uno che si vede trasformare il paesaggio intorno da un secondo all'altro: nuove specie di animali e fiori e piante ovunque giri lo sguardo, nuovi profumi nell'aria, nuovi venti e nuove temperature, possibilità inesplorate ai suoi movimenti.

Ma ci ho messo due ore prima di telefonarle, perché avevo paura che fosse troppo presto e non volevo sembrarle incalzante o importuno: andavo fino al telefono e mettevo la mano sulla cornetta, pensavo a una frase da dirle e subito mi sembrava inutile, finta, infantile, non-spiritosa.

Prendevo un libro in mano e cercavo di leggerlo e mi distraevo subito, mi mettevo al tavolo e provavo a disegnare ma anche lì non riuscivo a restare concentrato per più di qualche secondo di seguito; tornavo al telefono e rimettevo la mano sulla cornetta e mi immaginavo cosa dire e il cuore mi si metteva a battere troppo rapido e confuso e ci rinunciavo di nuovo, andavo a prendere un sorso di kirsch da una bottiglia che mi aveva regalato mia nonna, andavo a guardare nel frigorifero vuoto a parte un barattolo di yogurt scaduto da un mese. In certi momenti Misia mi sembrava troppo bella per poterla chiamare, in certi momenti mi sembrava di non avere niente da dirle di possibile; in certi momenti mi veniva perfino il dubbio di averla mai incontrata davvero, di essermela solo immaginata nella stanchezza confusa della notte precedente. Mi guardavo allo specchio del bagno: cercavo di capire se avevo un'aria allucinata, se ero minimamente credibile a me stesso, se lei mi aveva visto come un tipo ridicolo o avrebbe anche potuto prendermi sul serio, se avevo qualche pur minimo elemento di interesse agli occhi di qualcuno che non fosse un mio stretto parente.

Alla fine ho bevuto una nuova gollata di kirsch e sono andato dritto al telefono e ho fatto il numero che Misia mi aveva segnato sul mezzo foglietto della multa, sono stato ad ascoltare il segnale di libero con il cuore che mi pulsava troppo avvertibile a un lato del collo. Mi immaginavo Misia che attraversava un appartamento allagato di luce, con il passo leggero che le avevo visto la sera prima; mi immaginavo il movimento della sua mano mentre sollevava la cornetta e si scostava i capelli da un orecchio per sentire meglio. Dovevo minacciarmi da solo per non riagganciare prima che lei rispondesse: dovevo farmi da solo ricatti morali e sfide per restare fermo e dritto più che potevo. Speravo almeno di riuscire ad avere un tono di voce decente, non sentirmela rompere nel modo più patetico a metà della prima frase, non scivolare nella prima osservazione stupida che mi veniva in mente; continuavo a dirmi calma calma calma, cercavo di respirare regolare.

Non ha risposto la voce di Misia: una voce di uomo ha detto «Sì?». Ma prima di realizzarlo io avevo già detto «CiaosonoLiviotiricordierisera?», una frase così preparata e ripreparata e compressa da venire fuori in un istante per conto suo, nel modo meno distinguibile al mondo.

Subito dopo avrei voluto buttare giù, ma ero paralizzato, non riuscivo a muovere un dito. La voce di uomo dall'altra parte ha detto «Pronto?».

Ho detto «Cercavo Misia, mi scu-si»; mi veniva da balbettare tanto ero deluso.

Lui ha detto «Non è più a Milano, è ripartita stamattina presto», in una specie di cantilena assonnata; ha riattaccato.

Sono rimasto curvo in avanti sul tavolo, con la fronte appoggiata alla cornetta del telefono e le guance che mi scottavano e il cuore che mi batteva a vuoto; mi sentivo incredibilmente intristito e abbandonato e goffo e stupido, senza scatto, senza la minima elasticità. La delusione per la voce di uomo e per Misia partita mi è rifluita in un non-sentimento universale, venato poco a poco di una corrente fredda di sollievo. Mi è sembrato quasi meglio che le cose fossero andate così: mi è sembrato di liberarmi da una moltitudine di pensieri e sensazioni difficili da sostenere, essere respinto in un territorio molto più familiare. Ho buttato via il foglietto con il suo numero di telefono, ho messo un disco dei Doors sullo stereo e ho alzato il volume: *People Are Strange* così forte da far vibrare i vetri della finestra, in competizione con il rumore del traffico fuori nel corso.

Tre

Era un periodo strano, mezzo addormentato e mezzo convulso, attento e distratto e lento e vago; una specie di giuntura tra fasi diverse della mia vita, anche se non avrei saputo definire quale fase avrebbe dovuto concludersi né quale iniziare. E non ero mai stato molto pratico o mirato nelle cose che facevo, ma adesso mi sembrava di esserlo meno che mai; non riuscivo a vedere nessun collegamento tra una laurea in storia antica e un mio possibile ruolo nel mondo adulto, non riuscivo a distinguere nessun binario o strada o sentiero di capre abbastanza delineato da poterlo seguire con un minimo di fiducia. Mi sembrava di avere avuto idee più chiare su quello che volevo fare quando avevo dodici o tredici anni, di essermi perso lungo il liceo e l'università in un territorio di parole e idee astratte, non-realistico, non-praticabile.

Vivevo nell'appartamento-corridoio di quarantadue metri quadri che mi aveva regalato mio padre a diciotto anni, secondo l'accordo di separazione da mia madre, con le mensole e le pareti occupate da dischi dei Rolling Stones e Dylan e i Doors e John Mayall ed Eric Clapton e Mike Bloomfield e atlanti storico-geografici e fotografie del mio viaggio in India via Afghanistan e i due grossi volumi di Steven Runciman sulle Crociate e biografie di Goffredo di Buglione e Boemondo d'Antiochia e Riccardo Cuor di Leone e Salah ad-din e Baldovino di Fiandra e chiunque altro si fosse mosso lungo quella fascia di medio-oriente dal 1096 fino al 1291 con abbastanza intensità da passare alla storia. Leggevo poesie inglesi dell'ottocento e romanzi americani del novecento, giravo per la città su una vecchia bicicletta olandese, mi nutrivo quasi solo della cioccolata svizzera ripiena che mi regalava mia nonna; andavo a dormire tardi, mi svegliavo tardi. Disegnavo per qualche ora ogni giorno, piccole figure a china parte astratte e parte a forma di animali e di esseri umani e di paesaggi che mi venivano in modo semiautomatico sull'onda di un ronzio interno ossessivo come una musica. Non la consideravo un'attività vera, mi sembrava solo una specie di mania o di vizio poco dannoso.

Conoscevo tanta gente e ne vedevo tanta, perché avevo questo modo ultracomunicativo di fare ed ero credo divertente e anche buffo da avere intorno, tendevo a parlare subito in modo amichevole con i vicini di casa e i negozianti e anche gli sconosciuti per strada, forse per compensare tutto l'isolamento freddo e desolato di quando ero stato bambino e ragazzino. Non era una cosa molto comune, specialmente a Milano e in quegli anni: non suscitavo quasi mai reazioni ordinarie: la gente mi trovava molto simpatico o molto matto o un po' tonto, tre modi equivalenti di mettermi in una nicchia.

Il mio unico vero amico era Marco Traversi. Lo era da anni, da quando al liceo salivo nel suo corridoio durante gli intervalli per parlare e parlare con lui della vita e del mondo e della storia e di tutto fino a sentirmi bruciare la testa in un attrito di pensieri inarrestabili. Le uniche cose che avevamo allora erano una quantità apparentemente illimitata di tempo e un fastidio molto concentrato per quasi tutto quello che ci circondava; non ci riconoscevamo nei nostri ruoli di figli né di studenti né di abitanti della nostra città né di cittadini del nostro paese. Era così che io e lui eravamo diventati amici: avevamo visto uno nell'altro lo stesso genere di non-appartenenza, lo stesso sguardo da esuli in casa propria.

Marco mi sembrava più solido di me, e in un senso lo era, almeno per la sua capacità di vedere e giudicare le cose; ed era certo più attraente, con i suoi capelli lunghi e i suoi vestiti da musicista rock e il suo modo duro di trattare con gli adulti e con il mondo in genere. Fin dall'inizio questo aveva prodotto un leggero squilibrio a suo favore nella nostra amicizia: un margine di mia ammirazione, che mi portava a defilarmi impercettibilmente nella sua scia, andargli a rimorchio. Anche lui aveva una distanza paurosa che lo separava dal mondo, e voragini interiori pronte ad aprirsi alla minima sollecitazione. Viveva ancora a casa dei suoi, il che era strano per uno come lui; ma non è mai stato facile trovare una casa in affitto a Milano a meno di non avere molti soldi, e lui non ne aveva affatto. Gli avevo proposto varie volte di venire a vivere nel mio appartamento-corridoio, ma lui diceva che c'era troppo rumore e che non voleva invadermi lo spazio; credo che gli facesse quasi piacere sentirsi il più sospeso e a disagio possibile, credo che ne avesse bisogno. Eppure mi sembrava che riuscisse a essere se stesso in modo glorioso, rispetto a me; mi rassicurava la sua lucidità, il suo modo di essere apparentemente in controllo di impulsi e sentimenti. Mi spingeva avanti tutto il tempo, mi faceva venire voglia di muovermi; era stato grazie a lui che avevo finito l'università a ventitré anni, grazie a tutte le volte che mi aveva detto «Tiriamoci fuori da questo parcheggio. Siamo *vecchi*».

Da parte sua Marco aveva bisogno della mia esuberanza e della mia facilità di contatto con le persone, perfino della mia incapacità di esprimere giudizi rapidi e precisi come i suoi. Stare con me gli dava un modo di misurare e sviluppare le sue qualità e un modo di comunicare con il mondo, compensava la sua timidezza paralizzante. A volte mi spingeva a rivolgere la parola a una ragazza che gli interessava, si avvicinava solo quando la conversazione era avviata e poteva mettere in gioco i suoi elementi di seduzione, sorridere e parlare nel modo che piaceva così tanto alle donne. A volte mi pungolava su un argomento polemico, per strada o in casa di quasi sconosciuti; continuava a incalzarmi finché io mi mettevo a fare associazioni libere a voce molto alta e con la furia generalizzata che mi veniva. Ma non era mai uno spettatore distaccato: mi guardava e mi ascoltava pieno di partecipazione, mi dava rincalzo se ce n'era bisogno; dopo aveva gli occhi che gli brillavano, diceva «Sei incredibile, Livio. *Incredibile*». Anch'io del resto non ero un pubblico ordinario, per lui: quando si avventurava nelle sue analisi sul mondo o nelle sue improvvisazioni di storie avevo un'attenzione e un grado di risposta senza limiti, potevo prendere fuoco dall'entusiasmo.

Ma al tempo della mia laurea in storia antica eravamo in uno stagno tutti e due, e facevamo una fatica terribile a venirne fuori, con tutti i nostri discorsi e i libri che leggevamo e l'energia che investivamo nel tentativo di dimostrarci molto più interessanti di come eravamo. Non avevamo un lavoro, né una prospettiva ravvicinata di averne uno; non avevamo una vera passione, non avevamo soldi, Marco non aveva neanche una casa; c'era uno scollamento desolante tra le nostre immaginazioni e la nostra realtà. Ogni tanto smettevamo di frequentarci perché ci era insopportabile far vedere uno all'altro che eravamo sempre più o meno allo stesso punto; avevamo bisogno di creare almeno una sacca di tempo in cui accumulare abbastanza materia per racconti e osservazioni, progetti non ancora esplorati a parole fino al fondo estremo.

In questi periodi senza Marco mi era ancora più difficile immaginare quali fossero i possibili punti di uscita dallo stagno: a volte mi sembrava di sentire dei cambiamenti nell'aria, una specie di accelerazione improvvisa, spaventevole e inebriante; a volte mi sembrava che tutto avrebbe potuto rimanere fermo indefinitamente. Andavo a caso in tante direzioni diverse in cerca di segnali, giravo su me stesso e tendevo le orecchie, tra lentezza e paura e semisordità ed elettrizzazione, troppa vista e troppo udito e noia e speranze sproporzionate, senso di soffocamento, senso di panico puro.

Questo era lo stato in cui ero quando ho conosciuto Misia Mistrani, e lei nell'arco di poche ore ha distrutto il mio equilibrio molto precario ed è sparita, e senza accorgermene mi sono ritrovato fuori dallo stagno, su un terreno molto più difficile e scomodo, dove non avevo la minima idea di come muovermi.

Quattro

Ho telefonato a Marco perché avevo bisogno di parlare con qualcuno e lui era l'unica persona con cui avrei potuto farlo, ma quando poi ci siamo visti in una via a metà tra casa mia e casa dei suoi, già non ci riuscivo più.

La storia del mio incontro con Misia mi sembrava troppo nella linea impressionista e senza riscontri di tutti i miei rapporti con il mondo; ho provato a immaginarmi l'effetto che avrebbe potuto fare a Marco, ed era patetico, zero.

In compenso lui era traboccante di idee e progetti da raccontarmi, dopo dodici giorni dall'ultima volta che ci eravamo visti; non vedeva l'ora di riaprire la comunicazione. Avevamo questo modo di camminare insieme anche per ore di seguito, dai tempi del liceo: ci davamo un appuntamento da qualche parte e cominciavamo subito a parlare e a macinare chilometri di marciapiedi, in una delle città dove è meno piacevole camminare al mondo. Camminavamo senza una direzione precisa, senza guardare quasi niente del paesaggio intorno, a parte qualche faccia ogni tanto; era un po' come fare giri e giri nel cortile di una prigione, il movimento ci faceva lo stesso effetto maniacale e ripetitivo, ci attizzava progetti di evasione continuamente rinnovati.

Il progetto più recente di Marco era quello di fare un film. Gli era venuto in mente un paio di mesi prima: mi aveva telefonato una sera, aveva detto «Mi è venuta un'idea, dobbiamo vederci subito».

Anche allora eravamo andati a camminare in mezzo al

traffico, e Marco aveva cominciato a raccontarmi del film che aveva in mente. All'inizio mi sembrava un'idea abbastanza vaga, come ne erano venute tante volte a tutti e due nei nostri tentativi ricorrenti di sottrarci all'immobilità che ci assediava, per poi lasciarle cadere nel giro di qualche ora o giorno di fronte alla prima manifestazione di problemi pratici, o al primo vuoto di slancio, al primo accenno di noia. Ma la storia del film non era caduta, e Marco aveva continuato a parlarmene nei giorni e nelle settimane dopo, e più lo faceva, più sembrava vivida e piena di suoni e immagini, ritmi interni, tagli di luce. Marco la raccontava come se vedesse il film già finito e me lo descrivesse man mano che gli scorreva davanti agli occhi, e fermasse la proiezione ogni tanto e tornasse indietro a particolari che erano scorsi troppo veloci per potermeli descrivere in tempo reale. Parlava con l'enfasi estrema che gli veniva quando non si sforzava di essere distaccato: sottolineava parole, gesticolava, si fermava a guardarmi con i suoi occhi scuri molto accesi, come se avesse paura che la storia potesse dissolverglisi davanti da un momento all'altro, o prendere una brutta forma, deluderlo improvvisamente alla minima distrazione.

Era una storia strana: ascoltarla mi faceva lo stesso effetto che vedergli tirare fuori da una valigia apparentemente vuota una quantità incredibile di oggetti dalle forme e i colori più sorprendenti che poi svanivano dopo qualche secondo. Gli tenevo dietro, nel mio modo leggermente squilibrato a suo favore, e di volta in volta cominciavo ad aggiungere qualche dettaglio anch'io. Riuscivamo quasi sempre a intenderci al volo, senza dover spiegare o illustrare o tradurre molto: bastava che Marco lanciasse un'idea, e le mie idee venivano fuori a scia, rapide al punto di darmi a volte un senso di ubriacatura. Le nostre immaginazioni erano così compresse e pronte a partire, i nostri collegamenti con la realtà così scarsi, le nostre energie così sollecitate dalla disperazione di avere a che fare con un mondo immobile, sordo a qualunque richiesta incerta e febbrile.

Erano due mesi almeno che io e Marco parlavamo del film ogni volta che ci vedevamo, e appena ci siamo rivisti abbiamo ricominciato a farlo; le immagini di Misia mi sono scivolate nel retro del cervello, mi è sembrato di non pensarci più.

Marco aveva cominciato a scrivere tutte le idee che gli venivano in mente, su un piccolo quaderno a spirale che aveva riempito di frasi segnate da numeri e frecce e asterischi nella sua calligrafia molto inclinata. Parlava a ruota libera e ogni tanto tirava il quadernetto fuori di tasca e mi leggeva qualcosa, fermo in mezzo al marciapiede, con la gente che passava oltre e si girava senza capire cosa stessimo facendo.

Diceva «Grande casa vuota. Un appartamento nel centro della città, molto borghese. Pavimenti di legno e grandi finestre, ma vuoto. Lui ci arriva per caso. Deve portarci qualcosa, magari. Magari legge un annuncio su un giornale dove cercano qualcuno, no?».

«Qualcuno per cosa?» dicevo io, e mi sentivo lento e un po' ottuso rispetto a lui, ma in fondo era il mio ruolo, era previsto che ci fosse una parte di irritazione nel suo modo di interloquire con me.

«Non lo so ancora» diceva lui: rapido, irritato. Diceva «Qualunque cosa. L'annuncio per un giardiniere, non so. Lui fa il giardiniere».

«Ma un giardiniere a Milano?» dicevo io. Non mi piaceva il mio timbro di voce, non suonava netto e ben scandito come il suo, soprattutto nei mezzi toni.

Marco diceva «Mica deve essere una cosa *realistica*. Mica vogliamo fare una specie di documentario, tutto plausibile e riscontrabile e perfettino e composto».

Gli dicevo «D'accordo, d'accordo». Quando lui era in seconda liceo e io in prima eravamo andati a fare un viaggio in tenda lungo la costa ovest dell'Italia, e non avevamo neanche pensato di portarci dei sacchi a pelo o delle coperte. La prima notte eravamo rimasti sdraiati rigidi sul fondo di plastica fino alle quattro, finché eravamo sgusciati fuori a saltare sul prato come grilli agonizzanti con le ossa e le giunture piene di freddo e di umido terribile, sconvolti tutti e due allo stesso modo dall'impatto con un problema così puramente pratico. Questo per dare un'idea di quanto fosse realistico il rapporto che io e lui avevamo con le cose.

Anche il film era un progetto astratto, basato su una competenza da spettatori di cinema e da immaginatori a tempo pieno; non sapevamo neanche da dove cominciare. Ero quasi sicuro che fosse come quando avevamo parlato e parlato di andarcene a vivere in America, o di ristrutturare abusivamente una casa abbandonata vicino a un ex canale, o di mettere su un servizio di lavanderia con prelievo a domicilio; ero quasi sicuro che saremmo andati ancora una volta a sbattere contro un muro di pure questioni pratiche, per ritrovarci seduti per terra nella delusione più totale. L'unica cosa diversa era l'insistenza con cui Marco ci tornava sopra, questa volta: mi sembrava che non riuscisse più a farne a meno, che l'idea del film fosse diventata per lui una vera questione di sopravvivenza.

Marco riprendeva a camminare con un passo feroce; diceva «No, azzera tutto. Lui riceve una busta con la posta, e nella busta c'è solo una chiave e un foglietto con scritto un indirizzo. Lui va a questo indirizzo, senza sapere niente».

«Per pura curiosità» dicevo io. «Senza la minima idea di cosa lo aspetti. Ci va e basta.»

«È fatto così» diceva Marco. «È uno che si attacca a qualsiasi esca gli mandi il caso. Gli sembra un segnale del destino, ha questa specie di fatalismo.»

«Tipo te» dicevo io, anche se non ne ero del tutto sicuro.

«Non so» diceva lui, con lo sguardo che correva lungo il bordo del marciapiede lurido. «Più *strano*, credo. Più dissociato. Più sconnesso interiormente, no?»

Io e Marco Traversi che camminiamo e camminiamo per le vie di Milano, senza smettere di parlare e fare gesti, senza guardare niente di quello che abbiamo intorno. Suole troppo piatte sul duro dell'asfalto, passi mal calibrati, respiro mal calibrato, parole e parole profuse ma è l'unica ricchezza che abbiamo; ossido di carbonio dal traffico che ci invade il sangue, contribuisce all'intensità patologica con cui cerchiamo di sospingere le nostre immaginazioni.

Cinque

Sabato pomeriggio ero sdraiato di traverso sul divano a fumare uno spino fatto con l'haschisch color ruggine che mi aveva portato un amico dal Libano e leggere un racconto di Stevenson sui mari del Sud, ed è suonato il telefono, l'ho lasciato suonare sette o otto volte prima di rispondere. Quando finalmente ho risposto era Misia: mi ha detto «Come stai?», nel tono più naturale e caloroso del mondo.

Ho riconosciuto subito la sua voce, eppure non ero sicuro di riconoscerla, ero spiazzato come poche volte in vita mia. Mi sembrava di avere archiviato così bene la possibilità di rivederla, sentirla così di colpo mi ha mandato in uno stato di fibrillazione totale. Ho detto «Be-he-ne» con un vero timbro da pecora; la cornetta mi è scivolata dalle dita, è caduta sul tavolo.

Quando l'ho ripresa con il terrore che si fosse rotta, Misia rideva; ha detto «Ti ho disturbato o qualcosa?».

«No no no no no» ho detto io, pieno di pensieri che mi scivolavano uno sull'altro e andavano a rompersi in tutte le direzioni. Ho detto «Ti avevo cercata, la settimana scorsa, ma qualcuno mi ha detto che eri via».

«Mio fratello» ha detto Misia; mi ha mandato attraverso l'orecchio destro una corrente di sollievo puro. «Sono tornata ieri notte.»

Le ho detto «Tu pensi che riusciamo a vederci, magari?». Ero convinto che non potesse succedere, ma era una frase che correva più veloce della mia capacità di ragionare.

Invece Misia ha detto subito «Sì, dài», con uno slancio così sincero e diretto che mi ha comunicato uno shock di incredulità ancora più forte che per la sua voce al telefono.

Le ho detto «Dove?», tutti i pensieri schiacciati sotto una pressa pneumatica di non-preparazione.

«Dove vuoi tu» ha detto Misia, come se i suoi programmi fossero così miracolosamente aperti e flessibili da includere qualunque idea mi potesse venire.

Le ho detto «Al laghetto dei giardini» solo perché era l'unico posto di tutta la città che riuscivo a visualizzare. Lei ha detto «Dài». Io ho detto «Quando?», con il senso improvviso di essere troppo lento rispetto allo spazio da attraversare. Lei ha detto «Non so, alle tre, se ti va bene», la sua voce già piena di immagini in movimento.

Ho rimesso giù la cornetta e ho fatto una corsa selvaggia lungo il mio appartamento-corridoio: dalla finestra sul corso alla porta d'ingresso e indietro, ho urtato forte contro due o tre spigoli ma non sentivo niente.

Poi mentre andavo in bicicletta al luogo dell'appuntamento le facce delle persone lungo i marciapiedi e nelle macchine mi scorrevano intorno incredibilmente amichevoli per il luogo e per la stagione. Non riuscivo neanche a vedere il colore dei semafori; pedalavo come un pazzo, con addosso una giacca afghana tutta spiegazzata e troppo leggera, troppo lunga e larga per quanto mi sentivo magro in quel momento.

Sono arrivato al laghetto del parco almeno dieci minuti prima del giusto, ho camminato avanti e indietro con la bicicletta a mano in uno stato di continua oscillazione tra benessere e impazienza e sfiducia, immagini anticipate di me che tornavo a casa da solo dopo avere aspettato inutilmente; quasi-sollievo anticipato.

Invece pochi minuti dopo ho visto Misia che arrivava, in bicicletta anche lei, con un cappottino blu trapuntato dal collo orientale e una gonna lunga: bella e luminosa più ancora di come me la ricordavo. Di colpo ho provato spavento all'idea che venisse proprio da me, tra tutte le cose che avrebbe potuto fare in città, come può succedere a uno che provoca l'incendio di un bosco alla leggera e poi si rende conto di non avere la minima possibilità di controllarlo.

L'ho salutata con troppo slancio, appena è scesa dalla bicicletta: con troppi sorrisi e troppi sbalzi di voce, troppi gesti. Ma lei era così naturale e allegra da non lasciarmi il tempo di pensarci; richiamava tutta la mia attenzione al suo sguardo chiaro, al timbro caldo con cui diceva «Sono contenta di rivederti».

«Anch'io, anch'io» le ho detto. C'era questo scivolare di piani, tra noi: questo modo di passarci su un lato e tornare indietro come due barche che si incontrano, con movimenti dovuti alle intenzioni e movimenti dovuti alle correnti. Avevamo le biciclette per mano, così che uno dei nostri due lati non era praticabile e nello stesso tempo ci offriva un punto di appoggio; ci scorrevamo incontro e intorno nel modo più strano, producevamo onde di interesse, scie di curiosità.

Poi abbiamo camminato con le biciclette al fianco lungo i viali più interni del parco, dove non rischiavamo di affacciarci di colpo su una delle strade di grande traffico che lo assediavano tutto intorno. Misia mi ha raccontato che lavorava da due anni a un centro di restauro a Firenze, tornava a Milano il venerdì notte e ripartiva domenica notte o lunedì molto presto; era per questo che non l'avevo trovata nell'appartamento dove viveva insieme a suo fratello e dove l'avevo accompagnata la sera che ci eravamo conosciuti. Non sapeva bene perché faceva questo doppio viaggio quasi ogni settimana: forse era soprattutto per tenere d'occhio suo fratello che era un tipo difficile, e staccarsi dalle tensioni circolari del centro di restauro a Firenze. Diceva «È un lavoro bellissimo, non c'è niente che mi potrebbe appassionare di più, ma sai i mondi chiusi, no? *Qualsiasi* mondo chiuso? Quando dopo un po' che ci vivi cominci a pensare di essere al centro di tutto? Devi uscire ogni tanto, ricordarti che c'è dell'altro, appena fuori».

«È vero» le dicevo, elettrizzato com'ero dal senso vibrante di ricerca che mi comunicava con ogni suo sguardo e respiro.

«Ma è molto bello tornarci, ogni volta» diceva Misia. «Essere tra tante altre persone che hanno la stessa passione. C'è questa convergenza incredibile di energie, mentre lavori. In certi momenti è esaltante.»

Più la sentivo parlare, più mi sembrava di essere indietro rispetto a lei: imbozzolito nel mio senso di estraneità come in una perfetta scusa, senza abbastanza coraggio né chiarezza per decidere di fare quello che mi interessava davvero, senza neanche capire cosa fosse. Avrei dato l'anima per poterle raccontare anch'io di una qualunque mia passione travolgente, ma non riuscivo a trovarne nessuna, non riuscivo a trovare nessun periodo o singolo episodio di esaltazione per qualcosa che non fosse un'idea infantile e infondata. Ascoltavo Misia e assorbivo la sua energia viva e impaziente con tutti gli altri sensi disponibili, e i miei sentimenti andavano a strappi; sudavo malgrado il freddo, non riuscivo a dare nessun equilibrio ai miei movimenti.

Forse per autogiustificarmi le ho raccontato di colpo le ragioni della mia asimmetria fisica: tutta la storia di come mio padre aveva voluto farmi nascere nella vecchia casa di famiglia in Veneto e di come mia nonna che era ginecologa aveva insistito invece per una clinica e di come mio padre aveva insistito per la casa e di come mia madre per fare dispetto a mia nonna con cui era sempre in polemica aveva dato ragione a lui e di come alla fine io ero nato mezzo rovinato dal forcipe della levatrice, rigido per tutta la metà destra del corpo come uno stoccafisso.

«Ma *paralizzato*?» mi ha chiesto Misia, con l'urgenza di chi ha bisogno davvero di un'informazione e ha bisogno che sia precisa.

«Per metà» ho detto io, con una mano che scendeva di taglio dalla fronte al petto.

«E poi?» ha detto Misia. Mi guardava per capire che genere di tracce avesse lasciato tutta questa storia, ma con un genere caldo di curiosità, senza sembrare minimamente sull'orlo della compassione.

«Mia nonna ha litigato selvaggiamente con mio padre» ho detto. «È sempre stata un bel tipo. Una delle prime donne in Italia a specializzarsi in ginecologia. Mezza matta, anche. Dovresti vederla.»

«Mi piacerebbe» ha detto Misia; e sentivo che era vero. La sua attenzione continuava a farmi fibrillare il cuore e i pensieri; ero felice di avere qualcosa da raccontarle.

«Comunque ha preso me e mia madre e ci ha portati a Milano» ho detto. «Ha spiegato a mio padre che se si azzardava a ostacolarla in qualche modo, avrebbe dedicato tutte le sue energie unicamente a distruggerlo.»

«E poi?» ha detto ancora Misia (il suo modo di muoversi, i vestiti che aveva addosso, il suo sguardo così presente e leggero).

«Ha dedicato tutte le sue energie unicamente a cercare di rimettermi in sesto» ho detto io. «Il che non deve essere stato tanto facile. Ha lasciato la sua clinica per un anno, mi ha portato in giro per mezzo mondo da tutti gli specialisti che riusciva a trovare, a farmi fare tutti i generi possibili di terapie non convenzionali finché ho cominciato a muovere la mano destra e la gamba destra e ad aprire l'occhio destro.»

«È stata fantastica» ha detto Misia, con uno sguardo che mi faceva salire brividi dai talloni fino alla punta dei capelli. «Adesso stai benissimo, no?»

«Sì» ho detto io, e non ero più molto sicuro di avere fatto bene a parlarle di queste cose. «A parte il fatto che uso molto meglio la sinistra della destra, e come vedi sono abbastanza asimmetrico e ho gli occhi di due colori diversi.»

«Fai vedere» ha detto Misia, con un'improvvisa eccitazione da ragazzina.

Così le ho fatto vedere i miei occhi di due colori diversi, e mentre lei si allungava verso di me ho guardato i suoi occhi chiari molto da vicino, ho assorbito il suo respiro tiepido con la sensazione di stare per perdere l'equilibrio e cadere all'indietro, bicicletta e tutto.

Poi abbiamo ripreso a camminare fianco a fianco, e Misia mi ha raccontato della sua famiglia, o dei pezzi sparsi che ne restavano: di sua madre bella e fragile che lavorava il vetro e di suo padre che li aveva lasciati per andare a vivere con un'altra donna in Sudafrica quando lei aveva undici anni e poi era tornato ma solo per spendere tutti i soldi di sua madre in imprese sballate e fare il fratello viziato dei suoi figli e andarsene via di nuovo. Mi ha raccontato di suo fratello minore che viveva con lei e sarebbe stato un bravo fotografo se non avesse avuto un carattere così disordinato; di sua sorella che fin da quando erano piccole la faceva impazzire di rabbia con la sua ottusità totale. Aveva un modo fantastico di raccontare: in poche frasi creava immagini molto vivide e precise, animate di stupore e curiosità e riflessione e irrequietezza in gioco stretto. Parlava di una persona o di un luogo, ed era come se inventasse sul momento i significati delle parole e i suoni per descriverli, riusciva a minare qualunque anticipazione. Ed era rapida, rapida. Sembrava che non ci mettesse niente a cogliere il cuore di una questione, percorrere le sue diramazioni più lontane. Conoscevo solo Marco, di così rapido; ma la sua impazienza gli passava dentro come una corrente avvelenata a volte, non si combinava alle sue altre qualità con la naturalezza armonica di Misia. Non mi era mai capitato di incontrare una ragazza così interessante e difficile da prevedere o classificare, e così bella per di più.

Vicino a un piccolo ponte di ferro mi ha parlato ancora del suo lavoro al centro di restauro. Ha detto «È tutta una *scoperta*, anche quando credi di sapere esattamente cosa aspettarti. Hai questo quadro davanti, e lo devi trattare con molta delicatezza per non appiattirlo o insquillantirlo o instupidirlo e involgarirlo irrimediabilmente. Devi avere una cura da disinnescatore di mine, quasi. E man mano che rimuovi le patine di protezione e di sporco scopri che sotto è *vivo*. Come un pesce congelato in un blocco di ghiaccio, no? Lo riscaldi poco a poco, e il ghiaccio si scioglie e di colpo il pesce riprende a guizzare e palpitare, con tutto l'argento delle scaglie che luccica. È una cosa magica».

Anche lei era una scoperta, e più sorprendente di quanto avessi mai potuto aspettarmi; mi sembrava di aver perso tutte le mie parole lungo i vialetti mentre camminavamo con le nostre biciclette a fianco, la ascoltavo e stavo zitto. Quando mi ha chiesto cosa facevo io, non sono riuscito a presentarle con nessun risalto il fatto di essermi laureato in storia antica con una tesi sulla Quarta Crociata.

«È interessante?» mi ha detto, con la testa inclinata e uno sguardo buffo di curiosità perplessa.

«Abbastanza» le ho detto. «È stato l'inizio di un sacco di cose orribili che vanno avanti ancora adesso. Anche uno scontro di due mondi terribilmente lontani. Ma tutta la storia è così, se provi a vederla fuori dagli elenchi di date e nomi che ti fanno memorizzare a scuola. È tutta una faccenda di furti e tentativi di furti e violenze personali, di avidità e sospetti ed equivoci e non-comprensioni.»

Lei continuava a guardarmi molto attenta, ma la sua attenzione aveva l'effetto di allontanarmi irrimediabilmente da quello che dicevo, farmelo sembrare astratto. Avrei voluto poterle raccontare di mie ricerche sul campo in Turchia e in

Libano e in Siria e in Israele, invece di letture e letture di libri nell'aria morta della biblioteca comunale; avrei voluto avere informazioni di prima mano, invece di interpretazioni del lavoro di altri; avrei voluto essere suggestivo e rapido e sorprendente a ogni presa di respiro. Così ho cambiato tono di colpo, ho detto «Ma quello che sto facendo adesso è un film con un mio amico».

«Un film su cosa?» ha detto Misia, invece di essere colpita dall'idea in sé. È sempre stata così: non si è mai lasciata incantare dalle parole, ha sempre avuto questo modo di andare a guardare subito cosa c'è dietro.

E mi ha spiazzato di nuovo; le ho detto «È una storia complicata. Non è una *storia*, in realtà. È una specie di concatenazione libera di avvenimenti». Sudavo, facevo fatica; avrei voluto parlarle del mio viaggio in India due anni prima, invece.

«Libera in che senso?» ha detto lei; la curiosità nel suo sguardo era così poco adulterata da renderla quasi vulnerabile.

«È ancora quasi tutto nella testa del mio amico» ho detto io. «È il mio migliore amico, è un tipo fantastico.» Non riuscivo ad assumere atteggiamenti con lei: neanche la parvenza di un tono. Le ho raccontato di Marco Traversi e del film che gli era venuto in mente e di come mi aveva coinvolto e di come avevamo continuato a parlarne e inventare insieme nuovi particolari ogni volta che ci vedevamo, e mentre parlavo mi sembrava di assorbire la sua attenzione come la più stupefacente delle sostanze, mi faceva girare la testa dilatava tutte le mie percezioni.

Io e Misia fuori da un cancello del parco, in margine a un viale pieno di traffico veloce: rumore, rumore, spostamenti d'aria. Misia che mi ascolta, io che parlo ad alta voce e gesticolo con la mano libera dalla bicicletta. Non vorrei avere questo telaio pesante di metallo che mi scorre di fianco, non vorrei avere quest'onda di suoni meccanici nelle orecchie.

Io e Misia che pedaliamo senza smettere di parlare, gridiamo per contrastare il frastuono di motori. Misia va in bicicletta con la stessa naturalezza e la stessa cura che ha per le altre cose, eppure mi pare che attraversi il traffico con una specie di sottile incoscienza; mi viene da proteggerla a ogni curva e incrocio e semaforo.

Io e Misia che beviamo vodka gelata seduti al tavolino di

un bar vicino a casa sua. Misia che ride del mio modo di parlare a voce molto alta: dice che le sembra una cosa generosa, un sintomo di disponibilità verso la vita.

Io e Misia in bicicletta, sul punto di dividerci a un incrocio. Io che insisto per accompagnarla fino a casa, lei che dice di no, sorride e scuote la testa. Mi sembra che ci sia tutto il tempo del mondo per rivederci; mi sembra che non ci sia nessun tempo; mi sembra che non ci possiamo più perdere di vista; mi sembra che il nostro contatto sia solo un filo di luce molto sottile.

Misia che pedala via; quando è a cinquanta metri già mi sembra strano averle mai dato un appuntamento, avere camminato con lei e parlato per tre ore di seguito. Misia che si gira e mi fa ancora un gesto di saluto da lontano, leggero come il suo sorriso.

Io che pedalo via con il cuore che mi batte veloce e penso domani domani domani, penso cinque minuti fa.

Sei

Marco era sempre più preso dall'idea del film; era diventata una specie di ossessione ormai, non riusciva a pensare a nient'altro. Aveva cominciato a scrivere una vera sceneggiatura, sulla base di tutte le sue note nel quadernetto a spirale e di tutte le parole che ci eravamo detti camminando per la città: si era fatto prestare una vecchia macchina da scrivere da una sua amica e batteva pagine e pagine ogni giorno. Veniva a casa mia con questi fogli a righe fitte già tutti spiegazzati, me li faceva leggere e camminava avanti e indietro dalla porta alla finestra e intanto gli venivano altre idee in mente; mi strappava i fogli di mano mentre ancora leggevo, diceva «Aspetta, aspetta» cancellava e spostava e aggiungeva parole e frasi con tratti frenetici di penna.

Era sempre più una cosa sua, anche se continuava a chiedermi consigli e opinioni e idee e io continuavo a dargliene: riusciva sempre meno a spiegarmi i lampi e i salti della sua immaginazione, il disegno di fondo che gli si formava in mente. Ma aveva bisogno di parlarmi e di coinvolgermi tutto il tempo, di avere da me risposte e sollecitazioni; mi guardava e cercava di capire cosa ne pensavo davvero, se gli andavo dietro solo per amicizia o perché ero convinto. Ero convinto, anche se non capivo fino in fondo cosa volesse raccontare: i miei pensieri su Misia mi tenevano in uno stato così febbricitante che avrei fatto qualunque cosa pur di essere in movimento, non tornare al chiuso fermo di prima di conoscerla.

Io e Marco abbiamo preso ad andare in giro per la città a

cercare i posti dove girare gli esterni e gli interni del film, anche se la sceneggiatura non era ancora finita e né io né lui eravamo sicuri di come si dovesse scriverla. Entravamo a guardare scale di palazzi e cortili, litigavamo con le portinaie, rischiavamo di farci investire per studiare angoli e facciate in mezzo al traffico. Ci siamo messi a osservare i passanti per la strada, a indicarceli appena ci sembrava che qualcuno potesse assomigliare a un personaggio o darci un'idea per modificarlo. A volte li pedinavamo per capire se i nostri due punti di vista concordavano, finché loro se ne accorgevano e si voltavano di scatto come animali braccati. Marco diceva «Stiamo guardando gente per un film», con il massimo della sua aria distaccata; le reazioni non erano mai molto positive, forse perché né io né lui avevamo l'aria di gente di cinema. Quando siamo stati più o meno d'accordo sulla fisionomia dei vari personaggi, ci siamo messi a ripescare ex compagni del liceo o dell'università, amici e amiche ed ex fidanzate, chiunque ci venisse in mente per una possibile parte. Telefonavamo da casa mia, con davanti i fogli dove Marco aveva battuto a macchina i nomi dei personaggi e quelli degli interpreti, croci o punti interrogativi segnati a fianco di ognuno.

Eppure non avevamo la minima idea di dove avremmo potuto trovare la cinepresa e le luci e la pellicola e tutto quello che sarebbe servito per fare un film anche da totali dilettanti. Marco non aveva voglia di parlarne, quando tiravo fuori l'argomento: ogni volta mi faceva sentire una specie di ragioniere, diceva «Vedremo, Livio». Ma non riuscivo a fare a meno di pensarci, per quanto mi sforzassi; ero troppo consapevole del muro di ragioni pratiche contro cui avremmo finito per andare a sbattere in pieno slancio, avevo troppo in mente la nostra esperienza di campeggio senza sacchi a pelo né coperte. Una volta che l'ho incalzato ancora su questo punto, Marco ha detto «Senti, ruberemo tutto, se non c'è un'altra strada».

«Come ruberemo?» gli ho detto, mezzo eccitato e mezzo perplesso: con immagini mentali di noi due catturati dalla polizia, noi due in galera.

«Ruberemo tutto» ha detto di nuovo Marco, anche se non credo che avrebbe mai saputo spiegarmi come o dove. Era uno dei nostri atteggiamenti di allora, venivano in parte dai libri che leggevamo e dalla musica che ascoltavamo e dai film che vedevamo e dallo spirito che c'era nell'aria: avevamo questo modo di sentirci dei fuorilegge, anche se le nostre vite erano inoffensive in modo patetico, appena sotto le parole e i modi di fare.

Poi invece è successo che il materiale per il film lo abbiamo rubato davvero, anche se non io e Marco direttamente. Un sabato pomeriggio camminavo nel corso sotto casa mia, pensando molto intensamente a Misia che non aveva potuto venire a Milano per via del lavoro, e ho incontrato un tipo che conoscevo da un viaggio in Umbria tre anni prima. Si chiamava Settimio Archi, era piccolo e magro, con i capelli lunghi e una barbetta aguzza, percorso da una specie intensa e furtiva di energia nervosa. Aveva questo sguardo di animale da selva, in spostamento continuo, abbastanza brutto ma efficace dal punto di vista della sopravvivenza. Era andato su e giù dall'Oriente e dal Marocco per anni, con traffici di haschisch che stipava dentro statuette e tavolini di legno e poi rivendeva a Milano. Credo che vivesse in gran parte di quello, ma non era solo un trafficante: era anche uno abbastanza strano, con scatti improvvisi di generosità e una vera passione per la musica rock; la sua casa alla periferia ovest della città era quasi tutta occupata da una collezione di centinaia di dischi difficili da trovare. Il problema con lui era che aveva una forma di mitomania che dilagava in tutto quello che diceva, al punto da non farti mai capire cosa era vero e cosa no, lasciarti sempre con un margine di dubbio. Una volta per esempio mentre andavo in bicicletta mi era arrivato di fianco su una grossa moto giapponese a guida ultrabassa, tutto «Ti piace?» e «100 cavalli» e «Appena comprata» e accelerate a vuoto; poi la prima volta che l'avevo rivisto mi aveva detto che gliel'avevano rubata, ma con un'aria così poco coinvolta da farmi pensare che non era mai stata sua, probabilmente se l'era solo fatta prestare da qualcuno per un giro.

Oppure un'altra volta l'avevo visto abbacchiato e mi aveva detto che sua madre era morta, aveva incassato decine di mie frasi costernate e toni partecipi; e qualche giorno dopo per puro caso lo avevo visto uscire insieme a lei da un supermarket, carichi tutti e due di sacchetti della spesa. Altre volte invece faceva racconti che io classificavo automaticamente come falsi e poi scoprivo veri; era difficile capirlo prima, il suo sguardo non aiutava per niente.

Quando l'ho rincontrato sotto casa mia era tutto cordiale ed esuberante, ha insistito per trascinarmi a bere qualcosa in un bar-tabaccheria all'angolo. Per non lasciargli troppo spazio per raccontare balle, ho cercato di parlare io il più possibile, gli ho detto del film che io e Marco volevamo fare e di come non avevamo macchina da presa né pellicola né soldi per comprare o affittare niente. Lui mi ascoltava e prendeva piccoli sorsi dal suo Martini cocktail, faceva di sì con la testa, guardava in tutte le direzioni; alla fine ha detto «Non c'è problema».

«In che senso?» gli ho detto. Pensavo che avrei potuto suggerirlo a Marco per una parte nel film, con questi occhi da predatore svantaggiato nella scala della predazione ma ben deciso a non lasciarsi morire di fame.

«Non c'è problema» ha detto di nuovo Settimio Archi. Muoveva le ginocchia tutto il tempo, muoveva le spalle e il busto magro e la testa e lo sguardo, non capivo bene se per sottrarsi a un giudizio definitivo o per irrequietezza connaturata. (Anche Marco era sempre in movimento, dentro una stanza o fuori, ma il suo era un modo di muoversi del tutto diverso, come se fosse sempre alla ricerca di qualcosa che non riusciva a trovare.)

«In che senso?» gli ho detto di nuovo, con un senso di sfinimento all'idea di parlare così tanto a vuoto, una vena di disperazione all'idea di Misia rimasta a Firenze.

«Te lo procuro io, il materiale» ha detto Settimio Archi, guardando il sedere di una ragazza che si rimetteva il cappotto e usciva dal bar. «Basta che mi date una parte nel film. Ho sempre sognato di fare l'attore, porca puttana.» Ha fatto un doppio gesto con le mani a forma di pistola; ha riso nel suo modo scoppiettato rapido.

Poche ore dopo mi ero già dimenticato di questo incontro, avevo già ripreso a parlare con Marco in modo totalmente non-concreto di tutto quello che avremmo voluto fare e scoprire e dimostrare con il nostro film. Eravamo già persi di nuovo in mille dettagli astratti o secondari, avviati a schiantarci contro la nostra vecchia barriera di dati di fatto.

Ma Settimio Archi non se n'è dimenticato per niente: cinque giorni dopo che ci eravamo parlati è venuto a suonare al citofono di casa mia, ha detto «Livio, vieni giù un secondo, muoviti».

Sono andato giù per le scale abbastanza seccato per il suo tono, e lui mi ha fatto salire su un maggiolino Volkswagen mezzo distrutto e ha indicato il sedile di dietro, e dentro due sacchi della spazzatura c'erano decine di scatole di pellicola Kodak a colori e una vecchia cinepresa Beaulieu a sedici millimetri con tanto di magazzini e paraluce e accessori vari e un registratore Nagra professionale. Settimio ha detto «Allora?». Mi guardava tutto puntuto e compiaciuto, ha detto «Va bene? Va bene?».

«Va bene» gli ho detto. Abbiamo portato tutto su in casa mia e ho telefonato subito a Marco senza spiegargli niente: gli ho solo detto «Vieni subito. C'è una sorpresa».

Marco è arrivato dopo forse un'ora, perché anche quando diceva «subito» finiva sempre per perdersi in qualcosa, e questo aveva a che fare con il suo rapporto con il tempo in generale. Non importa quanto ne avesse a disposizione, finiva sempre per trovarsi a ridosso di qualunque impegno o appuntamento senza più nessun margine, trafelato come se avesse dovuto lottare contro una terribile corrente opposta. Quando è entrato nella mia casa-corridoio e ha visto Settimio Archi che lo sondava con i suoi occhi forastici si è irrigidito; non gli piacevano le sorprese e non aveva nessuna facilità di contatto con gente nuova, mi ha guardato come se lo avessi attirato in una trappola. Non sono stato a presentarli: l'ho preso per un braccio e l'ho trascinato a vedere la cinepresa e tutto il resto che io e Settimio avevamo disposto sul mio letto, gli ho detto «Guarda un po'».

Marco si è bloccato a guardare, con un'espressione che non sono riuscito a decifrare subito ma sembrava una strana miscela di sorpresa e sgomento. Più tardi ho pensato di poterla leggere come una rivelazione su di lui: l'idea di poter fare davvero quello che aveva inseguito così intensamente con l'immaginazione lo faceva sentire di colpo inchiodato dai dati di fatto. I suoi sogni lo avevano raggiunto e agguantato per le spalle, lo avevano spinto da un istante all'altro nella realtà solida delle cose, senza più il minimo spazio di fuga.

Ma è stata solo una sospensione di tre secondi o quattro: subito dopo era lì tutto raggiante e incredulo ed entusiasta a scorrere le mani sulla cinepresa e sul registratore e tra le scatole di pellicola, a darmi pacche sulle spalle e stringere a tutta forza la mano a Settimio e dare pacche anche a lui, dire «La settimana prossima cominciamo il film! Cominciamo *subito*!».

Da quel momento il suo rapporto con il tempo e con lo spazio è cambiato, la sua energia ha preso a scorrergli dentro cento volte più incanalata e incalzante di prima. Si svegliava alle sette del mattino invece che alle dieci, veniva a citofonarmi sotto casa quando ancora ero nel sonno profondo, mi trascinava in giro per la città a vedere posti e persone, prendere contatti, stabilire tabelle di marcia. La sua irrequietezza universale si è ristretta e focalizzata, ha preso forme sempre più precise ed efficaci.

Sette

Pensavo a Misia, quasi sempre. Mi svegliavo e mi veniva in mente, lavoravo con Marco alla preparazione frenetica del film e mi veniva in mente. Era una specie di febbre che mi ero preso dal primo momento che l'avevo vista, era diventata più grave con la passeggiata al parco e peggiorata ancora da lì in poi. Nei momenti più diversi della giornata mi sembrava di pensare a tutt'altro, e di colpo mi rendevo conto che pensavo a lei. Qualunque cosa stessi facendo, mi fermavo per un secondo e sentivo il ritmo del mio cuore che cambiava, mille particolari di Misia che dilagavano incontrollati.

L'ho cercata due venerdì e due sabati di seguito al telefono, ma non rispondeva nessuno, neanche suo fratello. Lasciavo suonare a vuoto finché la linea non cadeva; richiamavo a ore diverse, senza risultato. Mi sentivo incredibilmente stupido a non averle chiesto il suo numero di Firenze. Mi sentivo solo e abbandonato, nella sovrapposizione di programmi e parole e telefonate e spostamenti per il film di Marco; l'idea di non riuscire più a rivedere Misia toglieva luce e divertimento a quello che facevo, toglieva senso all'attrito crescente delle cose da fare.

Poi il terzo sabato mi ha telefonato lei, nel suo tono ottimista e anche timido: ha detto «Sono Misia Mistrani. Ti ricordi di me?»; ha detto «Hai voglia che ci vediamo?».

Così ho telefonato subito a Marco per dirgli che non potevo raggiungerlo, e lui per fortuna stava lavorando alla messa a punto della sceneggiatura con una tale frenesia che quasi non riusciva ad ascoltarmi; sono corso fuori con più di un'ora di anticipo, non potevo neanche pensare di restare chiuso in casa ad aspettare il momento giusto.

Eppure quando sono arrivato nella via dell'appuntamento dopo molti giri a vuoto per far passare il tempo, Misia era già lì: incredibilmente chiara rispetto al grigio plumbeo dell'insieme, con le mani nelle tasche del suo strano cappottino blu e la testa girata per ripararsi dagli sguardi di lumaca degli uomini che passavano. Di nuovo mi ha sorpreso l'idea che fosse lì proprio per me, ho riregistrato i suoi particolari con un senso di vertigine man mano che la distanza tra noi si riduceva.

Sono saltato giù dalla bicicletta e l'ho abbracciata nel modo più goffo del mondo; la bicicletta è caduta a terra con un girare a vuoto di raggi. L'agitazione mi faceva incespicare nei miei stessi gesti; per compensare ho guardato intorno in cerca della bicicletta di Misia.

Lei ha alzato le mani dai fianchi in un modo comico che aveva, ma con un sorriso un po' triste; ha detto «L'avevo lasciata a mio fratello e gliel'hanno rubata».

«Bastardi» ho detto io. Avevo in mente così vivido il suo modo di pedalare ben dritta e morbida ed equilibrata, con uno sguardo che sembrava al di là dei movimenti del traffico; avrei potuto mettermi a battere tutta la città per ritrovargliela, frugare cortile per cortile.

«Non importa» ha detto lei. «Tanto non ci sono mai.» E non volevo che non ci fosse mai, e mi sembrava troppo luminosa per la città che avevamo intorno: l'idea che fosse arrivata al nostro appuntamento a piedi mi sembrava un delitto.

Le ho detto «Prendi la mia. Te la regalo». La mia bici olandese che avevo da tre anni, uno dei pochissimi oggetti a cui ero davvero affezionato; l'ho spinta verso di lei.

Misia è andata indietro, improvvisamente colorita in faccia; ha detto «Sei matto?». Anche i suoi occhi avevano un modo diretto di rispondere alle emozioni: le pupille che si dilatavano, nero profondo dentro l'azzurro chiaro.

«Te la regalo» ho detto io di nuovo, e mi sentivo goffo, di nuovo.

«Non la voglio» ha detto Misia. È scivolata di lato per evitare il manubrio che le spingevo contro, rideva.

«Neanch'io» ho detto. «Se non ce l'hai tu non mi interessa più. Non so cosa farmene. La lascio qui.»

«Lasciala» ha detto lei; guardava oltre, ma i suoi zigomi erano ancora rossi. La gente che passava lungo il marciapiede continuava a girare la testa: c'erano queste bave filanti di sguardi.

Così ho riappoggiato la mia bicicletta olandese contro il muro; l'ho lasciata lì, senza bloccarla con la catena come facevo sempre.

Misia mi ha chiesto se avevo voglia di vedere un piccolo museo a pochi passi, già camminava via. Ho capito che era così, con lei: che non potevi fare affidamento su nessuna zona franca di parole o gesti vuoti, perché lei non ne aveva. Facevi quello che facevi, eri quello che eri: per uno come me che era vissuto nel vago distillato e nel vago diluito era una novità sconvolgente. Mi ha messo paura e mi ha riempito di esaltazione, mi ha fatto camminare più deciso che potevo di fianco a lei, senza girarmi a guardare cosa succedeva della mia bicicletta.

Nel museo siamo rimasti vicini come fuori: il quasi-contatto accentuava le mie sensazioni al punto da farmi venire la pelle d'oca, farmi sentire ogni minima presa di respiro e fruscio di stoffa. Assorbivo con un piacere quasi doloroso i suoi cambiamenti di posizione rispetto a me, mentre mi passava avanti e poi si girava a guardarmi in faccia, mi toccava un braccio per indicarmi qualcosa. Inalavo il suo odore appena avvertibile, bevevo il suo modo di andare indietro per avere una visione d'insieme e poi avvicinarsi molto alla tela, cambiare angolo per leggere meglio un particolare.

Detestava i quadri di argomento religioso, come li avevo sempre detestati io fin da bambino: le sembrava un delitto che per secoli i pittori fossero stati condannati dai committenti a dipingere cristi e santi e madonne e croci e cadaveri, invece di potersi scegliere soggetti più vivi e allegri e vicini. Aveva questo modo palpitante di vedere le cose, anche quando si trattava del suo lavoro: questo modo non-raffreddato e non-sedimentato, esposto. Era chiaro che viveva e pensava e faceva tutto sull'onda della passione e dell'istinto; lo sentivo dai suoi movimenti e dal suo sguardo, dal calore mutevole nella sua voce.

Mi ha indicato un ritratto quattrocentesco di donna di profilo, ha detto «Ti immagini lui tutto intento alla sua tela? E lei ferma immobile con il respiro al minimo? Ore e ore ogni giorno, forse per settimane? Bloccati in una specie di sogno fermo? Magari si sono anche innamorati, nel frattempo, senza fare neanche un gesto. Poi lui ha finito di dipingere ed è sparito e lei si è alzata ed è sparita, e sono passati secoli ed è rimasto solo il quadro».

Avrei voluto dirle che la mia attenzione per lei era altrettanto assorta e focalizzata, da qualunque lato la guardassi; ho solo detto «È vero», troppo forte. Un custode seduto in un angolo si è scosso dal suo semiletargo per farci «*Shhhh*», con un dito davanti alle labbra.

«Ma perché?» gli ha detto Misia. «Non siamo mica in una tomba, no? O in una chiesa? Perché uno deve starsene muto e immobile davanti a un quadro?»

Non c'era villania nel suo tono, ma una forma indignata di stupore che mi era incredibilmente familiare; il custode ha bofonchiato qualcosa, non è riuscito a risponderle niente.

Quando siamo usciti in strada la mia bicicletta non c'era più, come si poteva prevedere; l'ho detto a Misia in un tono leggero, come se la cosa non mi toccasse affatto. Lei ha detto «Che peccato», e il suo sguardo era addolorato ma non sarebbe mai tornata indietro su una cosa fatta; ho provato un senso di sollievo più forte del senso di perdita, quasi-orgoglio per come reggevo la parte.

Siamo andati in giro a piedi per la città, con lo stesso spirito di quando eravamo dentro il museo. Ci indicavamo facce e modi di camminare e di vestirsi, catturavamo frammenti di frasi e atteggiamenti, gesti, sguardi. Marco mi aveva aiutato molto a sviluppare una capacità di osservazione, contro la mia tendenza a entrare nelle situazioni senza la minima prospettiva distaccata, ma con Misia era molto più divertente: c'era questa tensione che correva tra noi in alto e in basso, mi comunicava una specie di solletico al cuore e all'immaginazione. Anche con Milano Misia aveva un rapporto più variegato rispetto a Marco: le sembrava grigia e persecutoria e senza spazi per uso umano, ma il fatto di non esserci legata con la catena la lasciava libera di trovarci anche qualcosa che le piaceva. Diceva «È tutta così *nascosta*, dietro le facciate e dentro i cortili. Devi darti da *fare*, se non vuoi lasciarti mangiare vivo dalla desolazione. Con gli abitanti è un po' la stessa cosa, no? Se guardi solo la facciata sono intollerabili, ma sono quasi tutti scontenti di dove vivono e irrequieti e critici, il che è già molto, rispetto a uno che è convinto di vivere nel posto più bello e importante del mondo. Solo che non fanno niente per cambiare le cose. Hanno questa forma di rassegnazione, o di scetticismo totale».

Era più ottimista di Marco, più indulgente e positiva; ed era diventata autonoma a diciotto anni e lavorava in un'altra città, reagiva alle circostanze in modo molto più attivo di lui. Camminarle di fianco nel centro di Milano mi riempiva di eccitazione, aggiungeva luce e colori e profondità a ogni scena, mi suscitava spilli e striature di sensazioni che non pensavo di conoscere.

Poi ci siamo stancati di andare in giro senza meta, e a un incrocio lei mi ha chiesto cosa volevo fare. Non avevo una strategia, né intenzioni né niente: camminavo di fianco a questa ragazza così bella che tutti si giravano a guardarla, e lei mi parlava come se mi trovasse la persona più vicina e simpatica al mondo, ed ero totalmente d'accordo con tutte le sue osservazioni e con il suo spirito; le ho chiesto se aveva voglia di venire a prendere un tè da me. Lei ha detto «Va bene», elegante e nervosa e forte e ostinata come una cavallina bionda di montagna.

Casa mia, sotto. Un edificio di ringhiera, ma piccolo, tre piani affacciati su un cortile minuscolo; gli intonaci ex giallo milanese scrostati e anneriti. Quando si apre il portoncino di legno il rumore del corso invade il cortile: le frequenze alte delle motociclette smarmittate e quelle basse dei diesel di camion percorrono furiose lo spazio fino al muro opposto e rimbalzano indietro, restano nell'aria come versi di animali selvaggi quando il portoncino è già richiuso.

Ho fatto strada su per la scala, tre sole rampe brevi ma mi giravo ogni tre scalini verso Misia dietro di me; mi costava una fatica incredibile provare a non muovermi a scatti, mantenere un'espressione non distorta dall'incredulità. La scala era stretta: amplificava il mio respiro affannato e quello leggero di Misia, il suo sguardo curioso lungo i contorni del muro.

Il mio appartamento-corridoio, con il pavimento di legno e la finestra in fondo e le mensole alle pareti che vibrano in permanenza per i movimenti meccanici nel corso e si scuotono più forte a ogni passaggio di tram o autobus. L'aveva scelto mia madre, e mia madre non aveva mai tenuto molto conto del rumore o della luce nello scegliere una casa. La prima volta che mia nonna era venuta a trovarmi aveva detto «Non è un appartamento, è una scatola per esperimenti-limite sul sistema nervoso della specie umana». Questo aveva molto a che fare con la polemica costante tra lei e mia madre, ma anche Marco lo trovava invivibile. Io invece a quei tempi non avevo molta sensibilità al rumore, e se volevo la luce preferivo uscire; e comunque mi sembrava di potere essere già contento, nessuna delle persone della mia età che conoscevo aveva un posto suo dove stare, a parte Misia.

Misia si guardava intorno, tra il blocco-cucina all'ingresso e i sacchetti di spazzatura da buttare e la poltroncina di pelle di vacca pezzata che avevo trovato abbandonata su un marciapiede una notte insieme a Marco e il grande letto a ruote mal rifatto e il tavolo a cavalletti vicino alla finestra, i dischi per terra e i libri sugli scaffali e le foto e i manifesti ai muri e le scarpe e gli oggetti sparsi, la borsa piena di vestiti per la lavatrice di mia madre. Mi chiedevo cosa poteva dedurre di me da quello che vedeva, e non mi sembrava molto: la mia non-indipendenza, il mio cattivo uso del tempo, tracce di qualche viaggio, il carattere di mia madre, l'influenza critica di mia nonna, scie di cultura scolastica, sortite irregolari nella letteratura e nella poesia e nella politica e nei fumetti; la musica che mi piaceva, la mia tesi sulla Quarta Crociata, il fatto che fumavo (da un chilum di legno scuro comprato in India), il mio ruolo ibrido e confuso di ex studente e figlio e nipote pieno di slanci e arretramenti. Non mi sembrava molto; camminavo avanti e indietro e frugavo tra cassetti e scaffali, cercavo di distrarre Misia prima che potesse formarsi giudizi definitivi.

Le porgevo libri e dischi e fotografie da guardare, sovrapponevo un'informazione all'altra troppo in fretta per essere accurato, parlavo e facevo gesti sbagliati. Lei guardava tutto nel suo modo rapido e intelligente; la sua attenzione era sempre un po' al di là delle mie spiegazioni, già in attesa di nuovi elementi. Quando le ho fatto vedere alcuni dei miei disegni a china, mi è sembrata stupita: ha detto «Che strani. Che *strani*».

«Sono solo una cosa così» ho detto, senza capire la natura del suo stupore. «Li faccio nei ritagli di tempo, ogni tanto.»

«Ma sei *bravo*» ha detto lei, senza staccare lo sguardo dai disegni. «Dovresti farne di più. Dovresti *dipingere*.»

Le ho risposto che non ero abbastanza bravo e che non mi sembrava un vero lavoro possibile, che quello che mi interessava era fare il film con Marco e poi occuparmi di storia; ma le sue parole mi avevano provocato una scossa, avevo cominciato a sudare per l'agitazione. Mi sembrava impossibile che lei apprezzasse davvero qualcosa di me; e non riuscivo a credere di essere lì con lei in casa mia, dove l'avevo pensata dalla sera in cui ci eravamo conosciuti. Avrei voluto più di ogni cosa essere naturale, ma non avevo la minima idea di come, solo guardarla da vicino mi mandava in cortocircuito.

Ho messo a bollire dell'acqua per il tè in un pentolino tutto incrostato di calcare, ho cercato delle tazze decenti ma non ce n'erano, ne ho pulite due spaiate con uno strofinaccio. Non avevo molte risorse di cucina, a parte zucchero in cubetti e sale e una scatola di tè, e cinque confezioni dei cioccolatini ripieni di mia nonna che erano alla base della mia dieta molto poco equilibrata.

Ho messo sullo stereo *Let It Bleed* dei Rolling Stones, ho portato i cioccolatini e le tazze e la mia bottiglia di kirsch mezza vuota su un vassoietto nepalese. Misia ha mangiato due o tre cioccolatini, aveva fame e anche in questo era di una naturalezza fantastica: faceva esattamente quello che si sentiva di fare, le veniva così bene. Camminava da un punto all'altro dello spazio ristretto in una tensione curiosa e allegra, con il suo passo leggero ed elastico, i piedi nelle scarpe da tennis che posavano bene sul pavimento. Assorbivo i suoi movimenti come una materializzazione delle immagini mentali che avevo coltivato per settimane, vera e irreale, quasi troppo intensa per poterla registrare.

Le ho detto «Ma siediti»; e non c'erano molti posti dove sedersi, a parte il letto su ruote che tendeva a viaggiare per la stanza e due sedie impagliate molto scomode e uno sgabello-lattina di Coca-Cola e la poltroncina di vacchetta pezzata che ho trascinato fino al tavolo a cavalletti dov'era lei.

Misia l'ha guardata e rideva; aveva le mani sporche di cioccolata, era divertita da me e da quello che vedeva in giro. Si è seduta, in casa mia e sulla mia poltroncina pezzata, senza nessun'altra persona di mezzo, senza nessuna ragione che non fosse quella di essere lì con me.

Mi ha raccontato dell'appartamento che divideva a Firenze con un ragazzo e una ragazza che lavoravano con lei al centro di restauro: della confusione disperante e del freddo, della piccola stufa elettrica che dava la scossa e faceva saltare la corrente quando c'erano più di cinque lampadine accese. La stavo a sentire e oscillavo tra vicinanza miracolosa e senso di esclusione, invidia all'idea che due sconosciuti conoscessero lati della sua vita che io non avevo neanche sfiorato col pensiero, senso di dissanguamento per il tempo che era scorso via tra noi prima che ci incontrassimo. Avrei voluto sapere tutto di lei, e avrei voluto non sapere niente; avrei voluto che fosse sbucata dal nulla la sera in cui l'avevo vista, già così formata e spiritosa e complicata e sconcertante e irrequieta e attenta e libera. Le sfumature della sua voce mi suscitavano immagini altrettanto vivide di quelle che registravano i miei occhi, la mia attenzione si divideva su piani paralleli; facevo fatica a deglutire.

Mi sono ricordato del tè, sono andato a versare l'acqua già mezza evaporata, ho portato la teiera sbreccata e le tazze malpulite sul tavolo a cavalletti vicino alla finestra. Misia seguiva i miei gesti senza dire più niente, con un'espressione di attesa che mi ha fatto quasi inciampare. La musica dei Rolling Stones mi è sembrata troppo semplice e invadente rispetto a lei; sono andato ad abbassare il volume ma mi è subito venuta paura del vuoto, l'ho rialzato come prima. Sono tornato al tavolo e ho guardato sotto il coperchio della teiera, ho detto «Non sono un grande preparatore di tè, ho paura».

Ero così consapevole del suono della mia voce, in compenso: mi dava fastidio sentirmela nelle orecchie; e mi davano fastidio i miei gesti, mi sembravano fuori misura, fuori equilibrio. Ho versato il tè in una tazza ed è finito fuori per metà, mi ha scottato una mano. Ho detto «È questo cavolo di asimmetria che ho», avrei voluto buttare via tutto.

Misia rideva; ha detto «Ci pensi quanto perderesti se fossi perfettamente simmetrico?».

L'ho guardata mezzo curvo in avanti, con la testa girata a un angolo che mi faceva quasi male, ed era chiaro che non lo diceva per essere gentile, il suo spirito passava nelle sue parole con una facilità che mi si comunicava come una malattia acuta.

Ha detto «Anch'io sono asimmetrica. Ho metà della faccia che ride e metà che piange». Ha fatto scorrere la mano di taglio dalla fronte al mento, seduta seria in avanti sulla poltroncina: ha detto «Lo vedi?».

«Forse un po'» ho detto io, con la sensazione di scivolare lungo un piano inclinato.

«E sudo molto più dall'ascella sinistra che dalla destra» ha detto Misia.

Le ho detto «Anch'io»: mi sembrava una coincidenza incredibile, mi sembrava la cosa più normale del mondo.

Misia ha alzato le braccia come per annusarsi le ascelle: potevo sentire il suo calore corporeo, la consistenza della sua pelle quasi bianca sotto la lana grigia del golf, le sue forme così dolci e giuste.

E le sono precipitato contro, senza volerlo e senza neanche pensarlo. Un momento ero lì a forse due metri da lei con in mano la tazza mezza piena di tè, e un attimo dopo la tazza era caduta sul pavimento e io ero con la faccia premuta tra i suoi capelli e il suo collo e il suo seno, perso nel tiepido morbido elastico fragrante della sua persona. Era un puro impulso tradotto in fatto senza nessuna fase intermedia, come può succedere a una persona che guarda in strada affacciata a una finestra e ha tra sé e l'idea di buttarsi una lastra trasparente di impossibilità e invece un attimo dopo ha la percezione fulminante di essere già oltre il davanzale e a mezz'aria, al di là di qualunque possibile punto di ritorno.

Cercavo di baciarla, credo, o comunque di stringerla molto vicina: bisogno di contatto e stupore senza forma, istinto e percezione, dubbi travolti e sguardi a prospettiva zero, peso estremo e leggerezza estrema che mi comprimevano e dilatavano i pensieri fino a renderli indecifrabili. Ero precipitato e aggrappato, affondato e trascinato, sommerso da sensazioni non concordanti.

Ho sentito Misia che mi si irrigidiva contro, con la stessa incredulità lenta a recuperare dei miei dubbi travolti; l'ho sentita che respirava nello sforzo e si liberava dal mio abbraccio, sgusciava via all'indietro. La vista e l'udito e il senso dello spazio mi sono tornati nel modo più improvviso, come in una stanza buia dove qualcuno accende la luce di colpo.

Ho guardato Misia a una distanza che cresceva vertiginosa di secondo in secondo: i suoi occhi dalle pupille dilatate, le sue labbra solo un attimo prima quasi contro le mie, la sua faccia pallida. C'era questa espressione che le affiorava ai lineamenti, e non riuscivo a decifrarla mentre ci allontanavamo, quando ci sono riuscito ho visto uno sconcerto così dispiaciuto e deluso da farmi andare indietro indietro indietro come una molla, urtare di schiena contro il tavolo a cavalletti e mandarlo all'aria e far volare tazze e carte e zucchero in cubetti e libri e scatole e boccetti di china e monete e penne e la teiera e il telefono come in un'esplosione, farmi battere il sedere sul pavimento e la testa contro il muro.

Ho guardato Misia al centro della stanza, seduto a terra in un lago di inchiostri colorati che si mescolavano con il tè e i frammenti di vetro, e il dispiacere e la delusione nei suoi occhi e sulle sue labbra mi producevano una fitta attraverso il cuore, dolorosa come non mi ero mai immaginato una fitta.

Avrei potuto mettermi a piangere, per come mi sentivo; buttarmi lungo disteso a faccia in giù e chiederle scusa mille volte di seguito; correre verso la finestra e spalancarla e buttarmi di sotto nel corso, pur di sottrarmi alla stupidità insensibile del mio gesto che aveva rovinato tutto.

Misia mi guardava, molto pallida in faccia ma vedevo il sangue che cominciava a rifluirle alle guance e le faceva riprendere colore, anche se il suo colore naturale era così chiaro.

Le ho detto «Scusami scusami scusami, porca miseria». Avrei voluto rialzarmi e andarle più vicino ma non ci riuscivo; le ho detto «Mi dispiace mi dispiace mi dispiace». Mi sentivo incredibilmente scemo e volgare e aggressivo rispetto alla sua meravigliosa naturalezza senza filtri; mi sembrava di avere guastato un'opera d'arte con una scritta idiota, avere insozzato un paesaggio alpino con un camion carico di spazzatura industriale. Potevo già vedere Misia sulla porta; già sulle scale e nel cortile e in strada, fuori dalla mia casa e dalla mia vita per sempre. Potevo già sentire il vuoto nella stanza: il senso intollerabile di perdita.

Ma lei ha continuato a guardarmi senza muoversi, e ho visto il dispiacere e la delusione nei suoi lineamenti che perdevano intensità e si trasformavano in un'espressione più neutra che poco a poco prendeva la forma di un sorriso, appena leggibile all'inizio e poi sempre più aperto. Si è portata una mano alla fronte, tra i capelli; si è messa a ridere, piegata in avanti con gli occhi chiusi.

E non riuscivo a crederci, ma un secondo dopo quasi senza accorgermene stavo ridendo anch'io, di un riso elettrico leggero e insistente, come un bambino tirato isterico dalla indecifrabilità dei gesti e delle parole e della vita in generale. Ridevamo ai due lati della stanza, lei in piedi e io sul pavimento nel lago di chine colorate e di tè; ci guardavamo e respiravamo convulsi e tremavamo ed emettevamo piccoli versi di gola, con tutti i nervi ipersensibilizzati e doloranti, sollievo e disperazione che ci arrivavano ai polmoni a ogni presa di fiato.

Otto

Dalla svolta di Settimio in poi, tutti i pezzi del film sono andati insieme con un'accelerazione sorprendente. Un momento io e Marco eravamo lì a parlarne in giro per Milano come avevamo fatto con decine di altri sogni irrealizzabili, e il momento dopo il sogno era realizzabile, il momento dopo ancora Marco aveva già finito la sceneggiatura e c'erano già quasi tutti gli attori e quasi tutti i membri della troupe.

Non abbiamo pensato neanche per un attimo di cercare professionisti o aspiranti professionisti: Marco non voleva avere a che fare con nessun narcisista o manierista, con nessun tecnico cinico e disincantato. Voleva solo gente che partisse da zero e che fosse curiosa e irrequieta e incosciente quanto noi; diceva che era l'unico modo di inventare qualcosa di nuovo, ed ero d'accordo con lui. Così abbiamo deciso che lui avrebbe fatto anche l'operatore alla cinepresa (diceva «Sti cavoli di registi culoni affondati nelle loro poltrone pieghevoli, vanno ad appoggiare l'occhio al mirino ogni tanto e fanno fare tutto agli altri»), e io mi sarei occupato delle luci. Abbiamo coinvolto un mio vicino di casa mezzo matto per fare il fonico, e una mia cugina di secondo grado come costumista e segretaria di edizione. Gli attori li abbiamo trovati tra amici e conoscenti ed ex compagni di scuola, più Settimio Archi che aveva chiesto una parte come condizione per procurarci l'attrezzatura e comunque aveva una faccia che a Marco interessava. Ci ha procurato anche un aiuto-operatore suo conoscente che aveva lavorato in qualche pubblicità e in qualche documentario, la sola concessione in tutta la troupe alla tecnica sperimentata, ma l'unica cosa di cui non potevamo fare a meno era che le inquadrature venissero a fuoco.

Sul protagonista avevamo qualche dubbio: Marco aveva pensato fin dall'inizio a un nostro ex compagno di liceo che si chiamava Walter Pancaro e nella vita era uno psicopatico dissociato come il personaggio del film, ma avevamo paura tutti e due che lo fosse troppo per recitare. Abbiamo provato a portarlo in giro per la città, lo abbiamo fatto bere e fumare e parlare, lo abbiamo stuzzicato e pungolato per scoprire l'ampiezza della sua gamma di espressioni, ed era una gamma abbastanza ristretta. Alla fine di una cena in pizzeria, con Pancaro ancora curvo come un marziano sull'ultima fetta di quattro stagioni ormai fredda, Marco mi ha detto a mezza voce «Va be', è lui». Con la stessa mimica facciale ridotta a zero e lo stesso tono decolorato gli ho risposto che forse potevamo ancora cercare qualcuno di più convincente; Marco ha detto «Basta, basta, deciso. Non c'è più niente da fare». Aveva questo modo di perseguire le cose molto intensamente e poi lasciare che si decidessero da sole, esplorare mentalmente una varietà illimitata di opzioni per sceglierne una quasi a caso e affondarci come se fosse sempre stata l'unica, chiudere il discorso.

Uno che lo rivede adesso forse avrà l'impressione che il film di Marco sia sempre stato lì così com'è, ogni personaggio e sequenza e inquadratura e dialogo definiti dalla stessa visione priva di esitazioni che ha dato origine a tutti i film e libri e quadri che fanno parte del suo panorama mentale. Ma quando abbiamo cominciato le riprese, il film che Marco mi aveva raccontato e che aveva scritto e che ancora inseguiva era incredibilmente lontano da quello che è diventato poi: anni luce dal clima e dalle idee e dalle sensazioni del risultato finale.

Ogni volta che ne parlavamo, Marco diceva «Il nostro film», ma in realtà era stato il suo film fin dall'inizio, io avevo solo fatto da sponda e da contrappunto alle immagini che gli venivano in testa. Il suo stato diventava più febbrile man mano che ci avvicinavamo al giorno delle riprese, la sua attenzione così focalizzata da fargli raccogliere e incorporare elementi da quasi tutto quello che vedeva o sentiva o leggeva:

il gesto di uno sconosciuto per strada o il titolo di un giornale o la strofa di una canzone alla radio, la scritta su un muro, lo sguardo di una ragazza dietro il finestrino di un tram, una qualunque visione improvvisa che magari incontravamo camminando insieme per la città di notte. Aveva questo modo di dire «Aspetta», teso come se tutte le sue capacità si concentrassero in quel singolo istante; potevo vedere il nuovo elemento entrare nel quadro mutevole del suo film ancora immaginario, interagire con gli altri mille elementi inventati e reali. La sua attenzione assumeva una forma quasi violenta: il suo tono di voce diventava brusco e tagliato, il suo sguardo cattivo; strapazzava persone e spostava oggetti per vedere meglio o sentire meglio, capire meglio la ragione precisa che lo aveva colpito.

Avere a che fare con lui è diventato meno facile di prima, ma non abbastanza da mettere a rischio la nostra amicizia. Non avevo investito nessuna ambizione o ricerca di identità o orgoglio personale nell'idea di fare un film; mi piaceva solo l'idea di passare del tempo con lui, esplorare un territorio non conosciuto, avere qualcosa di interessante da raccontare a Misia. D'altra parte Marco aveva un rapporto con la realtà troppo faticoso e restio e pigro e nichilista per farlo da solo, era riconoscente per il ruolo di spettatore-medio e rompighiaccio e prendicontatti e traduttore simultaneo che mi assumevo con lui. La nostra amicizia era basata anche sul fatto che io ero un ponte con il resto del mondo, e lui un indicatore di direzioni e di sensi ultimi; non era una divisione di ruoli che mi dispiaceva, mi sembrava uno scambio alla pari date le nostre dotazioni naturali così diverse.

Nove

Quando gli ho parlato di Misia, nel grande appartamento in trasformazione dove stavamo per cominciare le riprese del film, Marco era impegnato a fare una serie di disegni per le inquadrature delle prime scene. Ha detto «*Misia*, proprio?», con uno dei suoi sorrisi tagliati.

«Sì, perché?» ho detto io, contratto in una difesa preventiva automatica.

«Niente» ha detto Marco, curvo sui suoi disegni. «Un po' un *atteggiamento* di nome, no? No?»

«Per niente, invece» ho detto io, in un tono che lo avrebbe stupito se fosse stato meno distratto. «Non ho mai incontrato una ragazza con meno atteggiamenti di lei. È il suo nome e basta. Gliel'hanno dato i suoi.»

Marco ha detto «Accidenti»; ha cancellato rapido con la gomma un piccolo spaventapasseri di uomo che rappresentava Walter Pancaro, l'ha ridisegnato in un altro punto della cornice che rappresentava l'inquadratura. Era troppo impaziente per disegnare bene: gli interessava solo fissare su carta i dati essenziali, nel modo meno equivocabile.

Ho detto «Volevo farla venire qui sabato a dare un'occhiata mentre giriamo». Avevo ancora in mente nelle minime sfumature la voce di Misia quando l'avevo chiamata a Firenze la sera prima: come nello spazio di pochi minuti mi era sembrata vicina e lontana, interessata, persa in tutt'altri pensieri.

«Sì» ha detto Marco a mezza voce. «Anche se non sarà

proprio uno spettacolo da circo, con gli orsi addestrati e i giocolieri. Forse almeno in parte dovremo concentrarci su quello che facciamo, questa volta.»

«Fin lì ci arrivo» ho detto, irritato dal suo atteggiamento. «Non so neanche se potrà venire.» Avrei voluto che potesse, però: avrei voluto mettere in gioco ogni singolo elemento di interesse che avevo a disposizione, provare a sostituire con un'altra l'immagine di me che le avevo dato quando era venuta a casa mia.

Marco ha detto «Va bene»; ma non era per niente contento, non gli piaceva affatto l'idea di avere spettatori e sconosciuti intorno mentre girava il suo film.

L'appartamento dove stavamo per girare il film era dei genitori di Walter Pancaro, che se n'erano andati a sciare sulle montagne dell'Engadina per un mese e lo avevano lasciato lì con una cameriera in mezzo a un'enorme quantità di mobili di legno scuro e vetrinette e paesaggi alpini e ciotole e coppe e vassoi d'argento e tappeti persiani. Walter Pancaro si era fatto convincere a metterlo a disposizione come set principale, dietro molte promesse di non rompere niente e di rimettere tutto perfettamente a posto alla fine. Nel suo modo ipermeticoloso e sub-espressivo ormai ci teneva molto a fare l'attore protagonista, ma quando Marco gli aveva spiegato che dovevamo svuotare completamente il soggiorno e spargere qua e là grosse scatole da imballaggio, era entrato in uno stato di vera angoscia. Non avevamo uno scenografo o un arredatore, né macchinisti o attrezzisti specializzati: eravamo io e Marco e Settimio Archi e la mia cugina di secondo grado a spostare tutto, con così tanto rumore e confusione che due o tre vicini di casa sono venuti a protestare alla porta. Marco andava a dirgli «Qui stiamo facendo un *film*», nel tono di autorità che gli era venuto fuori negli ultimi tempi, e loro sembravano parte intimoriti e parte lusingati all'idea che una cosa così suggestiva potesse avvenire nel loro palazzo, ma l'angoscia di Walter Pancaro è solo peggiorata. Seguiva i nostri trascinamenti brutali di cassettoni e tavolini e tappeti con un'apprensione sempre più acuta, si lamentava in tono metallico a ogni minimo graffio di parquet o smussatura di angolo o ammaccatura di argento o sbucciatura di lacca cinese. La cameriera di famiglia ci stava addosso ancora peggio di lui, con minacce continue di avvertire i genitori Pancaro al primo nuovo danno; ci muovevamo in un'alternanza assurda di gesti incuranti e gesti cauti, schiocchi e schianti e «Piano, piano» e «Mi raccomando, mi raccomando» e «Certo, certo».

Dieci

Siamo arrivati al sabato dell'inizio delle riprese, e tutti i punti deboli di un'organizzazione da dilettanti sono venuti fuori nello stesso momento. Ero passato a prendere Marco sotto casa dei suoi alle otto e un quarto, avevo guidato la mia cinquecento lungo la circonvallazione interna mentre lui faceva un riepilogo concitato degli elementi fondamentali della nostra impresa. Mi spiegava con veemenza tutto quello che il film *non* doveva essere, forse per darsene un'immagine più definita adesso che non c'erano più molti margini: diceva «Non deve cadere in una forma, non deve cadere in un *modo*. Non deve usare niente di già pronto, nessun linguaggio già ascoltato e capito. Non deve scivolare facile, non deve suscitare nessuna associazione automatica. Non deve essere un pesce portato da una corrente. Deve essere un pesce che risale i fiumi e attraversa i prati e *vola*, se gli viene». Diceva «Mi prometti di dirmelo, appena ti accorgi che non è così? Anche a metà di una ripresa?». Gli dicevo «Promesso», facevo di sì con la testa.

Ci eravamo fermati in un bar sotto casa Pancaro a bere due cappuccini molto concentrati, avevamo parlato e camminato lungo il bancone e guardato fuori attraverso le vetrine per vedere se gli altri arrivavano. Ridevamo e tossivamo e controllavamo gli orologi; dicevamo «Ci siamo»; dicevamo «Vediamo cosa succede, adesso». Sembravano gli ultimi momenti prima di un lancio con il paracadute: lo spazio intorno a noi diventava sempre più vuoto e preoccupante, ticchettato in un'accelerazione continua di ritmi non-prevedibili.

Ma alle nove nessuno degli altri si era ancora fatto vedere, così eravamo saliti zitti e senza guardarci nel vecchio ascensore di ferro battuto e legno, e la cameriera della famiglia Pancaro ci aveva detto che Walter stava ancora dormendo, e avevamo dovuto buttarlo giù dal letto e costringerlo a lavarsi la faccia, e aspettare ancora venti minuti prima che mia cugina di secondo grado arrivasse con i vestiti di scena. Anche il fonico era arrivato in ritardo, e Settimio Archi con l'aiuto-operatore tra molte scuse fasulle ancora dopo. Poi c'erano stati problemi con il diaframma della cinepresa e problemi con la sincronizzazione del registratore, e io mi ero scottato le dita con una lampada a pinze, e mia cugina non aveva abbastanza spilli né spazzole adatte né ricambi per i vestiti di scena di Walter Pancaro. Parlavamo tutti nello stesso momento e ci pestavamo i piedi e ci urtavamo di continuo in tentativi di affermare confini di competenza e di territorio, nell'odore di piedi e di sigaretta e di adrenalina e di aria già arroventata dalle lampade. Ogni tanto guardavo Marco, nervoso con la sua cinepresa e il copione e i disegni preparatori, in un punto o nell'altro del grande soggiorno svuotato che ci faceva sembrare pochi e malguarniti, e avevo sempre più la sensazione che anche il film fosse una storia destinata a finire in niente, come le molte altre che ci avevano entusiasmato per qualche minuto o giorno o settimana nel corso degli anni. Mi sembrava che ancora una volta la realtà lo avesse deluso, adesso che c'era dentro: che quello che aveva davanti agli occhi e sotto mano fosse infinitamente più lento e faticoso e pesante di quello che si era immaginato. Ero solo contento che Misia non fosse poi venuta a vederci; non avrei sopportato di darle un'immagine così futile e disastrata, così lontana da quella che avrei voluto.

A un certo punto Walter Pancaro non era ancora riuscito a imparare i suoi movimenti e le mie luci non andavano ancora bene e il fonico si lamentava ancora di un fischio di fondo e Settimio Archi faceva ancora battute volgari con il suo conoscente aiuto-operatore; Marco ha visto che lo guardavo molto perplesso, mi ha detto «Cosa c'è?».

«Niente» ho detto io, cercando di asciugarmi il sudore con il dorso di una mano. «Forse potremmo rinviare tutto di qualche giorno, preparare meglio le cose.» Lui mi ha guardato fisso, con una rabbia universale eppure molto specifica;

ha detto «Piuttosto mi butto dalla *finestra*». Aveva una tensione visibile nelle mani e agli angoli della bocca, la voce su un crinale sottile tra controllo ed esasperazione; si è girato e poi è tornato da me, ha detto «Non so tu, ma io ho ventiquattro anni e ho già perso tutto il tempo che potevo perdere nella vita. Non c'è più nessuna uscita alternativa, qui, *nessuna*».

Solo allora mi sono reso conto di come il film fosse davvero diventato per lui una questione di vita o di morte: di come il nostro periodo comune dei progetti astratti e dei giochi di ruolo e delle parole a vuoto fosse finito, chiuso. Anche gli altri se ne sono resi conto, e il clima nel grande soggiorno svuotato è diventato ancora più teso. Marco andava avanti e indietro da uno all'altro senza fermarsi un attimo, spiegava e sollecitava e incalzava tutto il tempo; toglieva la cinepresa dal cavalletto e la muoveva in giro, dava ordini secchi all'aiuto-operatore e al fonico e a mia cugina e a Settimio Archi e a me, gridava a Walter Pancaro quando non capiva i movimenti o gli sguardi che voleva da lui.

Dopo molte prove ognuno di noi è riuscito più o meno a prendere possesso del suo ruolo; Marco si è guardato in giro per un ultimo controllo e ha gridato «Silenzio!» così forte che tutti ci siamo zittiti come non avrei creduto possibile. Poi ha gridato «Motore!»; io ho battuto la tavoletta del ciak; Marco ha gridato «Azione!»; Walter Pancaro che aspettava fuori è entrato nel soggiorno. Era emozionante e strano: la concentrazione silenziosa di tutti su un unico oggetto, senza margini di distrazione. Era come se lo spazio si fosse raddensato da un momento all'altro, nel ronzio appena percepibile delle lampade e nei respiri trattenuti e nei fruscii dei vestiti e nello scorrere della pellicola trascinata dal motore elettrico della cinepresa, negli scricchiolii delle scarpe sul pavimento.

Era tutto sbagliato, anche: fuori tempo e fuori fase e fuori spirito rispetto a come Marco aveva immaginato la scena, senza quasi punti di contatto con nessuna delle molte variazioni in cui lui me l'aveva descritta di volta in volta. Sembrava che Walter Pancaro facesse una fatica terribile a venire avanti e a guardarsi intorno con la sua gamma molto ridotta di espressioni, i suoi movimenti persi nel campo troppo incerto dell'inquadratura. Lo potevo capire come se fossi stato al posto di Marco dietro la cinepresa, invece che schiacciato contro una parete con una lampada in mano; non mi ha affatto sorpreso quando l'ho sentito gridare «Stop! Non va! Non va per *niente!*».

Gli ci sono voluti quasi quaranta minuti per studiare un angolo diverso di ripresa e un modo diverso di mettere le luci, tempi diversi per i movimenti e gli sguardi di Walter Pancaro. Ha dovuto fare altri disegni rapidi, chiedere consigli tecnici all'aiuto-operatore, sgridare Settimio Archi che ciondolava con la sua lampada dove non avrebbe dovuto, discutere con mia cugina su come sistemare in modo più interessante i pochi capelli di Walter Pancaro, pregare la cameriera di staccare il telefono, spingermi con una mano premuta sulla schiena fino a trovare il punto giusto di illuminazione. Tra l'agitazione e il riscaldamento e le luci si soffocava e ogni minimo gesto costava fatica, ma c'era una determinazione quasi preoccupante nella sua voce, una luce di non-ritorno nei suoi occhi. Finalmente siamo stati tutti pronti di nuovo, concentrati fino allo spasimo nei nostri ruoli e nei punti che occupavamo nello spazio; Marco ha ridato il segnale di partenza e l'intera macchina dilettantesca e difettosa si è rimessa in moto, la pellicola ha ripreso a scorrere e Walter Pancaro è zampettato dentro con la sua aria da burattino paranoico, e due secondi dopo Misia si è affacciata dalla porta dietro di lui ed è entrata dritta nell'inquadratura.

Nessuno di noi aveva pensato a mettere qualcuno di guardia sul pianerottolo, il che non era strano dato che nessuno di noi sapeva come si fa un film, ma certo è stata una scena curiosa, nello stato estremo di attenzione in cui eravamo tutti. Misia ha fatto due o tre passi nel soggiorno, sullo slancio timido di come era entrata; poi ha visto le luci e la cinepresa e noi accovacciati e in piedi lungo le pareti con gli sguardi molto fissi, si è bloccata dov'era. Anche Walter Pancaro ha registrato che era successo qualcosa alle sue spalle; ha girato la testa nel suo modo meccanico, senza capire. Misia era incredibilmente bella, alla luce delle lampade da film; ha alzato le mani, le ha abbassate in un gesto di costernazione quasi infantile.

Marco ha gridato «Sto-op!», e l'immobilità di tutti si è rotta di colpo: il grande soggiorno vuoto si è riempito in un istante di voci e risa e spostamenti.

Misia ha detto «Scusate tanto», scuoteva la testa nel modo più dispiaciuto del mondo. Marco è andato verso di lei, le ha gridato «Mi spieghi cosa diavolo ci fai tu qua dentro?». Ha gridato agli altri nel soggiorno «Com'è che non c'è un cavolo di nessuno fuori a controllare?».

Mi sono precipitato tra loro, ho detto «È colpa mia, è colpa mia». Marco mi ha guardato con aria interrogativa, Misia ha sollevato di nuovo le mani dai fianchi, le ha lasciate ricadere. Io ho fatto un gesto goffo di presentazione, ho detto «Lei è Misia, comunque. Lui è Marco».

Marco era troppo irritato per essere cortese: ha detto «Tanto piacere. Però magari gli incontri sociali li facciamo in qualche altro momento, no?». Si muoveva pieno di tensione negativa, con lo sguardo ostile e i lineamenti contratti.

Ma non ho mai visto Misia davvero sopraffatta da una circostanza per più di qualche minuto di seguito: ha fatto un gesto per indicare il soggiorno e la nostra piccola troupe di dilettanti in preda alla confusione, ha detto «Che genere di storia è?».

Marco le ha detto «È la storia di uno psicopatico molto normale che si accorge di essere schiacciato dal mondo e comincia a distruggere uno per uno tutti gli equilibri che ha intorno».

Misia lo guardava con una forma di diffidenza curiosa: la testa appena inclinata, una mano che toccava i capelli, scopriva un orecchio ben disegnato. Le lampade posate sul pavimento ci abbagliavano tutti e tre, gli sguardi degli altri sparsi nel soggiorno aumentavano la tensione che c'era tra noi. Avrei voluto abbracciare Misia, prendere Marco da parte e dirgli di non essere villano con lei, ma non sapevo come. Misia ha detto «Molto autobiografica, no?».

Ho visto una luce rapida di irritazione nello sguardo di Marco, ma confusa con una luce di sorpresa, una luce di difficoltà a catalogare e decifrare. Si è tirato anche lui una ciocca di capelli come faceva quando era molto nervoso, ha detto a Misia «Va be', se hai voglia di stare a guardare mettiti di là, per piacere».

Così Misia è venuta con noi dal lato della cinepresa, e Marco ha mandato Settimio Archi a dare disposizioni alla cameriera di controllare il pianerottolo fuori dalla porta, e dopo molti traffici e aggiustamenti abbiamo fatto un secondo e un terzo ciak della prima scena.

Ma Walter Pancaro si muoveva in un modo troppo sconnesso anche per uno psicopatico: sbagliava il percorso dalla porta alle scatole di cartone sul pavimento, girava la testa a scatti, continuava a guardare verso la cinepresa. Marco ha provato a spiegargli e rispiegargli ogni singolo movimento, gli ha interpretato tutta la scena per fargliela capire meglio, gli ha parlato nel tono più calmo e paziente che gli veniva, ma non serviva a niente. Sembrava tutto ormai chiarito senza più spazi di errore, e invece appena Marco diceva «Azione» Walter Pancaro andava in tilt, nel suo modo quieto e sub-espressivo: guardava per terra, guardava in macchina, si voltava in dieci direzioni diverse, si grattava la testa. Diceva «Ma porca miseria»; Marco gridava «Sto-op!»; c'erano sbuffi e colpi di tosse, sforzi estremi di autocontrollo per non peggiorare ancora la situazione. Settimio Archi scuoteva la testa, diceva piano «Con questo qui non arriviamo da nessuna parte, porca puttana». Walter Pancaro diceva «Porca miseria, porca miseria» nella sua voce metallica, grigio in faccia per il disagio, schiacciato dalla responsabilità.

Eravamo angosciati all'idea di sciupare la pellicola, e ci eravamo già inoltrati nel pomeriggio senza rendercene conto, l'aria nella stanza era respirata e cotta senza quasi più ossigeno; nessuno di noi si era immaginato che fare un film potesse essere così faticoso e ripetitivo, nessuno aveva anticipato la tensione dell'immobilità protratta, il logorio di attenzione. C'era questo clima oscillante, tra precisione e sbando, intenzioni e difficoltà, silenzio e confusione; in certi momenti mi sembrava che fossimo ancora sul punto di fare il film che aveva sognato Marco, poco dopo mi sembrava un sogno già andato in malora, senza rimedio. In più c'era Misia a forse due metri da me che guardava tutta zitta e attenta, e mi elettrizzava il sangue, esasperava il mio modo di percepire la situazione.

I tentativi con Walter Pancaro sono andati avanti sempre peggio, a scatti e prove interrotte, finché Marco ha detto che preferiva rimandare la scena al giorno dopo e girare invece con la cinepresa a mano le soggettive del suo ingresso in casa. Walter Pancaro è sembrato sollevato, ha detto «Così ho tempo di ripassare»; ha ripreso subito a preoccuparsi del disturbo ai vicini e dei graffi sul pavimento, del consumo di elettricità delle lampade.

Quando abbiamo finito le riprese soggettive e Settimio Archi se n'è andato insieme all'aiuto-operatore con la pellicola da sviluppare di straforo grazie a un suo altro conoscente in un laboratorio, ho salutato Misia come avrei voluto dall'inizio. Temevo che fosse seccata con me per averla messa in imbarazzo, ma non lo era: era incuriosita e divertita, rideva e si guardava intorno, mi faceva domande.

Marco invece era nero, il suo film sembrava quasi andato a monte appena iniziato e sapeva che nessuna delle altre persone coinvolte glielo avrebbe potuto salvare; potevo vedergli nello sguardo la voglia di mandare al diavolo tutto, la consapevolezza di non poterlo fare senza gravi danni permanenti. Ha provato ancora a spiegare qualcosa a Walter Pancaro, gli ha fatto fare qualche movimento guidato ma era chiaro che non sarebbe servito a molto; alla fine ha lasciato perdere, è venuto da me che parlavo con Misia, senza quasi guardarla mi ha detto «Andiamo?».

Siamo scesi tutti e tre insieme, silenziosi e dritti nell'ascensore come vicini di casa, finti concentrati sulla cornice dei pannelli di legno davanti a noi. Solo quando siamo arrivati al pianterreno e ho aperto la porta, Marco ha detto a Misia in tono provocatorio «Certo che hai fatto una grande entrata».

Lei ha detto «Mi *dispiace*. È colpa mia se il vostro attore non riusciva più a recitare».

«Chiamalo attore» ha detto Marco. Sembrava furioso all'idea di avere dei testimoni, umiliato dal doverne parlare ancora.

«Ma gli ho interrotto la scena a *metà*» ha detto Misia, con un'enfasi di vero dispiacere nel rumore del traffico della sera.

«Era uno schifo anche prima della tua entrata» ha detto Marco, secco.

«Ma certo non ho migliorato le cose» ha detto Misia. «Dev'essere stato uno shock, per uno così sensibile.»

«È *più* che sensibile, Walter» ho detto io, ma mi sono accorto che nessuno registrava le mie parole. Camminavo tra loro lungo il marciapiede, in una confusione di sentimenti aggiornati e rimescolati di secondo in secondo: eccitazione residua per il film e frustrazione per le sue difficoltà, sfinimento da chiuso, orgoglio di conoscere una come Misia e di avere un amico come Marco, gelosia immotivata per tutti e due, senso di non-controllo, senso di arrancare dietro una situazione più veloce di me.

C'era questa curiosità che andava e veniva da lui a lei a lui come una sonda magnetica a breve raggio, per quanto Marco si sforzasse di apparire incurante e Misia di non essere indiscreta dopo quello che era già successo. Gli ha chiesto qualche informazione tecnica sul film; lui ha risposto corto e distratto, come se non la pensasse in grado di capire davvero. Mi sembrava che lei lo trovasse antipatico e lui la trovasse irritante, ma riuscivo bene a vedere come malgrado questo continuassero a essere intrigati uno dall'altra.

Quando siamo arrivati alla mia cinquecento, Marco ha chiesto a Misia di colpo «Che impressione ne hai avuto, a parte tutto? Entrandoci di colpo come hai fatto?».

«Di cosa?» ha detto lei, in un tono improvvisamente quasi formale.

«Del film» ha detto Marco, come se si fosse già pentito della domanda.

Misia si è guardata le punte delle scarpe da tennis; ha guardato Marco negli occhi; ha detto «Forse sei un po' *rigido*».

«In che senso?» ha detto Marco, totalmente spiazzato.

«Nel senso che sei lì tutto contratto e teso» ha detto Misia. «Così bloccato nel ruolo del *regista*, madonna. Mi immaginavo che fosse una cosa più libera e divertente, fare un film tra amici.»

Marco ha riso anche se non voleva: poco abituato com'era a sentirsi affrontare in modo così diretto, tanto meno da una ragazza bella e sconosciuta. Ha detto «Perché invece ti è sembrata una cosa molto poco libera e divertente?».

«Be', sì» ha detto Misia. «Eri lì come una specie di capitano di nave militare, sempre sul punto di scattare. Per forza che erano tutti nevrotizzati.»

«Ma non è *vero*» ha detto Marco, e non mi sembrava di averlo visto spesso così sbilanciato in una conversazione. Si è girato verso di me, nell'umido freddo e pulviscoloso della sera, ha detto «Tu Livio eri nevrotizzato, accidenti?».

«Non so» ho detto io, strattonato tra due lealtà. «Forse un po' teso. Ma è anche *inevitabile*, credo, data la situazione.»

Misia ha detto «Quel povero Walter era *più* che teso. Si muoveva come una specie di burattino meccanico rotto, poverino».

«Non per colpa mia» ha detto Marco. «*È* una specie di burattino meccanico rotto, Walter Pancaro. È *sempre* stato così.»

Parlavamo tutti e tre nello stesso modo enfatico e intermittente: parole accentate e sottolineate, sguardi a strappi. Me ne sono reso conto di colpo, ma già non riuscivo a capire chi di noi avesse cominciato.

«Perché l'hai scelto, allora?» ha detto Misia, senza concedere terreno a Marco. «Non è mica facile far la parte di uno psicopatico, se lo sei davvero.»

Si guardavano negli occhi e smettevano di guardarsi, si avvicinavano e allontanavano con movimenti contraddittori, interrotti e ripresi di continuo; la tensione tra loro era così forte che mi si rifletteva sulle pareti dello stomaco.

Marco ha detto «Mi piaceva la faccia che ha. Poi non credo affatto che uno debba essere un attore di professione, per recitare. Gli attori di professione hanno solo un repertorio di facce fatte e toni fatti e gesti fatti, manierismi e stereotipi e paccottiglia».

«Perché allora non lo fai tu, il protagonista?» gli ha detto Misia. «Così reciti esattamente come hai in mente? Senza nasconderti dietro un povero burattino meccanico terrorizzato?»

Marco era in imbarazzo come non l'avevo mai visto: senza più la minima disinvoltura di movimento, zero elasticità nelle giunture. Ha detto a Misia «Perché non lo fai *tu*?».

Misia ha detto «*Io?*»; ha riso, guardava di lato. Anch'io ho riso, benché non mi sentissi a mio agio tra loro. Avrei voluto chiudere lì la conversazione, salutare Marco e far salire Misia sulla mia cinquecento, riportarla in un territorio più neutro.

Marco continuava a guardarla fisso, insistente come per compensare una debolezza improvvisa; ha detto «Eh? Perché non lo fai tu?».

Ci ho messo un po' a capire che non scherzava, ma Misia l'ha capito prima di me: gli ha detto «Io lavoro. Non posso mica lasciare tutto così per mettermi a recitare. E non so niente di cinema. Non mi diverte neanche. Mi divertiva quand'ero bambina, poi basta». Era tesa quanto Marco, presà nella stessa corrente doppia di sfida e curiosità; ha detto «Come cavolo ti viene in *mente*?».

«Cos'è, ti fa paura l'idea?» ha detto Marco, ancora più incalzante. «Troppo azzardata? Troppo incontrollabile?» Non era sicuro di sé quanto voleva far credere: lo vedevo da come spostava lo sguardo, da come faceva passi laterali con le mani in tasca invece di restare fermo e frontale, nelle onde ricorrenti di traffico che sfuriava oltre finché il semaforo era giallo.

Misia ha detto «Non mi fa paura», con lo stesso sguardo di quando mi aveva ascoltato dire che la mia bicicletta olandese non mi interessava più. Marco ha sorriso in un modo improvvisamente vulnerabile; tutta l'idea del suo film si era rovesciata, e avevamo messo le basi per sbilanciare totalmente le nostre tre vite nei prossimi vent'anni.

Undici

Walter Pancaro ha preso con tre quarti di sollievo e un quarto di delusione la notizia che non doveva più fare il protagonista del film, ma ha accettato di lasciarci la casa a disposizione quando dopo due giorni di riadattamenti frenetici siamo stati pronti a ricominciare le riprese con Misia al suo posto. Lei era riuscita ad avere un permesso di venti giorni dal suo laboratorio di restauro a Firenze, ma adesso che l'idea di recitare non era più una sfida o un gioco sembrava spaventata. La guardavo camminare avanti e indietro nel grande soggiorno vuoto, vestita con una maglietta nera e jeans neri scelti dal suo guardaroba non illimitato, e mi sentivo in colpa per averla portata senza volerlo in un territorio dove nessuno di noi aveva più un vero controllo su quello che succedeva. Anche Marco sembrava agitato; il film gli si stava trasformando davanti ma non sapeva affatto cosa sarebbe diventato, nuove immagini scombinavano quelle che aveva coltivato a lungo. Continuava a parlarne con Misia a frasi tagliate, nel tono di provocazione e curiosità che aveva avuto con lei fin dal primo momento; continuava a confrontare e modificare e sostituire idee.

· Poi la cinepresa si è messa a girare, e Misia è entrata nel soggiorno vuoto, e da un istante all'altro il film ha cominciato a prendere forma. Era come se Marco avesse messo insieme in modo incerto i pezzi di un acquario, le pareti di vetro e l'acqua e le rocce e le alghe e le luci e tutto il resto, e di colpo fosse arrivato dal nulla un vero pesce esotico a nuotarci dentro: avevamo tutti lo stesso genere di stupore, che da Misia passava a Marco e da lui all'aiuto-operatore al fonico a me a Settimio Archi a ognuna delle altre persone zitte e immobili nella stanza, inclusi Walter Pancaro e la sua cameriera diffidente.

Era una reazione di campi magnetici, forse; di aspettative e intenzioni concentrate e dilatate, sguardi che producevano movimenti e movimenti che producevano sensazioni, intuizioni e azioni, fatti e contatti. Era tutto improvvisato, o quasi, da quando Misia ha attraversato il soggiorno sotto l'occhio della cinepresa e si è chinata a guardare uno degli scatoloni sul pavimento e ha fatto finta di leggere il nome di una targhetta di spedizione che non c'era. Ci eravamo aspettati tutti di rivivere la frustrazione ripetitiva di tre giorni prima con Walter Pancaro, e invece di colpo ognuno di noi aveva preso a vibrare nella corrente ambigua e ingenua e preoccupante che Misia produceva in ogni inquadratura.

Non era una cosa studiata o voluta, e del resto non dipendeva solo da lei; ma riusciva a farsi portare da questa corrente senza il minimo sbandamento, in base a un istinto che le si era manifestato d'improvviso e che la stupiva forse più di chiunque altro. Aveva questo modo di muoversi: di anticipare e accompagnare e seguire le aspettative di Marco attaccato alla cinepresa e allo stesso tempo di spiazzarle, lasciare noi della troupe in una zona di non-comprensione. La sua timidezza e il suo calore comunicativo lottavano come due animali forti testa contro testa, e invece di renderla esitante davano risalto a ogni suo piccolo cambiamento di espressione come se la stessimo guardando già ingrandita sullo schermo di un cinema.

Anche in Marco doveva esserci un istinto dormiente, sopravvissuto a tutti gli anni di inerzia del liceo e dell'università e a tutti i discorsi a vuoto e i progetti irrealizzabili, a tutto il tempo sprecato come acqua che esce da una tubatura rotta. La fatica che con Walter Pancaro lo aveva riempito di delusione, con Misia si è trasformata in una voglia furiosa di incalzare e travolgere tutto quello che gli stava davanti, farlo diventare significativo. Il suo sguardo ha preso una qualità diversa, e lo stesso è successo alla sua voce; i suoi gesti sono diventati molto più espressivi di quelli che gli avevo conosciuto fino a quel momento. Stava attaccato alla sua cinepresa, seguiva e anticipava Misia come se tutto quello che poteva pensare e sentire fosse lì, in quel momento preciso, nell'espressione di lei che veniva avanti alla luce bianca dei fari che io e Settimio Archi tenevamo in mano.

Quando Marco ha detto «Stop» e la prima scena è finita, abbiamo battuto tutti le mani e gridato e fischiato, in una piccola esplosione che ha rotto il silenzio iperconcentrato di un istante prima.

Misia ha riso, pallida com'era; ha detto «Smettetela», ma si vedeva l'emozione che le affiorava ai lineamenti e le coloriva le guance.

Marco aveva una faccia da percorso di guerra: è andato da Misia e le ha sfiorato una spalla, le ha fatto complimenti e dato consigli, si è consultato ancora con lei prima di tornare a occuparsi della cinepresa e delle luci e di tutti gli altri elementi fondamentali della macchina che doveva continuare a tenere insieme e mandare avanti.

Mentre lui parlava con l'aiuto-operatore, Misia è venuta da me, mi ha detto «Non ero proprio un *cane*?».

«No» ho detto io, a voce troppo alta; l'ho fatta sobbalzare. Ho detto «Eri incredibile».

Lei nella confusione degli sguardi e dei gesti e dei traffici tecnici si è allungata di slancio a darmi un bacio su una guancia, rapido come un'impressione; un istante dopo era già a qualche metro da me, di nuovo vicina a Marco. Lui era teso come una corda di chitarra elettrica, si rendeva conto che stava succedendo qualcosa al suo film ma non sapeva ancora cosa, non sapeva ancora quasi niente di Misia. Si sono scambiati parole che non sentivo e si sono allontanati dal nostro piccolo gruppo, sono andati a discutere fitto vicino alla porta del soggiorno. Marco faceva gesti e Misia si spostava avanti e indietro nella sua tenuta nera da mimo o da guerriero ninja, lui scuro e lei molto chiara, presi nella stessa identica corrente.

La sera quando eravamo tutti esausti e le riprese erano finite ho chiesto a Misia se la potevo accompagnare a casa. Lei senza rispondermi ha guardato verso Marco, e Marco stava parlando molto fitto con l'aiuto-operatore che gli spiegava una questione di sviluppi di pellicole, e c'era Settimio Archi che ci fissava da pochi metri con i suoi occhi vischiosi; mi ha detto «Va bene».

Le ho fatto subito strada verso l'uscita, con il più affrettato dei saluti verso Marco e gli altri, come se si trattasse di scappare via finché c'era tempo, interrompere la reazione di campi magnetici. Misia ha detto «Ciao a tutti, ci vediamo domani», con una resistenza nella voce e nelle gambe che mi faceva venire voglia di trascinarla fuori per un braccio. Marco si è girato, ma tardi: è rimasto con una mano alzata e la bocca aperta, sospeso.

Così ho accompagnato Misia a casa con la mia cinquecento, e siamo stati zitti per metà della strada e abbiamo parlato e parlato per l'altra metà, di tutto quello che era successo durante il giorno. Nel chiuso ristretto dell'abitacolo potevo sentire la meraviglia e il divertimento e la stranezza che le giravano ancora dentro come polveri di diversi colori in un cono di luce: la facevano ridere e cambiare posizione e guardare fuori e accendere una sigaretta, guardare verso di me. Mi sembrava più bella ancora delle prime volte che l'avevo vista, ancora più viva, ancora più percorsa da slanci e incertezze improvvise. Diceva «Non avrei mai pensato di fare una cosa del genere»; diceva «È più divertente di come mi immaginavo. È *strano*. Una specie di comunicazione telepatica, no?». Diceva «Non ero ridicola? Non sembravo una scema esibizionista e incapace?». Diceva «Secondo te va avanti così fino alla fine, o dopo pochi giorni tutto diventa terribilmente faticoso e inutile e tutti perdono interesse?».

Cercavo di rassicurarla, anche se non ero proprio certo di cosa stessimo parlando. Guidavo a strappi, facevo il pelo alle macchine ferme e a quelle in movimento, staccavo le mani dal volante per gesticolare, continuavo a parlare troppo forte. Ero eccitato e confuso in un modo che mi mandava fuori giri, tra lampi e guizzi e strascicamenti e mulinelli vertiginosi di sentimenti. La guardavo di profilo e assorbivo i suoi toni e i suoi gesti, e mi sembrava di avere fatto una transizione stupefacente da innamorato a semplice amico, un momento più tardi mi sentivo come un alpinista romantico che cerca di salire e perde l'appiglio di continuo e riprecipita nell'incertezza e nella gelosia peggio di prima. Mi sembrava di riuscire

73

a vedere il ruolo di Misia nel film di Marco con un distacco sereno e anche allegro, e subito dopo la natura della loro comunicazione mi provocava una fitta violenta di panico puro.

Quando ho fermato la cinquecento sotto casa sua, Misia ha detto «Stai bene, Livio?».

«Benissimo» ho detto io. «Sono solo stanco.»

Lei mi ha guardato ancora; ma era attraversata da troppe sensazioni per fermarsi a lungo su una sola, non aveva senso che mi aspettassi di sentirle ripetere la domanda.

Dodici

Il film di Marco era diventato una specie di gioco frenetico ed estenuante, che bruciava attenzione ed energia e capacità e ne richiedeva ancora, spingeva tutte le persone coinvolte ai limiti delle loro risorse. A pensarci adesso mi torna in mente l'odore dell'aria esaurita delle lampade e dal troppo respirare in uno spazio chiuso, l'indolenzimento alle gambe per ristagno di sangue nelle stesse posizioni, l'estenuazione delle attese improvvisamente interrotte, il convergere di molti sguardi su un singolo minimo movimento. Allora invece non me ne rendevo quasi conto: i miei centri di percezione erano occupati al novanta per cento da quello che succedeva tra Marco e Misia.

Il film veniva fuori sempre più dal rapporto semi telepatico che avevano stabilito tra loro fin dal primo giorno; lei interpretava al volo le idee che lui non riusciva a definire, ne suscitava di nuove. I loro ruoli si sovrapponevano e invertivano di continuo, al punto che era molto difficile capire chi dei due avesse inventato cosa. Erano sempre vicini, a parlare e farsi segni e provare espressioni e movimenti, toccarsi le mani e sfiorarsi le braccia, darsi piccole spinte per scherzo o per incoraggiamento, ridere a tratti. Per quanto li guardassi, non riuscivo a decifrare la natura di questa comunicazione, perché il loro starsi addosso sembrava finalizzato a quello che cercavano di fare nel film. Il film era una specie di tutore e garante, mi sembrava, che autorizzava la loro intimità e allo stesso tempo la limitava.

Con Marco non riuscivo a parlarne, negli spazi sempre più ristretti che avremmo avuto per farlo, al mattino quando lo passavo a prendere sotto casa dei suoi o la sera quando ce ne andavamo via insieme dopo le riprese. Se toccava l'argomento di Misia, lo faceva in un tono di oggettività impacciata, come se l'unica ragione del suo interesse per lei fossero le sue meravigliose doti di attrice naturale. Con Misia mi era ancora più difficile, perché la nostra confidenza era difettata e incompleta, sbilanciata dalla mia ammirazione e dalla sua amichevolezza senza doppi fondi. Anche lei tendeva a parlare di Marco con entusiasmo imparziale, come se avesse la distanza per farlo, nessun sentimento pericoloso in gioco.

Ma ogni volta che li guardavo abbastanza a lungo potevo sentire quanto era forte la corrente che li teneva legati, a qualunque distanza fossero nel grande soggiorno vuoto, ai due lati di un'inquadratura ancora da stabilire. Lei gli lanciava di continuo provocazioni, sollecitazioni, sfide; lo spingeva a rendere il film sempre meno prevedibile, portarlo lontano dalle forme esistenti, muoverlo, spezzarlo. Si metteva a disposizione con sempre meno riserve, per questo: mi sembrava che ogni mattina si fosse tolta un nuovo strato di protezione, per offrirsi un poco più esposta alla luce bianca delle lampade, trascinata dalla strana essenza inarrestabile che animava il suo sguardo e il suo modo di muoversi.

Ogni mattina stavo a guardarla mentre si trasformava in un'altra persona, più istintiva e selvaggia e incosciente che nella vita normale, benché in fondo non sapessi molto della sua vita normale; ogni mattina mi suscitava una nuova scossa di sgomento e preoccupazione, senso di non-controllo.

Per esempio:

Il quinto giorno delle riprese c'era una scena dove lei doveva svegliarsi da sotto una tenda da finestre in cui si era avvolta per dormire sul pavimento. Prima di girare è stata come al solito a parlare fitto con Marco e provare posizioni e movimenti e leggere da sopra la spalla quello che lui scriveva rapido, mentre Settimio Archi andava intorno con atteggiamenti da produttore e controllava la porta e dava disposizioni alla cameriera dei Pancaro e telefonava al laboratorio di sviluppo per confabulare con il suo conoscente. Poi la scena è stata pronta e Marco ci ha fatti disporre tutti ai nostri posti, e Misia si è spogliata nuda. Eravamo lì davanti a lei con le luci e tutto, e lei è sguisciata fuori dai suoi jeans e dalla maglietta nera e dalle mutandine con la naturalezza più incredibile, è rimasta nuda e bianca e morbida di linee sotto i nostri sguardi allibiti. Ha passato i suoi vestiti alla mia cugina di secondo grado ed è andata ad avvolgersi nella tenda, si è sdraiata sul pavimento, ha fatto finta di dormire. Marco ha detto «Azione»; dal suo tono si capiva che era sconcertato quasi quanto noi, ma non lo avrebbe mai riconosciuto.

Misia ha fatto finta di svegliarsi, si è stirata ed è venuta fuori tutta nuda dalla stoffa damascata della tenda, si è alzata e ha attraversato il soggiorno, leggera sul pavimento ancora più di quando si era tolta i vestiti poco prima. Ero lì a guardarle la schiena e il sedere e le gambe così ben disegnati, e avrei voluto gridare per interrompere la scena, correrle dietro con la tenda e buttargliela addosso, chiudere lo spettacolo agli occhi vischiosi di Settimio Archi e del suo amico aiuto-operatore, allo sguardo implacabile di Marco che le andava dietro con la cinepresa. Invece ho continuato a reggere la mia lampada a pinza fino alla fine della sequenza; ho guardato Misia tornare da mia cugina a farsi ridare i vestiti, rimetterseli con improvviso pudore, come se solo adesso fosse nuda.

Dopo rideva, e le sue guance erano colorite a guardarla da vicino, sembrava sorpresa di quello che aveva appena fatto; ma non ci voleva molto a capire quanto la eccitava lasciarsi portare dalla forza strana che entrava in gioco con il fruscio della pellicola nella cinepresa, la magia misteriosa delle forme e i movimenti e le luci catturati per sempre.

Per esempio:

L'ottavo giorno delle riprese dovevamo girare una scena dove Misia scavalcava il davanzale della finestra e si calava sul cornicione di sotto. Marco voleva riprenderla da un angolo basso dentro la stanza, poi da un'altra finestra mentre si sporgeva. Poi dovevamo scendere al primo piano e girare lì la scena del cornicione, senza che sotto ci fosse un abisso dove poteva cadere. Abbiamo girato la prima inquadratura, poi ci siamo spostati per riprendere Misia mentre si sporgeva dalla finestra. Ma quando siamo stati tutti pronti e Marco ha detto «Azione», Misia ha scavalcato il davanzale davvero, si è calata sul cornicione del quinto piano.

Eravamo tutti dietro e di lato a Marco affacciato con la cinepresa all'altra finestra: ci siamo paralizzati a guardare Misia che scavalcava il davanzale con le sue gambe lunghe e appoggiava i piedi nudi sul cornicione; nessuno di noi riusciva a crederci. Ho sentito Settimio Archi che diceva a mezza voce «Porca puttana», Marco che diceva all'aiuto-operatore «Non perdere il fuoco». Poi abbiamo smesso tutti di respirare: c'era questo silenzio allucinato, vuoto come il vuoto su cui eravamo affacciati.

Misia ha camminato di lato, un passo dopo l'altro, misurata e fluida come un'acrobata, sospesa a cinque piani di altezza su un cortile di cemento dove avrebbe potuto precipitare in qualsiasi momento se solo avesse posato male un piede. Ho toccato un braccio a Marco per dirgli di fermare tutto, ma lui mi ha fatto un cenno furioso con la sinistra. Settimio mi ha tirato indietro per la camicia, mi ha guardato con un'espressione di omertà spietata. Marco non staccava l'occhio dalla cinepresa: era così preso dal film e dalla sfida continua con Misia, forse avrebbe continuato a girare anche mentre lei volava di sotto e si sfracellava nel cortile.

Misia ha fatto ancora cinque o sei passi laterali, sicuri e precisi, con la faccia verso il muro a favore della cinepresa; poi finalmente si è fermata e ha guardato verso Marco con aria interrogativa. Marco ha detto «Stop», ha passato la cinepresa all'aiuto-operatore, si è affacciato a fissare Misia con uno sguardo improvvisamente invaso di preoccupazione.

Misia è tornata indietro, molto più incerta di quando era andata in là; ogni pochi centimetri si fermava. Settimio le ha detto «Con calma, con calma», ma così poco calmo lui stesso che gli ho dovuto pinzare forte un fianco per farlo stare zitto. Siamo andati tutti verso la finestra da cui lei si era calata, con una frenesia congelata in cautela, occhi-calamita, consigli contraddittori sovrapposti uno all'altro nel modo meno comprensibile. Quando Misia è arrivata a portata di mano ha detto «Qualcuno mi *aiuta*?»; i suoi occhi erano pieni di paura.

Marco si è sporto e l'ha presa sotto le ascelle mentre io lo tenevo forte per la cintura dei pantaloni; l'ha tirata dentro, per lo slancio e la concitazione siamo rotolati tutti e tre sul pavimento. Misia si è raddrizzata subito, è stata lì ferma: a piedi nudi, con le spalle alla finestra, nel silenzio generale.

Ero pieno di rabbia verso Marco: avrei potuto prenderlo per il collo, scuoterlo fino a fargli passare il sorriso ammirato che aveva sulle labbra mentre la fissava.

Poi Settimio è andato a dare una pacca sulle spalle a Misia, dirle «Brava la nostra kamikaze»; la stanza si è riempita di grida e applausi e risa e gesti convulsi di congratulazione, nuove sfide lanciate e raccolte. Misia sorrideva, pallida e fragile, come una ragazzina scampata a una catastrofe.

Tredici

Marco si è fatto travolgere quanto Misia da quello che veniva fuori dal film giorno dopo giorno; non c'era più nient'altro che lo interessasse, neanche solo in modo marginale. Era diventato una specie di vela nel vento, trascinata sempre più veloce a sbalzi e strappi attraverso il mare dell'immaginazione. Inventava tutto il tempo modi diversi di riprendere Misia: la inquadrava da sdraiato sul pavimento e da sospeso in cima a una scala, da seduto su una sedia a rotelle trascinata a tutta velocità da Settimio. Inventava inquadrature a brevissima distanza dove si vedeva un suo solo occhio o le sue labbra, inquadrature della sua nuca o delle sue caviglie. Parlava con Misia e tornava a trafficare con la cinepresa, spostava le luci con impazienza furiosa finché trovava il taglio che aveva in mente; comunicava al nostro minuscolo branco di dilettanti con un senso drammatico di urgenza, come se in pochi minuti di distrazione rischiassimo di perdere non solo il senso del film ma il senso intero della vita. Misia lo guardava con i suoi occhi chiari e intelligenti, pronta a partire in qualunque direzione prima ancora che lui le dicesse niente.

Era sempre più il loro film privato, inaccessibile a chiunque altro; ogni giorno avevo la sensazione di essere scivolato di un altro grado ai margini del suo cuore febbricitante. Mi sembrava di essere quasi invisibile quando le cose andavano bene, e un puro ingombro appena nasceva un problema. Facevo il gregario nelle loro improvvisazioni convulse e mi chiedevo se li avevo persi tutti e due in questa impresa; mi chiedevo se avevo avuto una buona idea a farli conoscere. Ero geloso e incerto e incostante: ogni tanto provavo a tuffarmi avanti con idee e consigli e punti di vista, e scoprivo che loro non ne avevano nessun bisogno. Ogni tanto mi attaccavo di schiena alle pareti, dicevo «Non ho idea», quando mi venivano per pura gentilezza a chiedere un parere. Nell'eccitazione crescente del film il mio senso di esclusione diventava ogni giorno più forte.

Marco era troppo preso per accorgersene, ma Misia ha sempre avuto la capacità di cogliere oscillazioni di sentimenti anche nelle situazioni più confuse: una sera l'ho accompagnata a casa, e parlavamo come sempre del film e di tutto quello che era successo durante il giorno, e lei a un certo punto mi ha detto «Ti sei stufato da morire oggi, eh?».

«Ma no» ho detto io, in un tono di difesa.

«Ho visto la faccia che avevi» ha detto Misia. «Il grande *Zzzz*. Non c'eri.»

Volevo risponderle che non era vero, ma con lei avevo una specie di compulsione a dire la verità, per scomoda che fosse. Dipendeva dal suo modo di essere e di guardarmi: solo l'idea di girare intorno alle cose mi sembrava imbarazzante. Le ho detto «È che questo è il film tuo e di Marco, in realtà. Forse perfino il film di Settimio Archi, preso com'è dal suo ruolo di produttore. Ma io non ho niente di specifico da farci. Niente. La maggior parte del tempo sto lì come un facchino in attesa e mi sento stupido».

Misia ascoltava tutta attenta, con la testa inclinata, le labbra dischiuse. Mi aspettavo che mi spiegasse come invece il mio ruolo era assolutamente fondamentale e come il film non si sarebbe mai potuto fare senza di me; invece ha detto «Sì. Lo so».

Sono rimasto zitto, senso di esclusione freddo e fondo come una corrente del mare artico. Una serie di immagini di Misia e Marco insieme mi sono passate attraverso la testa: loro due visti da angoli diversi che si parlavano fitto in un angolo del grande soggiorno vuoto, vicini e complici come due innamorati, tutti sguardi e piccoli movimenti delle labbra e delle mani, vibrazioni che nessun altro riusciva a decifrare. Mi provocavano un effetto intollerabile; avrei potuto lasciare il volante e accelerare alla cieca, mandare la cinquecento a sbattere dove capitava.

Misia ha detto «Però è un lavoro collettivo. C'è una soddisfazione anche nell'essere parte di un insieme, no?».

«Non in questo caso» ho detto io. «Perché non capisco niente di questo film e mi mortifica stare lì a ciondolare con una lampada in mano mentre tu e Marco vi lasciate travolgere dal vento della creatività e tutti gli altri si divertono in modo così straordinario.»

Misia ha guardato fuori, alla luce intermittente dei lampioni. Avrebbe potuto avere anche tredici o quattordici anni, naturale e ostinata e ottimista come sembrava: mi spaventava, mi suscitava impulsi incontrollabili di protezione.

Ho detto «Il cinema mi fa morire di noia, da quando avevo nove o dieci anni e ho visto gli ultimi vecchi western con mia zia».

Misia ha preso un respiro e si è girata verso di me, con lo stesso sguardo di quando Marco l'aveva sfidata a fare la protagonista del film. Ha detto «I disegni che fai sono fantastici, Livio. Perché non metti lì la tua energia, invece di sentirti un facchino nel film di Marco?».

E non mi aspettavo neanche questa sincerità carica di affetto che mi spingeva verso una riva di responsabilità definite: le ho detto «In che senso?».

«Nel senso di *farlo*» ha detto Misia. «Disegnare, lasciar perdere tutto il resto. Lasciar perdere il film, lasciar perdere le Crociate, anche.»

«E Marco?» le ho detto io, come un millantatore spinto verso un trampolino da cui non aveva davvero intenzione di tuffarsi.

«Marco lo capirà» ha detto Misia. «Se gli spieghi che hai bisogno di farlo. Lo vedi anche tu come è preso dal film, non è che gli resti spazio per molto altro.»

«Ma non è un lavoro, disegnare» ho detto, con la voce che mi risuonava troppo forte e spaventata nell'abitacolo di latta curva. «Non è una cosa realistica.»

«Non pensarci, tu» ha detto Misia, già spazientita dalla mia resistenza. «Pensa a disegnare. E non ti confinare in quelle miniature, madonna. Fai dei fogli grandi, fai delle *tele*. Usa i colori. Vai. Non avere paura.»

«Non ho paura» le ho detto, pieno di rammarico per essermi appena tagliato fuori dal film.

«Meno male» ha detto Misia. «Guarda che ventitré anni non sono così pochi, per fare quello che hai voglia di fare.»

Eravamo già arrivati sotto casa sua, ero talmente sconvolto che ho urtato con le ruote di destra sul marciapiede quasi da spaccarle, ho allungato un braccio per non far sbattere la testa a Misia. L'ho ritirato subito, per paura che lei potesse interpretarlo come un gesto ambiguo; lei si è messa a ridere.

Quattordici

È vero che ho sempre avuto una natura influenzabile, ma non mi è mai capitato di incontrare nessuno che riuscisse come Misia Mistrani a farmi vedere in modo così semplice e improvviso l'unica strada adatta ai miei piedi pigri o impazienti del momento. Tardi di notte e con tutta la stanchezza e la confusione del film di Marco nella testa, appena in casa ho tirato fuori un foglio di carta di un metro e mezzo per un metro e matite e pennelli, ho messo *Let It Bleed* degli Stones sullo stereo e ho cominciato a dipingere.

Ho fatto una traccia a matita senza quasi riflettere, poi sono andato di getto con gli acquerelli, a passate e strusciamenti di pennello che trasferivano bande e laghi di pigmenti diluiti sulla carta porosa. Quello che veniva fuori era una specie di paesaggio travolto, colline non-familiari viste dal finestrino di una Ferrari lanciata al massimo, nuvole e prati e alberi e animali spazzati via dalla prospettiva in corsa. Non c'era paragone con i piccoli acquerelli maniacali che avevo fatto fino a quel momento; sono andato avanti a dipingere come un pazzo fino alle cinque e mezza di notte, con il solo aiuto di uno spino o due e di qualche morso di cioccolata ripiena, e degli accordi aperti di Keith Richard ripetuti molte volte di seguito.

Ogni tanto mi veniva in mente Misia mentre mi guardava nella mia cinquecento ferma sotto casa sua: la pressione della sua sincerità, l'irradiazione di urgenza che mi aveva comunicato. Mi sembrava di dipingere in buona parte per lei, per dimostrarle che sapevo fare qualcosa e per sorprenderla; e più lo facevo, più ero sorpreso dallo slancio e dall'energia che riuscivo a metterci, dalla tensione furiosa che mi spingeva avanti.

Alle sei di mattina ho finito l'ultimo dei cioccolatini ripieni, poi mi sono fatto un bagno di mezz'ora, e ancora non mi sentivo davvero stanco, l'eccitazione inaspettata della creazione continuava a circolarmi dentro.

Alle sette sono andato a prendere Marco sotto casa dei suoi, come al solito. Lui era già lì che aspettava sul marciapiede davanti al portone, camminava avanti e indietro, occupato in ogni fibra dai pensieri del suo film. Mi ha fatto male la naturalezza del suo sguardo mentre si chinava per salire in macchina: l'idea che non gli passasse nemmeno per la testa di potere non avermi più come gregario. Mi sono sentito un traditore; ho dimenticato le frasi che mi ero preparato per dirgli che non potevo più partecipare al suo film.

Lui mi ha dato una pacca su un braccio, ha detto «Ho trovato una casa».

«Come una casa?» gli ho detto, senza la minima elasticità mentale.

«Una casa» ha detto lui. «Ho visto un cartello l'altra sera mentre tornavo dal film, mi sono messo d'accordo per andare a vederla adesso.»

Mi sembrava incredibile, perché avevo pensato a lungo che non sarebbe mai arrivato a stabilire un contatto tanto solido con la vita pratica; ma era l'influenza di Misia, anche in questo: era il modo in cui lei lo spingeva a essere più adulto e più libero, a continuare a stupire se stesso e gli altri delle sue possibilità dormienti.

Gli ho chiesto «E i soldi?».

«Non costa molto» ha detto lui, come se io stessi cercando di rinchiodarlo a terra. «E non importa, in ogni caso. Troverò il modo.»

Era come se si fosse messo a correre, dopo essere stato così a lungo fermo a immaginare di farlo: non aveva più la minima pazienza per nessun genere di attesa.

Così l'ho accompagnato a un indirizzo non molto lontano, dove una signora secca e assonnata ci ha fatto strada fino all'ultimo piano di una vecchia casa popolare a ballatoi. Era un ex solaio quasi inabitabile, basso al punto che si riusciva a stare dritti in piedi solo sotto il travone centrale. C'era una brutta moquette marrone tutta lisa e una stufa a gas e un letto a una piazza e mezzo e due sedie, odore di umido e di sigarette spente, traspirazione costante del tetto non coibentato e della parete nord. Marco si guardava intorno; mi ha detto a mezza voce «Tristezza, eh?».

«Forse può migliorare» ho detto io, ma cercavo di capire come.

«Non intendevo questa casa» ha detto Marco. «*Qualsiasi* casa. La tristezza della vita definita e ferma.»

Ma il suo film gli dava un nuovo modo di tenersi fuori dalla tristezza della vita definita e ferma: era un territorio dove le leggi fisiche e le ragioni del mondo reale non lo potevano assediare. Ho visto l'impazienza che gli saliva nello sguardo, la sua storia immaginaria che si sovrapponeva con mille nuovi dettagli all'ex solaio dove ci aggiravamo perplessi. Ha detto alla signora secca «Va bene, va bene». Le ha firmato una carta che lei teneva pronta, poi non ha avuto nessuna voglia di ascoltare le sue spiegazioni sull'uso della stufa o delle chiavi o altro; ha detto «Noi dobbiamo correre, ci stanno aspettando».

Siamo andati giù per le scale come se scappassimo da lì per sempre: ridevamo e facevamo risuonare le suole sui gradini, lui mi parlava a strappi di nuove idee per il film che gli erano venute durante la notte. Mi sono tornate in mente tutte le volte che eravamo corsi via da qualche posto insieme, quando le nostre scontentezze individuali ci avevano consolati e fatti sentire forti e vicini. Mi è sembrato impossibile avere avuto voglia di andarmene dal suo film e mettermi a dipingere quadri per conto mio; mi è sembrato che Misia mi avesse spinto su una strada sbagliata, non riuscivo più a riconoscere i miei pensieri di un'ora prima.

Ma quando siamo stati sulla circonvallazione interna che portava verso casa Pancaro, il suo sguardo era già così distante che gli ho detto a bruciapelo «Non credo di poter lavorare più al film».

Lui si è girato a guardarmi: ho visto la sua attenzione tornare a fatica fino a me. Ha detto «Come mai?».

«È che mi sono messo a dipingere molto» ho detto. Mi sembrava di avere una brutta voce, stonata e altalenante, animata da ragioni non del tutto chiare.

«Quando?» ha detto Marco.

«Ieri notte» ho detto io, sempre più minato da non-sicurezze. Poi mi è tornata in mente Misia la sera prima: la luce che aveva negli occhi mentre mi parlava. Ho detto «Ma voglio continuare. Ne ho bisogno. È importante per me, a questo punto».

Marco ha fatto di sì con la testa, guardava via; ha detto «Certo. Devi vedere tu».

«Però non voglio crearti problemi con il film» ho detto, a voce troppo alta adesso che il punto difficile era superato. «Con le luci e tutto il resto.»

«Ma va» ha detto Marco. «Siamo abbastanza lanciati, ormai. Siamo abbastanza in corsa. Non ci fermiamo più, ormai.»

Gli davo occhiate intermittenti; cercavo di capire dal suo profilo quanta parte di delusione c'era nei suoi pensieri, quanta di comprensione, quanta di sollievo.

Quindici

Dipingevo tutto il giorno, e poco alla volta mi è venuta fuori una vera ossessione, anche se non era un'ossessione condivisibile da altri momento per momento come quella di Marco con il suo film. Era un'ossessione del genere che credo possa venire a uno che costruisce muretti di pietra sotto il sole a picco: avevo le mani impegnate e i pensieri vuoti, i pennelli sembravano andare per conto loro. Sono passato dagli acquerelli alle tempere, per avere colori più solidi e densi; sono passato a pennelli più grossi, fogli più grandi. Ci investivo tutta l'energia fisica e nervosa che avevo e quasi zero energia mentale, eppure mi dava una sensazione di appagamento che non avevo mai provato: mille volte più di quando studiavo all'università o inventavo progetti non-realistici con Marco, o quando ciondolavo senza ruolo e senza soddisfazione ai margini del suo film. Ogni tanto mi sentivo in colpa per averlo abbandonato senza preavviso; ogni tanto mi sembrava che la cosa compensasse almeno in parte il senso di esclusione che mi suscitavano i suoi rapporti con Misia.

Lei una volta è venuta a trovarmi, nell'intervallo di neanche un'ora del film, stanca ed eccitata e percorsa da mille pensieri com'era. Ma i miei quadri le sono piaciuti: gli occhi le brillavano, mi ha detto «Sei grande. Vai avanti, vai avanti. Quando ho finito con il film li facciamo vedere a un po' di gente. Organizziamo una *mostra*».

Due minuti dopo era già fuori da casa mia; l'ho guardata dalla finestra mentre scendeva dal marciapiede sul vecchio motorino scassato di suo fratello, traballava via rapida sulle lastre di pavé fino in fondo al corso.

Ogni volta che finivo un nuovo quadro e facevo tre passi indietro per guardarlo mi sembrava di essere un po' meno inconsistente. Speravo che Misia se ne accorgesse, e rivedesse l'opinione che si era fatta su di me; speravo di riuscire a sembrarle più interessante e complicato di un amico, prima o poi.

Sono andato a mangiare da mia madre, che mi ha ingozzato di lasagne e arrosto e purè di patate e vino rosso frizzante e mi ha chiesto cosa pensavo di fare adesso che avevo finito l'università. Le ho detto «Dipingere». Lei mi ha guardato piena di perplessità, ha detto «Parlavo di *lavoro*». Le ho detto «Anch'io». Lei ha detto «Dipingere non è un lavoro». E forse anche solo qualche settimana prima mi sarei messo a giustificarmi o a cercare vie laterali d'uscita, ma adesso mi sembrava di essere tutto il tempo sotto lo sguardo incalzante e ironico di Misia; ho detto «Lo *è*». Mia madre ha detto «Guarda che lavoro vuol dire una cosa che ti dà da vivere, Livio. Non sono mica disposta a darti uno stipendio per perdere tempo, adesso che hai finito l'università». Le ho detto «Il tuo stipendio non lo voglio più, mamma. Voglio vivere con quello che faccio». Ho finito lo zabaione, me ne sono tornato a casa con ancora più ansia di riprendere in mano pennelli e colori.

Sono andato a mangiare da mia nonna, che mi ha fatto trovare due pizzette e due panini sul bancone della cucina, comprati al bar all'angolo dieci minuti prima. Mentre mangiavamo seduti sugli sgabelli e lei dava lunghe occhiate a uno studio epidemiologico dell'università del Michigan sulle possibili implicazioni trombotiche della pillola anticoncezionale, mi ha detto «Hai un'aria diversa, Livio. Mossa».

«Dipingo» le ho detto. «Grosse tempere. Piene di colori.»

«C'è una ragazza?» ha detto mia nonna, mi fissava da sotto le mezze lenti.

«No» ho detto io, troppo in fretta. «O sì. Ma è soltanto un'amica, non è che ci sia niente.»

«Si vede» ha detto mia nonna, di nuovo con lo sguardo al suo studio stampato a caratteri minuscoli.

«Devo quasi andare» ho detto io.
«Vuoi del nescafè?» ha detto mia nonna.

Sono andato a trovare Misia e Marco a casa Pancaro: mi sono sembrati sempre più presi nel loro gioco di specchi, sempre più estremi e ipersensibili e pazzi. Marco aveva la barba lunga, i vestiti spiegazzati ora che viveva da solo e non c'era più nessuno a stirarglieli; gesticolava e gridava nella sua voce ricca di toni bassi e medi, spostava la cinepresa con la strana padronanza da predatore di immagini che gli era venuta. Misia gli si muoveva davanti come una gatta selvatica e ammaestrata, flessibile e istintiva, obbediente e incontrollabile; continuava a dargli materiale per inventare.

Quando mi ha visto è venuta a salutarmi nel suo modo pieno di slancio; mi ha chiesto se dipingevo. Le ho detto «Molto». Lei ha detto «Non smettere, per piacere». «Non ci penso neanche» le ho detto io.

Marco invece non aveva nessuno spazio mentale al di fuori del suo film: mi ha salutato come se non riuscisse bene a riconoscermi, dopo due secondi era già in movimento verso un altro punto del set, a verificare e pungolare e organizzare qualcosa o qualcuno.

Non sono rimasto molto, me ne sono tornato a casa a dipingere. Ero ancora più preso dalla mia attività manuale e irriflessiva, adesso che li avevo rivisti: andavo avanti come un maniaco ossessivo sulla musica del doppio album dal vivo dei Doors, *When the Music's Over* suonata e risuonata all'infinito, l'organo Hammond che mi gorgogliava liquido nell'orecchio interno e mi faceva credere di avere trovato anch'io un modo di staccare i contatti con la vita definita e ferma.

Sedici

In tre settimane e mezzo di lavoro non-stop ho dipinto una trentina di grosse tempere su carta, e le riprese del film di Marco sono finite. Misia mi ha telefonato alle undici di notte, ha detto «Fa uno strano effetto. Siamo stati così a lungo in questa specie di sogno guidato, dove decidi tu quello che succede, il resto non conta più. E adesso è finito ed è tutto lì nella pellicola, non sappiamo neanche se lo vedrà mai qualcuno».

Il giorno dopo è venuta a trovarmi a casa, febbrile e pallida, più magra di quando l'avevo conosciuta. Le ho fatto vedere i miei nuovi quadri, e le piacevano ancora più di quelli di prima: ha detto «Hai visto? Era tutto lì dentro, dovevi solo *cominciare*». Sembrava felice, per me e per quello che avevo fatto; i suoi sentimenti accesi mi hanno comunicato un'euforia che non mi faceva stare fermo più di qualche secondo nello stesso punto della stanza.

Siamo andati fuori a mangiare una pizza. Lei non smetteva di parlare, spinta dal flusso inarrestabile di energia che l'aveva alimentata durante il film di Marco e che continuava a scorrerle dentro con la stessa intensità contagiosa. Era una specie di potere magico: le permetteva di sciogliere nodi, migliorare le persone, accorciare i tempi.

Eppure era stranita dalla fine del film, e preoccupata del fatto che Marco non sapesse ancora esattamente cosa fare di tutto il materiale che aveva girato. Il suo permesso dal lavoro a Firenze era finito, dopo che glielo avevano rinnovato due volte; e aveva avuto una lite seria con suo fratello per come teneva l'appartamento a Milano, e una discussione con suo padre che le aveva telefonato solo per fare del sarcasmo sull'idea di recitare in un film.

Mi ha detto che dovevamo assolutamente far vedere i miei quadri a qualche gallerista; ha tirato fuori di tasca un breve elenco di gallerie d'arte che aveva copiato dalle pagine gialle nella sua calligrafia regolare. Era il suo modo di affrontare le cose: ingenuo ma anche praticabile, intuizioni mescolate a semplici speranze con tanta vitalità che era impossibile distinguerle.

Il giorno dopo siamo andati insieme in alcune gallerie del centro, con una scelta di mie tempere in una cartella. Misia diceva che era meglio non mendicare nessun appuntamento al telefono perché ci avrebbero detto subito di no, così andavamo agli indirizzi del suo elenco, entravamo e chiedevamo del proprietario o del gestore. Era lei che parlava: su questo non c'era discussione, ogni volta che stavamo per entrare mi diceva «Lascia fare a me, tu sei l'artista».

I proprietari o gestori delle gallerie erano perplessi a vederci, io tutto scarruffato e asimmetrico, Misia così bella e intensa nel suo ruolo di promotrice e sostenitrice. Le stavo di fianco a fare l'artista, come diceva lei: la guardavo di profilo mentre parlava e faceva gesti e fissava i suoi interlocutori molto dritto negli occhi. Ero così abituato a pensarla come un oggetto di attenzioni, mi faceva uno strano effetto vederla occuparsi di me con tanta energia. Aveva un modo preciso di parlare dei miei quadri, senza alonature o esagerazioni, eppure era efficace come non mi sarei aspettato. Spesso i proprietari o gestori delle gallerie la stavano ad ascoltare molto più attenti di quanto sarebbero mai stati con me; e non erano solo affascinati da lei come bella donna, ma anche spiazzati dalla convinzione limpida e accurata che sentivano nelle sue parole. Alla fine dicevano che il momento era difficile però ci avrebbero pensato, ma era chiaro che non lo avrebbero fatto: era chiaro che non avevano la minima vera curiosità o il minimo interesse al di fuori dei loro traffici consolidati.

Quando eravamo di nuovo in strada con la mia cartella di tempere, affannati per la tensione e per la fatica di tenerci nei ruoli che avevamo deciso, ci veniva quasi sempre da ridere. Misia diceva «Cancellalo dalla lista»; diceva «Gattamorta bastarda e annoiata»; diceva «Secondo te qui potrebbe succedere qualcosa?»; scuoteva la testa. Venivamo via pieni di desolazione e di rabbia anche quando ci avevano detto di provare a tornare più avanti, camminavamo lungo il marciapiede nella sera ancora fredda di marzo e ci veniva da scrollarci di dosso la mollezza falsa e soffocante di dove eravamo appena stati. Ci mettevamo a correre, ci davamo spinte, ridevamo. Era una situazione curiosa, fatta di esasperazione e divertimento e complicità, disillusione, amicizia, desiderio di sorprese senza fine, vicinanza calda e viva.

In due pomeriggi abbiamo fatto il giro di quasi tutte le gallerie principali della nostra lista e anche di quelle secondarie, ma non ne è venuto fuori niente. Misia era furiosa. L'ho accompagnata in macchina alla stazione dove doveva prendere il treno per Firenze, e non riusciva a smettere di pensarci. Diceva «Con tutte le schifezze che vedi alle mostre e sui cataloghi. Tutte le cose già copiate e imitate e ricalcate mille volte, senza la minima traccia di talento». Diceva «È un paese dove riesci a fare qualcosa solo perché conosci qualcuno, e perché non ci *credi*».

Ma questo tipo di indignazione non la portava mai ad arenarsi su sabbie depresse o autocompiaciute; le faceva solo venire voglia di trovare altre strade, inventare modi di aggirare i muri. Quando l'ho salutata alla banchina del treno mi ha detto «Vedrai se non riusciamo a farla lo stesso, la tua mostra. Vedrai se ci facciamo intristire da tutti quei bastardi molli e incuranti».

Ci siamo guardati e fatti cenni attraverso il vetro del finestrino finché il suo treno si è mosso, poi le sono corso di lato per un tratto; sono tornato indietro sotto le volte incrostate della stazione, con l'ultimo suo sorriso come una scorta di ottimismo da far durare.

Diciassette

Settimio Archi era riuscito a trovare a Marco un posto dove montare il film, da un amico di un suo amico che aveva uno studio di pubblicità e gli lasciava usare gratis una moviola dalle sette di sera in poi. Me lo ha raccontato lui al telefono, perché io e Marco non ci sentivamo da giorni; gli aveva trovato anche un montatore semidisoccupato che gli doveva un favore o così lui diceva, e che era disposto a lavorare con Marco qualche ora per notte senza farsi pagare, almeno all'inizio. Aveva un tono da produttore, ormai; mi ha detto «Vieni a fare un salto, Livio. Dai un minimo di incoraggiamento al ragazzo, porca puttana».

Così siamo andati insieme da Marco verso le nove, nel seminterrato dove era stato chiuso per le ultime quattro notti. Lo abbiamo trovato che fumava e tossiva seduto in una stanza buia davanti a un bancone di ferro, concentrato sulle mani del montatore dalla testa quadrata che faceva scorrere avanti e indietro le immagini del suo film. È sembrato contento quando mi ha visto: è venuto ad abbracciarmi, ha detto «Bravo che sei venuto, accidenti».

Ma era ancora più teso e stanco dell'ultima volta che lo avevo visto sul set del film: segni intorno agli occhi, i suoi movimenti avevano perso precisione. Ha cercato una sedia per me, ma con tanta impazienza che ha dovuto passargliela Settimio; mi ha detto «Vieni qua, vieni qua». La cenere gli cadeva sulla camicia, e non era mai stato un fumatore di sigarette, non sapeva neanche tenerla nel modo giusto tra le dita.

Mi ha fatto vedere una prima sequenza montata: Misia che attraversava lo schermo nella luce contrastata, intensa da farmi male al cuore. Mi faceva male anche immaginarmela seduta di fianco a Marco lì nella saletta di montaggio: l'idea che si occupasse di lui e del suo film con ancora più partecipazione che per me e i miei quadri. Mi sembrava che non ci fosse gara, tra noi due, che il modo di Marco di fare l'artista fosse mille volte più suggestivo del mio, mille volte più interessante. Restavo lì seduto al banco di ferro della moviola che sembrava una vecchia macchina da lavorazione industriale, nel fumo di tabacco e nel flusso di sguardi molto focalizzati di Marco e di Settimio e del montatore, e cercavo di concentrarmi anch'io sulla sequenza del film ma non ci riuscivo, riuscivo solo a pensare a Misia dietro il finestrino del treno per Firenze.

Marco ha fermato la pellicola, ha acceso la luce. Settimio ha detto «Grande, grande». Marco non lo ascoltava neanche; mi ha detto «Va be', abbiamo appena cominciato. Non ho ancora capito bene come funziona questa baracca». Ma era chiaro che stava imparando; e sapeva cosa voleva, inseguiva la sua storia con la sicurezza di un rabdomante che sente una vena d'acqua dove nessun altro riesce a vederla.

Poi mi è sembrato solo di intralciarlo, gli ho detto «Io vado a casa». Marco ha detto «Sì, tanto non c'è nient'altro da vedere, per ora». Mi ha accompagnato alla porta, e pensavo a com'era strano che la comunicazione tra noi fosse diventata così difficile e schiva, rispetto a prima del film; mi chiedevo se era una cosa transitoria o irreversibile, quali erano le ragioni precise. Ma nella brutta luce fredda dell'ingresso lui ha avuto uno slancio improvviso: mi ha stretto forte per un braccio, ha detto «Livio».

«Marco» gli ho detto.

«Volevo dirti» ha detto Marco, senza allentare la stretta.

«Cosa?» gli ho detto, già commosso e sbilanciato.

«Niente» ha detto Marco. «Mi ha fatto piacere che sei venuto.»

È andato via subito, e anch'io sono uscito quasi di corsa.

A mezzanotte dipingevo al mio tavolo con il primo disco dei Canned Heat sullo stereo, *On the Road Again* come un'onda ricorrente di armonica e basso elettrico sotto la voce flautata, e mi ha telefonato Misia. Mi è sembrato meraviglioso che mi chiamasse così tardi, un indicatore insperato di familiarità.

Le ho detto «Ti ho appena vista».

«Dove?» ha detto lei.

«Da Marco» ho detto. «Mi ha fatto vedere un pezzetto montato del film.»

«E com'è?» ha detto lei, con la più sottile esitazione nella voce.

«Tu sei fantastica» ho detto io. «Del film non si capisce ancora molto, a vederlo così.»

«E Marco?» ha detto Misia.

«Molto preso» le ho detto. «Sta imparando a montare da solo, credo. C'è una specie di mestierante che gli insegna.»

«Avete parlato?» ha detto lei.

«Non molto» ho detto. «Ma era contento di vedermi. Gli ha fatto piacere.»

Misia ha lasciato una pausa, come se si fosse stancata improvvisamente di seguire la coda delle mie parole; ha detto «Volevo dirti che ho deciso una cosa. La tua mostra la facciamo noi».

«In che senso?» le ho chiesto.

«A casa tua» ha detto lei. «Appendiamo i quadri nel cortile e magari anche sui ballatoi e dentro casa. È una situazione abbastanza scenografica, se la sistemiamo bene. Facciamo tutto noi, senza chiedere niente a nessun bastardo di gallerista. Senza mendicare o aspettare niente.»

Non ero sicuro che parlasse sul serio, ma non ero neanche propriamente stupito: viaggiavo in un territorio strano, ogni volta che avevo a che fare con lei, dove i confini tra immaginazione e realtà non erano mai molto definiti.

Diciotto

Misia parlava sul serio, quando diceva che dovevamo organizzare noi la mia mostra: non ha lasciato cadere l'idea. È venuta da me sabato pomeriggio, con un berrettino di lana nera in testa, le guance colorite per il vento freddo che aveva preso sul motorino di suo fratello. Si era portata dietro un metro a nastro, abbiamo preso insieme le misure del cortile e dei ballatoi e delle scale e dell'interno del mio appartamento-corridoio per capire quanti quadri avremmo potuto appendere e dove.

Poi siamo andati al bar di fronte e ci siamo seduti a compilare una lista di persone da invitare. Misia diceva «Non *amici*. Compratori».

«Non possono essere tutti e due?» ho detto io, con la caffeina del cappuccino che mi girava già nel sangue.

«È difficile» ha detto Misia. «Tu pensa alle persone peggiori che ti vengono in mente.»

«Ma a quel tipo di gente non piacciono i miei quadri» ho detto. «Almeno spero.»

Lei ha detto «Guarda che quelli che comprano quadri non lo fanno mica perché gli piacciono. Quasi mai, almeno».

Ho pensato ai miei peggiori ex compagni di scuola e amici di amici e tipi semplicemente incontrati in giro, ho dettato i nomi a Misia che aveva già cominciato a scriverne di suoi sul quadernetto a righe dove si era segnata idee o battute o singole parole mentre faceva il film con Marco. Aveva un impegno totale nel tracciare con il pennarello segni tondi: non c'era la minima incrinatura di distrazione nel suo sguardo o nella sua postura. L'idea che si occupasse di me con un'attenzione così incondizionata mi riempiva di voglia di non deluderla, mi faceva muovere e parlare sempre più veloce.

La sera le ho dettato al telefono altri nomi che mi erano venuti in mente, e altri che mi avevano dato mia madre e mia nonna. Anche lei ne aveva di nuovi; ha detto «Comincia a essere una lista seria, Livio».

Ho fatto un vero sforzo per non chiederle se potevamo vederci; ci sono riuscito solo perché mi sembrava comunque così vicina, potevo sentire il suo calore corporeo attraverso i cavi tesi da un punto all'altro della città notturna.

Domenica verso mezzogiorno è venuta di nuovo a casa mia, con la lista delle persone da invitare alla mostra, battuta a macchina in ordine alfabetico nel modo più ordinato e leggibile che si potesse immaginare. Non riuscivo a credere che mi avesse dedicato tanto tempo anche mentre non ci vedevamo; camminavo avanti e indietro per il mio appartamento-corridoio come un esaltato. Misia rideva; ha detto «*Calma*, Livio. Cerchiamo di non perdere la testa, adesso».

Abbiamo studiato insieme un testo molto semplice per l'invito, poi abbiamo tagliato a strisce sottili due grossi fogli di cartoncino bianco e abbiamo scritto a mano il testo decine e decine di volte di seguito. Mi piaceva follemente lavorare con Misia a così breve distanza, seduti al mio tavolo in due radure ricavate a fatica nella jungla selvaggia di oggetti che lo ricoprivano, con il blues elettrico allungato di Kooper e Bloomfield sullo sfondo. Sarei potuto rimanere lì per sempre, senza bisogno d'altro che degli sguardi e dei sorrisi che ci scambiavamo ogni tanto. Quando abbiamo finito ci siamo messi a ridere, per la differenza che c'era tra gli inviti nella sua calligrafia a curve regolari che di volta in volta variava per non ripetersi e non annoiarsi e i miei, aguzzi e sbilenchi da far paura ma quasi identici uno all'altro. Sembravano rappresentazioni grafiche dei nostri due caratteri, mescolate sul tavolo e sul pavimento dove le avevamo lasciate cadere mentre scrivevamo.

Poi Misia mi ha portato fuori sul ballatoio a controllare ancora una volta il cortile, tutto annerito di smog com'era. A guardarlo così non sembrava molto un posto dove appendere quadri e aspettarsi che qualcuno li comprasse: mi sono chiesto se ci saremmo rimasti male alla fine, se l'idea della mostra era più inconsistente di come mi era sembrato nel mio entusiasmo per tutto quello che veniva da Misia.

Misia ha detto «Dobbiamo ridipingerlo».

«Ma non si può» ho detto io. «Non è mica mio. Dovrei consultare il condominio, convocare una riunione e tutto.»

Misia mi ha guardato con i suoi occhi chiari; ha detto «Non mi *dire*».

E mi ha fatto vergognare subito: mi ha fatto sentire lento e ligio, un bravo figlio di mamma che gioca la parte dell'artista convinto solo a metà e con neanche un terzo del coraggio necessario. Ho cercato di recuperare più veloce che potevo, come un gatto domestico che si arrampica dal fondo di un pozzo per non annegare; ho detto «Di che colore lo facciamo?».

«Vediamo» ha detto lei. «Intanto tu comincia a consegnare gli inviti. Abbiamo dodici giorni.» Guardava il cortile dall'alto, credo con immagini già abbastanza definite della mia mostra.

Il giorno dopo mi ha telefonato da Firenze, per dirmi che aveva fatto delle prove di pittura al laboratorio e aveva trovato la combinazione giusta, rispetto allo spazio del cortile e rispetto ai colori dominanti dei miei quadri. Ha detto «Ma aspettami. Lo dipingiamo insieme venerdì prossimo, se no si annerisce di nuovo tutto, nel frattempo».

Sono corso fuori a comprare i barattoli di vernice in base alle sue indicazioni, come se fosse la più miracolosa delle ricette.

Venerdì Misia è arrivata a metà mattina, con un'aria sbattuta perché aveva dovuto partire prestissimo da Firenze. Le ho detto che mi dispiaceva; lei ha detto «Piantala Livio, non fare la mamma, adesso».

Di tutte le cose che avrei voluto fare o essere per lei, la mamma era proprio l'ultima; ho cominciato a muovermi e parlare nel modo più incurante e trasandato e rozzo al mondo, per compensare.

Abbiamo mescolato in una bacinella i barattoli di blu e bianco che avevo comprato, poi Misia ha fatto delle prove nel tratto di ballatoio di fianco alla mia porta. Passava il pennello nella bacinella in modo da ottenere striature blu nel bianco azzurrato di fondo, lo passava sul muro con un movimento regolare e andava indietro per controllare l'effetto, mi diceva «Allora?». Le dicevo «Eh, bello»; ma sapevo di non avere una vera opinione indipendente, con lei a pochi centimetri.

Alla fine ha trovato le proporzioni giuste tra i colori, e abbiamo telefonato a Settimio Archi per farci dare una mano, ci siamo messi tutti e tre a dipingere i muri del cortile.

Settimio lavorava con il rullo come se fosse un'attività un po' al di sotto del suo stato ormai; era entrato così a fondo nel ruolo di produttore e organizzatore del film di Marco, non riusciva più a venirne fuori. Ci dava informazioni, mentre dipingevamo i muri: diceva «Sta lavorando alla grande, è preso da far paura. Vuole fare tutto il montaggio da solo, adesso che ha capito come funziona. Il che va anche bene, visto che il montatore cominciava a mettere fuori pretese del cazzo. Poi Marco non sopporta di avere nessuno in giro. Nemmeno io riesco a starci più di mezz'ora di seguito, mi caccia via».

«Ho visto» ho detto. «Non riesco neanche più a parlargli al telefono, non risponde mai.»

«Sì, ma tu richiamalo» ha detto Settimio. «Vallo a trovare, che sei il suo migliore amico. Se no quello si chiude troppo, diventa ossessionato. Gli viene fuori un film troppo difficile. Troppo alla tedesca, porca puttana, che poi lo vedono in dieci gatti se va bene.»

Misia si è messa a ridere; ha detto «Ci credo che ti caccia via». Era allegra adesso, si alzava in punta di piedi per arrivare più in alto con il rullo; sembrava che l'attività e la compagnia avessero dissolto tutta la stanchezza un po' triste di quando era arrivata.

Lavoravamo bene, con la musica che usciva dalla mia porta aperta: andavamo avanti veloci come una piccola impresa, nel giro di quattro ore abbiamo finito tutto il piccolo cortile. Quando siamo saliti al ballatoio del primo piano per vedere il risultato d'insieme, l'intera casa aveva preso l'aspetto della copertina di un disco psichedelico anni Sessanta.

Settimio se n'è andato a un appuntamento fondamentale,

io e Misia siamo passati a dipingere il ballatoio. Un condomino del terzo piano è entrato nel cortile e si è fermato con una faccia allibita; ha guardato in su e ci ha visti con i pennelli e i rulli in mano, mi ha detto «Cosa succede qui? Chi ha deciso questo intervento?».

Sono rimasto sospeso tra possibili scuse e possibili villanie da gridargli nella mia voce-megafono, ma Misia gli ha detto «Era così deprimente, prima».

Il condomino del terzo piano la guardava a faccia in su nel suo impermeabile color vomito di cane, e anche se fremeva dalla voglia di lamentarsi e piantare grane, non c'è riuscito. Misia sorrideva, naturale, curiosa delle sue reazioni; tutto quello che il condomino ha saputo fare è stato alzare le spalle e sbuffare fuori aria, salire le scale verso il suo piano senza salutarci.

Poi siamo andati a comprare gli ingredienti per il cocktail, con i soldi che mia nonna mi aveva dato in cambio di un quadro che ancora doveva scegliere. Misia aveva deciso che la soluzione migliore era un misto di arancia e vodka. Diceva «Se non li facciamo andare un po' fuori di testa se ne stanno tutti lì rigidi e imbalsamati e non comprano niente. Con questo sentono solo il succo d'arancia, buttano giù e non si rendono neanche conto dell'effetto che gli fa». Settimio Archi era stato totalmente d'accordo, mentre dipingevamo il cortile; aveva detto «Chiaro», nel tono da viveur che assumeva ogni volta con Misia, piccoli occhi scuri che ammiccavano.

Ci ha portato come contributo cinque bottiglie di vodka fatta a Lodi, le abbiamo aggiunte alle nostre e ai chili di arance e alle mandorle salate che avevamo preso al mercato rionale, vicino alle mie tempere incorniciate pronte per essere appese ai chiodi già piantati. Anche tutto il resto era pronto, incluse le casse del mio giradischi da sistemare sul ballatoio e un cartello da attaccare al portone d'ingresso. Misia si è lavata le mani, ha detto «Basta. Ci vediamo domani pomeriggio»; mi ha dato un bacio su una guancia e se n'è andata a casa.

Ancora una volta sono stato alla finestra a seguirla con lo sguardo: riconoscenza e ammirazione e senso di mancanza che mi guizzavano dentro come pesci sconcertati.

Diciannove

La notte ero così pieno di ansia e di tensione che non riuscivo a dormire né a leggere né niente. Mi faceva impressione pensare ai miei quadri pronti per la mostra, come schegge del mio io messe in cornice e sotto vetro per essere viste e giudicate da perfetti sconosciuti, se mai ne fossero venuti. L'idea della mostra privata mi sembrava infantile e patetica e anche probabilmente illegale; avrei voluto parlarne ancora con Misia o con qualcuno di vicino, invece di rigirarmi da solo nel mio letto a ruote.

Mi è venuto in mente quello che aveva detto Settimio su Marco, e ho pensato che negli ultimi tempi non avevo fatto nessun serio tentativo di contatto con lui, a parte cercarlo qualche volta al telefono. Adesso che mi sentivo esposto quasi come doveva essersi sentito lui con il suo film, mi sembrava di non essere stato un grande amico alla prova dei fatti, di avere smesso di dargli sostegno e aiuto quando ne aveva più bisogno.

Ho provato a chiamarlo alla saletta di montaggio, ma non rispondeva nessuno e ormai era l'una e mezzo passata, così mi sono vestito e sono andato direttamente a casa sua. Ho parcheggiato la cinquecento a pochi metri dal portone, mi sono messo a cercare tra le molte targhette del citofono alla luce fioca. Come mi succede sempre, mi sono incantato a leggere i nomi: me li facevo risuonare in testa e provavo a rovesciarli, provavo a immaginarmi le facce a cui corrispondevano, l'arredamento delle case, i quadri alle pareti. Ho sentito la serratura che scattava da dentro, il portoncino incernierato nel vecchio portone di legno si dischiudeva, e mi aspettavo un anziano signore con cane o un ragazzotto magro dalla pelle quasi grigia, e invece c'era Misia a pochi centimetri da me, con le labbra dischiuse e le pupille dilatate dalla sorpresa.

Ha recuperato, ma con uno strano ritardo per una rapida come lei: ha detto «Cosa ci fai qui?».

Le ho detto «Volevo vedere Marco». Ero frastornato da troppi segnali simultanei per capirci qualcosa, come uno che cerchi di ascoltare una melodia sottile in mezzo a un frastuono di traffico.

Misia ha fatto un cenno verso il cortile, teneva ancora il portoncino aperto con una mano; ha detto «Ero su da lui adesso», come se potessi non averlo immaginato.

Eppure era vero che non riuscivo bene a registrare la cosa: mi sembrava di essere nel vago e nel non-tangibile peggio che in un sogno. Ho detto «Volevo ricordargli di venire alla mostra», con un gesto sbagliato, un sorriso da cretino.

Lo sguardo di Misia oscillava nella poca luce su una frequenza che mi faceva paura: una parte di lei voleva spiegarmi tutto e l'altra voleva solo scappare via, togliersi di mezzo. Ha vinto la seconda; ha fatto un gesto verso la strada, ha detto molto veloce «Io vado, se no domani non mi sveglio più. Ci vediamo da te alle quattro, per preparare tutto». Mi ha dato un bacio di striscio su una guancia; due secondi dopo era già sul motorino di suo fratello, già in fondo alla strada.

Sono rimasto forse cinque minuti con una mano sul portoncino aperto senza guardare da nessuna parte, nel puro riverbero di quello che era appena successo. Mi sentivo incapace di decifrare i segnali della vita, affaticato e infreddolito come se avessi attraversato a piedi la Siberia. Non ero sicuro di niente: cercavo di ricordarmi le parole e lo sguardo di Misia ma non ci riuscivo, mi pareva che ci fossero troppi margini aperti all'interpretazione, milioni di possibili letture che si cancellavano l'un l'altra. Avevo perfino dei dubbi sul fatto che Misia fosse davvero uscita da lì pochi minuti prima, e certo non c'era nessuna traccia di lei nella via stretta e sporca, fino a dove si affacciava su un viale attraversato a strappi feroci da rare macchine notturne.

Poi attraverso questo stato totalmente incerto ha cominciato a salirmi una corrente di rabbia purificata, così intensa da accelerarmi il battito del cuore e farmi tremare le mani, farmi diventare i piedi frenetici al punto che non riuscivo più a stare fermo. Sono entrato nel cortile e ho preso a salire le scale tre gradini a ogni respiro, senso di tradimento e gelosia incandescente che mi si moltiplicavano dentro. Quando sono arrivato alla soffitta di Marco ero così fuori di me che avrei potuto buttare giù la porta a calci o a testate: ho cominciato a batterci sopra pugni selvaggi, gridare «Ma-rco! A-pri!», al massimo della mia voce da megafono.

Marco è venuto quasi subito ad aprire, la sua soffitta era così piccola che da qualunque punto poteva arrivare alla porta in un attimo; appena mi ha visto è andato all'indietro, ma senza cambiare espressione, mi guardava dritto negli occhi. Sono entrato nello spazio ristretto su un'onda di sentimenti deteriorati da far paura, alla luce delle lampade a pinza che avevo manovrato nel suo film.

Lui ha alzato le mani in un gesto che non capivo, ha detto «Livio», in un timbro povero rispetto al suo solito. Era a piedi nudi, come se avesse avuto appena il tempo di rimettersi i jeans e il vecchio golf che aveva addosso; mi faceva male solo guardarlo.

Gli ho gridato «Non parlare, non parlare che non serve a niente!», così forte che potevo sentire l'eco della mia voce giù per le scale. Ho gridato «Non serve a niente non serve a niente non serve a niente!», e avrebbe potuto scoppiarmi la testa per il volume che ci mettevo eppure non riuscivo a pronunciare in modo chiaro nessuna parola, non riuscivo a stare fermo; e allo stesso tempo mi rendevo conto che era assurdo, e questo mi rendeva ancora più pazzo di rabbia e di gelosia. Non capivo neanche come avevo potuto guardare Misia andar via senza dirle niente, senza chiederle una spiegazione precisa o trascinarla con me su per le scale, costringerla a parlarmi insieme a Marco.

Andavo avanti e indietro nella minuscola mansarda che avevo visto con lui prima che potesse usarla come base per crimini sentimentali, cercavo qualche traccia di Misia e non volevo trovarne, non volevo neanche cercare. Il letto era rifatto, ma solo da poco; c'era ancora qualcosa nell'aria, che non era odore di Misia ma una specie di residuo sospeso di elettricità non del tutto consumata. Mi sembrava che ogni libro e bicchiere e penna che vedevo in giro fosse corresponsabile o almeno partecipe di quello che era successo; mi sembrava di muovermi in uno scenario intollerabile di complicità e testimonianze silenziose, neutralità fasulle da dati di fatto. Ho detto «Che *bastardo*».

Marco mi guardava forse da un metro e mezzo, il suo modo frontale di reagire agli attacchi peggiorava solo la situazione. Ha detto «Livio, mi dispiace».

«Non dire che ti dispiace, adesso!» ho gridato io, con una voce che non riconoscevo. «Di' qualunque cosa ma non che ti dispiace!» ho gridato, come uno che si vede sfilare davanti un autobus con sopra tutta la gente che conosce e sa che non c'è più verso di saltarci sopra e che non ne arriverà un altro più tardi.

«Allora no, va bene» ha detto Marco, pressato dall'imbarazzo e dai sensi di colpa in una specie di dignità morale che sembrava rovesciare la situazione a suo vantaggio.

«Cosa fai quella faccia da martire del cavolo, adesso?» gli ho gridato, distorto più di qualunque megafono di cattiva qualità ormai. «Ti rendi conto di che schifo di amico ignobile e sleale sei stato?»

Marco guardava basso; ha detto «Ma eravamo sicuri che lo avessi capito da un pezzo».

«Da un pezzo quanto?!» gli ho gridato, travolto da una slavina di percezioni ritardate, sotto il tetto troppo basso della soffitta mal ristrutturata che sapeva di umido e di incenso e zenzero forse portati da Misia o presi da Marco per lei, nel loro gioco di attenzioni estreme su piccoli particolari chissà quando cominciato.

Marco mi seguiva con lo sguardo mentre andavo da muro a muro come un pazzo; ha detto «È il giorno che vuoi sapere? Ti sembra che abbia molta importanza?».

«Sì che ha importanza» ho gridato. «Per capire almeno quanto mi avete preso in giro e imbrogliato, mentre eravamo tutti così presi in questa meravigliosa recita di amicizia creativa. Tutti così belli vicini e sinceri e diretti, eh?»

Marco ha cercato di prendermi per un braccio, ha detto «Livio, cerca di ragionare, per piacere».

«Non ho nessuna voglia di ragionare» ho detto io. «Siete dei bastardi traditori ipocriti e imbroglioni!»

Marco mi ha sbarrato la strada mentre andavo verso il suo minuscolo angolo-cucina, con uno sguardo di sfida negli occhi adesso; ha detto «D'accordo. Avrei dovuto parlarti, ma non ho trovato il momento giusto. Ero troppo preso dal film, non capivo neanch'io cosa succedeva. Misia voleva parlarti. Sono stato io a dirle di aspettare. Non riuscivo a occuparmi anche di questo, oltre a tutto il resto. Poi te ne sei andato, hai abbandonato il film e sei sparito, la comunicazione è diventata così difficile».

La cosa assurda è che fino a quel momento una parte di me era rimasta ancora sospesa nella nebbia del non-saputo, pronta a farsi convincere contro qualsiasi evidenza; tutti i miei sentimenti deteriorati si sono contratti in uno solo, mi hanno scaraventato contro di lui con il desiderio di distruggerlo.

Lui era più solido di me, anche se più basso di dieci centimetri, ma non se l'aspettava: c'è stato questo scontro furioso e ridicolo, tra due persone che si erano sempre considerate immuni dalle leggi che governano il mondo dal basso. Ci siamo spinti selvaggiamente da una trave di sostegno all'altra, tutti respiri contratti e grugniti di fatica, dolore sordo alle fibre muscolari.

Alla fine Marco è riuscito a scivolare di lato; si è appoggiato di schiena alla porta, stentava a riprendere fiato. Ha detto «Poi non stavate mica insieme, tu e Misia».

«Ma l'ho conosciuta io» ho detto, senza lasciare strada libera a nessun ragionamento razionale. «L'ho portata io sul set del film. Tu non ce la volevi neanche. Senza di me non avresti neanche mai saputo che esisteva.»

Marco ha detto «Sì, ma non c'era niente tra voi».

«Cosa ne sai?» gli ho gridato, con quello che mi restava di voce sgolata. «C'erano un *miliardo* di cose tra noi, fino a dieci minuti fa. Molto più di quante crediate di averne voi, con la vostra arroganza vile e bastarda della concretezza incontrovertibile!»

Lui ha avuto uno strano passaggio di luci nello sguardo, ma non riuscivo a credere alle mie parole fino in fondo: avevo la testa piena di visioni crudeli di loro due vicini sotto gli occhi di tutti mentre giravano il film, loro due ancora più vicini nel segreto della piccola mansarda umida. Potevo vedere le loro corse per raggiungersi nel mezzo della notte, l'ansia terribile di contatto, il modo che avevano di consumarsi e alimentarsi a vicenda, nell'attrito febbricitante che mi ero ostinato a considerare una pura complicità creativa. Mi sembrava di essere stato incredibilmente ingenuo e sprovveduto; di non essere attrezzato per la vita, non avere gli strumenti minimi.

E non riuscivo più a pensare a niente da dire: mi sentivo troppo accaldato e affannato e rosso in faccia, troppo alto e asimmetrico e non-pratico e non-utile e non-efficace, lì in piedi tra i frammenti della nostra amicizia e del mio amore per Misia.

Ho fatto uno sforzo incredibile per raffreddare lo sguardo, raffreddare il tono; ho detto «Va be', tutto serve a qualcosa, no?»; e avrebbe dovuto essere una frase amara interpretabile in molti modi, ma non mi sembrava che avesse senso in quel momento. Sono andato alla porta e l'ho sbattuta; sono sceso di corsa per le scale dove qualche vicino svegliato dalle mie grida si era affacciato a guardare.

Venti

A mezzogiorno passato l'ultima cosa che volevo fare al mondo era una mostra dei miei quadri. Volevo solo restare a letto con due cuscini sopra la testa, senza alzarmi né aprire gli scuri della finestra né vedere nessuno né rispondere al telefono per settimane.

Ma la suoneria non smetteva di trapanarmi le orecchie, con il suo trillo amplificato dal legno del tavolo a cavalletti, così alla fine sono andato ad alzare la cornetta. Era Misia: ha detto «Livio, mi dispiace».

«Non cominciare anche tu con queste frasi, adesso» ho detto io, secco come non avrei mai pensato di poter essere con lei.

«Ma mi *dispiace*» ha detto Misia. «È che non abbiamo mai trovato il momento di parlarne. Non sapevamo neanche cosa ne pensavi tu.»

Aveva un tono sofferente, ma continuava a parlare al plurale; mi faceva sentire ancora peggio, come un malato di nervi a cui si cerca di evitare una crisi.

Le ho detto «Non ti preoccupare. Non è successo niente di significativo». Ho riattaccato, sono andato a mangiarmi un'intera tavoletta di cioccolata all'ananas, così dolce e piena di aromi artificiali da farmi venire le lacrime agli occhi. Guardavo i miei quadri pronti per la mostra contro la parete, e li avrei voluti buttare tutti in strada dalla finestra; avrei voluto barricarmi dentro, lasciare che gli invitati arrivassero nel cortile vuoto e si guardassero perplessi e si chiedessero cosa era successo. Avrei voluto che l'intero piccolo palazzo crollasse per le vibrazioni del traffico che salivano dal corso, rimanere sotto le macerie come sotto le mie coperte tirate fin sopra la testa.

Invece neanche un'ora dopo il citofono ha preso a suonare insistente; quando sono andato alla finestra ho visto Misia e Settimio sul marciapiede, con delle grosse scatole di cartone in mano. Settimio ha gridato «Ci apri, che pesano una madonna?».

Così ho dovuto aprire, ho dovuto anche salutarli quando sono entrati perché mi sentivo troppo ridicolo a fare scene davanti a Settimio. Ero furioso con Misia, per come lo aveva usato da grimaldello e da schermo protettivo; mi sentivo scottare il sangue.

Lei era tutta rapida e amichevole, senza traccia del dispiacere rallentato di quando mi aveva telefonato la mattina. Ha tirato fuori tre grosse ciotole da cocktail dalle scatole che aveva portato con Settimio, è andata a prendere tutte le arance nel frigorifero e si è messa a tagliarle, mi ha chiesto di aiutarla. I suoi modi ultrapratici mi rendevano ancora più risentito, come se quello che stava facendo per me fosse una violenza invece che un piacere: mi sono messo a spremere arance con la peggiore disposizione possibile, mentre lei dava indicazioni a Settimio su come attaccare i quadri alle pareti del cortile e dei ballatoi. Anche il rapporto che aveva con lui mi riempiva di fastidio: il suo modo di giocare con il suo ascendente per fargli fare qualunque cosa e gratificarsi e sentirsi una capitana di truppe. Schiacciavo e grattavo arance con il mio vecchio spremino, e quelle che avevo ammirato in lei fino alla sera prima come qualità meravigliose mi sembravano adesso difetti intollerabili. La guardavo andare avanti e indietro con la sua energia inesauribile e le sue intenzioni ben indirizzate, e mi sembrava la ragazza più fredda e frivola che avessi mai conosciuto, ogni suo gesto e sguardo e parola calcolati per una seconda o terza ragione.

Quando tutti i miei quadri sono stati appesi, mi ha detto «Vieni un po' a vedere».

Sono andato, e non riuscivo a esserne per niente contento: mi sembrava solo che lei mi avesse buttato allo sbaraglio per pura impazienza superficiale e incurante. Mi sembrava che se avessi assecondato la mia reticenza naturale non mi sarei mai azzardato a mettere in mostra i miei quadri in cerca di approvazione e addirittura di compratori, sarei rimasto ben al riparo delle mie scontentezze dove nessuno avrebbe potuto venire a snidarmi.

Misia ha detto «Allora, come ti sembra? Sei contento?».

«No» le ho detto. «Non sono contento per niente»; senza guardarla, senza neanche usare il tono che avrei voluto.

Lei non mi sembrava nello spirito di stare lì a registrare i miei toni: era tutta presa dall'organizzazione, tagliava pan carrè a fette e pecorino piccante a cubetti e versava salatini nelle ciotole che era riuscita a trovare. Diceva «Devono avere sete, se vogliamo che bevano».

Settimio Archi le andava dietro anche in questo: si è messo a spargere sale a manciate sulle mandorle e sulle nocciole tostate e sul pecorino piccante; ammiccava con i suoi occhi di furetto urbano, non aspettava altro che un suo sorriso di approvazione.

Li detestavo tutti e due, in questo loro prodigarsi così energico per la mia mostra; avrei fatto qualunque cosa per creargli complicazioni e guastare tutto, mandare in malora la bella organizzazione che avevano messo in piedi. Nascondevo i miei pochi attrezzi da cucina nei cassetti dei vestiti, rovesciavo i salatini sul pavimento, appiccicavo ai quadri sbagliati le etichette con i titoli battuti a macchina che lei aveva preparato a casa. L'idea che mi avesse dedicato tanto tempo e tanta attenzione aveva smesso completamente di commuovermi; mi sembrava solo una manifestazione di invadenza, con l'unica ragione di continuare ad avere a disposizione un giocattolo sentimentale con cui bilanciare l'egocentrismo e gli umori oscillanti di Marco.

Ci ha messo venti minuti almeno a trovare le proporzioni giuste del cocktail arancio-vodka con l'aiuto di Settimio. Uscivo dalla stanza appena cercava di coinvolgermi con il suo tono da girl-scout traboccante di energia e di iniziative, scendevo nel cortile a sostituire qualche altra etichetta a casaccio. Ero ostile e negativo come un bambino incanaglito; trascinavo i piedi, mi nascondevo dietro le vecchie colonne dipinte di azzurro bluastro psichedelico. Avevo dormito forse due ore in tutta la notte, a strappi e rivoltolamenti continui: ogni tanto mi tornava in mente un'immagine di Misia che usciva dal portone di Marco, vivida e inconsistente come una diapositiva su un muro. Non riuscivo a credere al suo sorriso quando ci eravamo trovati faccia a faccia, non riuscivo a credere alla sua industriosità allegra nel mio appartamento-corridoio; mi sembrava di muovermi in uno scenario di significati rotti e rovesciati, equivoci e illusioni e aspettative a vuoto, idee senza fondamento.

Quando Settimio ha portato giù nel cortile il mio tavolo a cavalletti e in viaggi successivi ci ha posato le grandi ciotole di cocktail, ho preso di nascosto altre tre bottiglie di vodka e le ho versate nella mistura, ci ho spruzzato sopra interi pizzichi di peperoncino in polvere che mi aveva portato mia nonna da un viaggio in Turchia. Ho bevuto mezzo bicchiere per vedere se ero riuscito a guastare tutto; l'alcool mi è andato dritto alla testa in pochi secondi. Ne ho bevuto subito un altro, per l'odio che provavo per Misia e per il disagio terribile all'idea della mostra che si avvicinava, per la mancanza generale di senso e di ragioni, la delusione irrimediabile che avevo dentro. Settimio ci ha aggiunto del suo, con uno spino di dieci centimetri carico di resina afghana; al secondo tiro ero fuori da far paura. Non volevo neanche guardare Misia attraverso la nuvola di fumo; non ho risposto ai suoi sorrisi cerca-contatto. Ho aiutato Settimio a tirare su il mio letto a rotelle, metterlo in piedi contro la parete per fare spazio, e mi sembrava un'impresa assurda come tutto il resto; mi sembrava che la vita avesse la stessa consistenza del mio materasso a molle, pesante e cedevole e limitatamente elastica com'era.

Poi erano le sette di sera, senza il minimo preavviso. Un momento mancava ancora almeno un'ora all'arrivo dei primi possibili invitati, e un momento dopo quattro o cinque di loro già premevano al portone per entrare. Misia era chiusa in bagno a cambiarsi e truccarsi, attraverso la porta ha gridato a Settimio di andare ad aprire e fare gli onori di casa. Non provava neanche a parlarmi, visto che io non parlavo a lei: era il suo modo di reagire alle cose, detestavo anche quello. Guardavo fuori dalla finestra, continuavo a pensare che avrei voluto buttarmi di sotto ma che il primo piano non era abbastanza alto per risolvere niente in modo definitivo.

Misia alla fine è venuta fuori dal bagno, elegante e bella in un modo che mi risultava intollerabile; è andata a mettere *Blonde on Blonde* di Dylan sullo stereo, ha fatto rimbombare *Rainy Day Women* in tutto il cortile. Mi è ripassata vicino, ha detto «Fai l'artista. Non spiegare niente. Non essere troppo gentile o troppo chiaro con nessuno».

Le ho detto «Non ti preoccupare», senza neanche guardarla negli occhi.

Non capivo neanche più di cosa parlasse, tanto ero fuori; quando mi sono affacciato al ballatoio il cortile mi è sembrato uno stagno in tempesta.

Era già tutto pieno di gente: gente su per le scale e lungo i ballatoi, gente che salutava e faceva gesti e guardava i miei quadri e parlava con Misia e rideva e si faceva riempire bicchieri di arancio-vodka da Settimio Archi che si muoveva come un gangster del proibizionismo al battesimo di un nipote. La musica era forte, le luci del cortile accentuavano l'azzurro bluastro fino a farlo sembrare un bar per fricchettoni ad Amsterdam. Varie persone sono venute a stringermi la mano e farmi domande, ma non riuscivo a interpretare il senso preciso delle loro parole o dei loro sguardi. C'era anche mia madre a un certo punto, e mia nonna con un paio di sue amiche più giovani altrettanto pazze, sono venute a baciarmi e indicare intorno e tapparsi le orecchie per la musica e bere arancio-vodka alterato. Mia nonna ha indicato Misia a distanza, mi ha detto qualcosa tipo «Che bella ragazza» o «Che brava ragazza» o «La tua ragazza?», ma il termine «ragazza» era il solo che riuscivo a identificare per quante volte lei ripetesse la frase; facevo di sì con la testa, l'oscillazione mi si ripercuoteva per tutto il corpo come una molla.

Sono andato giù dalle scale nella mischia, e mi sembrava incredibile ma tutta la casa brulicava di gente in ogni angolo e per lo più era gente che non avevo mai visto in vita mia, ubriaca a causa dell'arancio-vodka alterato e dei salatini ultrasalati che la costringevano a bere un bicchiere dietro l'altro. C'erano bambini ubriachi che rotolavano ridendo giù dalle scale, signore ubriache che mi facevano complimenti dilatati e mi guardavano a occhio di pesce da pochi centimetri, signori che mi stringevano la mano sul ballatoio del primo piano e nel cortile e dentro il mio appartamento-corridoio, ogni volta come se fosse la prima. C'erano facce che mi sembrava di riconoscere in mezzo a tutte le facce sconosciute, ma non riuscivo a capire da dove, se erano vecchi compagni di scuola o vicini di casa o chi. Un paio di vicini di casa sono usciti a protestare per la musica e la confusione, ma Misia è andata a dirgli qualcosa e fare qualche gesto, si sono messi a sorridere e sono andati anche loro a farsi riempire un bicchiere di arancio-vodka da Settimio. Era una specie di circo subacqueo, mi sembrava: una frenesia di esseri monocellulari che si esprimevano con semplicità ridicola e commovente da cartone animato degli anni quaranta. Mi divertivo, adesso che la situazione si era così deformata; mi lasciavo portare dalle correnti interne, salivo e scendevo, andavo in lungo e in largo tra i miei quadri, mentre Misia era tutta intenta ad applicare bollini rossi agli angoli delle cornici. Non sapevo più quali fossero i miei sentimenti, ma non me ne importava molto; avevo anche smesso di preoccuparmi all'idea di potermi trovare davanti Marco da un momento all'altro e dover decidere cosa fare o dire. Salivo e scendevo le scale di vecchia pietra fuligginosa e sorridevo e facevo di sì con la testa e facevo l'artista come aveva detto Misia e vuotavo bicchieri in due o tre sorsi e inventavo contenuti incredibili a un quadro se me lo chiedevano e se me lo chiedevano una seconda volta ne inventavo altri perché non mi ricordavo più cosa avevo detto la prima. Ero in uno stato di resistenze saltate, come una macchina bloccata con il freno a mano troppo a lungo; e anche se non ero in grado propriamente di pensare, sapevo che era tutto merito di Misia, e questo mi faceva sentire ancora più risentito con lei. Parlavo, con chiunque mi arrivasse a portata: del dipingere e della percezione del tempo e della mafia dei galleristi e dell'orrore delle Crociate e della naturalezza di Misia davanti a una cinepresa e di come mi ero quasi picchiato con il mio migliore amico la notte prima, ma non mi sembrava che nessuno capisse molto di quello che dicevo. C'era questo clima genericamente affettuoso e tollerante e destrutturato, dove le parole viaggiavano a branchi per conto loro senza suscitare altre conseguenze che manifestazioni facciali di interesse universale. Toccavo la gente, anche: mi appoggiavo con la fronte alla spalla di qualcuno o di qualcuna, stringevo braccia, stringevo mani, mi tiravo vicino ogni ragazza carina che mi capitasse di vedere nella mischia, anche se nessuna era lontanamente carina come Misia; avevo bisogno di contatto e rassicurazioni, risposte tangibili a richieste d'aiuto mandate in tutte le direzioni.

Poi era già finito tutto: il cocktail arancio-vodka finito e la musica finita e le strette di mano e i saluti e gli ultimi sguardi finiti, la gente si era ritirata dai ballatoi e dalle scale e dal cortile come acqua che si ritira da un bacino e lo lascia vuoto, con solo una traccia di umidità a ricordo di quello che c'era stato fino a poco prima.

Settimio Archi mi guardava con un sorriso estenuato dall'eccitazione, ha detto «Non è andata alla grande?». Ma mi è venuto da vomitare nello stesso momento; sono corso in bagno a buttarmi in ginocchio ai piedi del gabinetto, travolto dall'arancio-vodka e da tutti i non-sentimenti liquidi che avevo dentro.

Quando sono venuto fuori Misia aveva un blocchetto per appunti in mano, mi ha detto «Indovina quanti quadri abbiamo venduto?». Sembrava uscita da una tempesta anche lei, ma gli occhi le brillavano, era ancora tutta percorsa di energia dinamica che non la faceva star ferma.

«Non ho idea» ho detto io, con una voce che avrebbe anche potuto venire dall'appartamento di fianco. Avrei voluto non guardarla, ma non ci riuscivo; avrei voluto almeno bloccare le sensazioni che mi suscitava.

«*Tutti*» ha detto lei. Aveva un sorriso strano sulle labbra: più lo guardavo e più mi sembrava di leggerci una tristezza appena trattenuta, con troppe origini per avere un fondo. E mentre ci pensavo, Misia ha inspirato dal naso e ha fatto due passi verso la finestra e ha guardato fuori, si è messa a piangere. Ha provato a girarsi per non farsi vedere, ma la vedevo lo stesso; si è lasciata scivolare a terra con la schiena alla parete, è rimasta sul pavimento a singhiozzare e mordersi le labbra, la sua figura così ben proporzionata scossa in modo incontrollabile ormai.

E avrei voluto andare ad abbracciarla e dirle di non fare così e carezzarle i capelli e parlarle molto da vicino e baciarla sulla testa, ma non ne avevo la forza; sono riuscito solo ad allungarmi sul pavimento e girarmi a faccia in giù tra i bicchieri di plastica e i mozziconi di sigaretta e i tovaglioli di carta, mi sono addormentato come uno che precipita in un abisso, senza partecipazione né dispiacere né contentezza né niente.

Ventuno

Quando la mattina ho cercato Misia al telefono, non c'era. Ho continuato a provare a intervalli di dieci minuti, con il cuore che mi batteva irregolare e la testa che mi faceva male, finché verso l'una è venuto a rispondere suo fratello e ha detto che non aveva la minima idea di dove fosse andata né quando tornasse, non l'aveva vista né sentita dal giorno prima.

Mi aveva lasciato sul mobile della cucina il quadernetto dove aveva segnato i nomi dei compratori e i titoli dei miei quadri tra parentesi, con i prezzi e gli indirizzi e i numeri di telefono scritti nella sua calligrafia a onde ottimiste. Guardavo i bollini rossi sulle cornici appoggiate contro le pareti, mi sembrava una specie di sogno con tracce stranamente reali. Tutto quello che riuscivo a ricordarmi della sera prima era la sensazione fluttuante con cui avevo attraversato e riattraversato la folla, e Misia che piangeva seduta sul pavimento vicino alla finestra. Ero pieno di rimpianto per non essere riuscito ad andare da lei e nemmeno a dirle niente: gesti e parole invischiati e paralizzati, mi provocavano fitte al cuore mille volte peggiori di quelle alla testa per i residui dell'arancio-vodka.

Ha telefonato Settimio Archi, per farsi fare i complimenti sul suo ruolo nel successo della mostra; ha telefonato mia madre, per dirmi che forse non avevo poi torto a voler fare il pittore e che mia nonna era una vecchia pazza maleducata perché non l'aveva neanche salutata; ha telefonato mia nonna, per dirmi che era orgogliosa di me e imbarazzata per sua figlia, e che la mia ragazza le era sembrata molto interessante. (Le ho detto che non era la mia ragazza; lei ha detto «Be', peccato».) Ha telefonato una signora per chiedermi se le portavo a casa il quadro che aveva comprato o doveva mandare a prenderlo; ha telefonato un signore per chiedermi se non gli potevo dare un quadro più lungo e più stretto di quello che aveva scelto perché c'era un problema di spazi ed equilibri nel suo soggiorno. Misia non ha telefonato.

Suo fratello si è irritato quando ha sentito di nuovo la mia voce; ha detto «Non è che Misia mi dica sempre dove va». Gli ho spiegato che non avevo nessuna voglia di tormentarlo, ma che dovevo davvero parlare con sua sorella. Lui ha detto «Se si fa viva glielo dico», ed era chiaro che non ci potevo contare.

Camminavo dalla porta d'ingresso alla finestra sul corso, nel mio appartamento-corridoio ingombro di quadri venduti solo grazie a lei, e speravo di sentire suonare il telefono o il citofono, sentire la voce di Misia che mi diceva qualsiasi cosa.

Verso le sette di sera il citofono è suonato: ma non era Misia, era Marco. Ha detto «Posso salire solo due minuti?».

«No» gli ho detto, con un tempo di reazione sfalsato dalla delusione e la sorpresa di sentirlo.

«Ma ti devo parlare» ha detto Marco.

«Non c'è niente di cui parlare» ho detto io, in un tono minerale.

Marco ha detto «Ti devo parlare di me e Misia».

«Parlane con lei» ho detto; ho lasciato la cornetta del citofono a penzolare dal filo mentre lui ancora diceva qualcosa, sono andato a mangiare una manciata di mandorle ultrasalate nell'ingresso venato di tracce dei profumi invadenti delle signore della sera prima. Mi sono buttato di schiena sul letto, ho provato con molta intensità a non pensare a niente.

Ma dopo qualche minuto che ero lì assorto nella ripercussione del traffico sui vetri della finestra, mi è tornato il senso del ridicolo che avevo perso da chissà quante ore: di colpo mi è sembrato assurdo stare sdraiato nel mio catafalco a ruote a macerarmi di gelosia per una ragazza con cui non ero mai stato, intriso in ogni fibra di negatività dopo tutte le cose positive che lei aveva fatto per me.

Sono andato alla finestra per guardare in strada: Marco era ancora lì sotto, nella sera grigia scossa dal passaggio continuo di tram e autobus e macchine e pedoni, con le mani nelle tasche dell'impermeabile e uno sguardo perso. Ho aperto i vetri, gli ho gridato «Sali».

Lui ha alzato la testa, ha fatto un mezzo cenno che non sono riuscito a decifrare. Sono andato ad aprirgli.

Sono tornato alla finestra mentre aspettavo che attraversasse il cortile e salisse le tre rampe corte di scale; sono tornato alla porta. Non mi sembrava di riuscire a reggermi bene in piedi, ma doveva essere più una condizione nervosa che fisica a questo punto, nella nebbia tossica di perplessità che mi impregnava ancora. Mi immaginavo le parole di Marco per spiegarmi i suoi rapporti con Misia e dirmi di nuovo quanto gli dispiaceva: solo l'idea mi provocava una fatica terribile; avrei voluto risparmiargli lo sforzo, passare oltre, occuparmi d'altro.

Lui è entrato con lo stesso respiro con cui aveva salito le scale, ha attraversato il mio appartamento-corridoio fino alla finestra, senza quasi guardare i miei quadri appoggiati alle pareti.

Siamo rimasti quasi ai due estremi della casa, tutti e due con gli occhi socchiusi e le mani in tasca, ci guardavamo e non ci guardavamo. Alla fine gli ho detto «Senti, mi dispiace di averti aggredito così l'altra notte». Marco ha inclinato la testa, sembrava sorpreso ma questo non intaccava la sua desolazione. Ero stupito anch'io delle mie parole, eppure non mi sentivo nobile né generoso: la mia era una nobiltà da zero margini, come i buoni sentimenti che possono venire al passeggero di un aereo che attraversa una turbolenza terrificante. Continuavo a vedere Misia che piangeva seduta sul pavimento dov'era lui adesso, continuavo a sentire la voce di suo fratello che diceva di non avere la minima idea di dove lei fosse; avevo paura, mi sentivo perso. Ho detto «In fondo ho fatto tutto da solo. Non avevo nessuna vera ragione di rimanerci così male. Forse voi siete stati un po' bastardi a non dirmi niente, ma avrei dovuto capirlo per conto mio. Io e Misia non stavamo insieme né niente. È stato un cavolo di equivoco e basta».

«Invece avevi ragione» ha detto Marco. «Sono stato uno schifo di amico.»

«Ma no» ho detto io, aggrappato ai miei buoni sentimenti, in un nuovo vuoto d'aria che mi mandava lo stomaco in gola.

«Tu le piaci, lei piace a te. Lo si capiva dal primo momento che vi siete visti, a non essere proprio ciechi come me.»

Avrei potuto andare ancora oltre: dirgli che ero contento per lui e per Misia, che mi sembravano una coppia fantastica e gli auguravo di essere felici e di fare cose meravigliose insieme, che la nostra amicizia non avrebbe avuto nessun danno da quello che era successo. Era vero, anche; più ci pensavo e più mi sentivo vicino all'unica possibile pista d'atterraggio.

Marco non sembrava affatto rasserenato dalle mie parole; c'era una linea di ostinazione nella sua aria rotta, un'ombra di danno permanente.

Gli ho detto «Mi era venuto questo senso ridicolo di possesso. Mi sono sentito troppo stupido e lento, non lo so. Ma è un problema mio».

«Non è vero» ha detto Marco, con una lieve oscillazione della testa.

«Io avrei fatto come te» gli ho detto. «Non ci avrei pensato un istante. Di sicuro. Non è che averla vista per primo mi desse nessun diritto di precedenza. Non è che queste cose funzionino così, per fortuna.»

Marco ha detto «Comunque tra me e Misia è finito tutto».

Mi è sembrata d'improvviso un'idea così triste e priva di senso da indebolirmi le ginocchia, farmi quasi cadere. Gli ho detto «Stai scherzando o cosa?».

«No» ha detto Marco. «È così.»

«Ma non *dovete*» gli ho detto. «Non ha senso. È ridicolo.» Cercavo di cambiare angolo rispetto a lui nello spazio limitato, e non mi riusciva neanche quello, continuavo a stargli di fronte alla stessa distanza.

Marco ha detto «È così, però. È così e basta». Aveva questo sguardo irremovibile, da martire o da pazzo autolesionista, mi faceva paura.

Gli ho detto «Non facciamo i fanatici adesso, per piacere. Misia è una persona fantastica, sono felice che stiate insieme».

«Non stiamo *più* insieme» ha detto Marco, come un suicida oltre il punto di non-ritorno. «Non c'è niente da aggiungere.»

«Ma quando è successo?» gli ho chiesto, con una linea di sollievo così esile che non riuscivo quasi a rintracciarla nel mio rimorso da distruttore di storie d'altri.

«Stamattina» ha detto Marco. Si è girato a guardare dalla finestra, senza traccia della sua elasticità di movimento. Ha detto «Potremmo non parlarne più, per piacere?».

Così ci siamo guardati e non guardati qualche altro minuto senza parlare, e mi faceva rabbia e mi sentivo in colpa, mi sentivo schiacciato dalla pressione atmosferica e dalla fatica di mantenere un'espressione di qualsiasi genere.

Poi Marco è andato verso la porta con un piccolo cenno della mano, come se avesse paura di sentirsi bloccare per un interrogatorio stringente. La porta era rimasta spalancata da quando lui era entrato; l'ho visto andare via veloce per il ballatoio, giù per le scale.

Ventidue

Misia non c'era più, da nessuna parte. Non mi ha telefonato né si è fatta viva in nessun modo, e quando ho cominciato a cercarla più sistematicamente non l'ho trovata al centro di restauro né nella casa che divideva a Firenze, né a Milano. Qualunque suo numero di telefono facessi, trovavo un tono nervoso e smarrito dall'altra parte, mi sentivo girare contro le mie domande come se fossi io a dover dare spiegazioni invece di chiederne. I suoi colleghi fiorentini di lavoro non la vedevano dal giovedì prima della mia mostra, suo fratello continuava a non avere notizie. Marco stava chiuso tutta la notte nella saletta di montaggio, di giorno dormiva con il telefono staccato; quando finalmente sono riuscito a trovarlo mi ha detto che non aveva più sentito Misia né intendeva sentirla, né sapeva niente dei suoi spostamenti. La sua ostinazione mi ha dato un senso ancora più angoscioso di messaggi non ricevuti, distanze incolmabili.

Sono andato alla casa dove l'avevo accompagnata tante volte senza mai salire; suo fratello è venuto ad aprirmi, magro e biondo e chiaro di carnagione quanto lei, con occhi del suo stesso colore eppure senza il suo sguardo. Ci eravamo parlati al telefono così spesso che mi sembrava di conoscerlo, ma era molto più nervoso di come mi ero immaginato dalla sua voce leggermente trascinata, molto più instabile mentre mi stava di fronte nell'ingresso.

Gli ho detto che avevo assolutamente bisogno di sapere

dov'era sua sorella. Lui ha detto che non poteva farci niente; che anche lui avrebbe avuto bisogno di saperlo. Non stava ben dritto in piedi, e non guardava a lungo in una sola direzione: aveva questo modo di controllare a scatti punti diversi dello spazio, tendere le labbra in un rapido falso-sorriso.

Ma non era distratto: si è reso conto di quanto mi danneggiava non riuscire a trovare Misia, ha detto «Forse è andata a Londra, ma non ho idea di dove o da chi».

«Neanche un'idea vaga?» gli ho detto; e più lo guardavo, più mi rendevo conto di come anche lui era minato dall'assenza di sua sorella.

«Neanche vaga» ha detto lui, con un movimento esagerato della testa. Si riparava nel suo ruolo di fratello minore come in una coperta, combattuto tra l'impulso di chiudermi la porta in faccia e quello di lasciarmi entrare.

Per non spingerlo a chiudermi la porta in faccia ho fatto un gesto verso l'interno della casa, gli ho chiesto «È tanto che vivete qui insieme?».

«Parecchio» ha detto lui. «Misia aveva diciassette anni, quando è venuta qui.»

«E quanti anni di differenza avete?» gli ho chiesto, anch'io nella postura più sghemba che mi veniva.

«Quattro» ha detto il fratello di Misia. Si è girato verso il corridoio; ha detto «Vuoi entrare?».

«No grazie» gli ho detto, ma ero già due passi in più oltre l'ingresso, potevo vedere la porta socchiusa forse di un soggiorno dove erano appese stoffe colorate.

Il fratello di Misia si è messo le mani in tasca, le ha tirate fuori. Sembrava che avesse un grande bisogno di comunicazione, e che allo stesso tempo non gliene importasse niente; quando alzava lo sguardo le sue pupille mi sembravano incredibilmente ristrette.

Gli ho detto «E come mai avete deciso di vivere insieme?».

Lui ha alzato le spalle; ho pensato a che privilegio era essere il fratello di Misia; a che responsabilità. Ha detto «Nostro padre se n'era andato di casa, o meglio era stata nostra madre a cacciarlo. Aveva scoperto che lui aveva un figlio con un'altra, no? Gli ha fatto la valigia e gli ha detto che poteva anche andarsene e lui se n'è andato, senza lasciarci niente».

«Così?» gli ho detto; cercavo di vedere qualcosa di più

delle stoffe colorate oltre la porta del soggiorno, ma non ci riuscivo.

«Sì» ha detto lui. «Bel bastardo, eh? Aveva una montagna di debiti che gli venivano da tutte le sue imprese sballate, ha preso l'occasione al volo per sparire con la famigliola segreta.»

«E vostra madre?» gli ho chiesto.

«È andata in tilt» ha detto lui. «Non ha trovato di meglio che fare un viaggio in Olanda come una barbona con nostra sorella più piccola. Poi quando è tornata lei e Misia non riuscivano neanche più a parlarsi. Per fortuna che il nonno ci aveva lasciato questo posto. Misia è scappata qui, e una settimana dopo è venuta a prendermi. Andavo ancora in terza media. Lei studiava e lavorava, per portare a casa da mangiare. Faceva la baby-sitter, la traduttrice, faceva il lettering per i fumetti, poi stava su con i libri tutta la notte, non dormiva quasi.»

Ci eravamo addentrati a passi obliqui nel corridoio, eravamo quasi sulla porta del soggiorno. Il fratello di Misia mi stava addosso con il suo bisogno incontrollato di comunicazione. Se solo gliela avessi chiesta, mi avrebbe probabilmente raccontato tutta la storia della loro famiglia; ma mi sembrava una specie di tradimento mettermi a raccogliere elementi su Misia mentre lei non c'era. Mi sono solo affacciato a guardare nel piccolo soggiorno disordinato, pieno di oggetti e colori, lampade cinesi di carta, miniature indiane, poster di musicisti rock, vecchi manifesti di film. Mi faceva una strana impressione vedere il luogo da cui Misia partiva per i suoi rapporti con il mondo, e vederlo solo adesso e senza di lei. Mi aggiravo fra le tracce delle sue attenzioni e curiosità, dei suoi viaggi e dei suoi gesti improvvisi, sotto lo sguardo di suo fratello magro e nervoso, e nemmeno questo mi sembrava giusto.

Il fratello di Misia ha detto «Anch'io sono preoccupato di non sentirla, Misia. Qui non c'è più una lira, non so come fare». Ha detto «Io mi chiamo Piero»; mi ha dato la mano con un gesto angoloso, senza stringerla. Aveva un'aria disperata, alla luce delle due grandi finestre sulla strada, e non solo perché si sentiva perso senza sua sorella: era un'urgenza chimica che lo faceva muovere a scatti, sollevare oggetti e libri a caso per poi riadagiarli nel disordine stratificato.

Gli ho detto «Ma neanche i vostri sanno niente di lei?».

«Quali nostri?» ha detto Piero Mistrani con un'oscillazione laterale della testa, come se gli avessi fatto la più strana delle domande.

«Vostro padre, vostra madre, non so» ho detto io. «Non hanno nessun genere di contatto con Misia?»

Lui ha scosso la testa più forte; ha raccolto un foglietto da terra, se l'è lasciato scivolare tra le dita di nuovo. Ha detto «Nostro padre è in Grecia, Misia non lo sente da un anno almeno. Ha aperto un bar con la sua donna, ad Alonissos. C'è gente solo due mesi all'anno, non sappiamo cosa cavolo pensa di farci per il resto del tempo».

«E vostra madre?» gli ho chiesto, sgomento all'idea che Misia non avesse la minima rete di protezione familiare.

Il fratello di Misia ha detto «Buona quella».

«Ma non hai provato a sentirla?» gli ho detto. «Magari sa qualcosa.»

«Se vuoi, provaci tu» ha detto lui, con il falso-sorriso che gli contraeva le labbra a intermittenza. «Io preferisco farne a meno, grazie.»

Gli ho detto «Mi dispiace». Ero intriso di dispiacere fino alle ossa; il senso di mancanza nell'aria mi toglieva il respiro.

Piero Mistrani di colpo ha detto «Non è che mi potresti prestare qualcosa?» con uno sguardo di disperazione aperta ormai.

Gli ho dato i soldi che avevo in tasca, e lui è sembrato riconoscente nel suo modo sconnesso ed effimero, mi ha stretto un braccio con uno slancio che mi è sembrato simile a quelli di sua sorella. Mentre scendevo le scale pieno di tristezza e di smarrimento mi chiedevo se la mia era stata generosità, o solo un tentativo di comprare una piccola ragione di affetto da parte di Misia.

La sera sono andato da Marco, nello studio dove passava le notti a montare il suo film. Aveva un'aria ancora più chiusa e ostinata di quando era venuto a casa mia; ha detto «Scusa, ma sono nel mezzo di una sequenza, non posso interrompere». L'ho seguito nella saletta della moviola, nell'odore di chiuso e di fumo e di celluloide surriscaldata, sono stato in piedi a guardare mentre lui tornava a un fotogramma di Misia sul piccolo schermo opaco e la rimetteva in movimento, la bloccava subito di nuovo.

È andato avanti così per qualche tempo, come se si fosse dimenticato completamente di me: faceva scorrere le immagini fino al punto che gli interessava e le fermava, le faceva tornare fino all'inizio di un movimento o di un'espressione. Restava sospeso per minuti interi su queste immagini sotto vetro, le percorreva avanti e indietro con cautela quasi superstiziosa; poi di colpo strappava la pellicola fuori dalle bobine e la metteva sulla taglierina, la tranciava con un colpo netto e la giuntava a un altro capo di pellicola. Manovrava la moviola come se guidasse una vecchia macchina, ormai: con la stessa padronanza connaturata di leve e interruttori, la stessa incuranza che gli permetteva di pensare solo a quello che voleva raggiungere.

Stavo lì in piedi nel buio sfarfallato dai frammenti luminosi, e mi sembrava di essere ancora una volta chiuso fuori da un gioco, fuori dalla sostanza e fuori dalle spiegazioni, a immaginarmi quello che potevo senza l'aiuto di nessuno. Eppure non era certo un gioco allegro, adesso che Misia e Marco non stavano più insieme e lei era sparita chissà dove: la guardavo filmata di fronte e di profilo mentre scivolava dentro e fuori da un'inquadratura, e ogni fotogramma mi sembrava intriso di una forma violenta di disperazione.

Marco non mi ha chiesto neanche cosa ne pensavo, era in uno stato in cui non gliene importava più niente delle opinioni di nessuno. Non avevo opinioni da dargli, d'altra parte, tranne che non riuscivo a capire il senso di lasciarsi con una persona per poi passare notte dopo notte a manipolare sue immagini su un piccolo schermo di moviola.

Quando lui ha acceso una lampada e si è alzato per appendere degli spezzoni di film a un filo, gli ho detto «Non riesco più a trovare Misia da nessuna parte».

«In che senso?» ha detto lui. Nella luce tagliata sembrava ancora più stravolto: non ci voleva molto a capire che non stava facendo un lavoro sano.

«È sparita» gli ho detto. «L'ho cercata dappertutto, a Firenze e a Milano. Sono stato anche da suo fratello, nessuno ha idea di dove sia.»

Marco si è rollato una canna d'erba, nell'aria già esaurita

dal fumo e dalle tensioni rinchiuse, l'ha accesa e ha preso un tiro lungo. Ha detto «Sarà andata da qualche parte. Non è una che sta mai molto ferma, no?».

«Ma non sei preoccupato?» gli ho detto. «Perfino suo fratello lo è.»

«È una donna adulta» ha detto Marco, ancora più chiuso in difesa. «Sarà andata a fare un viaggio o a trovare qualcuno. E guarda che suo fratello è meglio lasciarlo perdere, forse te ne sei reso conto.»

Mi ha porto la canna, ma gli ho fatto di no con la testa, ero già abbastanza pieno di percezioni distorte e stavo comunque respirando il suo fumo. Siamo stati zitti; guardavamo la moviola spenta, le pizze di film nelle scatole di alluminio, gli spezzoni appesi al reggipellicole. Ho detto «Allora non vuoi fare niente per aiutarmi a trovarla o almeno a capire dov'è andata?».

«Io e Misia abbiamo chiuso» ha detto Marco, in un tono così sordo da farmi venire voglia di prenderlo a pugni.

Gli ho indicato lo schermo della moviola, ho detto «Non mi sembra tanto, a vedere quello che stai facendo».

Lui ha detto «E allora? Quasi tutte le cose creative nascono da uno stato di mancanza».

«Sì, ma qui è una mancanza *estrema*» ho detto io.

Marco ha soffiato fuori il fumo, ha spento su un piattino quello che restava: ha detto «Io devo rimettermi a lavorare».

Sono andato verso la porta, con il più debole dei cenni di saluto.

Ventitré

Ho continuato a telefonare a casa di Misia due o tre volte al giorno; ogni tanto chiedevo notizie a suo fratello, ma non ne aveva; ogni tanto quando sentivo la sua voce buttavo giù.

Dipingevo, ma in uno strano stato incerto, senza energia. Mi mancava di parlare con Misia, e di farmi dare consigli da lei; mi mancava il suo giudizio rapido, l'istinto che trascinava di corsa le sue capacità di elaborazione. Mi rendevo conto solo allora del peso che lei aveva avuto nella mia vita degli ultimi tempi, di come il suo spirito aveva influenzato i miei modi di fare e di pensare fino a spingermi fuori dal limbo in cui avevo creduto di essere bloccato per sempre. Mi rendevo conto che non avrei mai trovato il coraggio di decidermi, senza di lei; che sarei rimasto indefinitamente un figlio e nipote scontento e viziato e legato a quadruplo filo al suo ruolo, se non l'avessi incontrata. Ma questi pensieri avevano solo l'effetto di farmi sentire più desolato, senza interlocutori e senza nessuno che potesse apprezzare i miei cambiamenti, spingermi ancora oltre. Mi sembrava che essere diventato adulto e autonomo avesse solo degli svantaggi, con Misia sparita e Marco chiuso nella sua saletta di montaggio; mi sembrava di essere stato quasi meglio prima. Andavo in giro a camminare da solo per la città, ogni volta che incontravo qualcuno di conosciuto mi sembrava che la mia capacità leggendaria di comunicazione si fosse dissolta nel nulla, per lasciare al suo posto uno spirito critico che mi tagliava fuori da qualunque rapporto con il mondo. Tornavo a casa, mettevo un disco sullo stereo a tutto volume e dipingevo, cercavo di non pensare a nient'altro e non ci riuscivo.

Ho chiesto al fratello di Misia l'indirizzo della loro madre, ci sono andato appena ho finito di scriverlo su un foglietto.

Era una vecchia villetta con un minuscolo giardino, la recinzione e la facciata nelle condizioni peggiori di tutta una via di edifici simili. Quando ho suonato il campanello un intero branco di cani e gatti storti e spelacchiati è venuto ad abbaiare e uggiolare e ringhiare e miagolare e soffiare dall'altra parte del piccolo cancello di ferro rugginoso; una ragazza bionda si è affacciata ad aprirmi, senza neanche chiedermi chi ero.

La sorella di Misia si chiamava Astra; era simile a lei ma più tonda, con gli zigomi più larghi e un'espressione più diluita. Ma era cordiale: un secondo dopo che le avevo detto il mio nome già mostrava un entusiasmo straordinario per il berretto nepalese che avevo in testa. Ha detto «Dài, è fantastico! Fammi vedere!».

Le ho dato il berretto; ho detto «Volevo sapere se avete idea di dove sia Misia. Non so più niente di lei da settimane».

«Ah, Misia» ha detto lei senza grande attenzione. «Devi chiedere a mia madre.»

Mi ha fatto strada con il mio berretto in testa attraverso un piccolo soggiorno ingombro di mobili di qualità e stili diversi, dove altri gatti e cani si aggiravano tra vestiti e giornali e vecchi libri e ciotole e quadri naïf e una chitarra e molti altri oggetti sparsi, in un disordine mille volte più generico di quello di casa di Misia. Il disordine di Misia sembrava un precipitato di scelte e impulsi e slanci vivi, a pensarci da lì dentro; lì invece sembrava solo la conseguenza di una serie di disattenzioni e dimenticanze e intenzioni abbandonate a metà strada, lasciate a se stesse come barche alla deriva. Mi guardavo intorno, tra le stoffe e le sedie spaiate e i gatti e i cani che si aggiravano protervi e bisognosi, e mi faceva male pensare a come doveva essere stato difficile per Misia crescere in un'atmosfera del genere: quanta fatica doveva avere fatto per costruirsi un equilibrio con le sue sole forze e andarsene via, occuparsi anche di suo fratello più piccolo e di chissà quante altre persone vicine prima di incontrare me e Marco.

La madre di Misia era una bella donna chiara, con una strana luce spirituale nello sguardo che ricordava quella di sua figlia ma in una versione più fanatica. Stava mescolando in una grande pentola un pappone per gli animali di casa, mi ha detto «Non le do la mano».

«Certo» ho detto io, mentre mi muovevo nella confusione di contenitori e bicchieri e mele e pezzi di pane e cassette e vecchi giornali e bottiglie mezze vuote e libri dalle copertine mangiucchiate.

La sorella di Misia continuava a girarsi e premersi il mio berretto nepalese in testa, si è guardata nel riflesso di una vetrinetta piena di piatti e bicchieri e medicine per uso veterinario. Era una bella ragazza, con i capelli dorati fin sulle spalle e un'aria allegra, ma il fatto che non avesse niente dell'intensità bruciante di Misia né della sua intelligenza così pronta e precisa mi provocava uno sgomento difficile da fermare.

Ho detto alla madre «Volevo solo sapere qualcosa di Misia. Se l'ha sentita o ha idea di dove sia».

«Misi. Sei un suo amico?» ha detto la madre di Misia, con il suo sguardo da santa o da matta, infinitamente distratto.

«Sì» ho detto io, ancora con l'idea di poter ricevere qualche conforto dal fatto di essere nel luogo da dove Misia era venuta fuori nella sua versione originale.

Sua madre ha tolto dal fuoco la pentola di pappone, ha detto «Mi dai una mano?».

Le ho porto alcune delle ciotole e vaschette che c'erano sul tavolo ingombro, lei ci ha scodellato dentro il pappone bollente. Anche Astra la sorella di Misia è venuta ad aiutare, ha buttato il mio berretto nepalese nella confusione generale di oggetti. Mi guardava, con una specie di malizia insistente e infantile che rendeva ancora più strana tutta la situazione; mi ha sfiorato il braccio e urtato il fianco un paio di volte, sorrideva e poi girava il profilo. I gatti e i cani dentro casa trapestavano tutto intorno nell'ansia di cibo; quelli fuori nel giardino premevano contro il vetro della porta-finestra.

Ho detto «È sparita da un giorno all'altro, e non si è più fatta viva. Nessuno sa dove sia andata».

Sua madre ha detto «È veloce, Misi. Ha sempre impiegato così poco tempo a capire le cose, anche quando era piccola. Ci metteva un decimo di chiunque, ma forse questo le ha creato più problemi che altro». Ha finito di ripulire la pentola di pappone con una spatola di legno, si è messa a soffiare sui contenitori che aveva riempito.

«Ma l'ha sentita?» ho chiesto io, con un affanno che mi saliva dentro come se stessi affondando nelle sabbie mobili. «Sa dov'è, adesso?»

La madre di Misia ha fatto di no con la testa, mi guardava con gli occhi azzurri pieni di luce remota. Ha detto «È sempre stato difficile parlare con Misi. È sempre stata così insofferente. Ostinata, anche. Ha sempre fatto queste grandi questioni di principio, fin da quando era piccola».

La sorella di Misia è uscita dalla porta-finestra con due ciotole ancora fumanti; i cani e i gatti fuori hanno cominciato a saltarle intorno nel minuscolo giardino devastato. La madre di Misia ha gridato «Astra, non darglielo così caldo! Aspetta che si raffreddi!». La sorella di Misia ha gridato «Lo so, lo so, mamma!»; mi ha fatto di nuovo una faccia strana attraverso il vetro.

Ho detto «Be', io devo andare. Comunque grazie». Ho recuperato il mio berretto nepalese, sporco di pappone per animali com'era.

«Mettile in alto sul muretto!» ha gridato la madre di Misia alla sorella di Misia. «E stai attenta che non ci salga Timper! Stai attenta che Bibo o Nina non le buttino giù!»

«Arrivederci» ho detto, già andavo all'indietro verso il soggiorno. Ho fatto un gesto alla sorella di Misia, ma lei non mi ha visto.

La madre di Misia mi ha sorriso, infinitamente dolce e distratta dalle sue ciotole per cani e gatti; ha detto «Torna quando vuoi».

«Grazie» ho detto io, già alla porta d'ingresso, già al piccolo cancello di ferro rugginoso e fuori nella via di piccole vecchie case, intriso di angoscia e di stupore all'idea di quanto fosse miracoloso l'equilibrio che Misia era riuscita a costruirsi da sola.

Ventiquattro

Settimio Archi è venuto a casa mia un pomeriggio con due grosse scatole da film di alluminio; le ha posate sul ripiano della cucina, ha detto «Ecco qua. Finito».

«E com'è?» gli ho chiesto, irritato dal suo modo di muoversi e guardarsi intorno.

«Niente male» ha detto lui, mentre frugava nel mio frigo vuoto. «Certo, non è proprio il film di Natale per la famiglia italiana media, ma un suo mercato secondo me ce lo potrebbe avere.»

«Dicevo come film» ho detto io. «Non come prodotto commerciale.»

«Appunto» ha detto Settimio, con una mano sull'ultima mia tavoletta di cioccolata al lampone. «È venuto abbastanza fuori e ossessionato da rischiare di piacere a qualcuno, se solo troviamo il modo di farlo vedere.»

È andato all'altro capo del mio appartamento-corridoio, con l'agio perfetto che aveva in casa d'altri; mangiucchiava la mia cioccolata.

Gli ho detto «E Marco?».

«Dice che non ne vuole più sapere» ha detto Settimio. «Adesso che il film è finito dice che non lo riguarda più. Sai com'è fatto, no?»

Sono andato a staccargli due quadratini dalla tavoletta, prima che se la facesse fuori tutta; ho detto «L'ultima volta che l'ho visto sembrava molto preso».

«Lo era, lo era» ha detto Settimio. «Lo è stato fino a stamattina. Non ha dormito una sola notte per settimane di seguito, porca puttana. Poi adesso il film è finito e *zac*, basta. Come se farlo vedere a qualcuno o andare a parlarne con qualcuno lo sporcasse. Sai l'artista, eh?»

«Eh» ho detto, ma non avevo molta simpatia per Marco in quel momento.

Settimio ha detto «Poi non ho capito cosa cazzo è successo con Misia, se hanno litigato o cosa. Con lui non c'è neanche verso di parlarne, ma è chiaro che l'ha mandato ancora più fuori di zucca. Tutto il film è venuto fuori come una specie di scopata senza fine tra loro due, ma è roba disperata, anche. Tu lo sai com'è andata?».

«No» gli ho detto. «Non ho capito.»

«Va be', fatti loro» ha detto Settimio, con le mani sporche di cioccolata. «L'importante adesso è riuscire a trovare un cazzo di modo di far vedere il film. Certo non lo metto via in un cassetto, dopo tutto quello che mi è costato.»

Mi faceva ridere sentirlo parlare in questo tono; l'unica attenuante era l'energia che ci aveva messo, e il fatto che ci credeva ancora almeno al quarantacinque per cento, a giudicare dal suo sguardo. Ma quando è tornato verso l'ingresso e ha ripreso le due scatole tonde d'alluminio, mi ha fatto impressione pensare che lì dentro c'era un mese e mezzo della vita di Misia, e migliaia di respiri e pensieri e gesti e sentimenti che Marco non avrebbe mai ammesso di avere avuto.

Verso sera sono passato sotto casa di Marco, anche se sapevo che non gli piacevano affatto le sorprese di questo genere; gli ho citofonato. Marco ha detto «Scendo io, qui è troppo deprimente».

L'ho aspettato dieci minuti almeno; quando è sceso sembrava appena uscito da una centrifuga, tanto era strapazzato e pallido.

Siamo andati in fondo alla strada stretta, verso il viale dove quella sera Misia se n'era andata sul motorino di suo fratello. Gli ho detto «Settimio mi ha detto che il film è finito».

«Ahà» ha detto Marco. «Avrei potuto andare avanti ancora una vita, ma rischiava di diventare una cosa malata. Sai quelli che cercano la perfezione assoluta, e continua a scappargli davanti al naso tutto il tempo?»

«E adesso cosa pensi di fare?» gli ho chiesto.

«Di cosa?» ha detto Marco.

«Del film» ho detto. «A chi pensi di farlo vedere?»

«Non penso di farlo vedere» ha detto Marco, con gli occhi socchiusi come per schermarsi da un fastidio insopportabile.

Gli ho detto «Ma forse c'è qualche festival che potrebbe essere interessato, o qualche distributore o qualcuno». Ero sicuro che Misia sarebbe riuscita molto meglio a caricarlo di energia positiva; ma dato che lei non c'era mi sembrava di doverci almeno provare, fare in piccola parte quello che lei aveva fatto con me.

Marco camminava mezzo passo avanti come sempre, con le mani nelle tasche della giacca e lo sguardo basso; ha detto «Io l'ho fatto e l'ho finito. Basta. Non vado a vendere proprio niente a nessuno. Chiuso».

Così abbiamo camminato zitti nel viale di traffico violento; lo fissavo di tre quarti, e non sapevo neanche che sentimenti avevo per la sua figura compatta e ostile, se era più forte l'irritazione o la comprensione o la compassione o cosa. Poi a un angolo di strada lui si è girato verso di me, ha detto di colpo «Misia come sta?».

«Non ho idea» gli ho detto, con una miscela inspiegabile di sollievo e dolore rinnovato.

«Come non hai idea?» ha detto Marco, mi guardava dritto in faccia.

«Non l'ho più sentita» ho detto io. «Dal giorno dopo la mia mostra. Da quando sei venuto a dirmi che non stavate più insieme. Da quando mi hai detto che la cosa non ti riguardava più.»

«E non l'hai cercata?» ha detto Marco, come se fossi io responsabile di tutto, inclusi il suo rifiuto di parlarne e la sua ostinazione assurda.

«Certo che l'ho cercata» ho detto. «Ma neanche suo fratello o sua madre sanno niente. Suo padre è scappato in Grecia, non si sentono da almeno un anno. I suoi colleghi di Firenze non hanno idea. È una persona senza la minima rete di protezione, Misia.»

Marco si è girato come per guardare la strada, ma ho visto che aveva gli occhi pieni di lacrime, faceva una fatica terribile a controllarsi. Gli ho toccato un braccio; lui ha avuto uno scatto, ha detto «Non fare questi cavoli di discorsi patetici, adesso. Neanch'io ho una rete di protezione, se è per quello».

«Be', una famiglia ce l'hai» gli ho detto, perché oscillavo tra pena e risentimento a ogni respiro.

Lui ha ripreso a camminare, come se cercasse di scappare dalle mie parole. Gli sono andato dietro nell'aria polverosa e tiepida di primavera, agganciato al ritmo dei suoi passi; abbiamo attraversato un incrocio e un vecchio arco, un vicolo stretto finché siamo sbucati in un giardino strapelato su cui era appoggiata una chiesa a molti volumi di epoche diverse. Mi sembrava di non avere nessuna voglia di seguirlo così, e di avere una specie di dovere morale di farlo; gli ho detto «Cos'è successo con Misia? In realtà? Com'è la faccenda?».

Marco si è girato con un movimento aspro della testa; ha detto «Non è successo niente, ci siamo lasciati e basta». Ma è rimasto fermo a guardarmi, con le mani nelle tasche della giacca di cotone spiegazzato, gli occhi socchiusi.

Gli ho posato una mano su una spalla, e questa volta non si è scostato; gli ho detto «Marco, porca miseria. Cosa c'è?».

«Niente» ha detto lui. «È solo che sono rimasto troppo tempo chiuso dentro quella saletta di montaggio, a guardarla su quel cavolo di schermetto. Adesso mi riprendo, in un giorno o due.»

Gli ho detto «Non vuoi che andiamo a bere qualcosa? Che andiamo a vedere un film o mangiare una pizza?».

Marco ha scosso la testa, era già tornato al riparo del suo modo di fare corazzato con il mondo; ha detto «Magari uno dei prossimi giorni. Ti telefono. Adesso ho bisogno di dormire, più che altro».

Avrei voluto dirgli che lo accompagnavo, ma lui mi ha dato una pacca di congedo su una spalla, se n'è andato via attraverso il grande prato strapelato attraverso cui correva qualche cane.

Venticinque

Ai primi di maggio ero sul marciapiede sotto casa mia, e un maggiolino Volkswagen con ruote larghe il doppio del normale mi ha quasi travolto. Dentro c'era Settimio Archi, in uno stato incredibile di eccitazione cinetica: mi ha gridato «Sono due ore che ti cerco, cazzo! Qui ci sono notizie esplosive, e tu stai in giro a ciondolare!».

È salito a cavallo del marciapiede senza preoccuparsi affatto del traffico di pedoni ed è saltato fuori, mi ha raccontato che un suo conoscente gestore di cinema gli aveva messo a disposizione una sala per proiettarci il film di Marco, nel buco di programmazione di una sera tra due film americani. Ha insistito perché lo dicessi io a Marco; ha detto «Se non lo smuovi, ci vado io con il fucile, cazzo».

Quando l'ho detto a Marco poche ore dopo, non sembrava interessato: aveva questa specie di distacco irrimediabile. Ha detto «Non mi ricordo neanche che film è. È una storia lontana».

«Ma se l'hai finito da un *mese*» gli ho detto io, con un vero sforzo per limitare il volume della mia voce.

«E allora?» ha detto Marco. «Ci sono cose di questa *mattina* che mi sembrano lontanissime.»

Così abbiamo organizzato tutto io e Settimio Archi da soli: lui ha fatto tre manifesti e scritto una pagina di informazioni tecniche per la stampa, io ho battuto gli inviti e le buste con la macchina da scrivere di mia nonna. Li abbiamo mandati a tutti i giornali e a chiunque conoscevamo, inclusi i contatti loschi di Settimio e i miei compratori di quadri. Mi ricordavo fin troppo bene come aveva fatto Misia per la mia mostra, anche se non speravo di riuscire a riprodurre nemmeno in piccola parte il suo contagio ottimista.

Giovedì sera Settimio Archi è venuto a prendermi con una vecchia Mercedes che si era procurato in uno dei suoi giri, siamo passati insieme sotto casa di Marco. Avevo dovuto insistere come un pazzo per convincerlo a venire: gli avevo dovuto gridare «Non hai neanche voglia di vedere una volta su un vero schermo il film che hai fatto? Non hai neanche una punta di *curiosità*?».

Settimio era frenetico mentre aspettavamo davanti al portone, mi rintronava di risa da mitragliatrice e sguardi-sonda, ma quando Marco finalmente è sceso, ha smesso. Marco ha sempre avuto questa capacità di comunicare agli altri i suoi stati d'animo, senza dire o fare niente di speciale: di stroncare una conversazione leggera o uno scambio di scherzi con uno sguardo, animare la più stagnante delle atmosfere con un gesto o una parola o anche solo un sorriso. Ma la sera della proiezione del suo film è stato zitto per tutto il percorso, come un ostaggio delle circostanze portato alla fucilazione; persino Settimio si rendeva conto che non era il caso di parlare.

Il cinema del suo conoscente non era proprio in centro ma nemmeno terribilmente fuori, in un vecchio edificio liberty tutto incrostato di fuliggine dal traffico che ingolfava giorno e notte un grande viale. Quando siamo arrivati mancava mezz'ora alla proiezione, e c'erano ancora da controllare le pizze di pellicola e la mascherina del proiettore e tutto il resto; Marco ha detto «Cominciate a entrare voi. Io vi raggiungo».

«Ma è il *tuo* film» gli ho detto. «Non puoi fare così.»

«Perché no?» ha detto Marco, con gli occhi socchiusi. «Chi lo dice che non posso?»

Ma dovevo avere una faccia così disperata che alla fine è sceso con noi, come un ladro anche se non c'era nessuno fuori dal cinema e nemmeno nell'atrio, c'erano solo i brutti manifesti scritti a mano da Settimio che dicevano *Proiezione Speciale, Solo Per Questa Sera In Anteprima Mondiale LA-DRODICUORI di Marco Traversi*, con una foto di Misia nella scena del film dov'era nuda.

Marco appena li ha visti è diventato furioso: gli ha detto «Cosa cavolo è?».

«È un fotogramma del film» ha detto Settimio, in un tono di finta innocenza. Marco l'ha preso per il bavero della giacca, ha detto «Io ti spacco la faccia, porco». Anche se ero forse più furioso di lui mi sono messo di mezzo, ho detto «Calma, per piacere».

«È un fotogramma del film» ha detto Settimio.

«Non mi interessa cos'è» ha detto Marco senza lasciargli il bavero. «Non ti dovevi permettere di usarlo in un modo così lurido!»

«Per *piacere*» ho detto io; sono riuscito a staccargli le mani violente da Settimio. «Siamo qui per una proiezione, madonna. Forse l'unica che ci sarà.»

«Non me ne importa niente della proiezione» ha detto Marco, tremava di rabbia. «E certo non sono disposto a usare Misia per mettere in vendita il mio film come un ruffiano marcio e laido!»

«È un fotogramma del film» ha detto ancora una volta Settimio, adesso che c'ero io a evitare che Marco lo picchiasse.

«Nel film è un'altra cosa, verme» ha detto Marco. Ha cercato di riagguantarlo, ma l'ho bloccato prima; ha detto «Io non voglio più avere a che fare con questo schifo di bastardo ignobile».

«Sentite, facciamo così» ho detto io, per impedire che la situazione si autodistruggesse nel giro di pochi secondi. Sono andato a staccare le foto di Misia dai tre manifesti, le ho consegnate a Marco. Marco le ha tenute tra le mani, e non sapeva cosa farne, alla fine le ha strappate in molti pezzi: frammenti di Misia nuda e chiara come tutti e due ce la ricordavamo bene quel giorno delle riprese, se li è ficcati nelle tasche della giacca.

Poi si è girato per andarsene, ma il gestore del cinema è arrivato nello stesso momento, ha detto «Allora, eccolo qua, l'artista!».

Settimio per recuperare si è industriato in presentazioni incrociate, ha spinto e sollecitato strette di mano, sorrideva come una macchina per relazioni pubbliche.

Il gestore si chiamava Danilo Dargopanno e aveva una faccia da cavallo, un busto stretto e lungo rispetto alle gambe. Marco sembrava sul punto di prendere anche lui per il collo; per evitare guai l'ho tirato per un braccio, ho detto «Noi dovremmo controllare un po' di cose in cabina di proiezione, no?».

Dopo che abbiamo controllato tutto siamo rimasti nella galleria a guardare giù in platea, Marco mezzo nascosto dietro una vecchia colonna dorata che faceva parte del decoro quando la sala era un teatro molti anni prima. Sotto c'erano forse cinque o sei persone sparse nel mare di sedili vuoti in un silenzio perplesso, e mancavano solo cinque minuti all'inizio. Marco ha detto «Cavolo di idea di dare retta a Settimio. Come se non bastasse la desolazione del mondo, madonna».

«Smettila» gli ho detto. «Almeno lo vede qualcuno, no?»

«Sì, che meraviglia» ha detto Marco. «Era un miliardo di volte più dignitoso lasciarlo chiuso nelle sue scatole. O *bruciarlo*, piuttosto che portarlo in giro a mendicare attenzione in questo modo.»

Ma mentre diceva queste cose è entrata altra gente, abbiamo visto dall'alto Settimio che andava avanti e indietro tra le file di poltrone e faceva gesti da padrone di casa e indicava lo schermo e indicava in alto verso di noi. Marco ha detto «Se fa salire qualcuno lo butto di *sotto*».

Così sono sceso io, tra le facce perplesse e le facce da funerale e le facce da processo politico, le facce da scuola e le facce da quartiere e le facce da bar e da associazione goliardica. Settimio salutava e scortava alle poltrone chiunque entrasse, anche se la platea era così grande e vuota che nessuno avrebbe avuto la minima difficoltà a trovarsi un posto. Ma si era assunto questo ruolo, e gli piaceva da morire: non smetteva di sorridere e fare cenni di accoglienza e ammiccamenti, prendere sottobraccio gli uomini, baciare sulle guance le donne. Appena mi ha visto è venuto a dirmi che Marco avrebbe dovuto fare un discorso o almeno dire qualcosa. Gli ho detto che Marco non ne voleva sapere di sicuro, ma è arrivato anche il gestore Dargopanno a dire «È il minimo, è il minimo».

Siamo saliti in galleria tutti e tre, e ho cercato di convincere Marco con calma e lui ha reagito come mi immaginavo, ma il gestore ha continuato a pressarlo senza la minima riserva, gli ha detto «Almeno uno straccio di due parole gliele devi dire, già che sono venuti fin qui a vedere il tuo film».

«Peggio per loro» ha detto Marco. «Io non ho chiesto niente a nessuno.» Ma il gestore ha insistito ancora, e Settimio insisteva dall'altro lato, e mi ci sono messo anch'io pur di uscire dallo stallo, così Marco alla fine ha detto «D'accordo» con uno sguardo improvvisamente molto lontano, è andato verso la scala.

Sono sceso dietro di lui in platea, mi sono seduto tra le forse venti o venticinque persone di pubblico, l'ho guardato salire sul palco insieme al gestore. Il gestore lo ha presentato, con un piccolo discorso impreciso e imbarazzante, poi ha fatto un gesto verso Marco, ha detto «Adesso vi dirà qualcosa il regista in persona».

Marco è stato lì fermo qualche secondo con il microfono in mano, potevo vederlo tremare per la tensione. Mi sentivo peggio di lui, con in più l'idea di avere contribuito a metterlo in quella situazione; avrei voluto farla finita, spegnere le luci, cacciare tutti a casa.

Marco ha detto «Non ho molto da dire, se no avrei scritto un discorso invece di fare un film. Non so perché l'ho fatto, comunque. È venuto così, ed è molto diverso da come l'avevo in mente all'inizio. Non so come sia a vederlo dal di fuori. Ma se c'è qualcosa di interessante è merito per metà almeno di una persona che vedrete sullo schermo ma che non è qui stasera, si chiama Misia Mistrani».

E non me l'aspettavo, mentre lo ascoltavo da affondato nel vecchio velluto della mia poltrona: non mi aspettavo la vibrazione improvvisa della sua voce, il modo in cui il nome di lei è venuto fuori dal fastidio universale che lo irrigidiva. Nessuno ha applaudito o commentato, c'era solo un piccolo brusio sparso nella grande sala quasi vuota dal soffitto incredibilmente alto. Marco è sceso dal palco, mi è passato di fianco, ha detto «Torniamocene su». Era pallido, credo pentito mille volte di essere stato così improvvisamente permeabile un minuto prima.

Siamo risaliti alla galleria mentre le luci si spegnevano, ci siamo nascosti di nuovo vicino alla colonna. Poi lo schermo si è illuminato, sulla prima inquadratura in bianco e nero dove la macchina da presa corre in soggettiva lungo il marciapiede ed entra sotto il vecchio androne e sale le scale di corsa. E subito dopo c'era la faccia di Misia, bianca e con gli occhi grandi; c'era la sua figura intera in pantaloni e maglietta nera; c'era il suo modo di camminare attraverso il soggiorno vuoto come su una lastra di ghiaccio in pendenza. Era strano vederla così grande, dopo averla vista dal vero da angolazioni diverse e poi rimpicciolita sullo schermetto opaco della moviola: la forza che i suoi lineamenti prendevano in ogni inquadratura, il modo in cui il suo sguardo rifletteva intenzioni e significati. Era strano rivedere in pieno risalto i movimenti e i piccoli gesti che mi sembrava di avere quasi dimenticato da quando lei se n'era andata, fissati sulla pellicola e amplificati così che chiunque poteva restarne impressionato come era successo a me la prima volta. Era strano sentire la sua voce in ogni sfumatura di colore e densità, ogni minima presa di respiro; ed era strano registrare tutto questo seduto di fianco a Marco, mentre la sua recita di distacco si dissolveva man mano che il film andava avanti. E c'era il film, ed ero talmente suggestionato da Misia sullo schermo che non riuscivo propriamente a seguirlo, ma era lì, tagliato e angolato e mosso in un modo che non mi sembrava di avere mai visto prima. Era un film strano e nuovo, tutto dilatazioni e salti e contrazioni improvvise, sui ritmi delle percussioni e delle chitarre elettriche e i sitar indiani che Marco ci aveva messo in tutte le notti che aveva passato chiuso fuori dal mondo. Mi colpiva vedere come la sua non era stata solo un'ossessione personale, o che comunque questa ossessione aveva prodotto risultati che potevano toccare e inquietare anche dei perfetti sconosciuti, farli sognare e immaginare.

Siamo rimasti zitti per tutti i settanta minuti del film, in uno stato di tensione così forte che quando i titoli di coda molto artigianali sono finiti e il proiettore si è spento e le luci si sono riaccese ho battuto le mani in un applauso di origine puramente nervoso.

Marco mi ha bloccato un polso, ha detto «Smettila, Livio»; ma da sotto qualcun altro ha battuto le mani, anche se non era certo un'ovazione e neanche un grande applauso. Qualcuno in un altro punto della sala ha detto «Già finito?»; qualcuno ha detto «Quando comincia il film?». Sentivamo queste voci che salivano nel grande spazio quasi vuoto, sparse come i gesti che riuscivamo a cogliere dall'alto. Qualcuno ha sbadigliato, qualcuno si è rimesso la giacca, qualcuno cercava qualcosa che gli era caduto sotto la poltrona, qualcuno ha dato un bacio a una ragazza, qualcuno guardava in alto. C'era più gente di quando si erano spente le luci, doveva essere filtrata dentro durante la proiezione; Settimio distribuiva in giro ancora più gesti e sorrisi che all'inizio.

Sono sceso dietro Marco che quasi correva per le scale, l'ho seguito oltre una porta di sicurezza e fuori in strada, in mezzo al traffico notturno. Gli ho detto «Ehi, non aspettiamo neanche Settimio? Non salutiamo almeno il gestore? Non vogliamo vedere le reazioni?».

Marco non ha rallentato, ha detto «Le reazioni le abbiamo già viste. Io vado, tu fai come vuoi».

L'ho seguito attraverso la strada, e di corsa fino a una fermata di autobus; siamo saliti tra le porte che già si stavano chiudendo, passati alla luce e ai movimenti indiscriminati, dalla luce e dai movimenti molto scelti di pochi minuti prima davanti allo schermo. Quando siamo stati a quattro o cinque fermate di distanza dal cinema, Marco ha detto «*Mai più*, porca miseria. Mai più, cascare in queste cose».

«Ma perché?» gli ho detto. «Non l'hai fatto perché lo vedesse qualcuno, il tuo film? Non è per questo che si fa un film?»

Marco guardava la strada livida che scorreva oltre; ha detto «Non lo so perché l'ho fatto. Forse non ci ho pensato abbastanza mentre lo facevo. Ma certo non perché finisse così».

«È un bel film» ho detto io. «Valeva la pena di farlo vedere, accidenti. A qualcuno è piaciuto, anche. Hai sentito gli applausi?»

«Li ho sentiti» ha detto Marco, nel tono terribilmente derisorio che gli veniva quando era deluso e aveva paura di esserlo ancora di più.

Ventisei

Settimio Archi non c'era rimasto bene, per come io e Marco eravamo scappati via dopo la proiezione: mi aveva telefonato per dirmi «Porca puttana, dopo tutto il casino che ho fatto per il film. Quello è una specie di psicopatico, cazzo. E tu ad andargli dietro così».

Avevo cercato di spiegargli quanto erano complicati i sentimenti di Marco rispetto al suo film, senza riuscire a cambiargli di molto l'umore.

Ma una settimana dopo mi ha citofonato mentre dipingevo un quadro a tinte abbastanza cupe, ha detto tutto frenetico «Fammi salire, dài, apri 'sto cazzo di portone».

È arrivato con un giornale aperto sulla pagina degli spettacoli, ha detto «Guarda un po' qua, guarda». C'era un titolo che diceva *La rivelazione di due straordinari talenti*, e sotto un pezzo a tre colonne dove il film di Marco veniva definito "un vero evento nel panorama italiano, con autentiche, provocatorie intuizioni di linguaggio", e Misia Mistrani "una sorpresa assoluta, e uno straordinario talento naturale".

Quando siamo corsi da lui a farglielo leggere, Marco ha reagito un po' come aveva fatto di fronte alla pellicola e a tutte le attrezzature per il film sul letto di casa mia: ho visto lo stesso sbandamento momentaneo nel suo sguardo, come se la realtà avesse invaso il campo della sua immaginazione, gli avesse ristretto nel modo più imprevisto i margini di manovra.

Ma era contento, dopo che gli ho riletto il pezzo ad alta voce, con sottolineature enfatiche di Settimio a ogni espressio-

141

ne lusinghiera. Camminava avanti e indietro nella sua mansarda umida e già troppo calda malgrado il lucernario aperto; ha detto «È incredibile come sembra che parlino di qualcos'altro, eh? Di una cosa che viene da qualche mondo parallelo, dove tutto è un po' migliore e un po' meno vero di quello che conosciamo, no?».

Nei giorni seguenti non abbiamo più parlato del film, né ci sono state altre reazioni o echi alla proiezione; ogni volta che io e lui ci vedevamo ci pensavamo meno, finché non ci abbiamo più pensato del tutto.

Marco era già oltre, aveva la testa piena di nuove idee su come uscire dalla palude in cui si sentiva riaffondare come prima del film: voleva andare a lavorare su una piattaforma petrolifera nei mari del Nord, o in un kibbutz nel deserto d'Israele, oppure organizzare una rapina ai danni di qualche mascalzone, o ancora trovare una casa di campagna abbandonata nell'Italia centrale e provare a farci una vita del tutto autosufficiente. Non sapeva più come pagare l'affitto né come vivere per conto suo; il peso e l'attrito della vita reale lo spingevano di nuovo verso immagini non-realistiche, lo facevano parlare di molti argomenti concatenati nel suo vecchio modo contagioso.

Poi una sera di giugno mi ha telefonato, e ha detto che *Ladrodicuori* era stato invitato al festival di Laveno a metà luglio, dallo stesso giornalista che aveva scritto il pezzo entusiastico sul film ed era nel comitato organizzatore del festival. Sono andato a trovarlo, nella mansarda che doveva lasciare alla fine del mese; abbiamo bevuto vino bianco da una bottiglia già aperta, parlato dei sentimenti misti che ci ispirava l'idea di mandare davanti a una giuria professionale una cosa nata in modo puramente istintivo, in un momento delle nostre vite già passato.

Siamo usciti a fare due passi per strada, e anche se era solo l'inizio ufficiale dell'estate c'era un caldo terribile, umido e stagnante come in Birmania; facevamo fatica a camminare e a tenere dritta la testa. Marco era in uno stato di conflitto violento, tra voglia di non occuparsi più in nessun modo del suo film e tentazione di farlo, fastidio e gratificazione, delusione preventiva e curiosità dei possibili sviluppi. Diceva

«Pensa che ridicolo, mettere la tua immaginazione in una gara di cani o di cavalli».

Diceva «D'accordo, è una giuria internazionale e tutto, c'è dentro anche gente che il cinema lo fa davvero, non solo puri guardoni». Diceva «Il punto è, perché uno deve stare al gioco, se sa che il gioco fa schifo? Non è questione di coerenza astratta, è questione di non dimenticarti chi *sei*».

Gli dicevo «Certo»; gli dicevo «Però questo non è un grande festival commerciale, comprato e venduto dai produttori»; gli dicevo «Forse è un'occasione di far vedere il tuo film a della gente un po' più attenta». Non sapevo cosa consigliargli, in realtà: ero combattuto e incerto quanto lui.

Più tardi, quando eravamo seduti sulla panchina di un giardinetto nell'aria collosa con in mano due bottiglie di birra prese a un bar lungo la strada, Marco ha detto «Secondo te Misia ha saputo della proiezione?». Ho sentito l'ansia che gli dilagava nella voce malgrado i suoi tentativi di controllo, gliela faceva tremare.

«Chi lo sa» ho detto. «Forse qualcuno le ha fatto leggere il pezzo sul giornale. Forse non l'ha saputo. Forse l'ha saputo e non gliene importa niente, ha tutt'altro per la testa.»

Marco mi ha preso per un braccio; la bottiglia di birra gli è scivolata dall'altra mano ed è caduta sul selciato del vialetto, si è rotta in mille pezzi. Non l'ha neanche guardata, ha detto «Perché hai questo tono, adesso?».

«Non ho nessun tono» ho detto io. Ma la sera era stagnante, avevo la testa piena delle immagini di Misia nel suo film. Ho detto «Eri tu che avevi un tono, quando parlavi di lei. Da eroe di ferro dei sentimenti».

«Non è *vero*» ha detto Marco. «Ho solo cercato di essere netto, non trascinare le cose. Ho solo cercato di non fare un passo avanti e subito uno indietro.»

«Per *chi*?» gli ho detto, e non mi sembrava di essere spinto dal rancore, ma da un genere altrettanto implacabile di accuratezza mentale.

«Per tutti i sentimenti coinvolti» ha detto Marco, come se annaspasse nella luce di lampione che brillava sui frammenti di vetro. Ha detto «I tuoi, quelli di Misia, i miei»: non-convincente, non-stabile.

Gli ho detto «Così è stato una specie di sacrificio, tagliare con lei? Un incredibile gesto di idealismo?».

«Non lo so, cos'è stato» ha detto Marco. Si è alzato dalla panchina, ha scalciato di piatto sul selciato. Ha detto «Ma non mi immaginavo che lei sparisse come ha fatto. Che uscisse totalmente dall'orizzonte, da un momento all'altro. Senza neanche provare a parlarne, cercare di capire meglio come stavano le cose. Ha preso tutto così alla *lettera*, madonna. In modo così definitivo».

Mi sono alzato anch'io, mi sembrava che la mia visione delle cose non facesse che diventare più confusa. Gli ho detto «Cosa ti aspettavi, da lei? Che stesse lì a pregarti di cambiare idea? Dopo che le avevi detto che volevi tagliare? Non la conosci abbastanza da sapere che non lo avrebbe mai fatto?».

«No» ha detto Marco, in un tono travolto ormai. «Non sapevo niente di niente. E adesso ne so ancora meno, tranne che vorrei almeno avere un'idea di dove è andata.»

«Questo anch'io» gli ho detto: con una traccia di risentimento che tornava ad affiorare dentro, mescolato al dispiacere e al senso di mancanza.

Ventisette

Il quindici luglio Marco mi ha telefonato per chiedermi se il pomeriggio lo accompagnavo al festival di Laveno, e Misia mi ha telefonato per dirmi che alla fine della settimana si sposava.

Avevo appena messo giù la cornetta con Marco, la voce di Misia mi ha provocato quasi una vertigine. Non è stata a inventare scuse per essere sparita così a lungo: ha detto «Ho passato questi mesi a cambiare *vita*, in pratica. Non è male, dovrebbero provarci tutti, ogni tanto».

Aveva una voce allegra e mossa, senza esitazioni o nostalgie o dubbi apparenti; il suo senso dell'umorismo sembrava spinto avanti veloce lungo i nuovi percorsi che aveva deciso di seguire. Mi ha detto «Il ventidue mattina devi farmi da testimone all'impiccagione, sei incastrato. La sera in compenso c'è una festa, su un piccolo lago di acqua oligominerale così pura che puoi berla mentre nuoti. È a solo un'ora da Milano».

Avevo aspettato così a lungo il momento di risentirla, con anticipazioni mutevoli di come avrebbe potuto essere, ma adesso ero quasi paralizzato, non riuscivo a trovare tempi ragionevoli di reazione. Le ho detto «E ti spo-si?».

«Sì» ha detto lei di slancio. «Mi è venuta voglia di vedere com'è. Per ora è divertente. Grande confusione. Sono tutti molto concitati.»

«Tutti chi?» le ho detto, cento volte più lento di come avrei voluto. «Con chi ti sposi?»

«Si chiama Riccardo» ha detto Misia. «Fa il neurochirurgo, ha trentaquattro anni. Cos'altro vuoi sapere?»

«Niente» ho detto, senza riuscire a registrare propriamente le sue parole. «E vi *sposate*?»

«Senti, hai voglia che ci vediamo?» ha detto lei. «Beviamo una cosa insieme, dieci minuti?»

Mezz'ora dopo l'aspettavo davanti alla porta di un bar del centro: l'ho vista arrivare da lontano, con la sua luce speciale che la faceva risaltare tra tutte le facce e i corpi di perfetti sconosciuti che affollavano il marciapiede. Ci siamo abbracciati nel traffico di sguardi e movimenti; mi sembrava ancora più bella e nevrile e intelligente di come la ricordavo, con le guance colorite dagli stessi sentimenti vivi che le animavano gli occhi.

Era percorsa da una corrente di scoperte e trasformazioni che non la faceva stare ferma un minuto, neanche quando ci siamo seduti a un tavolino: continuava e guardarmi da angoli diversi, fare gesti, passarsi le mani tra i capelli. E c'erano altri sguardi, ancora: del barista e della cassiera, delle persone al bancone e ai tavolini, perfino dall'altra parte della vetrina.

Mi ha raccontato che lei e Riccardo si erano conosciuti a Londra, dove lei era molto sola e triste e lui totalmente preso dal suo lavoro; si erano messi insieme e avevano deciso di sposarsi nel giro di poche settimane. Ha detto «Non hai idea di come sia bello avere un progetto sentimentale e *realizzarlo*, senza perdersi in territori astratti o scappare nella direzione opposta a dove vorresti andare. Non hai idea di come sia *semplice*, anche».

Parlava rapida, trascinata da un torrente di buone circostanze e intenzioni e programmi lontano dalle acque difficili dove aveva rischiato quasi di affogare non molto tempo prima. Ha detto che Riccardo era un uomo solido e sensibile, suo padre era morto quando lui era ancora ragazzino e questo gli aveva dato un senso speciale della responsabilità e del valore degli affetti. Era bravissimo nel suo lavoro, si era specializzato negli Stati Uniti e aveva fatto una carriera molto brillante solo in base ai suoi meriti; una volta sposati sarebbero andati a vivere a Zurigo perché aveva avuto un incarico importante in un ospedale del posto.

Le ho detto «A *Zurigo*?». E non c'ero mai stato, ma facevo fatica a immaginarmi una ragazza irregolare e calda e comunicativa come lei sposata a un neurochirurgo trentaquattrenne nel gelo controllato di una città della Svizzera tedesca, tra gente che parlava una lingua che lei non conosceva neanche.

«E allora?» ha detto Misia. «Sempre meglio che a Milano, no? E per Riccardo è un'occasione unica. A Londra c'è troppa competizione e in Italia non c'è scampo per un medico della sua età, è talmente un gioco schifoso di baroni e mafie e clientele.»

Ma avevo la testa piena di immagini stereotipate di cliniche immacolate e di medici algidi ed efficienti, lei in un salotto borghese che parlava con una coppia ordinata di amici legnosi appena acquisiti: non riuscivo a crederci, continuavo ad assediarle lo sguardo per capire se era tutta una provocazione o uno scherzo. «E il tuo lavoro?» le ho chiesto.

«A Zurigo c'è un magnifico istituto di restauro» ha detto lei. «Ma in questo momento non ho voglia di pensarci. Mi basta l'idea di fare la moglie, per ora. Occuparmi di mio marito e della casa e di tutto il resto.»

Ancora mi aspettavo che si mettesse a ridere dopo avere ottenuto l'effetto che voleva, ma non lo ha fatto, si è messa a raccontarmi della quantità incredibile di cose che doveva fare per la festa di matrimonio, visto che non poteva contare per niente sulla sua famiglia e che la madre di Riccardo era molto malata.

Correva, oltre i dubbi e le esitazioni e la nostalgia e la resistenza sorda dei dati di fatto; non sembrava che ci fosse verso di fermarla.

Ero felice di averla di nuovo a pochi centimetri di distanza, eppure eravamo lì a parlare di lei che si sposava, e ogni dettaglio che aggiungeva al quadro sembrava allontanarci; non sapevo come districarmi tra i sentimenti che avevo dentro, non sapevo che tono usare. Ho detto «È stato terribile non vederti più da un momento all'altro, non avere neanche idea di dove fossi finita. Eravamo tutti disperati».

«Tutti chi?» ha detto Misia, con un'improvvisa piccola angolazione nella voce, la testa appena inclinata.

«*Tutti*» ho detto io. «Io, tuo fratello, Marco. Anche al tuo laboratorio di restauro a Firenze sembravano disperati.»

«Marco era disperato?» ha detto Misia, in un tono di curiosità di passaggio.

Ho detto «Be', sì». Avrei voluto trascinare la conversazione in tutt'altra direzione; non ci riuscivo.

«Ti ha detto che lo era?» ha detto Misia, ma potevo sentire il tremito sotto la sua finta indifferenza.

«Non in modo esplicito» ho detto io. «Lo sai come è fatto. Ha questo modo di dissimulare tutto, fare l'uomo senza sentimenti. Ma non stava certo bene.» Parlavo a strappi, combattuto tra voglia di tenere per me tutta l'attenzione che le restava al di fuori del suo matrimonio e senso incontrollabile di lealtà che mi spingeva a ristabilire una verità tra lei e Marco.

«Ti ha parlato di me?» ha detto Misia; ha vuotato con un ultimo sorso il suo bicchiere di vodka-tonic.

Ho detto «L'ultima volta che ci siamo visti», e mi sembrava che la mia lealtà stesse diventando insostenibile ormai. «Diceva che non si era aspettato che tu reagissi in modo così definitivo. Non si era aspettato che sparissi senza lasciare nessuna traccia.»

Misia ha chiesto altri due bicchieri di vodka-tonic, anch'io avevo finito il mio per l'agitazione; ha guardato in strada attraverso la vetrina mentre io per cambiare argomento le raccontavo dei nuovi quadri che avevo venduto dopo la mostra. Quando i bicchieri sono arrivati ha vuotato un terzo del suo in un sorso, ha detto «E il film a che punto è?».

Le ho raccontato gli sviluppi degli ultimi mesi, inclusi il lavoro ossessivo di Marco e la prima proiezione e la recensione entusiastica che parlava di lei e l'invito al festival. Mi tornava in mente l'impressione violenta che mi aveva fatto vederla sullo schermo: le sue immagini così in contrasto con quelle che mi ero appena fatto della sua vita futura a Zurigo.

Lei non è sembrata per niente lusingata dal suo successo come attrice, la sua attenzione passava rapida e selettiva tra le mie parole. Ha detto «Quindi se non fosse stato per Settimio, Marco avrebbe lasciato cadere tutto?».

«Non lo so» ho detto io. «Forse. Lo sai com'è fatto. Investe ogni minima sua risorsa in qualcosa, e poi smette di occuparsene da un secondo all'altro, non ne vuole più sapere. È una forma di difesa dal mondo, credo. Per non rimanerci troppo male e non farsi ferire eccetera.»

Misia ha detto «È una forma di vigliaccheria, anche».

«Perché vigliaccheria?» ho detto; pensavo a come avevo fatto la vittima e il ricattatore morale con Marco quando avevo scoperto di loro due.

«Perché uno non lascia cadere così le cose» ha detto lei. «Uno si espone e *rischia*. È facile stare lì mezzi defilati dietro una porta a dare giudizi sul mondo e sentirsi più nobili e puri e coerenti di chiunque altro.»

E mi è venuto una specie di impulso autodistruttivo, adesso che me la vedevo davanti a un passo dal matrimonio con il neurochirurgo: ho detto «È stata tutta colpa mia. Sono stato io a fargli una scena tremenda la notte che ti ho incontrato sul suo portone. Sono stato io a farlo sentire in colpa e fargli venire una crisi di lealtà e tutto il resto».

Misia ha scosso la testa; ha detto «Tu credi davvero che Marco l'abbia fatto in nome della vostra amicizia?».

«Sì» ho detto io, preso in una colla di sentimenti contrastanti. «È venuto a casa mia il giorno dopo per dirmelo. Aveva un'aria schiantata, faceva paura.»

«Tranne che tu non c'entravi per niente» ha detto Misia. «Eri solo una buona scusa per non ammettere il suo terrore delle responsabilità e dei legami in generale e di me in particolare.»

Ci siamo guardati fissi negli occhi, mi sembrava che viaggiassimo a due velocità troppo diverse per riuscire a tenerle dietro. Ho mandato giù quello che restava della mia vodka-tonic in una gollata, lei l'aveva finita da un pezzo.

Le ho detto «Non potreste parlarvi, scusa? Non potreste vedervi da qualche parte cinque minuti, prima che tu ti sposi?».

«E perché?» ha detto Misia. «Di cosa dovremmo parlare?».

«Di *voi*» le ho detto. «Mi sembra che non siate riusciti a farlo molto, no?»

«Non ci riusciremmo neanche adesso» ha detto lei. «E non c'è più tempo in ogni caso.» Ha fatto un gesto elastico con le braccia e si è alzata, come per liberarsi di una polvere di pensieri difficili, tornare allo spirito mobile di quando era arrivata. Ha detto «Ricordati che il ventidue sei il mio testimone, Livio».

Fuori dal bar c'era un passaggio continuo di gente dagli occhi vischiosi, sembrava non avessero di meglio da fare che guardare belle ragazze imprendibili che andavano verso una fermata di tram seguite dai loro amici sghembi.

Alle sei sono andato a prendere Marco in un vero stato di shock, ma quando lui mi ha chiesto che cosa avevo gli ho detto «Niente». Siamo andati con la mia cinquecento verso casa di Settimio Archi che ci doveva portare a Laveno con la sua vecchia Mercedes, e continuavo a pensare a possibili modi per dirgli di Misia, ma non me ne affiorava alle labbra nessuno accettabile. Mi sembrava tutto troppo assurdo; mi veniva una specie di riso nervoso prima ancora di avere pronunciato una parola.

Poi sull'autostrada ha cominciato a salirmi dentro una vera angoscia, mentre Settimio raccontava di un concerto di Jimi Hendrix che sosteneva di aver visto dal retropalco a San Francisco e Marco seduto dietro gli faceva domande secche per capire se era una delle sue molte storie da mitomane. Ogni minuto che passava mi sembrava di vedere allargarsi il fossato tra me e la verità, finché non sono più riuscito a immaginarmi un ponte di parole abbastanza ben progettato da offrire un collegamento praticabile. Mi sembrava che ormai avrei potuto solo dire a bruciapelo «Misia si sposa»; ma c'era Settimio, e Marco aveva un'aria già abbastanza depressa, appoggiato di gomito alle scatole del suo film, con la testa girata per guardare il paesaggio piatto fuori dal finestrino. Faceva caldo, anche: non c'era verso.

Così siamo arrivati a Laveno senza che io avessi detto niente, e lì Marco è caduto subito in mano agli organizzatori che dovevano fargli una quantità di domande tecniche e di rivendicazioni organizzative; ci sono volute un paio d'ore prima che ci potessimo sedere nella prima fila di sedie allineate davanti al grande schermo bianco sul lungolago.

L'impianto acustico creava uno strano riverbero nell'aria ferma e umida della sera, e il proiettore si è guastato a metà della proiezione tra fischi e proteste, e Marco ogni pochi minuti mi diceva «Ce ne *andiamo*?», e Settimio non lo perdeva d'occhio un istante per paura di vederlo sparire da un momento all'altro, e io non riuscivo quasi a seguire il film tanto ero impegnato a controllare le espressioni della gente seduta dietro e di fianco a noi, ma quando *Ladrodicuori* è finito gli applausi sono stati molto più forti e sostenuti di come ci eravamo aspettati.

Marco cercava di tenersi defilato tra me e Settimio; dopo qualche secondo ha detto a mezza voce «Adesso basta, grazie tante». Ma gli applausi andavano avanti, e quando sembravano sul punto di esaurirsi riprendevano vigore peggio di prima; uno degli organizzatori è arrivato da noi e anche se Marco faceva resistenza l'ha costretto ad alzarsi in piedi. Anche molti spettatori si sono alzati, applaudivano e fischiavano e gridavano con un entusiasmo sorprendente. Marco ha fatto un piccolo inchino imbarazzato, ha sorriso ancora più a disagio: quando gli applausi finalmente si sono esauriti ha detto «Grazie, grazie, noi dobbiamo andare».

Sull'autostrada ci siamo fermati a un autogrill a mangiare un panino e bere una birra, perché Settimio non resisteva più dalla fame ed era furioso che Marco non avesse voluto accettare l'invito degli organizzatori a restare a cena a Laveno. Marco era di buonumore, adesso: gli ha dato dei pugni sulle spalle, ne ha dati anche a me, ha detto «Allora? Non è andata tanto male, eh?».

«Non proprio una catastrofe» ho detto io.

«E avete visto che tope c'erano?» ha detto Settimio nel suo tono laido, i piccoli occhi neri che gli brillavano nella luce al neon.

L'entusiasmo del pubblico al festival ci attraversava ancora tutti e tre; ci faceva muovere più leggeri ed elastici del normale, ci faceva guardare con aria provocatoria gli altri frequentatori dell'autogrill. Ci veniva voglia di ridere alle loro spalle, alzare la voce, essere non-ragionevoli, non-misurati; era il più vicino che fossimo mai arrivati al vecchio sogno mio e di Marco di essere parte di un gruppo rock, avevamo il sangue pieno di quel genere di adrenalina.

Eppure neanche in un momento così favorevole sono riuscito a dire a Marco di Misia. Ogni volta che questo pensiero si faceva largo tra gli altri che mi affollavano la testa, non mi sembrava di avere i mezzi per affrontarlo; mi sentivo troppo in ritardo o troppo in anticipo sui fatti, troppo partecipe, troppo distratto, troppo colpevole, troppo poco responsabile.

Ventotto

La sera del ventuno Misia mi ha telefonato per ricordarmi
che il mattino dopo mi aspettava alla villa comunale per farle da testimone di matrimonio. Le ho detto che Marco mi
aveva appena chiesto di riaccompagnarlo a Laveno per la serata conclusiva del festival. Misia non sembrava affatto curiosa di come era stato accolto il film alla proiezione; ha detto «È una cosa che dura pochi minuti, sei subito libero.
Basta che poi vieni alla festa la sera».

Ho cercato di fare resistenza, perché non avere ancora
detto niente a Marco mi creava un terribile disagio e perché
non riuscivo a capire come avrei potuto andare dal lago del
festival al lago del matrimonio nella stessa sera. Ho detto
«Non ho neanche un vestito adatto, per fare il testimone».

Misia ha detto «Non ti serve nessun vestito, vieni come sei
di solito. È il *mio* matrimonio, porca miseria».

Così il mattino dopo mi sono messo l'unica giacca che avevo, anche se era una dinner jacket americana di seconda mano sintetica e verde pavone che mi faceva sudare solo a vederla, con una camicia giallo ocra dal colletto mozzo e un paio di
stivali spagnoli così caldi che ho dovuto risalire in casa di corsa e infilarmi invece un paio di scarpe da tennis quasi bucate
in punta e tornare giù e guidare come un pazzo nel traffico,
tagliare attraverso il centro senza quasi guardare i semafori e
gli stop e rischiare di travolgere un prete e di farmi schiaccia-
re da un autobus e di farmi fermare da un vigile che si è messo
a fischiare e gesticolarmi dietro nel modo più isterico.

Quando sono arrivato davanti alla villa comunale, Misia era lì in mezzo a un gruppo di persone che guardavano agitate in tutte le direzioni; non sono riuscito a capire chi di loro fosse il suo futuro marito Riccardo. Ho lasciato la cinquecento poco più avanti sul marciapiede opposto e sono saltato giù, sudato fradicio e impregnato di gas di scarico, con i capelli appiccicati alla fronte e la giacca sintetica color pavone che mi mandava arrosto come un pollo.

Misia era nervosa e luminosa, ordinata in un tailleur chiaro di buon taglio, con i capelli raccolti in una crocchia accurata che mi ha mandato fitte attraverso il petto mentre mi avvicinavo. Ha detto «Eeehii Livio» con uno slancio di vera gioia; ci siamo abbracciati e baciati sulle guance, cercavo di non rovinarla con il mio sudore ma anche lei aveva le palme delle mani bagnate.

Mi ha presentato al suo quasi-marito che mi guardava fisso mentre io ancora lo cercavo nel gruppo: un tipo alto e dritto con la barba e uno sguardo determinato, vestito in uno stile neutro a cui Misia doveva essersi riferita quando aveva deciso cosa mettersi. Mi ha stretto la mano, ed era chiaro che Misia doveva avergli parlato molto di me anche se non riuscivo a capire esattamente in che termini, perché c'era una luce sospettosa nel suo sguardo mentre mi diceva «Molto, molto piacere». Aveva una voce secca e poco sonora, senza incertezze come la sua espressione e come tutti i suoi atteggiamenti corporei; mi sembrava incredibilmente più vecchio di Misia, incredibilmente più inquadrato e stabilizzato, incredibilmente orgoglioso e anche geloso di lei.

Misia mi ha preso per un braccio, come se non volesse lasciarmi spazio a troppe considerazioni critiche; mi ha presentato a una signora molto pallida e ossuta che era la madre di Riccardo, e a sua sorella Astra che già conoscevo, a suo fratello Piero tutto tirato in giacca e cravatta come se dovesse fare buona impressione sulla giuria di un tribunale. C'era anche il fratello minore di Riccardo, e il suo testimone, secco e determinato quanto il testimoniato, e un tipo exbiondo sui cinquantacinque anni che camminava avanti e indietro e guardava pieno di rabbia l'orologio e diceva tra le labbra «Allora? Dove diavolo è?».

Misia l'ha preso per una mano e me l'ha portato vicino, ha

detto «Livio, mio padre». Il padre di Misia mi ha salutato di malavoglia; ha detto a sua figlia «Tua madre è sempre il solito incubo, non c'è verso che cambi *mai*. Cosa diavolo sta facendo adesso, vorrei sapere? In che menata irrilevante si è andata a immergere, anche oggi?».

Aveva l'aria di un bambino molto cresciuto, sensibile solo alle ragioni del suo umore, senza la minima considerazione per le circostanze del momento né per il benessere di sua figlia né per la presenza di altra gente. Misia doveva esserci molto abituata, ma lo stesso mi dispiaceva vedere l'effetto che le faceva: come distribuiva sorrisi nervosi nel piccolo gruppo e gesti per tamponare la rabbia di suo padre, sguardi ai due lati della strada per vedere se sua madre arrivava. Dopo qualche minuto ha detto «Va be', cominciamo ad andare, ci raggiungerà quando arriva».

«Non se ne parla neanche, topino» ha detto il suo quasi-marito Riccardo. «La aspettiamo.»

E mi è sembrato assurdo che uno che due mesi prima non la conosceva neanche adesso fosse lì a chiamarla topino in questo tono paternalista, e che lei invece di reagire furiosa o spiritosa gli sorridesse e facesse di sì con la testa. Mi chiedevo come era possibile, e perché: cosa era successo nella testa strana di Misia e nel suo cuore, quali correnti nascoste si erano attivate nella natura che mi sembrava di conoscere così bene.

Proprio in quel momento è arrivato un furgoncino rosso sgangherato e ne è scesa la madre di Misia vestita in una tunica di stile indiano, con gli occhi così chiari a quindici metri di distanza. Il padre di Misia dall'orlo del marciapiede le ha detto «Ancora cinque minuti di ritardo e tua figlia si sposava senza di te! Il che sarebbe stato molto meglio!».

La madre di Misia non lo ascoltava neanche; ha abbracciato sua figlia, le ha detto «Misi Misi, che brava!». Misia l'ha presentata a Riccardo e alla madre di Riccardo e agli altri mentre ci spostavamo in gruppo verso il portone: e anche sua madre mi sembrava una specie di bambina fragile e capricciosa, con il suo sguardo fanatico e distante che complementava l'intolleranza tutta razionale e pratica di suo padre. Misia ha cercato di separarli e di farli muovere; ha detto «Adesso finitela. Almeno il giorno del mio matrimonio, per *piacere*».

Siamo andati su per le scale, con il padre di Misia che ancora faceva osservazioni astiose a mezza voce e suo fratello Piero che faceva finta di niente e sua sorella Astra che faceva gli occhi dolci al fratello di Riccardo e al suo testimone. La madre di Riccardo cercava di intervenire con deboli frasi di cortesia senza nessun effetto; Riccardo diceva «Non è successo niente di grave» nella sua voce quasi del tutto priva di colore. Quando siamo stati al piano di sopra Misia mi ha sfiorato un braccio, ha detto sottovoce «Che fantastico modello di famiglia, eh?».

«Sì» ho detto io, con una sensazione crudele all'idea che questo fosse uno dei motivi per cui stava per sposarsi con un uomo così diverso da lei.

Poi siamo stati nella sala dei matrimoni, io alla sinistra di Misia e l'altro testimone alla destra di Riccardo, e un assessore comunale con fascia tricolore al petto si è messo a leggere pagine di codice in un tono meccanico da guida di museo rintronata dalla ripetizione. Ero lì in mezzo, al cuore degli eventi, e mi sembrava di essere in uno di quei film dove sta per succedere qualcosa di irreparabile e all'ultimo momento c'è un intervento miracoloso dall'esterno o dall'interno e tutto va all'aria con grande sollievo degli spettatori. Continuavo a guardare Misia per vedere se cambiava espressione di colpo, guardavo verso la porta per vedere se Marco entrava in piena corsa e gridava che bisognava sospendere tutto e si precipitava a prendere Misia tra le braccia e portarla via.

Ma Marco non sapeva neanche che Misia si sposasse perché io non gliel'avevo detto, e Misia non ha cambiato espressione; tutto è andato avanti molto più rapido di come mi immaginavo, nel giro di pochi minuti eravamo già alle parole-chiave e allo scambio degli anelli e agli sguardi lucidi e ai sorrisi e al bacio tra gli sposi; la situazione era chiusa, finita. Siamo usciti tutti nel corridoio, avevo la bocca secca e il sangue gelato come dopo avere assistito a un'esecuzione capitale o a un suicidio in pubblico.

Sono andato a mangiare una pizzetta da mia nonna che mi ha chiesto «Hai qualche devastazione sentimentale in corso?». Poi l'ho accompagnata in clinica perché aveva la macchina rotta, e sono andato in giro a deprimermi per le vie del centro finché mi sono ricordato che dovevo accompagnare Marco a Laveno.

Sono corso a casa e mi sono cambiato alla velocità della luce, ho telefonato a Marco per dirgli che arrivavo. Lui era furioso, ha detto «Dove cavolo sei sparito? Stavo per andarmene da solo con Settimio».

E a quel punto non c'era più verso di spiegargli dov'ero sparito; gli ho detto «Ero fuori, mi dispiace. Arrivo di corsa».

Era già seduto nella vecchia Mercedes con Settimio quando sono arrivato, il che certo aveva contribuito a peggiorargli l'umore. Siamo andati a Laveno senza che la tensione si sciogliesse, perché io continuavo a pensare al matrimonio di Misia e Marco era pieno di disagio all'idea di avere messo in una gara il suo film. Nessuno dei due diceva niente; lasciavamo che Settimio parlasse dei suoi traffici vari e facesse pronostici arbitrari sul festival e si avventurasse in considerazioni di politica mondiale e canticchiasse qualche vecchia canzone e battesse il ritmo di piatto al centro del volante e ci passasse da fumare senza preoccuparsi molto delle altre macchine. Ogni tanto guardavo Marco seduto dietro con una tempia appoggiata al finestrino, mi sembrava di essere stato ignobile a fare da testimone a Misia che si sposava con un altro. Cercavo di non pensarci, ma mi tornava in mente lo sguardo di lei mentre l'assessore leggeva le sue formule: la luce incerta che riuscivo a leggere solo adesso nei suoi occhi, troppo tardi.

Poi eravamo di nuovo nella piccola città sul lago, e prima di farci catturare dagli organizzatori ci siamo fermati in un bar a bere un negroni, e siamo andati un po' instabili alla piazza del festival dove ci hanno fatti sedere in attesa della premiazione, e un critico dall'aspetto di larva sul palco continuava un discorso che sembrava interminabile, e Marco ha detto «Andiamo a bercene un altro?» e siamo sgusciati via come ladri a bere un altro negroni al bar e mangiare qualche oliva e fumare un altro spino di Settimio nascosti sotto un androne sul lungolago. Quando siamo tornati nella piazza del festival come se camminassimo sul ponte di una nave, due organizzatori ci sono corsi incontro con facce congestionate: gridavano «Traversi, Traversi, presto!». Hanno preso

Marco per un braccio e l'hanno trascinato verso il palco da dove la voce amplificata del presidente della giuria diceva «Mi si informa che forse siamo riusciti a trovare Marco Traversi, così gli possiamo consegnare il premio per il miglior film d'esordio, se solo ha la bontà di salire su questo palco dalla scaletta a destra».

Settimio mi ha dato un colpo su un fianco, ha detto «Cosa vi avevo detto?»; ma era stupefatto quanto me mentre guardava la gente che applaudiva Marco lungo il percorso verso il palco nell'aria calda e ferma di fine luglio. Abbiamo battuto anche noi le mani e gridato «Bravo!» e guardato i lampi dei flash che sbiancavano la faccia di Marco e gli facevano chiudere gli occhi mentre stringeva la mano ai giurati e prendeva la targa dorata del premio e la girava in varie direzioni per assecondare le richieste dei fotografi e ci cercava tra le facce in basso con l'aria più frastornata e non-disinvolta del mondo.

Io e Settimio siamo andati a sederci, e dopo qualche minuto Marco ci ha raggiunti con la sua targa, ce l'ha passata da vedere mentre il presidente della giuria annunciava altri premi. Settimio ha detto «Cos'è, oro vero questo?», ha provato a grattare con l'unghia per capirlo.

Marco gli ha detto «Piantala», ma rideva, nel movimento di sguardi e teste girate da tutto intorno. Mi ha scosso per una spalla, ha detto «Dici che dovrei cominciare a preoccuparmi, Livio?».

«Forse» gli ho detto, con una corrente di ansia all'idea di come sgusciare via da lì per andare alla festa di Misia sull'altro lago.

E subito dopo la voce amplificata del presidente della giuria ha annunciato che il premio speciale Nella Albato andava a Misia Mistrani per il suo ruolo nel film di Marco Traversi. Settimio ha gridato «Vaai!» con i pugni contratti, ma io e Marco eravamo senza parole nello stesso modo, senza sguardi mentre tutti si guardavano intorno per vedere da dove Misia sarebbe venuta fuori. Mi sembrava una responsabilità insostenibile essere il solo tra centinaia di persone a sapere che lei in quel momento era alla sua festa di matrimonio su un altro lago a decine di chilometri di distanza: avrei voluto nascondermi sotto le sedie, correre a quattro zampe e buttarmi in acqua, sparire sotto la superficie.

Il presidente della giuria ha invitato Misia due o tre volte a salire sul palco: la sua voce amplificata riverberava sulle facciate delle case; la gente seduta guardava in tutte le direzioni e anche dalla parte del lago, come se si aspettasse di vedere arrivare Misia su una barca o a nuoto.

Ma Misia non è arrivata da nessuna parte, e gli organizzatori facevano cenni a Marco con aria sempre più incalzante; alla fine lui ha indicato Settimio, ha detto «Il premio lo ritira il produttore».

Settimio ha fatto di no con la testa, ma un attimo dopo era in piedi tutto energico e già quasi arrivato al palco, ci è salito e ha ritirato la targa di Misia con sorrisi e gesti da vecchio professionista, l'ha alzata a due mani per i fotografi che lo lampeggiavano con i flash in mancanza d'altro.

Poi anche le altre premiazioni sono finite e tutti si sono alzati, l'aria umida era piena di zanzare, Marco è stato sommerso da un'orda di persone che volevano stringergli la mano e parlargli e farsi fotografare con lui e dargli biglietti da visita e avere il suo numero di telefono. Marco diceva «Mi dispiace, ma non ho un telefono. Non ho neanche un indirizzo stabile, per il momento. È meglio se chiedete a lui»; indicava di nuovo Settimio, che era ben contento di moltiplicare i suoi atteggiamenti, come se si fosse trovato decine di altre volte in situazioni del genere.

Uno degli organizzatori aveva preso a convogliare i membri della giuria e gli altri premiati, è venuto anche da noi a dire «Andiamo tutti in un ristorante qui vicino» a voce bassa per non farsi sentire dai gruppi di spettatori agglutinati intorno. Marco non ne aveva nessuna voglia, ma era così sconcertato dagli eventi che non è riuscito a sottrarsi, mi ha solo detto «Oh, non lasciarmi solo. Stammi vicino».

Avrei voluto rispondergli subito che non potevo, ma non riuscivo a farmi venire in mente nessuna scusa accettabile, e Settimio era entrato talmente nel suo ruolo da mettersi a prendere sottobraccio organizzatori e membri della giuria e giornalisti, spingerli verso Marco e verso di me con una varietà di frasi fatte, aggettivi mescolati a titoli nel modo più insistente. Andavamo verso il ristorante in questo piccolo gregge di persone, e a ogni passo mi aumentava la disperazione di non riuscire a girarmi controcorrente, precipitarmi con qualunque mezzo disponibile verso l'altro lago dov'era la festa di Misia.

Dentro il ristorante era pronta una grande tavolata a ferro di cavallo, con tutti i posti assegnati e già varie persone sedute dietro i loro cartellini; Marco era rigido di disagio, neanche lui aveva idea di come venirne fuori. Ci siamo seduti, e non eravamo nemmeno vicini, assediati dai due lati e di fronte da brutte facce di burocrati locali e damazze e cinefili che ci fissavano con le stesse aspettative che avevano per gli antipasti nei piatti di portata; ho preso un sorso di vino bianco secco e finto, mi sembrava di dissanguarmi vivo nel caldo soffocato.

Sono andato nel bagno, con il cuore pieno di istinti selvaggi di fuga e i pensieri bloccati, mi sono rovesciato acqua fredda in faccia a due mani, e dopo forse un minuto è entrato Marco. Si è guardato allo specchio, pallido e stravolto; ha detto «Madonna, in che meraviglia di serata ci siamo fatti incastrare».

Ero così pieno di parole e intere frasi compresse: gli ho detto a bruciapelo «Misia si è sposata, sta facendo una festa di matrimonio su un lago a una trentina di chilometri da qui». Marco si è girato a guardarmi, con un'espressione di perplessità così concentrata da farmi venire un riso nervoso incontrollabile.

Ho fatto uno sforzo estremo per restare serio, ma non ci riuscivo: il sollievo della verità si mescolava all'effetto della sua faccia e all'assurdità disperante della situazione, mi faceva vibrare e tossire e soffiare e lacrimare come se avessi messo le dita in una presa a 220 volt. Ho detto «È ve-ro. Si è sposata con un neurochirurgo di trentaquattro anni. Tutto serio e bravo e ultradeterminato. Tra poco andranno a vivere insieme a Zurigo».

Marco mi guardava nella luce al neon con gli occhi socchiusi; ha detto «Cosa cavolo ti viene in mente, adesso?».

«Te lo giuro» ho detto io; e ho visto il suo sguardo che cambiava, di colpo mi si è esaurita la ridarola elettrica. Ho detto «Sono andato a farle da testimone prima di venire da te. Si è sposata stamattina».

«Spo-sata?» ha detto Marco, muoveva molto lento la testa. La porta si è aperta e sono entrati due giurati e un giornalista, gli hanno sorriso mezzi paternalisti e mezzi ironici, con la certezza di averlo a disposizione per tutta la cena. Lui non li ha neanche registrati, continuava a guardarmi come se non riuscisse a credere a niente. Ha detto «E fa una festa?».

«Sì, adesso» ho detto io, fretta allo stato puro che mi riprendeva a correre nel sangue. «È da giorni che volevo dirtelo, ma non sapevo come.»

«Non è uno scherzo del cavolo?» ha detto Marco.

«No» ho detto io, nel rumore di sciacquoni e di asciugatori ad aria. «È che diventava sempre più difficile dirtelo, non riuscivo mai a trovare il modo né il momento. Mi dispiace.»

La porta si è aperta di nuovo, è entrato Settimio con un altro giornalista, sembravano già in confidenza come due ex compagni di scuola. Ha detto a Marco «Poi parli un attimo con lui, dopo cena. Ti vuole fare un bel pezzo sul *Corriere*». Era totalmente credibile ormai, la sua mitomania di base innestata su veri eventi straordinari lo aveva catapultato dal nulla a una professione smagliante senza quasi tappe intermedie.

Marco gli ha detto «Mi daresti un secondo la chiave della macchina, che ci ho lasciato la mia agendina?».

Settimio gli ha dato la chiave, con il suo sguardo sempre un po' sospettoso; è andato a infilarsi in una cabina-gabinetto da cui riemergeva uno dei giurati.

Marco mi ha preso per un braccio, ha detto «Mi accompagni?».

Fuori dal ristorante ci siamo guardati in faccia senza dirci niente, abbiamo cominciato a correre come pazzi in direzione della stradina laterale dove avevamo lasciato la Mercedes di Settimio.

Poi mentre io facevo accelerare la vecchia carrozzona tedesca lungo la strada provinciale con ancora qualche dubbio su come funzionavano i comandi principali, Marco ha detto «Voglio *vederla*, più che altro. È una cosa talmente incredibile».

Eravamo percorsi da impulsi opposti, caldo e gelo e distacco e frenesia; ci sembrava di essere in ritardo su tutto e di essere ancora in tempo per qualsiasi cosa, di andare molto veloci e di restare incollati all'asfalto.

Ventinove

Abbiamo seguito la cartina dell'invito che Misia mi aveva dato la mattina, e non era per niente una cartina razionale, tutte le indicazioni distorte in una specie di rappresentazione impressionistica della geografia locale. In più né io né Marco eravamo mai stati dei bravi trovatori di strade, e la Mercedes di Settimio pesava forse dieci volte la mia cinquecento, e tutto era complicato ancora dal buio e dai nostri stati emotivi e dagli spini che Marco aveva trovato nel cruscotto già preparati da Settimio. Ogni tanto ci sembrava di essere destinati a non arrivare mai, se non forse il giorno dopo per trovare il posto della festa abbandonato e pieno di residui.

Invece alla fine siamo arrivati, e una volta lì abbiamo visto come in realtà la piantina di Misia era di un'accuratezza incredibile, ma pittorica più che topografica, in una prospettiva rovesciata rispetto alla nostra. La strada scendeva tra vecchie case e diventava sterrata lungo la riva del piccolo lago a prati e boschi; poi abbiamo visto un cartello con scritto *Misia e Riccardo* a vernice gialla, una freccia che indicava qualche centinaio di metri più avanti uno slargo pieno di macchine parcheggiate alla luce debole della luna.

Siamo scesi; musica e voci arrivavano a onde da una specie di grande baracca di legno tutta illuminata. Ci siamo guardati, instabili sulle gambe tutti e due; Marco ha detto «È come cascare dentro il film sbagliato, no?».

Siamo andati verso la luce e le voci e la musica, e un attimo dopo c'eravamo dentro: in mezzo alle risa e ai gesti e alle note di basso e di sassofono e ai bicchieri alzati e alle bottiglie passate e alle posate sui piatti, alla madre del marito di Misia seduta come una reliquia tra amici sotto un tendone, ai vassoi di portata ancora mezzi pieni e alle scarpe e ai vestiti leggeri e ai capelli e al traffico sovraeccitato da e verso le porte della grande baracca di legno vetrato piena di gente che ballava e beveva, alle persone in movimento e a quelle ravvicinate a coppie e a gruppi nello spiazzo erboso che arrivava fino all'acqua del lago e ai bambini che correvano avanti e indietro, sul refrain tirato e ribattuto del gruppo di rhythm 'n blues che suonava a tutto volume.

E adesso che l'idea della festa di matrimonio era improvvisamente così reale e tangibile, Marco aveva perso tutta la curiosità ironica che aveva avuto fino a un attimo prima: mi ha detto «Vai tu, io ti aspetto là fuori in macchina».

«Ma smettila» gli ho detto, anche se vederlo così improvvisamente incrinato minava anche me. «Dopo tutta la strada che abbiamo fatto. Andiamo a salutare Misia.»

«Non sono neanche invitato» ha detto Marco, con una mano davanti agli occhi e un modo losco di procedere che aveva solo l'effetto di attirargli sguardi da tutto intorno.

«Certo che lo sei» ho detto. «È solo che Misia non si immaginava che tu avessi voglia di venire.»

«Giustamente» ha detto Marco. «È stata un'idea totalmente idiota. Totalmente.»

«Invece è stata una buona idea» ho detto. Non ne ero più affatto sicuro: mi sembrava che avrei dovuto pensare prima alla difficoltà della sua posizione, se solo non avessi avuto tanta fretta di precipitarmi da Misia e tanto bisogno di non tenere segreti.

Ma ho continuato a trascinarlo avanti perché non sapevo cos'altro fare e perché anch'io mi sentivo tutt'altro che a mio agio, tra le voci e le facce sconosciute ma vagamente familiari che ci venivano incontro da tutti i lati. Ho pescato due bicchieri di vino da un tavolo; li abbiamo mandati giù in pochi sorsi e ne abbiamo preso subito altri a un tavolo poco più avanti, mi sembrava che non facessero nessun effetto.

Misia era dentro la grande baracca illuminata: l'ho vista appena siamo entrati, ballava davanti alla pedana dei musicisti, con i capelli sciolti e un vestito corto di cotone azzurro che le scopriva le gambe e le braccia, insieme a suo marito che si muoveva meccanico per troppo controllo.

Marco mi stava un passo dietro: anche senza girarmi ho sentito la sua espressione che arretrava a tutta forza. Misia mi ha visto, attraverso la concitazione e il rumore tutto intorno, e un istante dopo ha visto Marco: una luce violenta le ha attraversato lo sguardo e i lineamenti, le ha fatto perdere il ritmo della musica.

Quando il pezzo è finito e il gruppo ne ha attaccato un altro è sgusciata oltre suo marito e i suoi amici, è venuta verso di noi seguita da una scia di sguardi e di attenzioni. Mi ha abbracciato di schianto, con tutta la pressione del suo corpo accaldato e animato, eppure potevo sentire come la sua attenzione era due metri alle mie spalle, dove Marco la guardava fermo. Mi ha detto «Non speravo più che venissi, Livio», ma per quanto fosse contenta di vedermi faceva fatica a tenere gli occhi fissi sui miei. È andata da lui; lui le ha porto la mano, con una specie di sorriso standard che gli mandava linee di contrasto su per le guance e agli angoli degli occhi. Lei ha esitato un istante con la mano nella sua mano, a distanza delle loro due braccia estese; poi è andata avanti e l'ha abbracciato, baciato. Era come l'abbraccio tra due prigionieri politici: aveva questa qualità non-elastica, non-libera, intrisa di nostalgie impraticabili.

Si sono ritratti di mezzo passo, si guardavano e non riuscivano a dirsi niente, ma la scena intorno a loro diceva più di un tessuto elaborato di parole, i loro sentimenti erano bloccati da schermi di protezione su cui il minimo slancio rischiava di infrangersi e produrre schegge di dispiacere puro. Misia si è girata a guardare suo marito che ballava come se lo obbligasse qualcuno; sembrava che non ci fosse più tempo per niente.

Le ho gridato «Lo sai che hai vinto il premio speciale della giuria al festival del cinema di Laveno? Migliore attrice esordiente!».

Misia mi ha guardato come se non riuscisse bene a sentirmi, nell'aria densa pompata dal basso elettrico e grattata e sifonata dai sassofoni; ha girato la testa verso Marco, ma lui stava zitto.

Le ho gridato «Davvero! Erano tutti entusiasti! Ti hanno

dato una targa! L'ha ritirata Settimio, ma non è potuto venire con noi!».

Lei ha sorriso, ma non ha fatto in tempo a dire niente: suo marito Riccardo veniva verso di noi tra la gente che ballava, rosso in faccia per l'esercizio non abituale; le ha posato una mano su una spalla, si è allungato a stringermi la mano. Misia gli ha indicato Marco, li ha presentati. Si sono stretti la mano, e non sapevo se Misia aveva raccontato molto a suo marito ma certo erano rigidi tutti e due, mi avrebbero fatto ridere se la situazione non fosse stata così disperata.

Poi il gruppo ha attaccato un pezzo lento, e Riccardo ha fatto un cenno a tutti e ha preso Misia per mano e l'ha ritrascinata a ballare, ha lasciato dietro una coda di parole non pronunciate. Marco mi ha detto «Faccio un giro»; è andato a prendersi un altro bicchiere di vino, l'aveva già quasi vuotato quando l'ho visto sparire tra la gente.

Ho bevuto altro vino anch'io, sono uscito dalla grande baracca, andato in giro per il prato tra gli invitati sparsi che parlavano e ridevano e fumavano e bevevano nell'umido tiepido della notte. Ho incontrato Piero il fratello di Misia che mi ha detto «Come va, come va?», con uno sguardo di vetro e molto accelerato di movimenti. Ho incontrato una ragazza che conoscevo, e Astra la sorella di Misia che si baciava con l'altro testimone di matrimonio; sono tornato dentro la grande baracca illuminata e sono tornato fuori; ho parlato, bevuto, ballato, fumato, ballato di nuovo. Mi sono lasciato prendere nell'atmosfera convulsa ed estenuata della festa, nella sovrapposizione incongrua degli invitati di Misia e di quelli di suo marito, nel gioco di attrazioni e di noie e di gesti e atteggiamenti e toni di voce e sguardi e pensieri. Ogni tanto vedevo Marco da qualche parte, con un bicchiere o con uno spino in mano o con tutti e due, un grado di ostilità per il mondo così intensa che era difficile credere che solo poche ore prima avesse vinto un premio a un festival con il suo primo film. Ogni tanto vedevo Misia dove avevo visto Marco, ma lui non c'era più; sembrava allegra, percorsa dall'energia senza limiti che trasmetteva a chiunque le si avvicinasse. La vedevo girare su se stessa, sorridere, allungarsi verso l'orecchio di qualcuno per rispondere o fare domande; la vedevo bere e gesticolare, soffiare fuori fumo con la testa inclinata all'indietro, fare di sì alla madre di suo marito che le parlava al rallentatore, ridere con suo fratello che le si appoggiava tutto nervoso a una spalla: mi sembrava di avvertire il solletico della sua voce nell'orecchio interno, anche se ero sempre troppo lontano perché fosse vero.

Ho parlato di lei con un tipo sulla cinquantina stagno e dai piccoli occhi azzurri, che si chiamava Cariaggi ed era il direttore del centro di restauro a Firenze e la considerava la sua migliore allieva ed era chiaramente pazzo di lei e non riusciva a capire come mai avesse deciso da un momento all'altro di lasciare tutto e sposarsi. Gli ho detto che anch'io ne ero rimasto molto stupito, come chiunque altro. Lui ha detto «Sì», ma sembrava più abituato a farsi ascoltare che ad ascoltare, e mi faceva rabbia per la sola idea che conoscesse Misia da anni prima di me. Sono scivolato via appena ho potuto, sono caduto in una conversazione con una tipa aguzza e occhialuta che era stata al liceo con il marito di Misia e guardava verso il lago e faceva considerazioni sul tempo che passa. Non riuscivo a registrare le sue parole; le considerazioni del professor Cariaggi continuavano a girarmi dentro, con la perplessità sospesa che gli avevo sentito nella voce. Per compensare ho bevuto ancora, sono andato a immischiarmi in tutti i gruppi di invitati che incontravo; ho tirato fuori la mia facilità di comunicazione di un tempo, e funzionava ancora. Ho parlato alla rovescia, cantato un paio di brutte canzoni degli anni Sessanta alla rovescia, recitato una poesia di Ungaretti e una di Montale e uno scioglilingua alla rovescia. Provocavo scoppi di divertimento, contrazioni di stupore. Ho esposto alcune mie idee sul mercato dell'arte, alcune mie idee sulle Crociate, ho suscitato consensi e reazioni polemiche; mi divertiva giostrare tra molte attenzioni diverse, mi faceva sentire più leggero e brillante di come mi capitava da molto tempo. Ho raccontato della forma di amebiasi quasi mortale che mi ero preso durante il mio viaggio in India, ho posato una mano sul fianco di un'amica rossa e magretta di Piero Mistrani, mi sono tolto le scarpe per muovermi meglio sull'erba vicino all'acqua del lago, ho guardato le stelle in alto, ho guardato le luci della grande baracca di legno piena di rhythm 'n blues scelto da Misia.

Poi la musica si era allentata e illanguidita fino a diventare molto più blues che rhythm, e parte degli invitati del marito di Misia avevano cominciato ad andarsene e sua madre era sparita dalla circolazione da un pezzo, gli invitati più giovani erano quasi tutti all'aperto sempre più stravolti per il gioco di contatti ripetuti e parole e alcool e fumo, e sotto il tendone bianco ho rivisto Misia con un bicchiere in mano che ascoltava un tipo molto instabile sulla gamba e guardava dritto verso di me.

Sono andato da lei con un passo da cammello, la mia attenzione fluidificata in una colla di sentimenti sfatti. Non riuscivo più a valutare bene le distanze, quando mi sono fermato ero a pochi centimetri da lei. Il tipo instabile che le stava parlando si è girato come un paravento che si apre: mi guardava e guardava Misia, con l'aria di potersi anche aspettare qualche specie di miracolo.

Misia mi ha sorriso, con il bicchiere di vetro sottile davanti alle labbra, ma non era un sorriso contento o divertito, era un sorriso domanda-senza-risposta che mi faceva perdere le forze solo a guardarlo.

Senza pensare le ho chiesto «Sei felice?».

Lei senza pensare ha detto «No». Ha appoggiato il bicchiere vuoto, ha ripreso a guardarmi fisso.

«Ma *contenta*?» le ho chiesto, come un moscone dei sentimenti, senza discrezione né misura.

«No» ha detto Misia. Doveva avere bevuto e fumato almeno quanto me: non l'avevo mai vista così totalmente priva della risorsa di un movimento improvviso o di un cambiamento di sguardo.

Ho detto «Non volevo fare indagini. Te l'ho chiesto così». Trascinavo in lungo le vocali, oscillavo avanti e indietro sulle gambe peggio del tipo alla mia destra.

Anche Misia oscillava, ma di un'oscillazione molto più interiore e ravvicinata che le affiorava alle labbra in forma di un tremore leggero; ha detto «Mi faresti un piacere, Livio?».

«Sì» le ho detto.

Lei mi ha preso per un braccio, con una determinazione che non mi aspettavo, mi ha trascinato tra gli sguardi e le voci estenuate fino a un angolo del tendone. Mi guardava con i suoi occhi chiari brucianti, ha detto di nuovo «Mi faresti un piacere?».

«Cosa?» le ho detto, con un rotolamento confuso nella regione del cuore a sentirmi stringere i polsi. Mi è venuta l'idea assurda che volesse chiedermi una rivelazione sui miei sentimenti per lei, una dichiarazione o una promessa proprio appena oltre il punto di non-ritorno. Guardavo di lato per capire dov'era suo marito, ma non riuscivo a mettere a fuoco niente, ero martellato dalle stesse sensazioni di quando lei era venuta a prendere il tè a casa mia.

«Dimmi se mi fai un favore» ha detto Misia, insistente come una giovane tigre braccata.

«Ho detto di sì» le ho detto, con il cuore che cominciava a farmi male al centro del petto.

«Puoi portare un messaggio a Marco da parte mia?» ha detto lei.

E ancora una volta mi sono sentito rompere addosso l'onda di sentimenti sotto cui avevo cercato di nuotare dal primo momento che li avevo visti insieme: gelosia e delusione e lealtà e amicizia e rabbia e senso di partecipazione e senso di esclusione che schiumavano in una furia di contrasti inconciliabili. Ho detto «Perché non gli parli tu? Non è più semplice?».

«Mi avevi promesso di farmi un favore» ha detto Misia, già con una luce tradita nello sguardo.

«Ma non questo» ho detto io. «Non questo.»

«Livio» ha detto lei. «Me lo hai *promesso*.»

Così non ho avuto scelta: mi sono raddrizzato nella battigia dei miei sentimenti, ho detto «Cosa gli devo dire?»

«Se vuole venire via con me» ha detto Misia.

«Via dove?» le ho detto, facevo fatica a mantenere l'equilibrio.

«*Via*» ha detto Misia, con uno scatto di esasperazione per la mia lentezza ma anche per la sua, per il caldo e i suoni e l'umidità che affogavano lo spazio intorno.

Questo ha avuto l'effetto di rallentarmi ancora, rendermi ancora più opaco e incerto; le ho detto «Vuoi dire via da qui? Da tuo marito e da tutto il resto?».

«Sì» ha detto Misia. «Da tutto.» C'era un'ostinazione ferma nei suoi occhi e nella linea del suo mento: spirito di sfida, ansia di muoversi.

«Ma quando?» le ho detto, con la testa che mi girava, le gambe che sembravano sul punto di cedere.

«Adesso» ha detto lei. «*Subito*.» Si è girata a guardare in direzione di un coagulo di persone a una ventina di metri, con al centro suo marito contento come dopo una giornata di buon lavoro, sicuro del valore delle cose perseguite e otte- nute con brillanti, precise intenzioni.

Ho detto «Subito?» più a me stesso che a lei, come se i po- chi vestiti sudati che avevo addosso pesassero quintali.

Misia ha detto «Dimmi solo se lo fai o no».

«Lo faccio, lo faccio» ho detto io, ero già in movimento.

«Grazie» ha detto Misia, con il più incerto dei sorrisi.

Sono andato a cercare Marco dentro la grande baracca il- luminata e fuori di nuovo, tra gli invitati sparsi e sfiniti per l'attrito sociale prolungato. Camminavo a piedi nudi sul le- gno e la ghiaia e l'erba e la sabbia, tra la luce delle finestre e il chiarore debole della luna e il buio denso delle zone in om- bra; ho inciampato in una coppia nascosta dietro un cespu- glio di ortensie, sono arrivato addosso a uno che vomitava appoggiato a un albero, mi sono fatto quasi azzannare da un cane legato alla gamba di una panca. Sono tornato verso la grande baracca, in una successione di impatti con facce ed espressioni del tutto estranee; di nuovo verso il lago, lungo percorsi che non avevo ancora provato. Mi sembrava un in- seguimento senza speranza e senza fine, come un sogno dila- tato dove uno cerca e cerca e non si ricorda neanche più co- sa stia cercando; andavo in qua e in là nell'aria densa e ogni tanto mi perdevo e mi fermavo dov'ero, mi rimettevo in mo- vimento appena lo sguardo di Misia e il suo tono di voce mi tornavano in mente.

Alla fine ho trovato Marco, quando ormai ero sul punto di rinunciarci, vicino ad alcune canoe e pattini tirati in secco; ma era così abbracciato a una ragazza sul bordo di un gal- leggiante che l'ho riconosciuto solo dal suono della sua voce. Ho sondato con lo sguardo il semibuio vicino all'acqua, l'ho visto senza più giacca e quasi senza più camicia: reclinato su un vestito di cotone bianco e gambe chiare molto lunghe, ca- pelli neri lucidi che ricadevano fino sulla sabbia.

Mi sono bloccato a un paio di metri da loro, ho provato a tossire ma nessuno dei due si è girato. Potevo quasi sentirli respirare, nell'alone diluito della musica che arrivava dalla grande baracca insieme alle luci e alle voci degli invitati. Mi sono avvicinato ancora; loro sono scivolati ancora più uno sull'altra, la voce di Marco soffiata e strusciata, le piccole risa di lei brillanti di suoni alti. Mi sono girato verso le luci; quando ho guardato di nuovo verso Marco e la ragazza non riuscivo a distinguere altro che due ombre fuse insieme.

Ho detto «Marco?». Lui non si è girato. Ho detto «Marco?» più forte, e mi sentivo un intruso e una specie di guardone, andavo a strappi dalla promessa a Misia alla voglia di tirarmi indietro.

Ho detto «Marco?» ancora più forte, a un metro da loro e a un metro e mezzo dal bordo del lago, sudato e incerto, senza più decifrare i segnali in andata e in ritorno.

Marco si è staccato dall'ombra della ragazza, non capivo se per rispondermi o perché non era in grado di riconoscermi contro le luci alle mie spalle. Anche la ragazza dai capelli lunghi si è mossa, con un movimento stirato e lento come uno sbadiglio; un pesce è saltato a poca distanza, nell'acqua ferma e nera.

Ho detto «Ho un messaggio di Misia per te»; ma la voce mi è uscita quasi incomprensibile, come per un sortilegio.

Marco mi guardava, e non riuscivo a vederlo bene in faccia ma sentivo in modo fin troppo intenso la dilatazione abissale delle sue percezioni. Eravamo in un punto di equilibrio tra i suoni della festa e il silenzio umido e profondo del lago, dove tutti i significati si perdevano e la vita veniva aspirata via dalle parole. Mi è sembrato che Marco facesse uno sforzo estremo per vincere questa resistenza, fino a sollevarsi sull'orlo di una frase; ma non c'è riuscito, è ricaduto sull'ombra della ragazza dai capelli lunghi, come attraverso un'immagine riflessa in uno specchio scuro.

E non mi sembrava di poter restare più a lungo né di poter fare altro, così sono tornato a cercare Misia nella confusione sparsa degli invitati, e ci ho messo forse un quarto d'ora a trovarla, e non ne avevo voglia e non sapevo cosa dirle, la mie energie fisiche e mentali si erano esaurite insieme ai miei sentimenti. Quando alla fine l'ho trovata era nella grande baracca illuminata, seduta sul bordo della pedana di legno da cui i musicisti stavano cominciando a togliere gli strumenti. Appena mi ha visto ha avuto un guizzo; ma ha capito subito dal mio sguardo e dal mio modo di camminare che Marco non sarebbe arrivato. Ho visto la luce nei suoi occhi che se ne andava, la tensione che la lasciava e la faceva sembrare persa e poi le rifluiva nel corpo fino a ridarle una tensione da affrontatrice di situazioni senza appoggio e senza aiuto di nessuno. Ha scosso appena la testa, non mi ha chiesto niente; io ho scosso la testa in modo simile, con le mani in tasca e credo lo sguardo più desolato del mondo.

Lei ha sorriso; mi ha mandato un bacio soffiato sulla punta delle dita. Un secondo dopo era già vicina a suo marito Riccardo, che si è girato a darle un bacio e ha ripreso a ridere e scherzare in un gruppo di amici, senza la minima idea di quello che sarebbe potuto capitare solo pochi minuti prima alle sue certezze così ben radicate nei fatti.

PARTE SECONDA

Uno

A settembre mi sono messo con una ragazza che si chiamava Ramina, che a ottobre mi ha lasciato perché diceva che ero troppo vago e disordinato e che gridavo invece di parlare e che gesticolavo e bevevo troppo e le facevo confusione nella vita. A novembre ho partecipato a una mostra collettiva di giovani pittori anomali, ho venduto quattro quadri e sono andato a fare un viaggio in Brasile di due mesi. A marzo mi sono messo con una tipa che era venuta ad abitare in un piccolo appartamento al pianterreno nella mia casa e si chiamava Sara. A settembre ho fatto la mia prima mostra personale in una vera galleria, a Como. Né Misia né Marco sono venuti anche se gli avevo mandato gli inviti, ma non mi ero aspettato veramente di vederli arrivare.

Marco mi ha telefonato un paio di giorni più tardi, per dirmi che gli dispiaceva molto avere mancato la mia mostra, ma che era a Roma insieme a Settimio per definire gli ultimi accordi con il produttore del suo nuovo film.

Ci siamo visti in un bar a Milano la settimana dopo. Lui è arrivato con un quarto d'ora di ritardo come al solito; come al solito ha detto che detestava fare aspettare qualcuno e me in particolare. Era ancora più veloce e netto e impaziente, in questa fase ulteriore della sua vita: il successo del suo primo film e le offerte e le sollecitazioni che ne erano seguiti gli avevano attivato uno stato permanente di allerta che orientava i suoi pensieri e i suoi gesti e anche il suo modo di guardare, lo spingeva avanti con margini molto ridotti di tolleranza rispetto a esitazioni e tempi morti di qualsiasi genere. Avevano invitato il suo film a metà dei festival d'Europa e in Canada e a Buenos Aires, gli avevano dato premi e scritto recensioni entusiastiche e chiesto interviste, e tutto questo aveva accelerato i suoi ritmi interni e abbassato la sua soglia di attenzione, gli faceva scorrere lo sguardo attraverso una stanza piena di gente per raccogliere gli elementi utili, scartare subito quello che non gli interessava.

Ma non avevamo perso la nostra familiarità automatica, quando ci siamo abbracciati; mi è sembrato che nessuna fama rapida fosse in grado di creare abbastanza distanza tra noi, nessun modello di occhiali da sole avesse lenti abbastanza scure. Marco si è tolto quelli da star braccata che teneva anche al chiuso e in un pomeriggio così poco luminoso, mi ha raccontato dei suoi incontri a Roma con i produttori di cinema che gli avevano fatto proposte dopo il primo film. Diceva che era stato come passare attraverso uno zoo di animali sgradevoli: diceva «La gamma completa. I maiali e gli sciacalli, le volpi e le faine, i formichieri e le iene e gli avvoltoi e i cani da tana, madonna. Tutti i possibili grufolatori e succhiatori e raspatori e azzannatori del mondo, con il loro corredo di sguardi iperattenti e molli e appiccicosi e indiretti e rapidi e semi-chiusi. Ogni volta che te ne vai ti resta addosso questa bava di finta stima e finta amicizia, finti sorrisi e finti slanci e finte ingenuità e finta schiettezza e finta distrazione. Dovresti *vederli*, Livio».

Sembrava che la cosa lo divertisse, almeno in parte; si sentiva abbastanza pronto e lucido e sicuro da poter passare attraverso qualunque zoo di animali sgradevoli senza farsi sbranare o dissanguare o contagiare o allettare o deviare in qualche modo. Aveva Settimio Archi, anche, che gli faceva da filtro e da ammortizzatore in tutti i rapporti che gli sarebbero costati troppa fatica e disgusto. Marco lo aveva imposto come produttore esecutivo del nuovo film, malgrado il fastidio fisico e la poca stima che aveva per lui; questo gli dava l'idea di scendere in guerra con un suo piccolo esercito, contribuiva alla sensazione di controllo che aveva riguardo al futuro. Lo ascoltavo parlare e seguivo i movimenti delle sue mani, e mi sarebbe piaciuto correre àlla stessa velocità; avrei fatto cambio tra le nostre vite senza pensarci un attimo. Eppure anche la mia vita era migliorata di molto, rispetto a quando era fatta quasi unicamente di parole e sogni irrealizzabili e frustrazione generalizzata, prima che arrivasse Misia Mistrani a spingermi a forza verso un cambiamento; mi sembrava una trasformazione incredibile, in rapporto al tempo che era passato.

«Notizie di Misia?» ha detto Marco come se fosse la più naturale delle domande, quando invece era dalla notte della sua festa di matrimonio che non avevamo più parlato di lei.

«No» gli ho detto. «Sono mesi che non la sento più.»

«E come stava, l'ultima volta che l'hai sentita?» ha detto Marco, nascosto dietro la superficie impaziente del suo sguardo.

«Bene» ho detto. «Tutta presa in cose organizzative.» Pensavo al tono di euforia programmatica che le avevo sentito al telefono: la sensazione di distanza incolmabile che mi aveva preso.

Marco ha fatto di sì con la testa, ancora nel suo atteggiamento di finta neutralità; ha detto «No, perché avevo pensato di chiederle di fare la protagonista del nuovo film».

«Sì?» gli ho detto; pensando a come Misia non aveva neanche mai voluto da Settimio il premio del festival di Laveno, né quelli che le avevano dato in Francia e in Canada, né si era mai fatta trovare da nessuno dei giornalisti che volevano intervistarla né dai registi e produttori che volevano proporle altri film. Avevo a casa una cartellina piena di ritagli di giornali che parlavano di lei, sempre con foto stampate dal film di Marco perché non ce n'erano altre in giro. Era diventata una specie di mito per cinefili e seguitori di tendenze e lettori di riviste d'informazione che offrivano ai loro sguardi le immagini in bianco e nero di quando lei si era spogliata con tanta naturalezza e per un'unica scena, e non gliene poteva importare meno; ogni volta che gliene avevo parlato era riuscita a cambiare subito discorso.

Marco picchiettava gli indici sul bordo del tavolo secondo il suo ritmo interno accelerato; ha detto «Si è messa in questo ruolo di enigma vivente, no? È sparita dal mondo, ha deciso che non c'è più. Ti sembra possibile?».

«Sì che mi sembra» ho detto, irritato all'idea che parlasse di Misia in tono così impaziente e razionale, quando era stata colpa sua se lei aveva deciso di lasciare tutto. «Non credo che le piacerebbe per niente entrare nello zoo che tu trovi tanto divertente.»

«Non lo trovo divertente» ha detto Marco. «Ma è il nostro paese. È questo cavolo di paese malato e marcio fino al midollo. E non si tratta di entrarci, ci siamo già dentro, anche se facciamo finta di no.»

«A lei non interessa» ho detto io, come se fossi il suo portavoce ufficiale. «Non se ne stava lì a sognare di fare l'attrice, quando l'ho conosciuta. Aveva tutt'altro per la testa, tutt'altro. Il centro di restauro, mille altre cose. L'ha fatto solo per curiosità, il tuo film.»

Marco d'improvviso ha detto «Non era solo curiosità», con una violenza che l'ha strappato fuori in un istante dal finto distacco a cui si era tenuto fino a quel momento.

E sapevo benissimo che non era solo per curiosità che Misia aveva fatto il suo film, che lo aveva fatto per lui e per tutto quello che lui le comunicava, per la passione e l'interesse furioso che li avevano avvicinati dal primo momento senza che io volessi rendermene conto; ma non riuscivo a pensarci neanche a questa distanza, non ne avevo voglia. Ho detto «In *gran parte* per curiosità».

Marco ha detto «Non riesco a immaginarmi come sarebbe il mio film, senza Misia, ma certo non sarebbe così. Sarebbe un cavolo di film di uomini, rigido e freddo e controllato e morto da far paura».

Sapevo benissimo che anche questo era vero, come sapevo che senza Misia io sarei stato a fare il supplente in qualche scuola media dell'hinterland, invece di dipingere i miei quadri e trovare anche gente a cui piacevano. Ho detto «Va be', e allora?».

«Devo rivederla» ha detto lui. Tutte le sue schermature si erano dissolte con una rapidità incredibile: aveva questo sguardo pieno di ansia, questo tono senza punti di appoggio.

«Chiamala» gli ho detto, e pensavo a come io non ero più riuscito a farlo da mesi ormai; a come neanche lei si era più fatta viva. L'idea che Marco potesse risentire la sua voce al mio posto mi mandava una specie di veleno d'ape nel sistema nervoso; gli ho detto «Ti do il suo numero di telefono».

Marco ha scosso la testa, ha detto «Non le voglio parlare al telefono. Voglio parlarle direttamente».

«Per il film o per cosa?» gli ho detto, riprecipitato in pieno nel vischio di sensi di colpa che mi legava il cuore e i pensieri dalla notte sul lago in cui non ero riuscito a portargli il messaggio di Misia.

«Per *me*» ha detto Marco. Stava andando in pezzi, sotto i miei occhi: come una macchina da competizione che si fonde per mancanza d'olio da un momento all'altro, proprio quando andava più veloce e apparentemente inarrestabile.

Gli ho detto «E cosa vorresti fare?».

«Andarla a trovare, insieme a te» ha detto lui, con un'espressione sospesa tra la paura totale e una debole possibilità, nel bar delle sei di pomeriggio pieno di gente che entrava e beveva e parlava e gesticolava e usciva per le strade intasate di traffico incattivito dalle code e dai clacson e dalle facce ostili dei guidatori dietro i vetri.

Due

Così siamo andati a Zurigo, con la vecchia Alfa Romeo di terza mano che Marco aveva comprato da qualche settimana e che guidava a strattoni senza riuscire mai a calcolare bene gli spazi né a tenersi entro i limiti di velocità, nello scorrere ordinato dell'autostrada svizzera.

Era la prima volta da anni che facevamo un viaggio insieme; mi divertiva essere di nuovo in movimento con lui, nell'abitacolo saturo dalla musica dei Bluesbreakers che usciva dai vecchi altoparlanti semisconnessi. Gli ho raccontato gli ultimi sviluppi nel campo dei miei sentimenti e del mio lavoro: gli ho fatto un ritratto di Sara che lui ancora non conosceva, ho cercato di descrivergli alcuni quadri che avevo appena finito, una nuova tecnica che avevo inventato per la preparazione dei fondi. Non era moltissimo, ma mi sembrava già qualcosa, rispetto al nulla cromato di parole di cui ci eravamo dovuti accontentare fino a due anni prima quando ci rivedevamo dopo un periodo di non-contatto. Marco aveva di più, naturalmente, tra personaggi e luoghi e situazioni che il suo lavoro continuava a fargli conoscere: mi ha fatto ridere fino a soffocare con una imitazione del produttore romano con cui aveva firmato pochi giorni prima, mi ha suggestionato con l'evoluzione più recente delle idee a cui girava intorno per il nuovo film. Non era compiaciuto della sua capacità di evocare immagini e atmosfere, come avevo temuto le ultime volte; non cercava di nascondersi dietro il ruolo di giovane genio irregolare che gli veniva offerto dal mondo. Ogni volta che gli tornava in mente la ragione per cui eravamo partiti, si interrompeva di colpo, toglieva il piede dall'acceleratore senza preoccuparsi affatto della nostra distanza dalle altre macchine; mi strattonava per un braccio, diceva «Secondo te come può reagire, Misia? Saracinesca totalmente chiusa? O un minimo spiraglio, almeno? O addirittura sollevata all'idea di affacciarsi fuori dalla noia mortale del suo matrimonio?». Diceva «Secondo te ha fatto un *figlio*? E magari ne aspetta già un secondo? Magari è già *nato* anche il secondo?». Diceva «Tu cosa pensi?»; diceva «Eh, Livio?».

Non sapevo cosa rispondergli, perché nessuna ipotesi mi sembrava del tutto impossibile, con una come Misia. Man mano che ci avvicinavamo a Zurigo l'inquietudine che avevo dentro diventava più intensa; mi sembrava di ricordarmi segnali inquietanti nella voce di Misia l'ultima volta che l'avevo sentita, me l'immaginavo trasformata in madre di famiglia e moglie di neurochirurgo al punto di non riuscire a riconoscerla. Ero pieno di imbarazzo preventivo e dispiacere anticipato; e ricominciavo a sentirmi in dovere di raccontare a Marco del messaggio che Misia mi aveva affidato la notte della festa sul lago, ma non sapevo come. Rimandavo di chilometro in chilometro; più mi sembrava importante che lui avesse il quadro completo della situazione, meno mi riusciva di parlargliene.

Poi eravamo già nella periferia monocromatica della città dove Misia aveva deciso di vivere, e ogni possibilità di spiegazioni si è chiusa nella difficoltà improvvisa di trovare la strada. Siamo andati verso il centro senza avere la minima idea di dove fosse l'indirizzo che lei aveva scritto sulla busta della sua unica lettera; abbiamo fatto due volte un lungo giro vizioso intorno alla stazione, chiesto informazioni a passanti leggermente ostili di fronte alle nostre facce e alla nostra macchina ammaccata e strisciata. I movimenti del traffico erano così regolari e implacabili da imprigionarci in una corsia obbligata; Marco continuava a dire «È come essere su un cavolo di *tram*, porca miseria». Eravamo così nervosi all'idea di rivedere Misia, e presi in un clima mentale da selvaggi in terra fredda; ci sembrava che uno qualunque dei vigili o poliziotti lungo la strada avrebbe potuto fermarci e metterci in prigione senza neanche bisogno di pretesti legali.

Alla fine una signora grassa ci ha indicato la direzione giusta, siamo saliti con qualche svolta sbagliata e qualche stop saltato per le lievi pendenze di un quartiere residenziale, finché abbiamo letto su un cartello il nome della via di Misia. Marco ha rallentato a passo d'uomo; guardavamo a destra e a sinistra con il cuore bloccato credo allo stesso modo, attenti a ogni casa e ogni giardino, ogni minimo movimento che ci sembrava di scorgere lungo i marciapiedi e tra le macchine parcheggiate. Mi aspettavo di vedere Misia da un momento all'altro: appena scesa da una station wagon carica di borse della spesa; con una carrozzina blu a ruote alte; con un bambino per mano già tutto vestito da ometto compunto e ambizioso; con una pettinatura cotonata che le cambiava la faccia; con uno sguardo infinitamente lontano da quello che conoscevo. Marco era ancora più in ansia di me, mandava avanti la macchina a strappi continui, diceva «Oh madonna, Livio»; quando siamo arrivati al numero di Misia ha schiacciato il freno di colpo, mi ha quasi fatto sbattere la testa contro il parabrezza.

Era una casa bianca di legno con grandi finestre, circondata da un giardino come tutte le altre nella via; siamo scesi, e non c'era un solo passaggio di persona a piedi né un solo suono irregolare da nessuna parte. Marco si guardava intorno, ha detto «Come cavolo *fa*, a vivere in un posto come questo? Una come lei?».

Non gli ho risposto niente; mi chiedevo se avevo fatto bene a dargli l'indirizzo e andare lì con lui, come avrebbe reagito Misia a vederci.

Nessuno dei due osava avvicinarsi alla porta, continuavamo a camminare avanti e indietro e guardare le finestre con le tendine bianche, il bordo del prato ben rasato. Alla fine Marco ha detto «Io vado», come uno che si decide a buttarsi da un cornicione; ha premuto il dito sul campanello.

È venuta ad aprire una cameriera italiana, grassotta e dipinta come una maschera, ha detto in un accento difficile da decifrare «Il signore è fuori».

«Ma Misia?» ha detto Marco; cercavamo tutti e due di guardare dentro, ma il varco della porta non era abbastanza grande e la cameriera lo bloccava quasi del tutto.

«La signora non sta più qui» ha detto la cameriera, ancora più parata a chiuderci l'accesso.

«E dov'è?» ha detto Marco.

«Non lo so» ha detto la cameriera, stava già richiudendo la porta.

«Come non lo sa?» ha detto Marco, in un tono disperato. «Non ha lasciato un indirizzo o qualcosa? Un numero di telefono?»

«Non c'è niente» ha detto la cameriera; ci ha richiuso la porta in faccia.

Marco mi ha guardato, pallido come non lo avevo mai visto; non riusciva a crederci. Ha suonato di nuovo il campanello, con il dito che gli tremava per la tensione. La cameriera questa volta ha socchiuso appena; ha detto «Non c'è niente, non c'è nessuno, tra poco devo andare via anch'io».

Marco ha detto «Aspetti»; lei ha richiuso secca la porta. Marco ha premuto il campanello senza smettere: sembrava di sentire tutta la struttura della casa che vibrava nell'oscillazione elettrica. La cameriera non ha più aperto, da dietro la sua tavola di legno rinforzato ha ripetuto «Niente niente niente» come un esorcismo.

Marco ha battuto un paio di pugni furiosi sulla porta, come due spari nella via immobile. Poi ha attraversato la strada molto lento, si è seduto sul bordo del marciapiede. Ci sono andato anch'io; abbiamo guardato ancora l'ex casa di Misia da seduti, linda e senza tracce di vita com'era, nel silenzio innaturale della via.

Una signora anziana con un barboncino nano al guinzaglio si è avvicinata per gradi molto progressivi ed è zampettata oltre; un paio di automobili silenziose hanno frusciato fino alla nostra altezza e continuato a frusciare fino in fondo alla via; la cameriera italiana è uscita dalla ex casa di Misia, ha chiuso a quattro mandate la porta e ci ha dato uno sguardo di controllo, è tacchettata oltre. Stavamo lì seduti sul bordo del marciapiede, in una forma di azzeramento di tutte le aspettative e i timori con cui eravamo arrivati, mi sembrava che avremmo potuto restarci anche giorni di seguito.

Invece dopo forse un quarto d'ora Marco si è alzato di scatto, ha detto «Io entro».

«Dove?» gli ho detto.

«In casa» ha detto Marco, già in movimento attraverso la strada.

«Ma sei scemo?» gli ho detto. Mi sono alzato anch'io, l'ho seguito davanti all'ex casa di Misia.

Marco guardava le finestre a ghigliottina del pianterreno e del primo piano; ha scavalcato la recinzione bassa per guardare quelle sul lato, guardare quelle sul retro. Sul retro c'era un giardino ordinato con un prato all'inglese e due piccoli alberi e una panchina, tre sedie di ferro, un tavolo. Ero lì incantato a guardare le sedie, con immagini di Misia seduta a fare colazione insieme a suo marito in un mattino altrettanto silenzioso, e ho visto Marco raccogliere una pietra grigia dal prato e andare verso una finestra del pianterreno.

Gli ho detto «Cosa cavolo vuoi fare? Guarda che ci arrestano».

Marco ha detto «Potresti tornare in strada e avvertirmi se arriva qualcuno?». Gli era venuto un tono freddo: mi ha fatto venire una corrente di spavento su per la spina dorsale, fino alla nuca e attraverso le idee.

«Come ti avverto?» gli ho detto, in un timbro improvvisamente deteriorato. Mi sembrava di intravedere occhi nascosti dietro le finestre delle altre case e nei giardini, orecchie in ascolto delle nostre voci straniere.

«Grida» ha detto Marco, e ha schiantato la pietra grigia contro la finestra, ha mandato in pezzi il vetro con un rumore spaventoso. Ha infilato subito la mano dentro, come se avesse la più grande pratica di questo tipo di operazioni; ha tolto la sicura, tirato su il vetro, si è infilato in casa e ha prodotto altro rumore ancora, mobili spostati e sedie rovesciate, altri danni da intrusione.

Sono rimasto paralizzato qualche secondo sull'angolo della casa, senza riuscire a crederci; poi sono tornato rapido in strada, a controllare l'immobilità sui due lati, controllare le finestre delle case vicine. Ero sicuro che qualcuno avesse sentito lo schianto del vetro, che ci fossero macchine della polizia già in viaggio per venirci ad arrestare. Mi sembrava assurdo che Marco non avesse voluto aspettare il marito di Misia, o trovare una qualunque alternativa più ragionevole a entrare in casa come un rapinatore senza neanche discuterne prima con me; mi sembrava assurdo stare lì a fargli da palo, assediato dall'immobilità apparente di una città che non conoscevo affatto.

Ho visto arrivare un tipo in bicicletta, che ha pedalato oltre senza guardarmi; ho visto arrivare una vecchia giardinetta con dentro un signore anziano che ha girato la testa verso di me; ho visto arrivare una macchina della polizia che invece era un taxi, è passato oltre mentre cercavo di riprendere fiato. La via è tornata immobile come prima, senza un suono né un gesto; stavo lì in piedi sul marciapiede, a poca distanza dall'Alfa Romeo arrugginita e ammaccata di Marco, saturo di sensi di illegalità e di non-appartenenza al punto di non riuscire a muovermi, facevo il palo.

Poi Marco è sbucato di corsa da dietro la casa con un paio di buste in mano, ha detto «Andiamo, andiamo, muoviti!». Siamo saliti in macchina e lui è partito come un pazzo, con un ruggito di metalli logori e gomma surriscaldata che ci ha inseguiti come una brutta scia di paura per tutta la pendenza della via.

Quando siamo stati ad almeno dieci minuti convulsi di strappi e rallentamenti e curve e nuovi strappi, Marco mi ha fatto vedere le buste che aveva preso: c'era il nome di Misia, un altro indirizzo scritto sopra quello originario. Ha detto «Erano su un tavolo nella stanza dove sono entrato, non ho neanche dovuto cercare».

«Allora perché ci hai messo così tanto?» gli ho detto, carico delle tossine dell'attesa tra il marciapiede e il giardino.

«Volevo vedere la *casa*» ha detto Marco. «Farmi un'idea di dove ha vissuto Misia. Vedere se c'erano sue tracce.»

«E ce n'erano?» gli ho chiesto, con in testa alcune immagini ancora molto vivide della casa di Misia a Milano, quando ero andato a parlare a suo fratello.

Marco ha fatto di sì con la testa, guardava il nuovo indirizzo sulle buste. Ha detto «E se è andata via con un altro uomo? Se troviamo una bella coppia felice e innamorata?».

«È possibile» gli ho detto.

«Non fare il bastardo» ha detto Marco. «Non essere così pessimista in partenza, madonna.» Ma lo squilibrio dell'incursione di poco prima gli impediva di farsi trattenere dalle esitazioni, lo spingeva avanti allo stesso ritmo. Ha cominciato a chiedere informazioni ai primi passanti che abbiamo trovato: li sollecitava a forza di gesti e toni di voce, attraverso la lingua incomprensibile.

Il nuovo indirizzo di Misia era da un'altra parte della città, in un quartiere verso il lago, dove le macchine potevano entrare con grande difficoltà. Abbiamo lasciato la vecchia Alfa davanti a un parchimetro in una piazza, dopo aver cambiato direzione varie volte per paura che qualcuno ci venisse dietro dalla ex casa di Misia, ci siamo inoltrati a piedi come due ladri per le strette vie ciottolate tutte bar e gallerie d'arte e piccoli negozi, fino al numero che cercavamo. Siamo rimasti qualche minuto a guardare la facciata antica e scura della casa dove forse stava Misia adesso; poi Marco ha detto «Proviamo?».

Eravamo a un lato del portone aperto, davanti al vecchio quadro di ottone dei citofoni, concentrati sulle sigle e sui numeri, senza riuscire a capire quale potesse essere quello giusto.

Eravamo su per le scale di pietra; sul pianerottolo largo del primo piano, nell'odore di legno e polvere e tappeti umidi, davanti a una tipa dai capelli dritti come la signora-porcospino di una favola tedesca che ci faceva segno di salire ancora due piani.

Eravamo sul pianerottolo largo del terzo piano, sguardi tra noi di paura e incertezza e aspettative compresse, suoni della via fuori che filtravano da una finestra crepata in diagonale, altri sguardi tra noi mentre lo spazio tra il trillo del campanello e l'apertura della porta continuava ad allargarsi e allargarsi.

Eravamo dentro, con Piero Mistrani ancora più pallido e magro e instabile di come me lo ricordavo, che gesticolava per tenerci al margine della confusione incredibile di vestiti e foulard e scarpe e libri e dischi e piatti e coperte tra il pavimento e un tavolo e un vecchio divano e una vecchia poltrona, in una stanza che non si capiva se era un ingresso o un soggiorno o un deposito o cosa.

Ha detto «Misia non c'è», con occhi ansiosi da difesa del territorio; si è passato una mano tra i capelli biondastri aggrovigliati, con un'insistenza che dilatava il movimento ai suoi limiti estremi.

Ho cercato di essere cordiale con lui mentre Marco si guardava intorno, troppo teso per parlare: ho detto «Eravamo a Zurigo, abbiamo pensato di passare a salutarla».

«Non c'è» ha detto di nuovo Piero (sguardi di lato, sguardi alla porta).

«Ma torna?» ha detto Marco, con un'ansia violenta nella voce.

«Non lo so» ha detto il fratello di Misia.

«Non vive qua?» ha detto Marco, lo incalzava come in un interrogatorio.

«Sì, ma non ho idea di quando viene» ha detto Piero Mistrani. Guardava verso la porta aperta, voleva chiederci di uscire ma non osava.

«È tanto che state qua?» gli ho chiesto, in un tono conversativo che suonava assurdo data la situazione.

«Un po'» ha detto lui. «Forse è meglio se tornate un'altra volta, perché io devo uscire, adesso.»

Ho guardato Marco seduto sul divano tra stoffe e libri e vestiti per capire cosa voleva fare, e nello stesso momento è entrata Misia.

Si è fermata due passi dentro la stanza, pallida e magra quanto suo fratello, con un cappello di panno nero e una giacca di velluto cremisi e jeans aderenti molto scoloriti, mille volte più rock e sbandata di quando l'avevo salutata la notte della sua festa di matrimonio.

Ci guardava, paralizzata dalla sorpresa come un animale selvatico nel doppio fascio di fari di un'automobile. Marco le ha detto «Ciao», a un quarto di voce; non riusciva a muoversi neanche lui, non riusciva a trovare un'espressione adeguata.

E mentre eravamo tutti e quattro bloccati nelle distanze che ci dividevano abbiamo sentito voci concitate dalle scale, e il fratello di Misia è schizzato fuori e si è affacciato al pianerottolo ed è tornato dentro come un lampo, ha sbattuto la porta e l'ha chiusa a quattro mandate e ha strattonato sua sorella per un braccio, ha detto «Presto, *preesto* via di qua, c'è la polizia!». È corso frenetico avanti e indietro a cercare qualcosa tra il divano e il tavolo, e non trovava niente nella confusione e continuava a scattare a destra e a sinistra e guardarsi intorno e fare gesti a vuoto, alla fine è volato oltre una porta seguito da Misia che raccoglieva una sciarpa e un altro cappello e un libro e un quaderno e anche un paio di scarpe lungo il percorso e lasciava cadere le scarpe e il cappello mentre correva, e io e Marco ci siamo guardati e gli siamo corsi dietro anche noi come pazzi mentre si sentivano già voci incalzanti e bussamenti sempre più forti sul vecchio legno massiccio della porta d'ingresso.

Il fratello di Misia andava al doppio della velocità di chiunque altro: aveva questi piedi da cartone animato che lo facevano volare attraverso le stanze e giù per i gradini di una scala esterna e lungo un terrazzo stretto affacciato su un giardino con al centro un vecchio albero dalla corteccia spessa e grigia come la gamba di un elefante gigante appoggiato tra le case del vecchio quartiere di Zurigo. Gli siamo corsi dietro troppo veloci per riflettere, e lui era a cavalcioni della balaustra e guardava giù nel giardino e guardava da dove venivamo, guardava di nuovo giù ed è saltato dal terrazzo forse tre metri più in basso, è atterrato sulle gambe secche senza quasi ammortizzare alle giunture ma stranamente senza neanche rompersi le ossa, ha guardato in su, ha fatto gesti frenetici a sua sorella.

Misia è saltata come una paracadutista che si butta nel vuoto, senza la minima esitazione; è atterrata con molta più elasticità di suo fratello. Io e Marco ci siamo buttati senza neanche guardare, io ho preso una mezza storta a una caviglia ma non mi sono fermato; mi sembrava di muovermi più rapido delle mie sensazioni, più rapido ancora delle mie immagini mentali. Eravamo già fuori da un portoncino secondario e lungo un'altra viuzza ciottolata, dietro un angolo e un altro angolo e per un'altra stradina ancora, con il cuore che batteva sempre più forte e i polmoni che bruciavano ma senza rallentare. Marco ha detto trafelato «Abbiamo lasciato la macchina credo di là»; Misia ha detto «Dove?»; Marco ha detto «Credo di là, non sono sicuro»; siamo corsi dietro un altro angolo e poi a destra e a sinistra e di nuovo a destra e in realtà non ci ricordavamo dov'era la macchina. Io ho detto «Forse è pericoloso. Forse ci aspettano là»; e non sapevamo neanche se i poliziotti avevano seguito noi per l'intrusione nell'ex casa di Misia o erano venuti per suo fratello, e suo fratello continuava a muovere i piedi così veloce che non si riusciva a vederglieli, e Misia correva con una leggerezza meravigliosa ma a un certo punto si è stancata e si è appoggiata a un muro di fianco a un negozio di dolci tutto luci gialle e colori confettati e Marco l'ha presa per un braccio e l'ha trascinata avanti e ne ha approfittato per dirle qualcosa all'orecchio in corsa, e lei l'ha spinto di lato e ha ripreso a correre da sola ma ho visto che sorrideva per un attimo; e tutto intorno era già sera e c'era questa qualità pungente nell'aria, questa anticipazione d'inverno anche se nessuno di noi aveva il tempo di registrarla propriamente ma era lì, faceva parte della situazione mentre attraversavamo come pazzi la città senza un'idea precisa di quello che ci succedeva, pieni di spavento e divertimento elettrico e sensazioni concentrate e dilatate, adrenalina pura che continuava ad arrivarci a fiotti nel sangue.

Tre

A metà febbraio sono andato a trovare Marco e Misia a Lucca dove avevano cominciato da pochi giorni a girare il nuovo film, nel parco di una villa del Settecento a poca distanza dalla città.

Ho lasciato la macchina sotto una grande quercia spoglia, sono andato per il viale di ghiaia fino al prato dov'era dislocata la troupe, in uno spiegamento di roulotte e camion e generatori e riflettori e carrelli e cavi di alimentazione da film vero. Mi faceva impressione vedere così tante persone e mezzi al posto della piccola banda di dilettanti mal guarniti del primo film, Marco di fianco a una grande cinepresa montata su un carrello-gru assistito da un esercito di macchinisti ed elettricisti e aiutanti e tecnici dallo sguardo di mercenari; mi faceva impressione Settimio Archi con i suoi nuovi vestiti da produttore esecutivo, come si muoveva intorno a confermare le sue sicurezze recenti.

Mi ha fatto impressione Misia, pallida e magra e con i capelli corti, nel banco di luce artificiale che scaldava i colori del prato e dell'aria per qualche decina di metri come in una porzione di stagione separata. Mi sono fermato a guardarla camminare insieme a un attore dalla faccia di asino sensibile che avevo già visto in qualche film: parlavano e gesticolavano sempre più concitati, finché lei si metteva a correre in direzione della grande villa. L'asino sensibile restava incerto per un secondo, le correva dietro; il carrello-gru della cinepresa con Marco e l'operatore e l'aiuto operatore e i macchinisti e gli elettricisti a scia li inseguiva per un tratto e poi saliva a inquadrare la scena dall'alto.

Sembrava un film muto, perché il silenzio era mille volte più denso e professionale di quello che eravamo riusciti a ottenere a Milano nel primo film, il parco assorbiva voci e passi e suoni come un'enorme spugna. Guardavo Marco che seguiva i movimenti di Misia in questo silenzio: i cenni a distanza, gli scontri ripetuti di sguardi, il contagio istantaneo di sfumature ed espressioni, il modo che avevano di tenersi un po' al riparo degli altri anche se erano così esposti, e mi sembrava un miracolo. Mi venivano in mente abbracciati sul sedile di dietro della vecchia Alfa Romeo, alle cinque del mattino appena tornati a Milano da Zurigo, quando avevo pensato che la loro era una storia del destino, che non sarebbero riusciti a sfuggirsi neanche provandoci molto intensamente.

Appena c'è stato un intervallo per un cambio di scena sono venuti tutti e due a salutarmi, mi hanno sommerso di abbracci e pacche e sorrisi e parole affettuose. Misia ha detto «Che bello, che bello che sei venuto!». Marco ha detto «Finalmente, bastardo di uno che fa il prezioso e l'impegnato e il discreto del cavolo!».

Gli ho detto «È che non volevo scoccarvi nei primi giorni di riprese». Ma era vero che avevo fatto un po' di resistenza ai loro inviti, non sapevo se per paura all'idea di Misia sbalzata di nuovo nel cinema subito dopo essere uscita in modo così miracoloso dall'autodistruzione di Zurigo, o per quali altre ragioni legate alla complicazione dei nostri rapporti. Non siamo riusciti a parlarci molto; c'erano troppi sguardi mercenari che ci seguivano, e troppe richieste di attenzione da troppi fronti per Marco, e Settimio Archi che voleva farsi ammirare anche da me nella sua versione ufficiale.

La sera, quando tutta la troupe è sparita e Settimio è andato a cena a Lucca con l'aiuto-costumista, siamo rimasti finalmente soli noi tre, nella cucina di un piccolo appartamento che Marco e Misia avevano a disposizione nella villa per la durata delle riprese. Faceva freddo, la stufa a gas non riusciva a molto contro i muri impregnati di umidità di secoli e i soffitti alti e le vecchie finestre piene di spifferi. Misia ha fritto alcune fette pallide di tacchino in una pastella non del tutto riuscita, Marco ha tagliato pane e formaggio e aperto una bottiglia di vino rosso.

Ho detto «Siete una *coppia*, in pratica»; perché mi colpiva vederli uniti da questi piccoli gesti quotidiani, e dal golf grigio di Marco che Misia aveva addosso, dal modo che avevano di urtarsi di fianco o di spalla mentre si passavano vicini, nello spazio dove dormivano e si riposavano insieme.

Loro hanno riso; Misia ha detto «Strettamente per ragioni artistiche». Marco ha fatto un gesto interrogativo con le dita unite, la mano che andava avanti e indietro.

Erano simili, molto più di quanto mi fossi reso conto fino allora: avevano la stessa qualità di movimenti e la stessa temperatura di voce, lo stesso modo di cercarsi con gli occhi ogni pochi secondi e ricalibrare la propria posizione uno rispetto all'altro, lo stesso bisogno ricorrente di contatto, braccia toccate e capelli sfiorati, parole in cerca di risposte altrettanto rapide. Eppure c'erano delle tensioni discordanti sotto tutto questo, attraversavano il calore della comunicazione come gli spifferi di freddo settecentesco nella cucina ricavata negli ex alloggi della servitù, mi comunicavano lo stesso genere di disagio sottile e ricorrente.

Marco era furioso con i produttori del film: quando gli ho chiesto come andavano le riprese ha detto «Benissimo, a parte il fatto che è sempre un po' inquietante fare un viaggio con un branco di ladri e farabutti che cercano di rubare e contaminare tutto lungo la strada».

«Ma non c'è Settimio, scusa?» gli ho detto, con un'immagine istantanea dell'orologio d'oro rettangolare che gli avevo visto al polso.

«Settimio è diventato subito come loro» ha detto Marco. «*Subito*. Era lì pronto come una larva di produttore pronta alla metamorfosi, gli è bastato respirare il clima e da un momento all'altro è stato come se rubasse nel cinema da una vita intera.»

«Un bugiardo marcio» ha detto Misia. «E laido, *laido*.» Ha fatto una delle sue facce buffe con gli occhi all'insù, forse in un modo più tirato di come glielo avevo visto fare l'ultima volta. Ha detto «L'altro giorno mi ha portato due fotografi sul set, per coltivarsi il suo giro di riviste del cavolo, e gli avevo ripetuto cento volte che non voglio farmi fotografare da nessuno».

La guardavo, percorsa dalla sua tensione di verità senza compromessi, e per un istante mi è sembrata abbastanza forte da potersi esporre di nuovo al mondo attraverso il film di Marco, un istante dopo non ero più affatto sicuro. Guardavo Marco in cerca di una conferma, ma anche lui aveva l'aria di altalenare tra fiducia e preoccupazione, a ogni occhiata rapida che le dava.

Ha detto «Sì, questa delle foto è anche una storia un po' assurda. Allora non dovresti neanche fare il film, no?».

«È *diverso*» ha detto Misia, nel suo modo accalorato. «Il film è come un cane che ti corre di fianco mentre corri, e ti giri ed è sempre lì che corre, dopo un po' non ci pensi neanche più, continui a muoverti come se lui non ci fosse. Anche se lo fai per lui, ed è chiaro che ci pensi, ma nello stesso tempo non ci pensi. E comunque sei tutta lì. Ci *sei*. Invece una fotografia è solo un frammento di te, una scheggia messa in scena totalmente arbitraria e manipolata. È un imbroglio.»

«Ma non è un imbroglio anche un film alla fine?» ho detto io. «Ancora più elaborato e convincente?» C'era una corrente di gelosia che mi passava dentro, per i piani molteplici di comunicazione che il loro lavoro comune gli offriva; e una corrente di ansia per lei.

«No» ha detto Misia. «O forse sì, invece. È per questo che non potrei mai recitare con altri registi. Mai. Farmi usare dall'immaginazione o dalle ragioni di uno che non c'entra niente con me.» Ha guardato Marco; ha detto «È per questo che mi fa vomitare avere intorno ladri come Settimio, o come quel bastardo di Marinoni il produttore».

«Va be'» ha detto Marco, con un sorriso teso. «Ma questo non ci deve neanche toccare. Io voglio solo pensare al film che sto cercando di fare, il resto è irrilevante.»

«Dipende» ha detto Misia. Aveva un modo nervoso di appoggiare la forchetta nel piatto, picchiettarla sui bocconi già tagliati di cotoletta senza raccoglierli.

«Dipende da cosa?» ha detto Marco, contro il suo sguardo.

«Da quanto riesci a fare il film che volevi fare» ha detto Misia.

«Io *faccio* il film che volevo fare» ha detto Marco; ha preso un sorso lungo di vino. «Non mi lascio condizionare da nessun bastardo ladro di produttore, stai tranquilla.»

«Ma lo fai con *loro*» ha detto Misia, ancora più incalzante. «C'è Settimio lì tutto il tempo a inzigarti perché tu dia più spazio ai paesaggi se puoi, e inserisca qualche scena di nudo se ti viene, e cambi un po' il finale se serve e renda più comprensibile la storia se ci riesci.»

«E allora?» ha detto Marco. «Ti sembra che io mi sia fatto condizionare in qualche modo? Anche in un piccolo dettaglio?»

«No» ha detto Misia. «Ma non è più come con il film che abbiamo fatto a Milano con Livio e gli altri. È un'altra cosa.»

«Certo che è un'altra cosa» ha detto Marco. Mi guardava, come per tirarmi dalla sua parte e farla diventare la parte della ragione; ha detto «È un vero film, è questa la differenza. Non è più una cosa da dilettanti».

Misia ha lasciato cadere la forchetta; ha detto «Allora forse bisognerebbe solo fare cose da dilettanti».

«Ma perché?» ha detto Marco. «Ti sembra che stia venendo così brutto? Così pieno di compromessi e imbrogli?»

«No» ha detto Misia. «Però potrebbe anche succedere. Una volta che cominci a scendere a patti con il mondo.»

«Quali patti con il mondo?» ha detto Marco, con una luce quasi disperata negli occhi. «Solo perché ci pagano per fare quello che vorremmo fare comunque? Solo perché c'è un'organizzazione vera e ci sono dei tecnici che sanno fare il loro mestiere?»

«Lo sai di cosa parlo» ha detto Misia; ha bevuto quello che restava del suo vino.

«No che non lo so» ha detto Marco. «E se lo so non sono d'accordo per niente. Perché uno allora dovrebbe sparire o ammazzarsi, per non scendere davvero in nessun modo a patti con il mondo.»

«Infatti ai migliori di solito succede così» ha detto Misia, senza guardarlo.

«I migliori chi?» ha detto Marco. Ha preso la bottiglia di vino, ma non ne ha versato più, l'ha posata di nuovo sulla tavola.

«I migliori» ha detto Misia.

Marco era furioso: ha detto «Cavolo di modo autolesionista di vedere le cose. Cavolo di modo suicida».

Misia ha fatto di sì con la testa, ma d'improvviso sembrava distratta, con uno sguardo straniero e lontano che mi ricordava quello di sua madre. Ha detto «Torno subito» con un piccolo non-sorriso, ha attraversato la cucina come una ballerina caduta dalla Luna.

Io e Marco siamo rimasti seduti davanti ai nostri piatti, senza più fame né voglia di vino, in un riverbero di domande e risposte non pronunciate. Da fuori arrivava uno schiocco legnoso a intervalli, forse un uccello su un albero del parco; la stufa a gas produceva un soffio regolare; il mio bicchiere ha tintinnato contro il bordo del piatto, mi ha mandato una risonanza acuta al timpano destro.

Marco ha detto a mezza voce «Non è tanto facile, con lei, eh?».

«Non è mai stato facile» ho detto io; e mi chiedevo se avrei mai superato del tutto il leggero senso di violazione che provavo a sentirlo parlare di Misia così dal di dentro della loro storia.

«È sempre così estrema» ha detto Marco. «Così *assoluta*. Ma anche distruttiva, distruttiva. Ed è la sua cosa più bella, madonna.»

Ho indicato la porta da dove Misia era uscita, ho detto «Però sta abbastanza bene, no?». Parlavamo piano: c'era uno strano effetto acustico di frequenze basse, nessuna parola era senza strascichi.

Marco ha detto «Be', dopo tutto il periodo di Zurigo non è che una torni com'era prima da un giorno all'altro, per magia».

«Ma sta abbastanza bene?» ho detto io, come uno che non capisce bene il significato delle parole.

«Abbastanza» ha detto Marco; non mi guardava.

Gli ho detto «Ha ancora delle crisi, ogni tanto?».

«Ha questi sbalzi estremi di umore» ha detto Marco. «Un momento è totalmente dentro quello che facciamo, e il momento dopo è estranea e non-interessata da fare paura. È abbastanza faticoso, ogni tanto.»

«Me l'immagino» ho detto io; pensavo a come l'avevo vista in un pomeriggio di dicembre a Milano, svagata e quieta rispetto al suo solito, aggrappata a lui come una giovane naufraga esistenzialista. Pensavo a com'era strano che uno come lui si fosse dedicato così intensamente a rimetterla in sesto: a com'era in contrasto con tutti i suoi atteggiamenti di distacco e incuranza e rifiuto del peso delle cose. Ho detto «Ma il film le fa bene o no?».

«Non lo so» ha detto Marco. «A volte mi sembra di sì. A

volte ho paura che le faccia malissimo. Non è solo una cosa fisica. Se fosse solo quello sarebbe semplice. È tutto quello che c'è dietro. L'instabilità e l'incertezza incredibile a cui ha dovuto sopravvivere fin da piccola. Non hai idea di che famiglia abbia avuto.»

«Li ho conosciuti» ho detto; e mi colpiva che lui avesse esplorato a questo punto il retroterra di Misia per cercare di capirla: mi addolorava e mi confortava in misura quasi uguale.

«Allora lo sai?» ha detto lui. «Che cavolo di bambini egocentrici e viziati sono suo padre e sua madre. Eppure non sono solo quello che sembrano. Sono anche due tipi strani, e complicati, molte delle cose migliori di Misia vengono da loro. Sua madre ha questa intensità non-materiale, quando riesci a parlarle. Questo modo di volare chilometri sopra il mondo degli uomini, questa spiritualità trafitta. Quando Misia era piccola le leggeva Shakespeare per ore, o stava ore di seguito a guardare con lei tutte le piccole figure di Bosch. Poi non c'era, apriva una specie di abisso nella vita dei figli. E suo padre? È uno incredibilmente sensibile, dietro la facciata spavalda e anche rozza che si è costruito per difendersi. Arrivava a casa e buttava sul tavolo un libro fondamentale per Misia, magari senza dirle niente. O le parlava della vita e della morte quando lei aveva sette anni, le scriveva lettere così intense e sofferte da farle male. Tra tutti e due le hanno messo tanti di quei germi di pensieri, non sono certo due persone banali. Ma per lei è stato peggio così, è stato molto più complicato. Perché l'hanno lasciata a terra, insieme ai suoi fratelli. Sono totalmente scappati da qualunque genere di responsabilità. Hanno buttato tutto sulle spalle di Misia appena hanno potuto. Era l'unica che rispondeva, visto che sua sorella poverina è tonta e suo fratello è un delinquente. Lei si è presa questo ruolo dall'inizio, deve farsi carico di chiunque le sia vicino. Le riesce così bene, anche, non ti lascia capire quanto le possa costare finché non crolla. Ma di solito la guardi e sembra tanto una guerriera.»

«*È* una guerriera, anche» ho detto io, con uno sguardo verso la porta.

«Sì» ha detto Marco. «Ma terribilmente fragile. Il che contribuisce a rendere tutto non tanto facile.»

Due secondi dopo Misia è tornata nella cucina con uno sguardo interrogativo, ha detto «Di chi stavate parlando?».

«Di te» ha detto Marco. «Dicevamo che non sei tanto una donna normale.»

«Come no?» ha detto lei; è andata a sederglisi sulle ginocchia, passargli una mano tra i capelli, come una ragazzina in preda a uno slancio di insicurezza e di bisogno d'affetto. Ha detto «Cosa cavolo dici alle mie spalle, brutto bastardo presuntuoso che non sa accettare una critica?».

«Quello che mi pare» ha detto Marco; e non ci voleva molto a capire quanto gli piaceva che lei gli stesse addosso così. Ha detto «Brutta Misi non-normale, bastarda tu»; le ha dato un bacio sui capelli, un bacio su un orecchio e sul collo, le ha passato forte le mani sulla schiena.

Non ero abituato a questo genere di manifestazioni aperte tra loro; ho detto «Io quasi me ne vado a dormire, sono rinscemito di stanchezza».

«Piantala, Livio» ha detto Misia, nel suo registro più limpido, con una luce calda e viva negli occhi. È saltata in piedi, è andata a spalancare la finestra, ha detto «È solo che non c'è più ossigeno qui dentro, questa stufa del cavolo lo brucia tutto».

Ha trascinato me e Marco nel soggiorno, che era ricavato come la cucina da uno spazio originario diverso, è andata a mettere un disco di John Lee Hooker su un giradischi portatile. Si è messa a girare intorno sul ritmo fondo e insistito del vecchio blues archetipo, la chitarra elettrica battuta e ribattuta sullo stesso accordo aperto; sorrideva, nella sua fantastica mancanza totale di reti di sicurezza.

Quattro

A Milano mi sono chiuso in casa a dipingere una serie di tavole per un libro di favole rielaborate da scrittori contempo-
ranei, avevo solo quindici giorni per consegnarle. Non mi veniva tanto facile, perché nel mio stile i risultati erano sempre
un po' troppo astratti o inquietanti per un libro per bambini;
ho dovuto fare una serie di tentativi prima di trovare la chiave giusta.

Marco e Misia li ho sentiti solo una volta, per il resto
quando provavo a telefonare non c'erano mai, e non avevo
voglia di rischiare di svegliarli tardi la notte. Ogni tanto mi
venivano in mente, assorti sul set nel parco, vicini e polemici
e intimi nell'ex appartamento della servitù al piano alto della
villa. Mi chiedevo che film sarebbe venuto fuori alla fine, e
come si sarebbero evolute le cose tra loro: ma mi rasserenava saperli insieme, era un'idea che dava al mio paesaggio
mentale la stabilità relativa di cui aveva bisogno.

Poi un pomeriggio lavoravo al tavolo nella mia casa-corridoio iperriscaldata e buia nel marzo milanese appena iniziato, e mi ha citofonato Settimio Archi.

Questa storia del citofono che suonava a qualunque ora
andava avanti da quando abitavo lì; non avevo mai capito se
dipendeva dal fatto di stare al primo piano su un corso di
grande passaggio, o da come ero io. Mi faceva piacere e mi
faceva infuriare, a seconda del momento, ma quasi nessuno
pensava a comunicare con me in modi più mediati: quasi

nessuno mi scriveva o telefonava, passavano tutti sotto casa e mi suonavano il citofono.

Settimio Archi ha detto «Oh, Livio, non potresti venire giù, che ho la macchina messa male?».

Era dentro un'altra Mercedes di seconda mano, molto più recente di quella che io e Marco gli avevamo rubato la notte della festa di matrimonio di Misia, ferma a cavallo del marciapiede in modo da bloccare un tram e una fila intera di automobili dietro. Mi ha fatto cenni concitati da dietro il finestrino, nello scampanellare furioso del tram e lo strombazzare dei clacson; sono salito anche se non avevo tempo e non ne avevo voglia, dopo quello che mi avevano detto di lui Marco e Misia. Lui è partito di scatto, è andato a tutta velocità fino quasi in fondo al corso, ha accostato in uno slargo, sotto un cartello di sosta vietata.

Ha detto «Ti dovevo assolutamente parlare, Livio, cazzo. Meno male che c'eri».

«Di cosa volevi parlare?» ho detto io, meno che amichevole.

Settimio si è schiacciato all'indietro contro lo schienale, ha soffiato fuori aria, con sguardi di paranoia al retrovisore, sguardi laterali a me. Ha detto «Il film di Marco è sospeso. È un miracolo se non salta, porca puttana».

«Cos'è successo?» gli ho detto, con immagini della troupe di mercenari schierati sul prato della villa, Misia con i capelli corti nel banco di luce calda, Marco sospeso sulle sue espressioni a metri di distanza.

«È successo che Misia è andata fuori di testa» ha detto Settimio, nella sua voce da trafficante di generi vari. «È successo che non è una professionista, cazzo. Tu sai tutto il bene che le voglio, ma Marco ha fatto una cazzata a volerla di nuovo, con tutte le attrici vere che poteva prendere.»

«Quali?» gli ho detto, con uno scatto improvviso di rabbia. «Dove cavolo la trovava una come Misia? Una intensa e originale e intelligente come lei?» Mi dava troppo fastidio sentirlo parlare così di lei, sentirgli dire di tutto il bene che le voleva.

Settimio ha detto «Sarà anche intensa e unica e tutto quello che sappiamo eccetera eccetera, ma cosa fai quando l'attrice protagonista si mette a fare la pazza a metà di una scena e manda in tilt il regista e blocca un intero film che costa centinaia di milioni ogni settimana?». Guardava fuori, mi guardava, guardava nel retrovisore, in uno stato di agitazione da grosso mustelide elettrizzato.

Gli ho chiesto «Ma cosa è successo?». Avrei voluto scendere dalla macchina, tornarmene a casa, parlare con Misia; tornare indietro nel tempo, parlarle nel mio cortile salendo le scale la prima volta che lei era venuta a casa mia; ripercorrere a rovescio le tappe della nostra conoscenza sapendo quello che adesso sapevo di lei; tornare a quando l'avevo vista nel locale pieno di fumo con la musica salsa a tutto volume e l'umidità che sgocciolava dal soffitto e una distanza apparentemente intraversabile tra noi.

«È pazza» ha detto Settimio. «È fuori. Ha cominciato fin dal primo giorno a fare casini per le più piccole cose e fare questioni di principio su tutto e mettere in crisi Marco e metterlo contro la produzione, poco alla volta è diventata una specie di guerra.»

«E Marco?» gli ho detto.

«Marco con lei non capisce più un cazzo» ha detto Settimio. «Gli fa questo effetto, porca puttana. Lei viene fuori con una delle sue scene, e lui magari all'inizio cerca di ragionare ed è abbastanza realistico e sta lì a spiegare e discutere per un'ora e poi perde la testa, non c'è più niente da fare. Provi a dirgli qualcosa e diventa una belva, ti tira addosso la roba, ti tratta come una merda. È totalmente d'accordo con lei, cazzo, anche se magari ha le lacrime agli occhi per la rabbia di non averla convinta, e tu sei il *nemico*, cazzo. Ti grida contro che lui non è in vendita e di non provare a fargli fare un film commerciale perché piuttosto se ne va e pianta tutto, queste frasi del cazzo.»

«Ma tu sei con lui o con gli altri?» gli ho chiesto; ho passato una mano sul vetro già appannato.

«Cazzo dici?» ha detto Settimio. «Marco non si rende neanche conto di quanto devo lottare con quei figli di puttana di Roma, per fargli fare il film che vuole. Ma non può mandarmi tutto in merda dopo quattro settimane di lavorazione solo perché Misia è una fanatica, con tutti i soldi che ci sono in ballo e la mia modesta reputazione e tutto il resto.»

«Quale reputazione?» ho detto, nell'abitacolo stagnante.

«Dài, piantala, cazzo» ha detto lui. «Non ti ci mettere anche tu, adesso. Questo è un lavoro che si basa tutto sulla parola. Dici una cosa e dev'essere quella, porca puttana, se no sei fuori, hai chiuso.»

Gli ho detto «Ma dov'è Misia, adesso? Cosa ha fatto?».

«Cazzo ne so, quella pazza» ha detto Settimio. «È venuto quello stronzo drogato di suo fratello con un suo amico del cazzo e si sono piazzati lì nella villa e lei che già era mezza fuori è andata via di testa completamente. Ha interrotto una scena fondamentale a metà perché diceva che era finta e non ne voleva sapere. Hai capito, perché era finta, cazzo. Come se il cinema fosse roba vera, ti rendi conto? Poi è scappata chissà dove, e quella testa di cazzo di Marco è impazzito anche lui e le è corso dietro, col risultato che adesso il film è sospeso ed è un miracolo se non salta definitivamente, porca puttana.»

«Non potresti parlare *meglio*?» gli ho detto, perché il suo lessico mi provocava un riflesso continuo sulle pareti dello stomaco. «Non è che tu riesca a comunicare chissà quale effetto, sai.»

«Adesso l'effetto» ha detto Settimio in un tono deteriorato. «L'effetto, cazzo.» Ha tirato giù il finestrino, sporto fuori la testa per prendere un respiro di aria avvelenata; è tornato a guardarmi da trenta centimetri, con i piccoli occhi scuri e lucidi che chiedevano e chiedevano; ha detto «Livio, cazzo, tu sei l'unico che mi può dare una mano. Per ora ho trovato un tampone con l'assicurazione, perché si può salvare il materiale che abbiamo girato senza Misia. Ma quelli mi hanno dato cinque giorni per trovare una sostituta straniera, a questo punto pretendono una coproduzione per avere capitale fresco. Se Marco non rientra subito va tutto a puttane definitivamente, e col cinema abbiamo chiuso tutti, non solo Misia. Non lo dico per me, cazzo, lo dico per lui. Tu sei l'unico che può farlo ragionare, Livio. Sei l'ultima spiaggia, cazzo».

Gli ho detto «Non credo, ma se vuoi ci provo. Se riesco a sentirlo ti faccio sapere».

«Ma *subito*» ha detto Settimio. «Quelli sono due pazzi, non sono mica normali.»

«Ti faccio sapere» ho detto. Sono sceso dalla macchina, ho cercato di sottrarmi ai suoi sguardi-proiettile di cerbottana, attraversare il corso più veloce che potevo.

Ho telefonato ai numeri di Marco a Lucca e a Milano, ma

non c'era. Guardavo i miei pennelli e i tubetti di tempera, e mi è sembrato di rendermi conto in quel momento di quanto esili erano in realtà i collegamenti tra me e lui e Misia, come fili trasparenti tirati attraverso spazi troppo estesi, popolati di troppe persone e attività sconosciute. Andavo nel panico, quando mi venivano questo genere di riflessioni: sudavo dalla tempia e dall'ascella sinistra e mi toglievo il golf lungo e largo che mi aveva fatto a mano mia mamma e camminavo su e giù come un pazzo, mi sembrava che tutto perdesse significato con una rapidità spaventosa.

Tre mattine dopo Marco mi ha telefonato da un telefono pubblico, in un fruscìo furioso di voci e suoni e movimenti estranei; ha detto «Mi dispiace che Settimio ti sia venuto a scocciare, quel cialtrone vigliacco».

«Lascia perdere Settimio» gli ho detto. «Dove sei?»

«A Milano, ma sto partendo» ha detto Marco. «Sono sulla strada per la stazione, ho un treno tra mezz'ora.»

Così gli ho gridato «Aspettami. Arrivo», gli ho dato appuntamento a un angolo nella piazza della stazione, mi sono messo le scarpe e sono corso fuori, ho guidato la mia cinquecento nel traffico alla velocità che mi veniva solo quando c'erano di mezzo lui o Misia, ci ho messo sedici minuti ad arrivare.

Ho lasciato la macchina e sono saltato fuori, nello slargo senza forma davanti all'enorme edificio in stile assiro-milanese della stazione centrale. Era un giorno di puro schifo grigio e gocciolante, in una condensa di veleni della città e dell'inverno che prendeva alla gola come un topicida per topi giganti; non riuscivo a smettere di muovermi intorno, girare la testa da una parte e dall'altra per vedere da dove arrivava Marco.

Marco è arrivato di corsa da dietro un angolo, con la sua vecchia sacca da viaggio a tracolla e un'aria stravolta.

«L'Alfa?» gli ho detto, anche se avrei voluto chiedergli tutt'altro.

«Morta» ha detto Marco, già girato verso la stazione.

«Cosa succede?» gli ho detto mentre gli andavo dietro.

«Perdo il treno» ha detto Marco, con la sacca da viaggio che gli batteva sul fianco.

«Il film?» gli ho detto.

«Va avanti» ha detto Marco, in un tono strappato. «Ho trovato un'altra protagonista, riprendiamo domattina.»

«Ma Misia?» ho detto io.

«Misia non lo so» ha detto Marco, come se si facesse largo a spallate in una resistenza accanita di pensieri. «È adulta e quasi perfettamente consapevole e non posso lasciare che mi distrugga il film e la vita.»

«Ma come sta?» ho detto; avrei voluto fermarlo per parlargli faccia a faccia, treno in partenza o no.

«Non lo so» ha detto Marco senza girarsi. «È andata via chissà dove con suo fratello, dopo avermi detto cento volte che mi sono venduto l'anima, solo perché per me il film è altrettanto importante che occuparmi di lei.»

«E tu l'hai sostituita così?» gli ho detto. «Senza neanche sapere dov'è e come sta?»

«Senti, Livio» ha detto Marco, ed eravamo già nell'enorme atrio della stazione, tra le brutte facce dei trafficanti stanziali in attesa di occasioni. «Io devo sopravvivere e devo fare il mio film, il che è più o meno la stessa cosa, e l'unico modo di riuscirci è andare avanti, senza farmi devastare da Misia e dalla sua intransigenza intollerabile.»

Siamo saliti con la scala mobile, tra i marmi verdastri e luridi da vecchio zoo fascista, tra le voci agli altoparlanti che annunciavano i treni e il brusio dei viaggiatori, i cartelloni pubblicitari e le valigie e le scarpe e il gioco di sguardi ansiosi sotto le luci livide. Fissavo Marco da un gradino più sotto, proteso in avanti; gli ho detto «Non potresti provare a parlarle ancora una volta?».

«No» ha detto Marco. «Le ho già parlato fino a bruciarmi il cervello per l'attrito. Ma non c'è niente da fare, e ormai è troppo tardi.»

Eravamo al piano dei treni, sotto le volte di vetro annerito, nella foschia acida che entrava dal fondo dove i binari andavano verso sud, tra le edicole e i venditori di souvenirs, nel traffico di carrelli elettrici e persone in corsa verso i treni. Ho detto «E la lasci così, allora? Allo sbando con quel disgraziato di suo fratello mentre tu giri il tuo film? Dopo che vi ho visti così insieme e vicini e siete riusciti a riempirmi di invidia ancora una volta per quello che avevate?».

Marco si è girato a guardarmi, e mancavano tre minuti alla partenza del suo treno, eravamo congestionati e pieni di sentimenti in conflitto violento: ha detto «Livio, io non ci *riesco*. Ci ho provato, e non ci riesco. È una donna troppo difficile e troppo sensibile e troppo forte e troppo fragile e troppo ostinata e troppo instabile. Troppo tutto. Sono diventato scemo a cercare di starle dietro. Forse un altro genere di uomo potrebbe riuscirci, uno solido come una roccia e maturo e distaccato e tutto quello che vuoi, ma io no. Io no, Livio».

Stavano chiudendo tutte le porte del suo treno ormai; mi ha dato un ultimo sguardo senza neanche riuscire a salutarmi, è saltato sul predellino della prima carrozza appena in tempo, il treno si è messo in movimento un istante dopo.

Poi mi ricordo che sono sceso per la scalinata nel piazzale della stazione, e il giorno era già scivolato in un pomeriggio cupo e freddo e mi sembrava che solo le cose brutte avessero una loro consistenza permanente, che quelle belle tendessero a dissolversi con una rapidità imprevedibile.

Cinque

Non ho più visto Marco per un periodo incredibilmente lungo di tempo. Mi ha telefonato una volta da Lucca per dirmi che il suo film andava avanti e non sapeva niente di Misia e che in fondo era meglio così, sperava solo che lei stesse bene; non capiva perché io avessi un tono ostile. Poi si è aperto uno dei nostri vuoti ricorrenti di comunicazione, dove smettevamo di cercarci senza che fosse ben chiaro di chi dei due era la colpa d'origine e di chi la colpa di non riuscire a venirne fuori. Non mi ci ero mai abituato, in tutti gli anni da quando lo conoscevo: ogni volta mi venivano dubbi terribili sull'amicizia in genere, sulla possibilità che i sentimenti sopravvivano alle circostanze e le circostanze alle deformazioni della memoria.

Ho letto di lui sui giornali che parlavano del suo secondo film al festival di Cannes. In quasi ogni articolo ritrovavo le stesse impressioni di sospetto e ammirazione e invidia e risentimento, adesso che lui non era più uno sconosciuto da scoprire né un talento inconsapevole e nemmeno uno che faceva film senza soldi. D'altra parte Marco non si sforzava certo di rendersi simpatico nel suo ambiente, con il modo violento che aveva di parlare di produttori e critici e colleghi e del cinema italiano in genere ogni volta che gliene capitava l'occasione: ed erano tutte cose vere, ma potevo vedere la sua delusione preventiva al lavoro, c'era sempre un fondo amaro di non-appartenenza nelle sue parole riportate. Quando il suo primo film era diventato un fenomeno da un giorno all'altro, gli avevano offerto le chiavi del club dei buoni rapporti con la stampa e del club della coerenza politica certificata e del club dell'approvazione critica garantita e di tutti gli altri club che regolavano la vita culturale nel nostro paese. Marco non le aveva volute, e adesso gliela facevano pagare, e lui diventava più aspro e più incurante per reazione, più isolato e diverso di quanto già fosse in origine. I giornalisti francesi invece avevano quasi tutti trovato molto bello il suo film, ma la giuria del festival si era fatta influenzare dall'atteggiamento italiano, alla fine gli aveva dato un premio speciale e non quello per la miglior regia.

Quando a ottobre il film è uscito in Italia non sono andato alla prima, perché nella pubblicità sui giornali c'era scritto *Il regista sarà presente* e il regista non si era fatto vivo per invitarmi. Ma sapevo cosa gli succedeva in questi casi: come il tempo scorso via senza sentirci aveva un effetto paralizzante su di lui, i sensi di colpa per non essere riuscito a ristabilire un contatto gli impedivano di fare il minimo gesto riparatore. Le recensioni del giorno dopo riprendevano le riserve di quando il film era stato presentato a Cannes, per come le ambizioni di Marco erano ai limiti dell'arroganza, il suo linguaggio brillante ma compiaciuto e virtuosistico, la protagonista francese brava ma senza l'ombra dell'intensità di Misia Mistrani nel primo film. Almeno su quest'ultimo punto ero d'accordo, quando alla fine sono andato a vederlo; la mancanza di Misia in ogni inquadratura era così forte da togliermi interesse per tutta la storia, lasciarmi distratto e confuso davanti al gioco rarefatto dei dialoghi e delle luci e dei movimenti della cinepresa, senza abbastanza cuore per districarmi nella complicazione astratta della trama.

Una sera di fine ottobre ho visto Settimio, mi ha invitato a mangiare in un ristorante costoso del centro. Era entrato definitivamente nei suoi modi di produttore di cinema: sempre più ingiaccato e impomatato e imbugiardito, finto-disinteressato, finto-dedicato a una buona causa. Mi ha raccontato di come aveva dovuto usare tutte le sue capacità organizzative e diplomatiche per salvare il film di Marco ed evitare scontri con i produttori e la troupe e gli attori dopo che Marco era diventato quasi completamente intrattabile. Mi ha raccontato di come Marco aveva continuato a essere ossessionato da Misia anche se sosteneva che non gliene importava più niente di lei, di come aveva dovuto lottare per impedirgli di andare a cercarla e mandare all'aria il film una seconda volta, perderlo per sempre.

Sembrava un eroe della cinematografia, a sentirlo parlare mentre inforchettava i suoi tournedos Rossini nel ristorante tronfio e ottonato, con sguardi-sonda alle signore più giovani sedute ai tavoli vicini.

Diceva che gli ci erano volute infinite insistenze e sollecitazioni e false coincidenze per fare dimenticare Misia a Marco e farlo interessare alla sua nuova protagonista francese, ma alla fine c'era riuscito così bene che a metà lavorazione si erano messi insieme e dopo il montaggio erano andati a stare a casa di lei a Parigi, dove del resto i suoi film erano molto più apprezzati e celebrati che in Italia. Diceva «Pensare che all'inizio sembrava una tale tragedia, dover cambiare attrice. Invece è stata una svolta della madonna, su tutti i fronti. Ci ha aperto il mercato francese, e ha tirato Marco fuori dalle sue ossessioni del cazzo. E la Francia è un mercato che se lo mangia, il nostro. I progetti che abbiamo in cantiere sono solo coproduzioni, ormai. Ci sto cercando casa anch'io, a Parigi».

Quando gli ho chiesto se aveva notizie recenti di Misia, mi ha raccontato che l'aveva vista un paio di mesi prima, nella casa di un pittore sulle Apuane dove viveva insieme a molta altra gente. C'era andato perché stava cercando un posto per una pubblicità, non aveva la minima idea che Misia stesse lì. Mi ha descritto il clima generale della casa, e già non avevo più voglia di starlo a sentire, non sopportavo il luccicore furbesco e ammiccante nei suoi occhi.

Gli ho detto «Ma stava bene?».

«Boh» ha detto Settimio. «Se avessi visto il casino che c'era. Una specie di branco di pazzi smandrappati, porca puttana. E dire che il posto sarebbe bello, di suo. Misia più pazza degli altri, con 'sto pancione, vestita di stracci che neanche un bracciante morto di fame del sud, cazzo. I buchi alle ginocchia dei calzoni, non so.»

«Che pancione?» gli ho detto, con un'accelerazione incontrollabile del cuore.

«Eh, incinta, no?» ha detto Settimio, con un gesto a due

mani per indicare incinta. «Di 'sto corvacchione di hippy tedesco che s'è trovata. Sai i nuovi poveri, tutti natura e sporchi come capre? Con il pittore zurighese ricco che li ospita e fa la vittima, ma anche si diverte ad avere una corticina?»

«Ma lei come stava?» gli ho detto, e facevo fatica a deglutire, mi sono mandato di traverso mezzo bicchiere d'acqua minerale. «Ti sembrava alterata o strana?»

«Che ne so?» ha detto Settimio, senza rallentare il ritmo delle forchettate. «Erano lì a guardarmi tutti muti, non dicevano un cazzo. E dopo dieci minuti neanche che ero arrivato, lei mi caccia via. Già avevo visto che gli interni erano inutilizzabili tanto li hanno rovinati a furia di scritte e disegni del cazzo, e Misia mi fa "Non abbiamo più niente da dirci, Settimio". Con quest'*aria*, come una predicatrice del cazzo che caccia i mercanti fuori dal tempio. Da pau-ra. Con Marco ancora si teneva, rispetto a com'è adesso. Lui ha la testa abbastanza dura, e non hai idea di quanto le stava dietro tutto il tempo a cercare di farla ragionare. Ma appena ha strappato la briglia per conto suo, è andata fuori. Ha buttato via una carriera della madonna, cazzo. C'erano tante di quelle attrici che si sarebbero tagliate una mano, per avere quello che aveva lei, e lei niente. Peggio per lei. Certo io non ne voglio più sapere, della signorina Mistrani. Abbiamo già dato.»

«Neanch'io ne voglio più sapere di te» ho detto io, già con il tovagliolo in mano, già in piedi.

«Cazzo fai?» mi ha detto Settimio dal sotto in su, a bocca piena. È rimasto seduto a guardarmi, con un sorriso di non-comprensione sulle labbra, un brillìo incerto negli occhi.

Fuori in strada era già autunno di nuovo, il paesaggio urbano richiuso sotto il suo coperchio inesorabile. Pensavo a Misia con il pancione sulle Apuane, vestita di stoffe strappate; a Marco senza di lei ma con il suo film italo-francese ancora nei cinema.

La sera sono andato a trovare mia nonna, le ho detto che non avevo più molte ragioni di stare a Milano; che volevo trovare un posto con almeno un po' di luce e di colori che mi aiutassero a dipingere.

PARTE TERZA

Uno

Quasi metà degli anni Ottanta li ho passati a Minorca, l'unica simpatica delle isole Baleari. C'ero arrivato attraverso una concatenazione di luoghi e incontri casuali, scivolando costa costa dalla Liguria fino a Barcellona, dove avevo conosciuto una ragazza che si chiamava Flor ed era castana e magretta e abbastanza vivace anche se la sua voce aveva una cadenza leggermente lagnosa. Ci eravamo messi insieme la seconda di due notti di seguito passate in giro per strade e bar e case e piccoli locali senza mai dormire, dopo di che lei mi aveva detto che era stufa della città e voleva raggiungere suo fratello a Mahòn, dove aveva rilevato un bar insieme a due amici. Così avevamo preso insieme la nave per Minorca, e dopo un paio di settimane passate a servire aperitivi e lavare bicchieri e bere vino bianco molto tardi la notte avevamo deciso che volevamo tutti e due una vita più selvatica, ed eravamo riusciti a trovare una piccola casa bianca di contadini nell'entroterra.

Vivevamo con i soldi del mio appartamento-corridoio affittato a un flautista e quelli dei quadri che riuscivo a vendere, in più ogni tanto qualche turista comprava uno dei golf di lana grezza che faceva Flor. Non avevamo bisogno di molto, con il nostro genere di vita: eravamo vegetariani e Flor coltivava dietro casa un orto di zucchine e biete e lattughe e patate e carote e cipolle e pomodori e peperoni e fagioli e piselli e spinaci e canapa indiana, dovevamo solo comprare pane e vino e latte e formaggio e benzina ogni tanto. Avevamo un po' di amici nei dintorni che facevano i pittori o i poeti o coltivavano qualcosa; la sera quando non volevamo stare soli andavamo a trovarne qualcuno e parlavamo e bevevamo e fumavamo e cantavamo, ci raccontavamo viaggi e facevamo considerazioni sul mondo finché ci cascava la testa. Quando avevamo voglia di grandi scambi, c'era il bar del fratello di Flor a Mahòn.

Riuscivo a dipingere molto meglio che a Milano, nella stanza-studio che avevo ricavato o all'aperto quando non c'era vento e il sole non era troppo forte: mi sembrava di riuscire a vedere i colori e la luce per la prima volta, non potevo credere di avere abbastanza spazio per guardare le mie tele da qualche passo di distanza. Mentre dipingevo Flor trafficava nel suo orto, ogni tanto veniva a portarmi una tisana di ortica o uno spino d'erba di casa o un bicchierino di tarassaco macerato nell'alcool. Ogni tanto mi faceva complimenti per un quadro, senza mai dargli troppa importanza; ogni tanto provava a dipingere qualcosa anche lei, in uno stile semi-surrealista non del tutto riuscito, ma non aveva nessuna ambizione di pittrice, dipingeva solo per divertimento.

Facevamo questa vita anni Settanta, nel mezzo degli anni Ottanta: non avevamo la minima ansia di arricchirci né di fare carriera, non ci importava niente di leggere giornali o vedere film o essere tenuti al corrente di quello che succedeva nel resto del mondo. Con Flor stavo bene, anche se ogni tanto mi capitava di guardarla con improvvisa lucidità e scoprirla non molto curiosa o appassionata, senza un grande senso dell'umorismo né aspettative che potessero pungolarmi a essere meglio di come mi conoscevo. Ma erano piccoli lampi che mi facevano paura e tristezza, riuscivo a cancellarli quasi subito; per il resto mi lasciavo assorbire nel ritmo circolare delle nostre attività, come nella rassicurazione di una nota bassa continua. Non parlavamo spesso, ma non mi sembrava che ci fosse molto di cui parlare, in fondo.

Era una vita morbida e lenta, senza sorprese né mancanze né richieste, appoggiata nel luogo e nel momento come una lucertola su un muretto caldo.

A Milano ci tornavo solo a Natale, con una decina di quadri legati sul portapacchi della cinquecento, per vedere mia madre e mia nonna e rifornire il gallerista che con mezza convinzione e un quarto di slancio si occupava di me quando ne aveva voglia. Ogni volta appena arrivato mi sembrava di essere di nuovo a casa e di averne avuto nostalgia, e ogni volta nel giro di poche ore scoprivo che la mia non era affatto una nostalgia indiscriminata, ma la nostalgia molto specifica di singoli momenti e delle singole persone che li avevano generati. E siccome queste persone erano solo due e nessuna delle due viveva più lì, la mia nostalgia diventava una specie di fantasma in corsa che riusciva solo a farmi sentire più straniero nella città dov'ero cresciuto, mi faceva venire voglia di scappare di nuovo a Minorca appena potevo.

Una volta a Minorca richiudevo la saracinesca: non volevo più nessuna notizia di casa, se non strettamente di mia nonna e di mia madre. L'Italia di quegli anni mi sembrava un paese volgare e avido e sgangherato, un imbecille ambiguo ed esibizionista di paese, che invece di provare a migliorarsi sviluppava le sue attitudini più superficiali e meschine ogni volta che ne aveva l'occasione. Ho smesso di parlare italiano, in una forma interiore di presa di distanze: lo spagnolo mi veniva facile, forse perché tendevo per natura a comunicare in modo sovraespressivo, come diceva Marco.

Un novembre ho scritto a Misia a casa di sua madre, e a Marco al suo vecchio indirizzo di Milano. Non mi aspettavo veramente che le mie lettere li raggiungessero, e ancora meno che loro mi rispondessero; l'ho fatto come gesto semiastratto di lealtà e amicizia, senza immaginarmi niente in cambio.

211

Due

Caro Livio-Livio,

è così tanto che volevo scriverti, sono <u>anni</u> addirittura, la tua lettera da quando è arrivata è rimasta sul tavolo e poi sul comodino come una specie di atto d'accusa alle amicizie incostanti, l'avrò riletta non so quante volte ma ogni volta c'era sempre qualcos'altro da fare prima di risponderti o almeno così mi sembrava, forse non sapevo da dove cominciare o forse aspettavo che le cose si evolvessero in modo da poterti tracciare un quadro totalmente evoluto visto che era già passato così tanto tempo, ma questo genere di evoluzioni qui è così lento che è meglio farla finita e scriverti e basta.

Mi fa impressione pensare all'ultima volta che ci siamo visti e al clima che c'era e a quello che facevamo e a come stavo io, mi sembra una parte incredibilmente lontana della mia vita, come un pianeta che gira per conto suo in qualche punto remoto dell'universo. Non sono nemmeno sicura di essere mai stata davvero lì, e se invece penso di esserci stata mi fa un po' sorridere e mi fa un po' pena e non mi fa niente, il che forse è triste o forse è rasserenante, a seconda di come la vuoi vedere. (Il tipo di angosce che avevo, come se fossero in gioco tutti i principii del mondo e i loro contrari, e forse era vero ma io allora ero una specie di persona di cristallo, andavo in pezzi al minimo tocco brusco, te lo ricordi? Però la cosa più bella del primo film di Marco era stata il divertimento e l'invenzione e l'improvvisazione che venivano fuori ogni giorno senza che neanche ce l'aspettassimo, e invece lì a Lucca improvvisamente era diventato tutto così terribilmente faticoso e meccanico e controllato, una lotta senza fine con tutta quella gente orrenda che era interessata solo a guadagnarci sopra dei soldi e non aveva la minima partecipazione di cuore. Ma anche la mia storia con Marco era assurda se ci penso adesso, eravamo convinti di essere così straordinari e creativi e importanti uno per l'altro, sembrava che il nostro impegno principale fosse cercare di corrispondere alle nostre aspettative incrociate tutto il tempo, e più ci sforzavamo meno ci riuscivamo, finivamo solo per riempirci di delusione e di rabbia ogni volta peggio. Io avevo così bisogno di appoggiarmi a qualcuno, ero una specie di naufraga dopo il periodo di Zurigo e l'eroina, e Marco si era preso questo ruolo di salvatore ed era vero che mi aveva salvata ma non era un ruolo che uno come lui poteva sopportare a lungo, ha sempre avuto questo modo di sembrare così solido e inattaccabile dal mondo ma in realtà appena dietro la facciata il suo equilibrio è quasi più precario del mio o del tuo, ci vuole così poco per mandarlo in pezzi. Adesso mi sembra tutto una specie di gioco estenuante di bambini isterici, ma allora ci sembrava la _vita_, forse lo era anche ma non poteva andare avanti per sempre.)

Per parlare invece di _adesso_ e tagliare tutte queste lagne sul passato come se fossimo dei vecchietti nostalgici senza più niente: non è buffo che tu sia lì in campagna a Minorca e io qui in campagna, dopo anni di non sentirci e andare ognuno per la sua strada? Che abbiamo finito per fare cose così simili, come quei gemelli che vengono separati alla nascita e cresciuti in famiglie diverse in parti diverse del mondo e poi si riincontrano a trent'anni e scoprono di avere sposato lo stesso tipo di persona e fare lo stesso tipo di lavoro e avere una macchina dello stesso colore? Ma è confortante pensare che siamo rimasti simili anche così a distanza, ti dà l'idea di non avere immaginato tutto solo perché eravamo in una fase della nostra vita dove avevamo bisogno di immaginarcelo.

Noi qui stiamo in una zona di colline che in verità sono quasi monti, ci viviamo in sette e certo è molto diverso dalla comune che avevamo sopra Pietrasanta, è molto più dura ma è anche tutto più vero e naturale, poi non siamo in Italia il che è già un sollievo come dici tu nella tua lettera. È un paesaggio

213

abbastanza brullo ma affascinante, l'Alta Provenza in punti come questo per tre quarti dell'anno sembra una specie di pianeta non del tutto abitabile, non ha niente a che vedere con la parte dolce e morbida vicino alla costa e certo niente con lì dove stai tu, con il mare tutto intorno e il clima temperato e l'orto rigoglioso e tutte le altre meraviglie che racconti. Qui devi passare metà del tempo a tagliare legna e alimentare i camini e le stufe e le lampade a olio e raccogliere acqua alla fonte visto che non abbiamo una pompa e non abbiamo elettricità né nessun genere di motore o di congegno meccanico, per principio e anche perché nessuno di noi ha una vera fonte di guadagno né vogliamo averne, a parte i formaggi e i golf e le sciarpe di lana di capra che vendiamo ogni tanto al paese più vicino in cambio delle cose che non riusciamo a produrre. Forse descritta così ti sembrerà una storia un po' estrema e una lotta continua per la sopravvivenza, e lo è ma è anche tutto molto bello e molto puro, è incredibile come scopri di non avere bisogno di quasi niente di quello che prima ti sembrava indispensabile, anche quando non eri certo una persona che viveva nel superfluo sommersa di accessori e di idiozie. È difficile immaginare di essere più liberi di come siamo adesso, con tutti gli impegni che abbiamo e il freddo e la fatica che ci costa, non dobbiamo niente a nessuno e non abbiamo bisogno di niente, non viviamo di aspettative e delusioni a ciclo continuo come fuori nel mondo, è così bello sapere che tu la pensi nello stesso modo anche se vivi in un clima un po' più dolce e in un paesaggio più ridente.

Poi non credo che tu sappia che abbiamo un bambino, si chiama Livio come te e certo avrei dovuto almeno informarti quando è nato ma ti ho spiegato i miei problemi con la corrispondenza e comunque te lo dico adesso. Ha tre anni ed è un gran divertimento e anche un grande impegno naturalmente, ma qui ci sono altri due bambini più o meno della stessa età e crescono nel modo più naturale e istintivo del mondo, credo che non ci sia niente che ti riempie la vita con tanta intensità, tutto il resto finisce per sembrarti molto poco interessante o significativo in confronto.

Sono felice che tu stia bene con Flor, mi farebbe piacere conoscerla un giorno perché dev'essere una persona speciale, e sono felice che tu stia bene in generale. Anch'io sto bene, come vedi. Tu dici della nostalgia, e certo mi dispiace molto che non riusciamo a vederci, anche se credo che la nostra amicizia sia abbastanza forte da poter sopravvivere a una non-frequentazione fisica (anche epistolare, per un po'!), ma a parte questo non mi sembra di avere nostalgia di niente, tranne forse del clima tra noi ai tempi del primo film di Marco, o di quando abbiamo fatto la mostra nel cortile di casa tua. Ma è un genere strano di nostalgia, perché se poi ci penso davvero non erano stati momenti così fantastici mentre c'eravamo dentro, è solo a guardarli a distanza che sembrano pieni di cose meravigliose perdute chissà come. È questo modo di rileggere tutto a una luce di molto dopo che non mi piace nelle persone nostalgiche (non parlo di te!). Mi è sempre sembrato che ci sia una parte di slealtà nella nostalgia, come quando dopo che è successo qualcosa qualcuno dice «Te l'avevo detto» o «Lo sapevo», e non è mai vero e non aveva detto e non sapeva niente, prima che succedesse.

Adesso ti devo salutare perché la carta è finita, era l'ultimo foglio che avevamo qui in casa, ma ti prometto che ne comprerò dell'altra per scriverti prima che passino altri anni interi.

Spero che tu continui a stare molto bene, ti mando tanti baci e tanti pensieri, in questo momento mi sembra che non ci sia nessuna distanza tra noi.

Ciao

Misia

Nella busta:
Una foto di Misia con un bambino che ha la sua stessa bocca e il suo stesso disegno delle sopracciglia ma occhi molto diversi. Sorridono tutti e due, senza la minima preoccupazione di sé o di chi è dall'altra parte della macchina. (A proposito di quello che diceva Misia dell'essere fotografata.) Misia ha i capelli lunghi raccolti a coda, è più piena e morbida di linee di quando era a Lucca. Le sue guance colorite dalla vita all'aria aperta e dall'esercizio fisico continuo, come quelle del bambino. Madre e figlio con strati di golf sotto i giacconi di tela imbottita, non sembrano infreddoliti. Madre e figlio con stivali da contadino russo ai piedi, fango sugli stivali.

Un piccolo cane pezzato seduto davanti al bambino.

Un muro di pietra alla loro sinistra; la cornice azzurra scrostata di una finestra.

Sullo sfondo un paesaggio brullo di pendenze, colline terrose e sassose che scendono per linee aspre.

Il paesaggio sembra riflettere una forma molto concentrata di silenzio, come le espressioni di Misia e di suo figlio: pensieri sospesi, timbri familiari trattenuti.

(A proposito di quello che scrive Misia sulla nostalgia.)

Tre

Giugno era la parte migliore dell'estate a Minorca, prima che i charter carichi di turisti inglesi cominciassero ad atterrare all'aeroporto di Mahòn e che da Maiorca e Ibiza e Formentera arrivassero le avanguardie dei ricchi vacanzieri italiani e spagnoli in cerca di nuovi territori da invadere. Io e Flor e i nostri amici ne approfittavamo per andare al mare quasi ogni giorno, fare lunghe nuotate e stare nudi sulla sabbia ore di seguito a parlare e diventare neri e sentirci selvaggi e basilari, con gli stessi pensieri lenti che ci giravano in testa senza arrivare da nessuna parte. Formavamo piccole colonie nelle baie meno facili da raggiungere, distribuivamo vestiti e asciugamani per occupare tutto lo spazio, sorvegliavamo il mare in cerca di segni indicatori dell'invasione che nel giro di poche settimane ci avrebbe ricacciati di nuovo verso l'interno dell'isola.

Un giorno eravamo nel caldo rovente delle due in una piccola spiaggia che si raggiungeva a piedi con quasi un'ora di sentiero, e abbiamo visto un grosso motoscafo bianco a forma di ferro da stiro che puntava verso la nostra baia, senza la minima considerazione per chi avrebbe potuto essere in acqua. Ha manovrato avanti e indietro e propagato rumore e onde finché si è deciso a calare l'ancora a una ventina di metri da riva, con i motori che diffondevano fumo e puzzo nell'aria tra i nostri insulti e gesti di protesta; quando ho visto la bandiera italiana a poppa, la rabbia e il fastidio che avevo dentro mi si sono venati di imbarazzo. Ci sono voluti cinque

217

minuti buoni prima che spegnessero i motori, poi sul ponte sono emerse due ragazze sbiondate e abbronzate e lucide di crema solare che si sono tolte subito i disopra dei bikini giallo-limone e rosa-fucsia, e due uomini con occhiali da sole e bermuda che hanno preso a sbaciucchiarle e guardare la costa e guardare la catena dell'ancora e guardare il mare aperto e grattarsi l'inguine, senza neanche accorgersi degli sguardi e dei commenti feroci che la nostra tribù gli mandava dalla spiaggia.

Una delle due ragazze si è tuffata in acqua con un tentativo di slancio suggestivo; i due uomini si sono tolti i bermuda e sono rimasti in costumi bassi e sgambati in taglie da bambino, l'altra ragazza ha preso a ricoprire anche loro di crema solare. Stavano sul ponte del ferro da stiro come se fossero i padroni della baia, ridevano e si carezzavano le pance sopra l'elastico dei costumini; i loro orologi e bracciali e catene d'oro luccicavano sotto il sole violento. Una nostra vicina di casa che faceva l'apicultrice ha cominciato a canticchiare «Guarda i maiali» sulle note di *Guantanamera*, nel giro di poco è venuto fuori un piccolo coro di persone nude e furiose sulla spiaggia.

Gli italiani sulla barca non se ne rendevano conto, o forse invece sì e ne erano compiaciuti in un loro modo esibizionistico e mollemente provocatorio, perché hanno continuato nella pantomima di lisciamenti e vellicamenti e grattate e scambi di baci ed esercizi ridicoli di ginnastica e musichette accese e tuffi di piedi e di testa e risatine e grida e spruzzamenti e asciugamenti e cambi di costumi da bagno e occhiate all'orizzonte da esploratori degli oceani. Poi hanno calato un gommone in acqua con grandi difficoltà, una coppia ci si è calata goffamente ed è venuta a riva, tra gesti e sberleffi e modulazioni vocali di tutti noi.

Un ragazzo gli ha gridato «Avete insozzato tutta l'acqua!», una ragazza ha gridato «Puzzoni!», un altro ha gridato «Tornate a Ibiza!». Loro si sono guardati intorno, come se si rendessero conto solo in quel momento di avere un pubblico ostile ma non ne fossero ancora del tutto sicuri, nascosti dietro le lenti dei loro occhiali da sole e dei mille atteggiamenti da scimmie evolute. L'uomo si è affannato in tentativi maldestri di tirare a riva il gommone e non ci riusciva, dopo un paio di scivolate se l'è presa con la ragazza che non lo aiutava: gesti e voci stizzite, zampettamenti, la cima del gommone sbattuta sulla battigia. Da dieci metri di distanza le loro fisionomie e i loro modi di muoversi avevano una familiarità intollerabile, mi suscitavano sensi di dissociazione così forti che avrei voluto poter andare subito nell'ambasciata di qualunque altro paese al mondo, a presentare domanda per cambiare cittadinanza.

L'uomo ha fatto qualche altro tentativo inutile di trascinamento del gommone; sembrava un poco più vulnerabile che sul ponte del ferro da stiro, ma non abbastanza da evitare di mettersi una mano a taglio sopra le sopracciglia e scrutare l'entroterra, dire a voce alta rivolto più o meno a me «Non c'è un cazzo di ristorante o di bar, qui intorno?».

E proprio mentre stavo per rispondergli qualcosa di pesantemente sarcastico, ho riconosciuto la sua voce e i suoi lineamenti: sotto gli occhiali da sole e la pancetta e il fibrillìo compiaciuto e il cronografo e le catene d'oro era Settimio Archi.

Lui mi ha riconosciuto nello stesso momento, nudo e cotto dal sole e con la barba e i capelli da naufrago com'ero: ha detto «*Livio*, porca puttana!». È venuto a stringermi la mano e tirarmi in piedi e abbracciarmi, dirmi «Chi cazzo sperava di trovarti subito così? Vecchia sola!», tra gli sguardi allibiti della popolazione autoctona della spiaggia che non riusciva a capire che genere di collegamento potesse esserci tra noi.

Ero così pieno di sconcerto da non riuscire a muovermi, con Flor vicina e tutti gli altri, in campo aperto e battuto dal sole; e malgrado questo provavo anche una specie inconfessabile di piacere a vederlo, non potevo farci niente.

Settimio ha detto «Pensavo di metterci giorni, porca puttana! Pensavo che ci volesse una vera ricerca da investigatore privato del cazzo, palmo a palmo per tutta l'isola! Tua madre e tua nonna non sapevano neanche dove cazzo stai, avevano solo il numero del fermoposta!».

«Ma perché, mi cer-cavi?» gli ho detto; facevo anche fatica a parlare italiano.

«Cazzo, se ti cercavo!» ha detto Settimio; girava la testa intorno, per guardare le ragazze nude e selvagge sulla spiaggia. «È come la storia di Stanley e Livingstone, porca puttana!»

Flor ci fissava talmente perplessa che ho dovuto presentarglielo. Lui ha detto «Eeh, *mucho gusto*!», le ha stretto la mano con un'insistenza concupiscente che l'ha fatta irrigidire ancora, ci ha presentato in cambio la finta bionda che stava due passi dietro nel suo tanga catarifrangente tirato fino allo spasimo per dare un'impressione di slancio alle gambe e al sedere un po' basso.

Avrei voluto spiegare qualcosa a Flor e al fronte di sguardi ironici e interrogativi dei miei amici; liquidare Settimio come se ci fosse stato uno scambio di persona; chiedergli notizie e informazioni a getto continuo su Misia e Marco. Gli stavo di fronte senza decidermi a un solo comportamento, mi coprivo con una mano e subito la toglievo per fare finta di essere a mio agio, sorridevo e smettevo di sorridere.

Così quando Settimio ha detto «Perché non andiamo a parlare a bordo, che stiamo più comodi?» gli ho risposto che andava bene, pur di togliermi d'impaccio. Ho provato a convincere Flor a venire anche lei, ma non ne ha voluto sapere, ha detto «Vacci tu». Ho preso il suo pareo e me lo sono avvolto intorno alla vita, ho seguito Settimio e la sua finta bionda verso il canotto con l'andatura più rigida che mi veniva, come se stessi andando a definire una questione di principio o a discutere i termini di una tregua, fargli firmare un documento in cui si impegnavano a non mettere mai più piede nella nostra baia.

A bordo del ferro da stiro l'amico di Settimio era una specie di predatore più ingombrante e stanziale, si chiamava Aldo Spataro e aveva un'espressione così priva di curiosità da fare paura. Mi ha dato una mano molle da stringere, e l'altra ragazza che si chiamava Giusy ha fatto lo stesso, poi sono andati a sdraiarsi sugli asciugamani a prua, hanno ripreso a spalmarsi crema solare e sbaciucchiarsi e lisciarsi come bertucce viziose e terribilmente contente di sé.

Io guardavo verso la spiaggia per capire se Flor era seccata in modo serio e i nostri amici avevano tutti cambiato opinione su di me, guardavo il quadro degli strumenti nel pozzetto di poppa e mi veniva da ridere. C'era una musica da supermarket sullo stereo di bordo, asciugamani con disegni di ancore e delfini, audiocassette e macchine fotografiche e videoregistratori e pinne e maschere e cappellini da baseball appoggiati qua e là. Settimio ci si muoveva con sicurezza; non sembrava più in continua perlustrazione frenetica, allarmato da infiniti segnali di instabilità o di pericolo. Era riuscito a guadagnarsi un accesso stabile al territorio che gli interessava e aveva trovato il modo più efficace ed economico di attraversarlo, e questo gli permetteva di essere quasi tranquillo rispetto a prima, gli allargava il corpo e anche il timbro della voce.

Ha detto alla sua finta bionda dal sedere basso «Ci fai due martini, Stella?».

Lei ha sporto le labbra in un modo che doveva considerare sexy o divertente, si è infilata sottocoperta, con un'occhiata di coda a me per vedere se la ammiravo.

Settimio si è stravaccato all'indietro sui cuscini di finta pelle bianca, ha acceso una sigaretta, ha detto «Allora, Livio?», come se si aspettasse qualche genere di complimento per i progressi che aveva fatto.

Mi sentivo troppi occhi puntati dalla spiaggia e troppi giudizi sospesi, l'odore di benzina e di crema solare mi prendevano alla gola; ho detto «Di cosa mi volevi parlare?».

Lui ha detto «Indovinala grillo, di cosa».

«Guarda che Marco non lo sento da anni» gli ho detto subito. «Gli ho scritto una volta, e non mi ha neanche risposto. Non so neanche dove stia.»

«Lo so io, dove sta» ha detto Settimio. «Sta a Londra, sta.»

«E allora?» gli ho detto. «Perché mi volevi vedere?»

La finta bionda è arrivata con i due bicchieri di martini, ci aveva ficcato dentro anche due olive snocciolate: me ne ha porto uno con una specie di gesto da televisione, ha dato l'altro a Settimio con un bacio sulla fronte ed è andata a raggiungere gli altri a prua.

Settimio ha bevuto un sorso, le sue labbra erano ancora più avide di come mi ricordavo. Ha detto «Perché sei l'unico che può parlare con Marco, cazzo».

«Non più» gli ho detto; ero pentito di avere accettato di salire sul ferro da stiro, mi dispiaceva essere curioso di quello che poteva venire fuori dalle sue parole.

Settimio ha detto «Stai a sentire, Livio. Da quanto è che ti sei intanato in questo cazzo di isola?».

«Non lo so» ho detto. «Non sto lì a controllare il calendario ogni giorno. Non ho neanche più l'orologio.»

Settimio ha dato un'occhiata rapida al suo cronografo d'oro tutto pulsanti e ghiere e sottoquadranti, ha detto «Va be', comunque i giornali li leggi, no?».

«No» gli ho detto. Guardavo i tre a prua: il modo che avevano di strusciarsi e ridacchiare.

«Ma ogni tanto ci torni, nel mondo normale?» ha detto Settimio, in un tono che gli stava rapidamente tornando sottile. «Dove esistono il cinema e la televisione e tutte queste belle cose?»

«Non molto» ho detto. «Vado a Milano solo a Natale per trovare mia nonna e mia madre, scappo via subito.»

Settimio si è tolto gli occhiali da sole, ha finito il suo martini senza gustarselo; ha detto «D'accordo, comunque del terzo film di Marco ne avrai sentito almeno parlare, no?».

«No» gli ho detto. Ma mi faceva impressione che Marco avesse avuto il tempo di fare un terzo film senza che io ne sapessi niente: ho pensato all'attenzione e all'energia, ai pensieri che erano scorsi via in questo spazio. Ho detto «E com'è?».

«È andato alla grande» ha detto Settimio. «Meglio del secondo che già era andato molto bene. Ha fatto dei gran bei soldi in Francia e in Italia, e lo abbiamo venduto in mezzo mondo. Averne, di film così.»

«Ma che film è?» gli ho chiesto. «Che genere di storia?»

«Eh, di quelle di Marco, lo sai» ha detto lui, come se non avesse nessuna voglia di farsi bloccare su questo punto. «Anche meglio dei primi, c'è più trama. Ci ha lavorato con il top degli sceneggiatori francesi, sai Jean-Lup Caulisson? Che è stata un'idea del sottoscritto, tanto per cambiare, e pagata mica due lire, cazzo.»

«E Marco?» gli ho detto.

«Niente» ha detto Settimio. «Il film va alla grande e tutto, tre miliardi e mezzo di incasso solo in Italia, diritti televisivi esclusi, e il signor Marco Traversi cosa fa? È disgustato, cazzo. Si fa venire una crisi. Perché sarebbe troppo semplice, se no.»

«Che genere di crisi?» gli ho detto, con una sensazione di nausea per il suo modo di parlare e per il dondolìo del ferro da stiro.

«Una crisi, porca puttana, non lo so» ha detto Settimio. «Dovevamo ritirare insieme due Coppe dell'Accademia per la regia e per la produzione a Roma, e il mattino stesso mi arrivava un suo telegramma dove dice che parte per non so dove e

222

di tenermi pure anche il suo premio perché lui non lo vuole e non c'entra niente con il film che ha fatto e non ne vuole più sentir parlare. Capito, il signor Traversi?»

«E adesso è a Londra?» gli ho detto.

«Ahà» ha detto Settimio, ciondolava la testa. «Ma se provo a telefonargli mi butta giù la cornetta, appena sente la mia voce. Sono stato lì una settimana intera, il mese scorso, non sono riuscito a rivolgergli la parola. Andavo sotto casa sua, stavo lì ore di seguito come un mendicante, cazzo, poi alla fine lui arrivava, e come mi vedeva riaccelerava e tirava dritto. Stava fuori tutto il giorno, pur di non parlarmi. Neanche avessi la peste, porca puttana. Neanche gli avessi fatto chissà che cosa, invece di produrgli tre film che sono andati uno meglio dell'altro. Che se non era per il sottoscritto non lo so cosa faceva, il signor Traversi, cazzo, con tutte le sue idee fantastiche da grande artista senza compromessi.»

La finta bionda che si chiamava Giusy è tornata verso il pozzetto a passi strusciati, con uno sguardo per controllarsi il seno e la pancia e il movimento delle anche. Ha detto a Settimio «Senti, c'è Aldo che sta morendo di fame». Lo fissava e fissava me in un modo infantile e distratto; i suoi capelli erano depigmentati al punto di sembrare paglia bianca.

«Eh, cinque minuti, cazzo» ha detto Settimio. «Sto parlando. Siamo venuti fin qui per questo.»

Giusy ha fatto di sì con la testa, come se fosse del tutto indifferente a qualsiasi decisione, è scesa sottocoperta ed è tornata fuori con un pacchetto di chewing-gum e nuovi flaconi di crema abbronzante, ha ancheggiato verso prua in un modo ancora più autoriflesso di quando era venuta.

Settimio l'ha seguita con lo sguardo, ha fatto un cenno al suo amico Aldo Spataro che si indicava la bocca con un brutto movimento delle dita raccolte per significare cibo. Mi ha detto «Grandissimo Aldo. Sta salendo sempre più su nel partito, non lo ferma nessuno. È nel consiglio di amministrazione di Cinecittà e dell'Istituto Luce, è il prossimo presidente della Sacis, di sicuro. Siamo in società insieme, anche se il suo nome non figura per evitare le solite menate. Ma siamo così, lo vedi? Come due fratelli, cazzo».

«Cosa volevi dire, a Marco?» gli ho detto, pensando all'effetto che avrebbe potuto fare su Marco uno come Aldo Spataro.

«Parlare del suo prossimo film» ha detto Settimio. «Perché non è il momento di farsi venire le crisi, questo. È il momento di muoversi, cazzo, fare e fare e fare ancora. Abbiamo aspettato una vita, per arrivare alle stanze giuste, e adesso che ci siamo arrivati mandiamo tutto a puttane? Adesso che siamo dentro la miniera?»

«Forse a Marco non interessa, la miniera» gli ho detto. Stavo scomodo sui cuscini di finta pelle, avevo caldo e voglia di buttarmi in acqua, voglia di tornare a riva da Flor e dagli altri.

Settimio ha scosso la testa, ha allungato il collo per guardare due ragazze nude che attraversavano la spiaggia e si tuffavano in acqua. Ha detto «Forse non gli interessano i soldi, forse. Anche se poi è tutta da vedere, perché ti assicuro che fare il barbone internazionale costa, e prima certo non se lo poteva permettere, di andarsene da Parigi a Londra così, quando gli salta il ghiribizzo. Ma fare i film gli interessa sì, te lo garantisco».

«Dipende da quali film, credo» ho detto.

«Cosa credi che gli voglia far fare?» ha detto Settimio, e si stava agitando, malgrado tutto il suo agio conquistato. «Gli voglio far fare i suoi film, come sempre. Solo che sono diventate delle macchine abbastanza grosse e complicate, per fortuna. Non è come con il primo, cazzo, che ci bastava la pellicola e la cinepresa e quattro sfigati con un po' di tempo da buttare. Qui parliamo di miliardi e miliardi, ormai. Di mettere in piedi una coproduzione internazionale, e trovare i canali giusti per i fondi pubblici e per i diritti d'antenna, e combinare un cast con qualche bel nome grosso americano e francese e tedesco, lavorarti i giornali giusti per evitare che poi un critico geloso del cazzo ti mandi a puttane un lavoro di due anni. È come fare politica, mettere su un film così, caro Livio.»

«Forse è questo che non piace a Marco» ho detto io.

«Tanto sono io che lo faccio per lui» ha detto Settimio, frenetico quasi come me lo ricordavo. «Lui non si deve sporcare le mani, stai tranquillo.» Si è alzato, è andato giù a trafficare nel frigorifero: dovevano avere finito tutto perché lo sentivo bestemmiare.

Ho pensato di tuffarmi in mare prima che lui tornasse, ma non riuscivo ad alzarmi, ero incollato alla finta pelle dei cuscini.

È tornato fuori a mani vuote; ha detto «Guarda che non è che muoio, se non faccio il nuovo film di Marco. Io di progetti ne ho fin troppi, ormai, devo solo scegliere. Ho tre film in cantiere da qui a Natale, io. Il miniserial più importante che esce su Rai 2 questo autunno l'ho fatto io, cazzo, tanto per dirtene una».

«Allora dov'è il problema?» gli ho detto.

«È per *Marco*» ha detto lui. «Sarà anche vero che non ha bisogno di niente e di nessuno, ma se non fa film diventa completamente pazzo, quello. Tu che lo conosci bene dovresti saperlo meglio di chiunque, porca puttana.»

«Va be', sono fatti suoi, no?» gli ho detto, nell'ombra stagnante del tendalino sintetico.

«Marco sta *male*, cazzo» ha detto Settimio nel suo registro più stridulo. «L'ultima volta che l'ho sentito al telefono aveva un tono da fare paura. Le *cose* che diceva. Autodistruzione pura. Tu lo sai come poteva diventare Marco anni fa, adesso è cento volte peggio. L'unica possibilità che ha di venirne fuori è fare 'sto cazzo di film che gli propongo.»

«E glielo proponi per puro spirito di amicizia, no?» ho detto io. «Totalmente disinteressato, no?»

Settimio ha detto «Per spirito di amicizia e per spirito di imprenditoria, e non c'è nessun conflitto tra le due cose, guarda. Marco sta buttando via il suo talento e io voglio ancora puntare dei soldi su di lui perché è un grande regista. Tutto qui. L'Italia è cambiata, cazzo, ci sono un sacco di cose che si muovono. Stiamo diventando un paese importante, finalmente. Abbiamo scavalcato l'Inghilterra, Livio».

Facevo di sì con la testa, mi venivano in mente le facce orrende dei politici nel televisore e sui giornali di mia madre l'ultima volta che ero andato a Milano. Gli ho detto «Io devo andare».

«Aspetta» ha detto lui con uno scatto improvviso. «Mi vuoi dare una mano con Marco o no? Per *lui*, cazzo.»

«Cosa dovrei fare?» gli ho chiesto; guardavo Aldo Spataro che faceva nuovi gesti di fame.

Settimio è saltato in piedi, si è infilato sottocoperta ed è tornato subito fuori con una ventiquattr'ore di pelle, l'ha aperta sul tavolo del pozzetto. Ha tirato fuori una grossa busta bianca e una busta più piccola, me le ha passate. Ha detto «Tu devi solo portargli 'sta sceneggiatura e spiegargli che non gli chiediamo di vendersi l'anima al diavolo o chissà che cazzo. Qui c'è un biglietto Mahòn-Barcellona-Londra e ritorno, open, ci metti tu la data. L'albergo a Londra te lo prenoto appena mi dici quando vai. Ti ho scritto tutti i miei numeri, chiama pure a carico del destinatario da dove vuoi».

«Io non gli spiego niente» ho detto, con la busta grande che mi pesava tra le mani. «Gliela porto e basta.»

«Non gli spiegare niente» ha detto Settimio, in un tono improvvisamente alleggerito. «Dagli la sceneggiatura e basta. Se gli va bene okei, se no amici come prima, non c'è nessuno che lo costringe a fare niente. È solo che magari incidentalmente gli salviamo la vita, cazzo.»

Ho socchiuso gli occhi; avrei voluto avere anch'io delle lenti scure per schermare tutti i raggi, ultravioletti e non.

Quattro

A Londra Settimio per non sbagliare mi aveva prenotato una minisuite in un albergo americano alto sopra Hyde Park. Camminavo a piedi nudi tra il marmo del bagno e la moquette dell'ingresso e mi sentivo strano, oscillavo tra preoccupazione per Marco e sensi di colpa per Flor rimasta a Minorca, eccitazione per essere di nuovo tra gli accessori della civiltà occidentale dopo tanto tempo. E mi colpiva l'idea di avere tutto intorno una dimostrazione tangibile di come Settimio si fosse evoluto da piccolo trafficante marginale a una forma molto più solida e riconosciuta; pensavo ai percorsi predisposti che doveva avere trovato nel nostro paese, mentre io e Misia e Marco ci organizzavamo ognuno per conto suo un esilio. Era con Misia che avrei voluto parlarne, molto più che con Flor: avrei dato qualunque cosa per poterla chiamare da uno dei tanti telefoni a tasti sparsi intorno, farla ridere, chiedere la sua opinione.

Ho provato a chiamare Marco invece, ma al numero che Settimio mi aveva dato non rispondeva nessuno, così ho provato ancora un paio di volte e poi sono andato direttamente all'indirizzo scritto sullo stesso foglio, con la grossa busta di Settimio sottobraccio anche se non ero sicuro di volerla consegnare davvero.

Londra era grande per percorrerla a piedi, produceva una quantità incredibile di energia e movimento e attrito e rumore; camminavo lungo il marciapiede come un animale selvatico braccato e affascinato, con la camicia appiccicata alla schiena e le scarpe che mi imprigionavano i piedi, gli occhi che mi bruciavano. Mi sembrava di non fare in tempo a registrare le facce della gente lungo i marciapiedi, gli oggetti nelle vetrine e gli sguardi sugli autobus, i nomi e numeri che mi frastornavano da tutte le parti in una tempesta di sollecitazioni nervose.

Alla fine quando ha cominciato a girarmi la testa ho fermato un taxi, mi sono fatto portare all'indirizzo di Marco vicino a Battersea. Il numero corrispondeva a un edificio degli anni Cinquanta a molti piani, dalla facciata brutta e deteriorata di piastrelle gialline. Sono stato fermo qualche minuto sul marciapiede davanti al portone, e mi sembrava assurdo cercare Marco in un posto così estraneo, dopo il vuoto di comunicazione che ci aveva tenuti lontani per anni senza sapere più niente uno dell'altro. Ho scrutato a lungo tra le targhette del citofono, finché ne ho trovata una con scritto *Traversi*. Mi ha dato una scossa leggere il suo nome tra decine di nomi sconosciuti e stranieri: mi è sembrato di essere attaccato a un filo sottile, che poteva essere percorso di elettricità da un secondo all'altro oppure restare inerte, o ancora spezzarsi senza che nessuno se ne accorgesse.

Ho premuto il pulsante, cauto come se mi aspettassi una scossa: niente. Ho riprovato: niente; niente. Sono rimasto mezz'ora a guardare ai due lati della strada. Mi immaginavo Marco che arrivava, con libri sottobraccio o una borsa di plastica della spesa; a piedi; in macchina; su un taxi; che mi sorprendeva alle spalle per scherzo; che rimaneva sorpreso; che rideva già a venti passi di distanza; che mi abbracciava pieno di affetto; che mi chiedeva furioso perché diavolo ero andato a snidarlo lì quando voleva solo starsene in pace. Mi immaginavo una serie di possibili frasi e gesti di risposta, nessuno come avrei voluto.

Marco non è arrivato. Sono andato a bere una birra in un pub all'angolo, con uno sgomento concentrato che mi faceva perdere il senso del tempo e delle proporzioni. Guardavo due ragazzotti che bevevano birra appoggiati al banco, persi tra un televisore sospeso e gli scaffali delle bottiglie, e avrei voluto essere a Minorca con Flor nella nostra casetta di campo, al riparo di parole e sguardi e gesti ben conosciuti.

Dopo forse un'ora sono tornato a provare il citofono di

Marco: niente. Cominciavo solo allora a rendermi conto di quanto fosse assurdo aver dato retta a Settimio ed essere venuto a Londra alla cieca, senza neanche essere sicuro di trovarlo. Ho visto una signora anziana che rientrava con la borsa della spesa, l'ho seguita oltre il portone a vetri più fluido che potevo, sono andato a guardare le caselle della posta nell'atrio. Quella con la scritta *Traversi* era traboccante di buste non raccolte, al punto che alcune erano state appoggiate sopra e altre erano cadute per terra. Le ho raccolte, e venivano da Parigi e da Milano e da Londra, una dal Guatemala, una da Belfast; e c'erano riviste, libri, bollette del telefono e della luce, sollecitazioni di pagamento.

Le ho rimesse tutte sopra la casella, ci ho aggiunto quella di Settimio e ci ho scritto sopra *Se ci sei fatti vivo, anche se non ne vuoi sapere di questa storia del film. L.*, con sotto il numero di telefono del mio albergo.

Marco non si è fatto vivo. Sono rimasto a Londra altri due giorni, ho fatto altri tentativi inutili con il telefono e con il citofono; poi ho ripreso l'aereo per la Spagna.

Ma quando sono sceso all'aeroporto di Barcellona ero in uno stato estremo di instabilità. D'improvviso mi facevano paura i metalli e il cemento e i vetri che chiudevano lo spazio, e le frecce e i numeri che indicavano i percorsi, i nomi delle città di provenienza sui tabelloni a caselle, le facce e le valigie degli altri passeggeri, il loro modo senza esitazioni di trascinare valigie e spingere carrelli verso l'uscita e verso le persone e le macchine e i taxi in attesa per tornare il più presto possibile alle loro strade e case e famiglie e lavori. Mi sembrava di essere chiuso fuori da tutti questi flussi, sperso e dimenticato e incerto e inadatto, senza appartenenza né origine né destinazione né attese né amore né calore.

Sono salito su un autobus per andare al porto e tornare a Minorca, ma il vortice di sentimenti negativi che mi aveva preso ha continuato a girarmi e girarmi dentro anche lì seduto al mio posto con la tempia premuta al finestrino. E non capivo come un viaggio di tre giorni avesse potuto incrinare in maniera così terrificante la serenità da lucertola che avevo prima dell'arrivo di Settimio nella baia, ma certo l'idea di Flor e dei nostri amici di Minorca non bastava affatto a compensare il mio senso di vuoto e di sbandamento totale. Mi sembrava di vedermi davanti le loro facce autosufficienti, i loro modi di vivere con poche parole e pochi sentimenti come si può vivere con poco cibo e pochi vestiti, e anche questo mi faceva paura. Avevo un bisogno disperato di spiegarmi e formulare domande e cercare risposte e aprire questioni e analizzare ragioni, farmi contraddire e farmi rassicurare e farmi sorprendere, farmi sollecitare, litigare.

Sono sceso a metà percorso, ho fatto un lungo tratto a piedi e ho preso un altro autobus che andava alla stazione, con un velo di sudore freddo sulla fronte anche se c'erano trentacinque gradi all'ombra. Avevo l'indirizzo di Misia nell'agendina in tasca, mi sembrava di ricordarmi il nome della città francese dove avrei dovuto scendere per cambiare treno verso l'interno. Ho comprato il biglietto senza riflettere, come un attraversatore disidratato di deserti che riesce a pensare solo acqua acqua acqua.

Cinque

Man mano che il treno si allontanava dalla costa verso l'interno, il paesaggio perdeva la sua morbidezza ridente per diventare sempre più aspro e selvatico; le colline prendevano ritmi bruschi e si snudavano qua e là in rocce e spuntoni, tagliavano la vista del sole e precipitavano in scarpate ripide verso gole di torrenti e piccoli fiumi. Stavo in piedi nel corridoio davanti a un finestrino aperto, respiravo l'aria ormai fresca e cercavo di ricordarmi i nomi dei posti e le distanze così come li avevo visti su un vecchio atlante a Minorca; speravo di arrivare prima che intorno tutto fosse troppo definitivamente spoglio e duro e in ombra.

Nella minuscola stazione di Nimaud ho chiesto informazioni, ma fino al mattino dopo non c'era più nessun autobus che portasse a St. Gaudemart dove stava Misia. Non c'erano neanche taxi né altri mezzi di trasporto, così mi sono avviato a piedi per la strada che andava verso di lei, facevo cenni con il pollice alzato a ogni rara macchina che passava. Presto sono stato in un territorio dove l'asfalto su cui camminavo era l'unica traccia umana visibile; per il resto erano solo rocce e terra compattata ed erba rada e cespugli, distese e pendenze voraginose a perdita d'occhio, spazzate da un vento che mi costringeva a piegarmi in avanti e mi turbinava nelle orecchie, mi faceva voltare ogni tanto con la tentazione di tornare al paese e rimandare tutto al giorno dopo. Ma ero troppo ansioso di rivedere Misia; e più mi rendevo conto di quanto fosse estremo il posto che aveva scelto, più forte diventava la mia ansia di rivederla.

Finalmente un vecchio contadino dalla faccia rossa si è fermato a darmi un passaggio sul suo camioncino. Gli ho chiesto nel mio pessimo francese se conosceva per caso sette persone giovani che vivevano insieme a St. Gaudemart; lui ha detto di sì, ha riso, ha ripetuto una frase che doveva essere spiritosa ma che non capivo. Indicava i miei capelli a ciocche intricate e indurite, faceva un segno di barba di capra al mento, rideva. Puzzava di vino e di sudore e di sporco organico e la sua faccia era un reticolo di fenditure da sole e vento e gelo, eppure era chiaro che doveva vedere loro e anche me come dei selvaggi ridicoli, non riusciva a trattenersi. Gli facevo con la mano segno di bambini; lui faceva di sì con la testa, diceva «*Beeeh, beeeh*», faceva segno di capra, rideva. Ridevo anch'io, ma preoccupato e infreddolito, non più affatto sicuro di avere avuto una buona idea a mettermi sulle tracce di Misia in modo così impulsivo.

Il contadino ha fermato a una curva sotto uno sperone di roccia, ha indicato molto più in basso: due costruzioni di pietra che da solo forse non sarei riuscito a distinguere nel paesaggio brullo e scosceso. Era pomeriggio tardo, la luce aveva una strana qualità depigmentata, come se i raggi del sole passassero attraverso una immensa lente grigia appena sopra le nuvole.

Sono sceso per una ripida stradina sterrata tutta solchi e buche, il vento mi soffiava contro e mi sfalsava i battiti del cuore. Quando sono stato vicino alle case, un grosso cane da pastore è saltato fuori ad abbaiarmi contro fondo e rauco, seguito da due meticci piccoli che ringhiavano e mostravano i denti e raspavano il terreno e cercavano di avvicinarsi alle mie caviglie. Quello più piccolo l'avevo visto nella foto che mi aveva mandato Misia, ma era mille volte meno amichevole di come mi era sembrato. Ho accelerato il passo, guardavo a destra e a sinistra con una sensazione di panico crescente. Una bambina di forse tre anni è sbucata da dietro una catasta di legna tagliata, mi ha fissato per un secondo con uno sguardo selvatico ed è corsa verso una delle due case di pietra a velocità sorprendente, è sparita dentro una porta.

C'era un asino dalla testa pesante in un recinto di legno mezzo rotto, un gregge di capre grigie e nere che scampanellavano sulla pendenza di cespugli e sassi alla mia destra, galline sulla terra dura e bianca tra le case. C'era un secchio di latta bucato, un forcone e un rastrello contro un muro, stoffe colorate e calzoni da uomo e mutande da bambini sbattuti dal vento su un filo teso tra due pali. C'era una vecchia vasca da bagno usata come abbeveratoio, fango dove gli animali avevano sparso l'acqua e calpestato e razzolato. Cercavo di confrontare quello che vedevo con le immagini che mi ero fatto in base alla lettera di Misia e alla sua fotografia, e mi sembrava tutto ancora più difficile e disperato, ogni piccolo particolare mi dava una stretta aggiuntiva. Mi chiedevo cosa era stato a portare Misia fin lì, quali sentimenti danneggiati c'erano sotto la serenità e il distacco apparente di quello che mi aveva scritto.

Ero spaventato all'idea di rivederla di colpo, anche: mi sforzavo di respirare calmo, stabilizzare i movimenti degli occhi, sciogliere i muscoli del collo. Ma la cinghia della sacca da viaggio mi segava la spalla e avevo sete e fame, non sapevo da quale angolo o finestra o porta aspettarmi un'apparizione.

La porta dov'era scomparsa la bambina si è aperta; una ragazza riccia con un golf di lana grezza e jeans e zoccoli ai piedi e un fazzoletto in testa è uscita, mi ha guardato diffidente. I cani si sono spostati nello spazio tra me e lei, abbaiavano e ringhiavano con ancora più convinzione.

Ho detto «C'è Misia? Sono un suo amico. Mi chiamo Livio».

Ho visto una luce rapida nei suoi occhi, ma ha scosso la testa, ha detto «*Elle n'est pas là*».

«Ma vive qui, no?» ho detto io, e mi rendevo conto di avere un tono quasi disperato.

«*Non*» ha detto la ragazza, scuoteva la testa. La bambina è sbucata dietro di lei insieme a un bambino più grande, tutti e due coloriti e sporchi, con addosso vestiti fatti in casa e scarpe di tela quasi distrutte, i loro occhi erano come piccoli bottoni scuri.

«Non vive qui con voi?» ho detto a voce troppo alta, con un gesto troppo largo. Mi aspettavo di vederla arrivare da dietro l'altra casa di pietra grigia: vederla lasciare quello che aveva in mano e corrermi incontro. Ho detto «Mi ha scritto che vive qui. Con suo figlio. Si chiama Livio anche lui. E il suo uomo, no?». Giravo la testa in tutte le direzioni, muovevo le mani come un burattino, cercavo di respirare calmo e non ci riuscivo.

La ragazza riccia ha fatto ancora di no con la testa, senza traccia di cordialità e nemmeno di gentilezza. Un tipo con i capelli a ciocche selvagge simili ai miei ma rossi è venuto giù dalla scarpata delle capre, con un lungo bastone in mano forse per ragioni difensive. La ragazza si è girata a parlargli rapida: ho capito solo «*Misià*» nello scorrere soffiato e grattato di parole.

Il tipo rosso mi ha detto anche lui «*Elle n'est pas là*», ha scosso la testa come aveva fatto la ragazza, con una mano su un fianco e il bastone nell'altra, senza una parola ai cani surriscaldati dal loro stesso abbaiare e sul punto ormai di attaccarmi da tre lati.

Ma non riuscivo a muovermi: ero bloccato in una zona di non-aria, senza la stabilità minima per fare un passo in qualsiasi direzione. Mi sembrava troppo non trovare Misia dopo non avere trovato Marco a Londra; mi sembrava un'alterazione devastante della mia geografia interiore, una perdita di riferimenti che dilagava senza freno in tutti i miei pensieri.

Stavo lì fermo, con i cani che mi abbaiavano contro e la famigliola rustica che mi guardava nella sua ostilità primitiva e ingiustificata, ed è apparso un tipo alto con i capelli lunghi striati di grigio e una barbetta da capra; ho capito subito che era l'uomo di Misia, senza bisogno che nessuno dicesse niente. Aveva questi occhi grigi da idealista o anche da santo minore, questo corpo magro e lungo, di uno che si ammazza di fatica per inseguire qualcosa e continua a crederci anche se non riesce mai a raggiungerla.

Gli ho detto «Sono un amico di Misia. Volevo salutarla».

«Misia se n'è andata» ha detto lui in italiano; c'era una luce infinitamente triste e ostinata nel suo sguardo.

«Ma quando?» gli ho detto.

«Due mesi fa» ha detto lui. Un gruppo di oche è passato veloce alle sue spalle, uno dei cani piccoli si è distratto da me per inseguirle.

Ho detto «E dov'è andata?».

«Non lo so» ha detto lui, in un tono di mancanza senza rimedi, senza spiegazioni accettabili. Ha detto «Voleva tornare in città. Non so quale».

Ho detto «E il bambino?».

«Se l'è portato» ha detto il tipo. E siccome continuavo a fissarlo molto interrogativo ha detto «È suo figlio, no?».

«Anche tuo, no?» ho detto io. Avrei voluto chiedergli se non potevamo almeno sederci due minuti da qualche parte, bere insieme un bicchiere d'acqua o di latte di capra e parlare.

«No» ha detto lui. «Suo.»

Ed era troppo ferito e gli altri erano troppo ostili, e il terzo cane è tornato ad abbaiarmi contro ancora più rabbioso di prima, e nessuno mi ha chiesto di sedermi né niente; così ho alzato una mano, ho detto «Va be', io vado. Tanti saluti». Sono tornato in su per la stradina sterrata tutta solchi e buche, con i cani che mi venivano dietro abbaianti e ringhianti. Il vento mi fischiava nelle orecchie, il cielo si era coperto di nuvole più scure che viaggiavano veloci; cercavo di calcolare quanto tempo avrei potuto metterci a tornare al paese se nessuno mi prendeva lungo la strada. Il paesaggio mi sembrava un mare agitato e cattivo, avevo paura di annegarci dentro.

Sei

Ero così danneggiato e fuso e incapace di produrre il minimo pensiero razionale, sono tornato in treno fino alla costa e
da lì ho preso un treno notturno per l'Italia che fermava in
quasi tutte le stazioni lungo la strada e mi svegliava con
scosse e cigolii ogni volta che ero appena riuscito a riaddormentarmi su un gomito o su un fianco nell'odore di mine-
strone e di fumo di sigaretta e di vecchia stoffa, fino a quando sono arrivato a Milano in un mattino caldo stagnante.

Ma appena fuori dalla stazione, sotto la galleria porticata
dove i taxi gialli aspettavano in fila, ho avuto la percezione
violenta di non essere più a casa mia lì che in qualunque altro
luogo estraneo del mondo. Mi sforzavo di pensare a persone
o parti della città che avrei voluto rivedere, e non me ne veniva in mente nessuna. Misia e Marco erano chissà dove, il mio
appartamento-corridoio era affittato a un flautista di cin-
quant'anni, mia madre al telefono aveva un tono talmente apprensivo da mettermi spavento invece di rassicurarmi, mia
nonna era tutta presa dalle sue battaglie e dai suoi convegni,
il mio semi-gallerista non aveva neanche risposto alla mia ultima lettera in cui gli chiedevo come andavano le cose. Non
riuscivo più a capire per quale ragione fossi venuto a Milano
invece di tornarmene a Minorca, a parte le tracce che Misia e
Marco potevano avere lasciato nell'aria anni prima.

Cercavo di ripetermi che prima di conoscere loro due ero
pure sopravvissuto per un buon tratto di tempo, ma non serviva. Il fatto di non averli trovati e di non sapere nemmeno

dove fossero mi produceva lo stesso genere di azzeramento di quando da bambino pensavo e ripensavo al nome di un oggetto o alla sua forma finché il suo significato si dissolveva come un'impressione sbagliata, e contagiava di non-significato tutti gli oggetti e i nomi che gli si potevano collegare finché ero perso in una città intera di pieni e di vuoti incomprensibili.

L'unica via di salvezza che mi è venuta in mente era la stessa che mi sarebbe venuta da bambino: sono corso da mia nonna. Non ero minimamente in grado di stare a pensare se era un atteggiamento infantile o ridicolo o patetico o cosa; ho preso un tram e sono andato da lei, stanco e sporco e affamato e appiccicoso e disperato com'ero.

Quando sono arrivato sotto casa sua erano le otto, e sapevo che mia nonna non usciva mai prima delle otto e mezzo per andare alla sua clinica, ma lo stesso ho chiesto alla portinaia se c'era, lei mi ha detto di sì. Sono salito a piedi per tutti i sette piani, perché dopo anni di vita semiselvaggia l'ascensore mi faceva troppa paura, avevo giurato nell'albergo a Londra di non prenderne più. Ho suonato alla porta, con un bisogno di rassicurazione così forte da farmi tremare l'indice sul pulsante del campanello, senza neanche riuscire a guardare le pareti del pianerottolo per il senso di assedio che mi suscitavano.

Mia nonna non è venuta ad aprire. Ho suonato ancora, a intermittenza e poi ininterrotto, man mano che l'onda di panico che mi saliva dentro mi travolgeva del tutto. Ho cominciato a battere la mano di piatto sulla porta, gridare «Nonna?! Nonna?!» come un pazzo.

Un vicino che faceva l'avvocato si è affacciato sul pianerottolo, e con il suo sguardo di allarme ha solo peggiorato il mio stato; gli ho detto «Mia nonna è in casa ma non risponde!». Ho ripreso a battere le mani sulla porta, chiamarla a tutta voce, dare calci, scuotere la maniglia. Mi sentivo come uno che va a dormire e si sveglia nel secolo sbagliato, dove i luoghi sono più o meno quelli che conosceva ma le persone della sua vita non ancora nate o tutte morte da un pezzo.

Il vicino mi ha detto «Si calmi, per piacere». Gli ho gridato «Si calmi lei! Mia nonna si è sentita male, o è morta!». Continuavo a dare calci e colpi e spinte e scosse alla porta con una qualità meccanica di disperazione, producevo un frastuono incredibile tra le pareti del pianerottolo ma non era niente rispetto al rumore del sangue che mi batteva alle tempie. Ho gridato «I miei due migliori amici sono spariti nel nulla e mia nonna è morta! A distanza di tre giorni uno dall'altro!».

Il vicino era una brava persona: è venuto a prendermi per un braccio anche se dovevo avere un'aria abbastanza incontrollabile, mi ha trascinato verso il suo appartamento e mi ha convinto a chiamare i pompieri e un'ambulanza. Mentre aspettavamo mi ha dato un bicchiere di cognac per calmarmi, e gliene ho chiesto un secondo ma non mi ha calmato per niente, ha solo dato un alone ancora più confuso e assillante all'angoscia con cui tornavo a guardare la porta chiusa di mia nonna. E nel giro di poco i pompieri sono arrivati insieme alla portinaia, si sono fatti spiegare la situazione e hanno tirato fuori asce e mazze ferrate mentre io gridavo «Fate presto!», hanno mandato in pezzi la porta di mia nonna con un rumore spaventoso e schegge di legno che volavano da tutte le parti, e altri vicini di casa sono venuti ad affacciarsi sul pianerottolo dalle scale, e quando i pompieri hanno finito di sfasciare e scardinare e sono entrati in casa e io gli sono andato dietro anche se cercavano di trattenermi per evitarmi brutti spettacoli, mia nonna era lì nell'ingresso, viva e tutta vestita per uscire, con una delle espressioni più allibite che mi fosse mai capitato di vedere in vita mia.

Le ho gridato «Perché non rispondevi? Perché?».

Lei non era una donna che si faceva molto impressionare dalle situazioni, ma ci ha messo qualche secondo a rispondere, tra la polvere e le divise e le asce e gli stivali e gli sguardi interrogativi; ha detto «Mi stavo facendo una *doccia*, Livio».

La sera ho telefonato al posto telefonico di Minorca, ho lasciato un messaggio a Flor per dirle che arrivavo il giorno dopo.

Sette

La vita a Minorca era la stessa identica di prima della mia
partenza per Londra, ma io no. I miei spostamenti affannati
nel mondo mi avevano inoculato una specie di virus inquieto
che abbassava la mia soglia di tolleranza alla ripetitività e al-
l'assenza di stimoli, mi rendeva impaziente e irritabile. Dopo
la rassicurazione e il conforto dei primi momenti, la lentezza
incurante di Flor ha cominciato a provocarmi scatti di fastidio sempre più frequenti; la mancanza di curiosità dei nostri
amici mi ha fatto venire voglia di tempestarli di informazioni improvvise e domande pressanti, scalzarli a forza dai loro
ritmi ipnotici. Flor mi diceva «Ma cos'hai, Livio?». Non sapevo come risponderle, la non-comprensione nei suoi occhi mi
riempiva di tristezza. Mi sforzavo di tornare allo spirito con
cui avevo vissuto nella casetta di campo per anni, ma quando mi sembrava di esserci riuscito mi tornavano in mente
Misia e Marco in movimento chissà dove, e questa idea mi
comunicava una nuova scossa di irrequietezza difficile da
fermare. Andavo a camminare a passo furioso per ore di seguito, mi alzavo nel mezzo della notte per dipingere una tela
di forme e colori forsennati e poi lasciarla a metà, buttarla in
un angolo. Flor mi portava le sue tisane di erbe, e le dicevo
«No grazie» prima ancora che si fosse avvicinata; le dicevo
«Cosa fai quella faccia melodrammatica?», appena leggevo
l'offesa nei suoi lineamenti. La sera le chiedevo «Allora, che
programmi abbiamo?», quando sapevo benissimo che eravamo lì tutti e due proprio per non avere programmi di nessun

genere. Se la sentivo canticchiare una vecchia canzone le dicevo «Non conosci niente di più recente?», in un tono improvvisamente esasperato che la lasciava di sale. Mi dispiaceva, subito dopo: mi sentivo intollerante e aggressivo e crudele e pieno di brutti impulsi, ma questo non mi aiutava a rialzare la mia soglia di tolleranza.

La notte certe volte stavo in piedi sul prato davanti a casa, avrei voluto sentire qualunque genere di suono imprevisto nell'aria buia e quasi immobile.

Otto

Caro Livio bastardo,

spero che tu non abbia tagliato i tuoi collegamenti con il mondo al punto di non ritirare nemmeno più le lettere che ti arrivano al fermo posta, o che almeno questa sia l'ultima che ritiri. E certo ormai è una vita intera che non ci sentiamo, mi fa paura pensarci e non riesco a capire come sia successo o perché, se sia più colpa mia o tua o delle circostanze o della vita o di cosa, sarebbe rassicurante poter puntare il dito su una ragione specifica ma ho paura che non ce ne sia una sola.

Comunque:

il terzo film mi ha lasciato dentro una tale scia dolciastra di insoddisfazione, peggiorata mille volte dal fatto che tutti apparentemente l'abbiano trovato così straordinario, che ho deciso di chiudere con questo genere di cinema, non parlarne più. (Con la gioia che puoi immaginare del tuo amico Settimio che aveva cominciato a farci soldi seri e si aspettava di farne sempre di più – il progetto che mi hai recapitato a Londra con tanto ammirevole zelo è una specie di capolavoro di ruffianaggine e di seconde e terze intenzioni, farebbe ridere se non rappresentasse così bene la volgarità e l'arroganza da truogolo che imbaldanzisce in questo momento metà buona del nostro cavolo di paese molle e marcio e corrotto fino al midollo.) (Ed ero furioso con te all'idea che ti rifacessi vivo dopo tutto questo tempo per fare il messaggero di un mascalzone simile, ma poi ci ho ripensato e ho visto

241

la cosa in tutt'altro modo – negli ultimissimi tempi tendo a vedere tutto in un altro modo, a dire la verità.)

La cosa di fondo è che il cinema d'autore è un esercizio intollerabile di narcisismo e di compiacimento e di miopia, dove uno parla di se stesso in modo così chiuso e ossessivo da non riuscire a vedere al di là della punta del suo naso, e finisce col pensare che tutto quello che c'era da dire sia stato detto e che ci si possa solo dedicare a ricombinazioni di cose già inventate e ripetute in infinite varianti. E in ogni caso uno non può mettersi in mostra con tutto quello che ha dentro e pretendere di non diventare un animale da zoo che si infila in gabbia di sua iniziativa in modo che la gente possa pagare il biglietto e guardarselo con tutta calma e pensare giustamente che lui sia lì a disposizione degli sguardi e le risatine e le fotografie e le battute e le osservazioni idiote di chiunque. Aveva ragione Misia anche in questo, se penso a come tutti gli artisti integri che ho incontrato in questi anni erano impegnati a tempo pieno a spiegare quanto sono diversi e critici e contro il sistema mentre si abbuffavano di tutte le noccioline che riuscivano a farsi tirare e a mettere da parte, e gli italiani naturalmente sono maestri in questo esercizio perché hanno uno straordinario patrimonio naturale di ambiguità e ipocrisia, ma non è che le cose cambino poi molto nel resto del mondo, ti assicuro.

Ho chiuso con Parigi (e con l'Italia) per sempre, ho chiuso con il telefono e non credo che ne avrò mai più uno in vita mia, mi sembrava un tale veicolo di parole vuote e finti sentimenti che l'ho sfasciato con un martello, in molti pezzettini minuti. (Con la televisione e con i giornali avevo chiuso da tempo.) Ho chiuso con i begli appartamenti e con i buoni ristoranti e con le donne ufficialmente desiderabili e con i vestiti giusti e con gli amici giusti, non è stata una lunga frequentazione ma mi è bastata per sempre.

Un paio di settimane fa sono stato sul punto di partire per l'Afghanistan con una cinepresa 16 millimetri e andare a fare un film di reportage per dare un senso al mio lavoro, ma poi ho pensato che uno il senso dovrebbe darlo o toglierlo dentro di sé invece di aspettarsi che qualcosa gli succeda per osmosi da un'immersione in una situazione estrema. (Mi intristiva l'idea di stare a lungo in una storia di soli uomini, anche, e la guerra è più di tutto una storia di soli uomini, come diceva Misia.)

242

Comunque, quello che succede è che mi hanno proposto di girare un videoclip per gli Hardware, che sono un gruppo abbastanza strano e cattivo anche se rispetto alla nostra musica dell'era d'oro non è niente e le cose nuove che mi piacciono in realtà sono solo rigurgiti e rifiltraggi di quello che ci piaceva quindici o venti anni fa. Ma fare clip è una dimensione diversa e non-narcisistica di questo lavoro, e in più dura molto meno e non ha bisogno di una macchina pesante e complessa come quella di un film, mi fa sentire libero e mi lascia aperta la possibilità di trovare altre direzioni, o di decidere di smettere del tutto e inabissarmi semplicemente nella vita, il che non sarebbe male.

Come vedi è tutto abbastanza confuso, il che va bene caro bastardo, spero che sia lo stesso per te. Forse un giorno finiremo per vederci o sentirci o almeno scriverci di nuovo, intanto ti abbraccio forte.

M.

Nove

Alla fine di novembre il vento ha cominciato a spazzare l'isola come ogni anno, e io ho cominciato a sentirmi tagliato
fuori dalla vita peggio che se fossi al confino; ogni giorno di-
ventavo meno tollerante e sereno. Poi una sera tardi ho avuto una discussione selvaggia con Flor, originata dal fatto che
avevo preparato delle uova strapazzate con una quantità incredibile di sale secondo lei di proposito, e quando abbiamo
finito di scaraventare piatti e bicchieri per terra e rovesciare
sedie e gridarci contro tutte le cose più brutte a cui potevamo pensare e ci siamo guardati ansimanti ai due estremi della cucina, le ho detto che forse era meglio se me ne andavo
via per un po'. Lei è rimasta ferma qualche secondo, con una
mano sul fianco e gli occhi che le fiammeggiavano, poi è andata nella mia stanza-studio e ha cominciato a trascinare
fuori le mie tele una a una e buttarle fuori davanti a casa,
senza una parola. Ho preso a raccoglierle man mano che le
buttava, anch'io zitto e pieno di rancore freddo, le ho siste-
mate sul portapacchi della cinquecento e quando Flor ha cominciato a far volare dalla porta i miei pochi vestiti e libri e
dischi ho raccolto anche quelli, li ho appoggiati con cura sul
sedile di dietro. Poi ho messo in moto senza salutare né dire
niente, ho guidato fino a Mahòn e ho parcheggiato sulla banchina del porto per essere pronto a salire sulla prima nave la
mattina.

Ma quando sono state le due di notte ero lì chiuso nella

mia scatola di latta con il sedile reclinato e cercavo di dormire e non ci riuscivo, e ha cominciato a filtrarmi dentro una spaventevole tristezza universale. Cercavo di pensare alle cose che avevo gridato a Flor e a quelle che mi aveva gridato lei in cambio, ma sapevo che il punto non era lì, per quanto mi dispiacessero le lacrime di rabbia e di esasperazione che avevo visto nei suoi occhi. Guardavo le luci del porto, e faceva freddo; mi sembrava di essere seduto a una distanza terribile da qualunque posto e qualunque persona a cui potessi pensare con intensità. Era una situazione così disperata che mi veniva da ridere, mi veniva da scendere sulla banchina e buttarmi in acqua, non muovere né braccia né gambe, lasciarmi andare a fondo.

Invece ho rimesso in moto e sono tornato fino alla casa di campo, ho lasciato il motore acceso e ho chiesto a Flor se voleva venire con me a Milano. Non sapevo perché lo facevo, ma se ci ripenso adesso era la mia natura italiana in azione: il modo di arrivare per pura forza d'inerzia a una decisione dolorosa ma inevitabile, e neutralizzarla subito dopo con un gesto contrario, riportare le cose al punto di partenza sotto una forma appena diversa.

Flor era affezionata, nella sua maniera poco espressiva e poco comunicativa, perché ha scosso la testa e mi ha detto «Va bene», ha cominciato a mettere le sue cose in valigia.

A Milano il flautista che aveva in affitto il mio appartamento-corridoio non ha mostrato nessuna intenzione di ridarmelo, e dal primo giorno che siamo andati a stare da mia madre lei e Flor hanno sviluppato sintomi di forte insofferenza reciproca. Mia madre tendeva a fare continue osservazioni sul mio modo di vestirmi e sul mio stato di magrezza e sulla indistricabilità dei miei capelli come se fosse una responsabilità di Flor; cercava di rimettermi in sesto con regali di golf e camicie da bravo ragazzo e guanti e pantofole imbottite e preparazioni senza sosta di cibi ingrassanti e fortificanti. Flor da parte sua non perdeva una sola occasione di beccare mia madre sul riscaldamento esagerato e sul rumore che entrava dalle finestre e sulla quantità di carne e sale e grassi e zucchero che metteva nel cibo e sull'antipatia del portinaio e in genere sulla totale innaturalezza della vita a casa sua. Io stavo tra loro in un atteggiamento assurdo di neutralità, senza mai prendere posizione a favore di una o dell'altra: facevo finta che i loro scontri continui non mi riguardassero, e questo aveva l'effetto di esasperarle tutte e due, provocarmi attacchi e accuse e rinfacciamenti a ogni chiusura di porta.

Con mia nonna la situazione era un po' migliore, perché Flor non le era antipatica e le dava occasione di esercitarsi con lo spagnolo; ma non ho neanche provato a chiederle se potevamo stare a casa sua, sapevo che era troppo gelosa della sua autonomia. Mi stava addosso anche lei, d'altra parte: diceva «Ti vedo spento, Livio»; diceva «Non ti ha fatto bene rinchiuderti così fuori dal mondo»; diceva «L'isolamento uccide».

Così stavamo a casa di mia madre, dove già mi ero intristito e depresso in modo spaventoso da ragazzo, nella mia ex-stanza con gli scaffali coperti dai vasetti e le ciotoline d'argento che mia madre si era messa a collezionare, e Flor era indignata tutto il tempo per come lasciavo che la nostra vita venisse invasa e i nostri modi di essere commentati e giudicati di continuo, e tutto questo invece di farmi venire voglia di muovermi mi invischiava in una colla di dispiacere e noia e nostalgia e mancanza di ragioni fino a rendermi del tutto inerte. Non provavo neanche a dipingere, con la scusa che non avevo uno spazio dove farlo; dormivo fino a tardi, ciondolavo tutto il giorno tra le riviste di mia madre e la televisione, mi riempivo di disgusto rinnovato per il nostro paese. Flor a volte se ne infuriava e a volte si metteva a piangere, ma doveva rendersi conto di come la comunicazione tra noi si era ridotta a quasi nulla, lontano dai ritmi chiusi della nostra isola fuori dal mondo; e anche lei non era certo un modello di reattività positiva, tutto quello che faceva era mescolare intrugli in cucina appena mia madre era fuori, o trafficare con carta e pennelli in uno dei suoi tentativi semisurrealisti. Il fatto di non essere riuscito a lasciarla a Minorca mi dava una specie di autorizzazione morale a incolparla del mio stato e dirle nuove brutte frasi al minimo pretesto, e questo in un circuito chiuso di danni reciproci produceva nuova colla di dispiacere che mi appiccicava a lei peggio di prima.

Fuori c'era la vecchia città corrosiva che mi aveva tanto

perseguitato per tutta la prima parte della mia vita finché avevo incontrato Marco, e aveva un modo ancora più arrogante e persecutorio di trapanarmi la testa e sfibrarmi i nervi appena provavo a camminare per la strada o a parlare con qualcuno. La gente correva in giro nei suoi vestiti firmati e fibbiati e nelle sue macchine tedesche nuove di zecca, davanti alle vetrine illuminate traboccanti di beni di consumo. Sembrava che si fosse trovata qualche miniera invisibile da saccheggiare più in fretta che si poteva; il mio semigallerista ha detto che dovevo fare quadri più grandi e solo su tela, che gli acquerelli e le tempere su carta costavano troppo poco e non interessavano più a nessuno. Quando riuscivo a pensarci, mi stupivo di come i miei rapporti con il mondo fossero quasi tornati al punto di molti anni prima; tutta la mia apparente crescita azzerata di fronte al primo rivoltarsi di sentimenti e circostanze. Mi si è rotta la cinquecento in modo definitivo, anche: mi è sembrato un ulteriore passo indietro verso l'immobilità totale.

Dopo otto giorni a Milano Flor ha litigato furiosamente con mia madre a proposito di come rifare e non rifare un letto, e visto che io come sempre non prendevo parte e continuavo a leggere un giornale stravaccato in poltrona, mi ha detto che si era rotta l'anima di me e della mia famiglia e dell'Italia e se ne tornava a Minorca. Ho cercato di trattenerla, ma con così poca energia e poca convinzione di fondo da riuscire solo a esasperarla ancora peggio. L'ho accompagnata alla stazione, e mi è venuto da piangere quando ci siamo salutati alla banchina dei treni, ma già mentre scendevo le scale ho provato un senso vile e non-confessabile di sollievo.

Poi sono scivolato in una condizione di indifferenza generalizzata, che mi impediva di allontanarmi per più di qualche centinaio di metri da casa di mia madre e mi lasciava rimpinzare di cibo. Facevo minuscoli disegni intricati e contorti a china come agli inizi, stavo ore intere attaccato alla televisione. Mia madre la teneva sempre accesa, anche quando faceva altro o era in un'altra stanza, e io ero così poco abituato a vederla che quando ci passavo davanti mi lasciavo agganciare da qualunque cosa ci fosse. Mi prendeva una specie di fascino dell'orrore, per le brutte facce finte e gli accenti finti e i modi finti di muoversi, le simulazioni di amicizia e di compassione e di sincerità e di allegria: lo stesso spirito che vedevo fuori, l'euforia insensata da festa non-stop avviata verso qualche genere di baratro nascosto.

Un pomeriggio ero nel soggiorno appoggiato con un ginocchio al bracciolo di un divano, facevo canale canale canale con il telecomando pensando a come mi sentivo già rovinato dalla vita al chiuso e dal cibo di mia madre e dalle continue conferme della mia debolezza di carattere, e ho visto Misia Mistrani.

Avevo questo modo totalmente passivo di assorbire il flusso di immagini e suoni, e di colpo lei era lì sullo schermo: sorrideva e abbassava lo sguardo e si passava i capelli dietro un orecchio, parlava nel timbro leggermente ruvido che mi ha fatto correre il cuore appena l'ho riconosciuto. Era più magra che nella foto dall'alta Provenza, con i capelli tagliati a una mezza lunghezza appena sopra le spalle, elegante e semplice in giacca e maglietta nera. L'intervistatore le faceva domande in un registro insistente; lei rispondeva, guardava di lato, si portava una mano davanti agli occhi, rideva nel suo modo di donna-bambina, guardava verso la telecamera in uno sforzo di essere seria. Era in movimento, elastica e irrequieta, non-a-disposizione come me la ricordavo bene; già fuori dell'inquadratura prima ancora che io avessi fatto in tempo a registrare le sue parole. È tornata subito dopo in una scena di film: con un vestito nero aderente e gli occhi allungati dal trucco, parlava concitata in francese con un altro attore e gli dava uno schiaffo e cercava di svincolarsi da lui mentre la voce detestabile dell'intervistatore si sovrapponeva a invadere l'audio. Ma anche questo durava troppo poco per i miei tempi rallentati di percezione: era già in una strada di Parigi, con l'intervistatore che la seguiva stolido e accanito e chiedeva «Progetti futuri?». Misia diceva «Eh, vediamo», sorrideva alla telecamera e faceva un gesto buffo di saluto; il pezzo su di lei era già finito, interrotto da uno stacco di grafica e musichetta elettronica, rimpiazzato dalle immagini di un'opera lirica a Verona.

Sono rimasto fermo nel soggiorno, in uno stato di perplessità molto condensata, con le immagini di Misia che mi passavano in testa mescolate a quelle delle rocce grigie e delle capre dell'alta Provenza; cercavo di riadattare ancora una volta i miei pensieri su di lei, e mi sembrava un'impresa quasi impossibile.

Il giorno dopo Misia mi ha telefonato.

La sua voce ha detto «Sei lì, allora? Non sei nelle isole o chissà dove? Non sei sparito per sempre?».

«E tu?» le ho detto, ancora più confuso di come mi ero immaginato ogni volta che avevo sognato di risentirla. «Ieri ti ho vista. Dove sei?»

«Dove mi hai vista?» ha detto Misia. Sembrava di corsa, con tra le mani qualcosa che le stava per cadere.

«Alla televisione» ho detto. «Dove sei?»

«Qua» ha detto lei. «Hai voglia che ci vediamo? Arrivo tra cinque minuti, se ti va. Sono vicina.»

Mi sono messo le scarpe e cambiato la camicia alla velocità della luce, sono corso a guardarmi nello specchio del bagno ma non riuscivo a capire niente del mio aspetto e non riuscivo a pensarci, il cuore mi batteva così rapido e irregolare da rintronarmi le orecchie.

Non riuscivo neanche ad aspettarla in casa; sono corso giù per le scale senza quasi respirare, ho camminato avanti e indietro lungo il marciapiede come un pazzo allucinato, guardavo ogni macchina e ogni persona in avvicinamento con un'ansia incontrollabile di riconoscere i lineamenti di Misia.

Un taxi ha accostato nel modo più brusco, e non ho fatto in tempo a distinguere chi c'era dentro, e dentro c'era Misia con il bambino della fotografia ma molto più cresciuto, non riuscivo a vedere bene nessuno dei due per la sovrapposizione di movimenti e per il cappellino nero che lei aveva in testa. Sono scivolato basso lungo il finestrino e ho aperto la portiera, Misia stava ancora trafficando con i soldi per il taxista e in realtà stava litigando con lui, gli ha detto «Grazie tante, eh?» nel tono di furore che mi ricordavo bene, e il giovane Livio mi ha guardato prima di lei, sono rimasto sconvolto da quanto le assomigliava, e da quanto anche i suoi tratti che non le assomigliavano mi erano familiari.

Misia l'ha fatto scendere e finalmente è scesa anche lei: ci siamo guardati sul marciapiede in un affollamento di troppi dettagli simultanei, il suo cappellino e il suo sguardo e il suo cappotto corto nero e la sua gonna corta nera e non mi ricordavo di averla mai vista con una gonna corta, la sua faccia chiara ancora più del solito, i suoi occhi chiari, i suoi capelli raccogli-luce. Cercavo di capire come era cambiata dall'ultima volta, ero affascinato e spaventato dall'aria di mondo che si portava dietro; mi ha abbracciato di slancio e ho sentito il suo odore naturale di arancia amara, ed era un po' diverso anche questo da come me lo ricordavo ma non sapevo in cosa.

Ci siamo detti «Come va?» e «Allora?», ci siamo girati intorno. Il giovane Livio mi guardava e guardava sua madre con una perplessità da quasi-adulto, nel suo cappottino rosso e blu.

Ho detto a Misia «Sei sparita, madonna. Pensavo che non ci vedessimo mai più».

«Sei *tu* che sei sparito» ha detto Misia; mi guardava i capelli e la barba e sorrideva, curiosa e luminosa e palpitante come me l'ero sognata tante volte in questi anni.

Le ho detto «Come mai sei qui a Milano?», di tutte le cose che avrei voluto chiederle nello stesso istante.

Il giovane Livio ha detto «Devo fare la pipì», in un accento quasi-francese; c'era una strana luce decisa nel suo sguardo.

Misia mi ha detto «Non possiamo salire due minuti?».

Siamo saliti, e continuavo a girarmi per guardarli ogni due gradini; mi sembrava incredibile che Misia avesse un figlio, e tutta una gamma di gesti di sollecitazione e di cura per lui che la rendevano ancora più variata e complessa e difficile da fermare.

Sopra c'era mia madre che stava per uscire, è rimasta stupita a vedermi insieme a questa bella donna elegante e pallida con bambino. Li guardava un po' irrigidita dalla territorialità, ma Misia l'ha abbracciata nel suo modo caldo, le ha detto «È così rasserenante pensare che Livio abbia una mamma».

Mia madre si è sciolta in un sorriso; quando ha saputo che il bambino si chiamava come me si è addirittura commossa. Misia ha sempre avuto questa capacità di comunicazione non-razionale, anche nelle situazioni più difficili, ma non gliel'ho mai vista utilizzare a freddo, o con chiunque.

Mia madre ha accompagnato il giovane Livio in bagno, è uscita di casa con uno sguardo lungo; io e Misia ci siamo seduti nel soggiorno. Nessuno dei due riusciva a restare fermo più di qualche secondo: continuavamo a cambiare posizione, alzarci e fare giri tra i mobili e sederci di nuovo, instabili e irrequieti quasi quanto il bambino che correva intorno e frugava dappertutto. Misia si è tolta la giacchetta nera ben tagliata, sotto aveva un golf leggero a collo tondo, nero anche quello; ha detto «Che caldo fa. Non mi ci sono ancora riabituata, dopo anni al gelo. Mi sento soffocare, subito».

Ero tutto sudato anch'io, per l'emozione di rivederla e per tutte le percezioni simultanee che mi assediavano, per tutte le cose che avrei voluto chiederle e dirle: per come faticavo a trovare il punto dove ristabilire un vero contatto tra noi. Le ho chiesto se voleva qualcosa da bere; lei ha scosso la testa, rideva, ha detto «Un bicchiere d'acqua». Sono andato in cucina a prenderle l'acqua, lei mi ha seguito con il suo passo ben equilibrato, ha gridato a suo figlio «Hai sete?». «No!» ha gridato lui, stava trafficando con la televisione in soggiorno.

Misia in cucina che si bilancia su un piede solo, curiosa e contenta di vedermi, insofferente dello spazio e della temperatura e della luce; bianca e nera come in un film in bianco e nero, uno strano essere selvatico e ultracivilizzato.

Mi ha detto «Hai quest'aria da isolano, ormai. Da naufrago *volontario*. Fantastico».

«Da naufrago ritrascinato a casa dalla corrente» ho detto io, senza il minimo grado di sicurezza nella voce. «Non so se è tanto fantastico.»

«Sì, invece» ha detto Misia. «Mille volte meglio che essere sempre stati seduti immobili sul fondo, no?»

«Forse» ho detto, con le guance che mi scottavano per il calore della comunicazione. «Tu invece hai un'aria così sofisticata e internazionale, fai paura.»

Lei si è messa a ridere, timida e anche in parte gratificata: le guardavo i denti molto bianchi, la vita sottile e la pancia piatta anche se aveva fatto un figlio, le buone forme sotto i vestiti eleganti e semplici. Ha detto a suo figlio «Livio, non sfasciare tutto, per piacere»; e continuava a farmi impressione che lo avesse chiamato come me, più ancora di quando lo avevo saputo dalla sua lettera un anno prima. Lui andava in giro per la casa, attratto da tutti i piccoli oggetti di mia madre sulle mensole e sui tavoli. Non aveva molta diffidenza rispetto allo spazio sconosciuto, gli bastava tornare da sua madre ogni tanto, premersi contro di lei, tirarla per un braccio o per il golf. Misia gli diceva una parola all'orecchio o gli dava un bacio, lo spingeva via dopo averlo rassicurato; eppure ogni tanto ne sembrava affaticata, mi guardava di tre quarti come se fosse al limite delle sue risorse. A un certo punto mi ha detto «Cosa guardi?».

«Niente» ho detto. «Non riesco a credere che tu abbia un figlio.» Pensavo a come ero riaffondato in un ruolo di figlio io stesso, così lontano dall'idea di poterne avere uno mio: a come anche questo mi faceva sentire lasciato indietro.

«Perché?» ha detto Misia. «Ti sembro così inattendibile come madre? Così totalmente inadeguata?»

«Ma no» ho detto io, rallentato e sbandato dall'intonazione della sua domanda. «È l'idea che è strana. Poi ti assomiglia così tanto. È identico a te, per buona metà.»

Lei si era già alzata di nuovo, è andata a guardare fuori attraverso i vetri di una finestra. Ha detto «Madonna, in che bella città allegra siamo cresciuti».

«Almeno ci ha dato una spinta ad andare via» ho detto io. Ma continuavo a sudare, e non riuscivo a dirle niente di quello che mi passava per la testa. Ho detto «Quella cosa alla televisione dove ti ho vista ieri. È un film francese, no?».

Misia ha fatto di sì con la testa; è tornata al divano ma ha appena toccato con una mano lo schienale, ha fatto una giravolta in mezzo alla stanza, è tornata verso la finestra. Ha detto «Non ho idea di come sia venuto. I francesi hanno un modo incredibile di prendersi sul serio. Questo Carmaix sembrava così assolutamente convinto di fare un capolavoro. Senza il minimo dubbio». C'era qualcosa di affascinante nella sua incapacità di stare ferma o di mantenere un'espressione stabile, eppure mi comunicava sempre più un'ansia senza forma che mi si riversava nel sangue, me la faceva seguire con uno sguardo inquieto da cane pastore.

«Come hai deciso di riprendere con il cinema?» le ho chiesto. Non riuscivo a non guardarle le gambe, a non guardarle il sedere quando si è girata di nuovo e ha appoggiato la fronte al vetro della finestra.   '

Lei ha detto «Non ho deciso. Me l'hanno offerto e l'ho fatto e basta, senza pensarci. Avevo bisogno di qualunque cosa che non fosse mungere capre e raccogliere acqua e tagliare legna e tappare spifferi alle finestre e fossilizzarsi giorno dopo giorno in una storia morta stecchita».

«E adesso?» le ho chiesto. «Continui? Ne fai altri?» Cercavo di avere un tono sereno come avrei voluto, ma mi stava salendo dentro un senso di provvisorietà totale rispetto al nostro essere lì insieme nel soggiorno. Mi sembrava che non ci volesse niente prima che la nostra conversazione fosse finita, lei già fuori dalla porta con suo figlio, ripartita in un altro taxi.

Misia ha detto «Ne faccio un altro, poi non so. Non ho programmi che vanno molto lontano».

«Con chi?» le ho detto, e mi rendevo conto della gelosia incontrollabile che avevo per i suoi programmi, vicini o lontani che fossero.

«Con un altro francese» ha detto Misia. «C'è questa cosa strana, sembra che siano pazzi di me, lì. Mi hanno mandato un sacco di proposte, in questi anni, ma fino a qualche mese fa non avevo la forza per staccarmi. Ero bloccata di brutto, tra sensi di colpa e sensi di dovere e sensi di lealtà e tutto il resto. Avrei potuto anche non venire mai più via, morire lì tra le capre.»

«E quando inizi?» le ho chiesto, con un brivido di freddo all'idea di lei bloccata per sempre nel posto senza sole dove ero andata a cercarla.

Misia ha detto «La settimana prossima, in Colombia».

Mi sono alzato anch'io; mi sono appoggiato in due o tre punti diversi del soggiorno, mi sono asciugato il sudore con una manica. A vedere lei così mobile mi rendevo conto di essere stato ben bloccato anch'io: mi tornava in mente quanto poco ci eravamo parlati io e Flor a Minorca, con quanta poca curiosità. «E lui?» ho detto, con un gesto verso il bambino che le era tornato vicino.

Misia si è passata una mano tra i capelli. Ogni suo gesto aveva la qualità di un respiro, a qualunque distanza lo si vedesse: lasciava una traccia avvertibile nell'aria. Ha detto «Eh, sono venuta a trovarti per questo. *Anche* per questo. Pensavo di lasciarlo a mia sorella qui a Milano, ma abbiamo litigato. Mia madre è talmente assorbita dalle sue follie mistiche, non c'è neanche da parlarne. E mio fratello è diventato una persona tremenda, ormai. Gli è venuta questa forma di egoismo assoluto, sai quando a uno non gliene importa più niente di nessuno?».

«E allora?» ho detto; guardavo il disegno delle sue sopracciglia e quello di suo figlio, erano gli stessi.

«Allora ti volevo chiedere se non lo potresti tenere tu» ha detto Misia. «Non posso trascinarmelo in Colombia nella jungla, con gli orari spaventosi e il clima e tutto. E non ho voglia di lasciarlo per più di un mese con una baby-sitter sconosciuta, che magari lo riempie di tranquillanti per farlo stare calmo.»

«Ma dove dovrei tenerlo?» ho detto io, con un'onda di panico e gratificazione che mi saliva dentro. «Io sono qui nel modo più provvisorio del mondo. Non ho ancora deciso cosa fare. Pensavo forse di tornare a Minorca, non so.»

«Vieni a Parigi» ha detto Misia. «C'è la casa vuota. Ti prendi la mia stanza, puoi dipingere in soggiorno. Ti lascio dei soldi, naturalmente. Me ne danno un sacco per il film, e non so cosa farci, a parte pagare l'affitto e comprare da mangiare e qualche vestito per me e per lui.»

«Non lo so» ho detto io. «Non me l'aspettavo. Non ci pensavo proprio, tra tutte le cose a cui potevo pensare.» Ero bagnato di sudore come in una sauna, mi si confondeva la vista; sono andato ad aprire una finestra, ho fatto entrare aria fredda velenosa e rumore di traffico. Ho detto «Non ho la minima idea di come si tiene un bambino. Sono figlio unico, non ho neanche mai avuto cugini né nipoti né niente».

Misia ha detto «Non c'è niente di speciale da fare. Ha quattro anni e mezzo, ormai. Basta che gli dai da mangiare e lo fai dormire alle ore giuste. Sono sicura che sei bravissimo, con i bambini».

Ho provato ad avvicinarmi al giovane Livio: lo guardavo negli occhi e lui mi guardava, ma appena ho provato a sfiorargli la testa è schizzato via. Ho detto «Tu la fai facile. Sei sua madre». Mi sembrava una responsabilità insostenibile, e una fantastica dimostrazione di fiducia nei miei confronti; non riuscivo a scegliere uno solo tra i sentimenti che avevo dentro.

Misia ha letto nel mio sguardo; ha detto «Lascia perdere, Livio. Troverò un'altra soluzione. Non ti preoccupare».

«No, no» le ho detto; ansia da abbandono che mi faceva quasi gridare. «Te lo tengo. Mi fa piacere. Davvero. Te lo tengo.»

Misia mi ha fissato, con gli occhi intelligenti che mi seguivano i lineamenti; ha sorriso, e mi è sembrata improvvisamente molto più fragile e indifesa di come avevo mai immaginato, mi ha fatto venire una voglia terribile di abbracciarla.

Dieci

La casa di Misia a Parigi era piccola e confusa, con un corridoio sghembo e grandi finestre su un cortile da cui entrava
luce opalina. C'era un disordine simile a quello che avevo visto a Zurigo: vestiti e libri e dischi e fotografie e piatti e bicchieri e giocattoli sparsi sul pavimento e sulle sedie e sulle
poltrone. Misia camminava in giro e apriva cassetti e armadi, tirava fuori vestiti e oggetti senza nessuna pazienza, ne
buttava alcuni nella valigia aperta che doveva servirle per
più di un mese in Colombia, lasciava cadere gli altri dove capitava. Guardavo le gonne e le camicie e le mutandine e i
reggiseni che le passavano tra le mani, e ogni singolo capo di
tessuto cucito mi provocava una piccola fitta di commozione
per come l'aveva accompagnata nel passato, una piccola fitta
di gelosia per il futuro vicino. Mi sembrava di essere una
specie di maniaco feticista; mi sono sforzato di andare a una
finestra, neutralizzare il mio sguardo sulla pavimentazione
del cortile. Misia non riusciva a trovare metà delle cose che
le servivano, e mancava solo mezz'ora all'arrivo della macchina della produzione che doveva portarla via, doveva ancora darmi una serie di istruzioni sul funzionamento del bambino e della casa. C'era un disco di John Mayall sullo stereo:
armonica a bocca e piano elettrico e basso, scale pentatoni-
che di chitarra elettrica attraverso cui Misia doveva gridare
perché io riuscissi a sentirla.

Poi era già la terza volta che il citofono suonava, e Misia
aveva già chiuso a fatica la sua valigia e io gliel'avevo già tra-

scinata alla porta, lei aveva già salutato il giovane Livio e il giovane Livio si era già messo a piangere e gridare come un pazzo e Misia era già scesa per le scale rallentata dalla disperazione e lui aveva già cercato di correrle dietro e io le avevo già detto di non preoccuparsi e avevo già preso il bambino in braccio ed ero già tornato su, il portone si era già richiuso e Misia era già andata, partita.

Quando alla fine il giovane Livio ha smesso di piangere, siamo andati in giro per l'appartamento disseminato di tracce di Misia, ci guardavamo con lo stesso genere di paura da riferimenti dissolti. Ho alzato ancora il volume della musica, ma invece di riempire lo spazio lo faceva sembrare ancora più vuoto; ho spento lo stereo, mi sono messo a leggere ad alta voce i possibili menu per bambini che Misia aveva scritto in diversi colori su un grande foglio appeso in cucina, e con tutti gli sforzi che facevo per avere un tono divertente veniva da piangere anche a me.

È stata una convivenza strana, ma molto più naturale di come avrei potuto immaginarmela, se avessi avuto lo spazio mentale per immaginarmela. Il giovane Livio aveva una sua autonomia alterna: se ne stava ore seduto sul pavimento della sua stanza a sfogliare libri illustrati o fare costruzioni complicate di mattoncini di plastica mentre io dipingevo nel soggiorno; solo ogni tanto quando mi affacciavo a controllare diceva «Quando torna la mamma?», con uno sguardo così focalizzato da mettermi soggezione. Gli dicevo «Prestissimo, prestissimo», cercavo di fare le facce più buffe che mi venivano ma mi sentivo stupido.

La prima volta che ho provato a fargli da mangiare sono andato totalmente nel panico, perché l'acqua della pastina non bolliva mai e le uova bruciavano nella padella molto prima che potessi cominciare a strapazzarle e non avevo la minima idea di quanto sale ci volesse e con quali accessori si sbucciassero le carote; mi sono reso conto di quanto poco attento ero stato alle spiegazioni di Misia, di quanto poco autosufficiente era il mio rapporto con questo aspetto della vita. Ma poco alla volta ho scoperto che alcune preparazioni non erano poi così complicate, e che al giovane Livio andavano benissimo anche i panini al formaggio o le pizze surgelate tagliate a pezzi e riscaldate nel tostapane, o i bastoncini di merluzzo bolliti nel latte e guarniti di marmellata di fragole. Ci siamo messi a inventare insieme dei piatti, dopo un po': buttavamo insieme gli ingredienti che ci capitavano sotto mano e li ficcavamo in una pentola, litigavamo per decidere chi aveva diritto di mescolarli.

Lo portavo a giocare in un giardino vicino a casa, a volte al cinema quando riuscivo a trovare un cartone animato o un film adatto, a volte al museo delle scoperte scientifiche, dove aveva il mio stesso identico genere di perplessità di fronte alle esposizioni dimostrative. A volte andavamo a camminare per le strade piene di gente e di macchine, e mi faceva un effetto curioso vedere il nostro riflesso nelle vetrine dei negozi: due Livi di età distante, uno alto e uno molto piccolo, che si tenevano per mano solo vicino agli incroci ma non si perdevano d'occhio per più di tre passi.

Misia telefonava quasi ogni sera, quando per lei era mattino e stavano per portarla al posto delle riprese. Mentre le facevo il resoconto della nostra giornata mi sentivo una specie di coniuge stanziale che parla al coniuge cacciatore nel mondo: con lo stesso genere di partecipazione a distanza, senso di esclusione e dubbi su di me che si rinnovavano ogni volta. Lei era rapida, ancora più del solito, strattonata tra impegni e sollecitazioni e cambiamenti ravvicinati di umore. Diceva che il regista era terribilmente nevrotico e pieno di atteggiamenti da giovane genio, che sul set c'era un clima di quasi-allucinazione continua e il paese dove alloggiavano sembrava un incubo coloniale decomposto e il produttore esecutivo trafficava con i trafficanti della zona per ottenere comparse e cibo e qualunque cosa gli servisse, che era stufa marcia di fare l'attrice e aveva ritrovato tutte le ragioni per cui aveva deciso di smettere anni prima, che le sembrava assurdo esserci ricaduta anche se era stato l'unico modo di sottrarsi alla vita tra le capre e i sentimenti morti. Ma quando io sono diventato partecipe di questa sua insofferenza al punto di pensare a lei tutto il tempo come a una povera prigioniera di gente orribile in un paese intollerabilmente lontano e sognarmi la notte di attraversare l'oceano per salvarla e riportarla a casa, lei ha cominciato a dire che invece si divertiva. Il suo tono di telefonata in telefonata è diventato più leggero e distratto, la sua capacità di descrizione ha preso a farsi catturare dai particolari più colorati e secondari di quello che faceva o vedeva; ha smesso di parlare in termini ironici del regista e degli altri attori, le è venuto un entusiasmo crescente per la Colombia e per il Sudamerica in generale. A ogni nostra conversazione sulla linea internazionale disturbata e sfrigolante mi si insinuava una nuova venatura sottile di gelosia, fredda e dolciastra e così ingiustificata da riempirmi di rabbia, farmi dipingere con energia furiosa le nuove tele grandi che avevo comprato. Mi sembrava folle essermi messo in una situazione del genere, senza via d'uscita per settimane di seguito; mi sembravano folli tutti i sentimenti coinvolti, i ruoli e le reazioni e i riflessi che la voce di Misia mi attivava ogni sera.

Flor ha telefonato da Minorca, come se non bastasse, per dirmi che mi scusava per la mia vigliaccheria di Milano e chiedermi che intenzioni avevo e offendersi definitivamente quando gliele ho spiegate, dirmi che non capiva che cavolo di rapporto avessi con questa Misia né perché mi fossi preso un impegno simile, buttarmi giù il telefono mentre ancora cercavo di parlarle nel tono più pacato che mi veniva.

Il telefono suonava spesso, nella piccola casa confusa: giornalisti che volevano intervistare Misia e redattrici che volevano fare servizi di foto, case di produzione o registi con proposte di lavoro. Non mi ero mai reso conto prima della sua fama reale, anche se io e il giovane Livio continuavamo a vederla per le strade nei manifesti dell'ultimo film francese che aveva fatto e c'erano sue fotografie nei giornali e nelle riviste che compravo ogni tanto; non ero preparato alla frequenza e all'insistenza dei segnali che il mondo le mandava, non riuscivo a trovare il modo adatto di fronteggiarli. Rispondevo al telefono in un tono da segretario maldestro, nel mio francese inesistente: dicevo «La signora Mistrani è in Colombia per un mese almeno». Dicevo «Co-lom-bià»; segnavo su foglietti sparsi i nomi e i numeri che mi davano, non ero quasi mai sicuro di averli capiti giusti.

Quando a telefonare era una voce di uomo che non aggiungeva subito una ragione professionale al suo nome, non facevo il minimo sforzo per apparire collaborativo: se mi chiedeva dov'era Misia dicevo «Non ho idea», riagganciavo la cornetta nel modo più villano. Non mi sentivo in colpa con

Misia; mi sembrava il minimo che si potesse aspettare da me, data la situazione.

C'erano anche sempre nuove lettere nella sua casella della posta, ma non arrivavo al punto di aprirle o di buttare via quelle che mi sembravano sospette; mi limitavo a lasciarle su un vecchio tavolo-specchiera nell'ingresso, guardarle con risentimento ogni volta che ci passavo davanti.

Un giorno è suonato il citofono, invece: una voce di uomo ha chiesto di Misia, io ho detto «Non c'è». Sono tornato a dare spatolate selvagge di rosso alla mia tela, chiedere al giovane Livio se voleva qualche biscotto; ho cercato di non pensare alle insistenze del mondo con sua madre. Ma cinque minuti dopo è suonato il campanello di casa, non sono riuscito a bloccare il bambino prima che corresse ad aprire. C'era un tipo biondo e alto sulla porta, con spalle larghe e una mandibola forte e una giacca di tweed da gentiluomo sportivo, gambe grosse che sostenevano con vigore l'arroganza del suo sguardo. Fissava un punto nello spazio appena al di là della mia tempia destra, senza neanche accorgersi del giovane Livio che gli aveva aperto; ha detto «C'è Misia, per cortesia?».

«No» gli ho detto, con l'ostilità più istantanea e naturale che avrei potuto provare.

Lui si è deciso a spostare di poco lo sguardo verso i miei occhi, ha detto «Quando torna?».

«Non torna» gli ho detto. «È in Sudamerica per settimane.» Il giovane Livio mi si è aggrappato a una gamba, guardava in alto con uno spirito molto simile al mio.

Il tipo biondo mi ha porto la mano con un gesto di condiscendenza rassegnata, ha detto «Tomás Engelhardt».

«Piacere» ho detto io, senza preoccuparmi della vernice rossa che avevo sulla mano, né dirgli il mio nome in cambio.

Lui ha detto «Lei è italiano?» con un sorriso molto controllato.

«Sì» ho detto io, senza sorriso di risposta. Non avevo voglia di pensare a dove o come lui e Misia si erano conosciuti, volevo solo richiudere la porta.

Il tipo ha detto «E in che parte del Sudamerica è?», ho sentito che sotto l'accento francese aveva un accento spagnolesco.

«Colombia» ho detto, con una mano sulla maniglia, l'altra sulla spalla del giovane Livio.

Il tipo ha detto «Ah, per il film, certo». Ha sorriso di nuovo nel suo modo, e non era smarrito, non c'era la minima increspatura di linee tra il taglio dei suoi capelli e quello della sua mandibola e quello della sua camicia azzurra con le cifre T.E. ricamate all'altezza della milza. C'era questa solida coerenza di dettagli, questa continuità di ragioni che gli dava l'aspetto invincibile di un masso nel mezzo di una boscaglia, mi faceva irrigidire tutti i muscoli per reazione.

Gli ho detto «Va be', arrivederci».

Lui invece di retrocedere ha fatto un tentativo di carezza al giovane Livio che stava defilato dietro di me; ha detto «Non ha lasciato un numero di telefono, Misia?».

«No» ho detto io, nuova ostilità che mi affluiva dentro solo a sentirgli pronunciare il suo nome. Ero lì sulla porta di Misia come un paladino selvaggio e sprovveduto, senza armi adeguate né una delega a difendere il suo cuore, svantaggiato dalla mia asimmetria e dalla cattiva qualità dei miei vestiti e perfino dal colore diverso dei miei occhi.

Tomás Engelhardt ha avuto un istante di incertezza, poi ha tirato fuori di tasca un pacchetto, ha detto «Glielo può dare lei, quando la vede? Grazie tante».

Ho preso il pacchetto, gli ho richiuso la porta in faccia. Ho buttato il pacchetto sul tavolo-specchiera nell'ingresso, insieme alle lettere e agli altri segnali scritti che il mondo continuava a mandare a Misia; ho aizzato il giovane Livio in una corsa forsennata attraverso la casa.

Undici

Dopo un paio di settimane a Parigi ha cominciato a salirmi dentro un'ansia di fondo, che non aveva a che fare con il mio senso di protezione per il giovane Livio né con la mia gelosia inconfessabile per Misia. Il fatto era che più tempo passavo con il giovane Livio, più mi sembrava chiaro che la metà dei suoi lineamenti che non gli venivano da sua madre venivano da Marco: aveva gli stessi suoi occhi e il suo stesso sguardo, lo stesso identico modo di girare la testa di tre quarti e mandare segnali tesi di curiosità o intenzione. Era strano, ogni volta che me ne rendevo conto, mentre mangiavamo o giocavamo insieme o mentre lui era a letto e gli stavo leggendo una storia: mi faceva l'effetto di una interferenza radio nel corso di una telefonata, creava un totale sbandamento di percezioni.

Facevo calcoli approssimativi di tempi, tra quando ero andato a trovare Misia e Marco a Lucca e quando Settimio mi aveva raccontato di averla vista con il pancione; facevo raccordi tra lo sguardo dell'ex uomo di Misia in Provenza mentre mi diceva che il bambino non era suo e lo sguardo di Misia mentre le dicevo che suo figlio era identico a lei per metà. Mi sembrava di averlo saputo da quando avevo visto la fotografia acclusa alla sua lettera dalla Provenza; che solo una forma di viltà o di pigrizia mentale mi avesse impedito di mettere insieme i pezzi e parlarne con Misia. Però in altri momenti il quadro diventava molto meno chiaro, e i dubbi cominciavano a mangiarsi le mie certezze appena acquisite; mi sembrava di avere una tendenza alle allucinazioni e alla costruzione di melodrammi, guardavo il giovane Livio e nella confusione di segnali riuscivo solo a distinguere la mia nostalgia di sua madre e di Marco. Mi chiedevo perché avevo questa tendenza a scandagliare il passato e trovare nuove interpretazioni possibili del presente: se era una forma ossessiva o un modo di essere curiosi o una manifestazione di amicizia profonda. Avevo tutto il tempo per pensarci, e nessuno con cui parlarne, con Misia a migliaia di chilometri di distanza e Marco chissà dove. Ne avrei parlato con il giovane Livio, se non fosse stato per il suo lessico limitato e per il fatto che sembrava l'unica delle persone direttamente coinvolte a saperne ancora meno di me.

Ma ho continuato a pensarci, mentre dipingevo e mentre facevo da mangiare e mentre giocavo con il giovane Livio e mentre camminavo con lui lungo la Senna nell'aria scossa dalle vibrazioni del traffico, e non sapevo cosa fare.

Una sera quando Misia ha telefonato per salutare suo figlio le ho detto «Volevo chiederti una cosa».

«Cosa?» ha detto lei, dal suo fuso orario e dalla sua stagione rovesciata, piena di impazienza di rimettersi in movimento nel paese e nel ruolo che la divertivano.

«Marco lo sa?» le ho chiesto, nel tono più goffo e sbagliato, dopo tutte le volte che avevo formulato mentalmente la domanda.

«Cosa dovrebbe sapere?» ha detto Misia, nello scroscio elettrostatico del collegamento transoceanico.

Sembrava così toccata in una questione puramente privata che ho perso subito lo slancio, ho detto «Niente, che Livio c'è, eccetera».

Misia ha aspettato un paio di secondi; la linea aperta mi sfrigolava nell'orecchio dalla cornetta premuta fino a farmi male. Ha detto «Non credo che a Marco interessi minimamente sapere che Livio c'è, eccetera».

«Non lo so» ho detto io. «Magari invece sì. Magari è anche cambiato, in questo tempo.»

«La gente non cambia» ha detto Misia, in un tono impaziente in cui mi sembrava di sentire una leggera inflessione sudamericana. «Peggiora soltanto, al massimo.»

Ho pensato a qualcosa da ribatterle, ma ero troppo scosso dalla sua conferma implicita, e nello stesso tempo non ero del tutto sicuro che la sua fosse una conferma implicita; non mi sembrava più di avere un punto di vista molto lucido sulla questione. Ho detto «Va be', ciao. Stai bene»; ho gridato al giovane Livio «Vieni di corsa, che la mamma ti vuole salutare».

Poi di notte mi è venuto un incubo, dove Marco ferito e vestito di stracci e con i capelli lunghissimi e le unghie nere mi guardava piangendo e indicava una carrozza dove Misia e un suo uomo dallo sguardo implacabile carezzavano il giovane Livio tutto vestito e acconciato come un principino e mi diceva «Grazie tante, che bell'amico sei stato». Mi sono svegliato di scatto, fradicio di sudore e con il cuore che mi faceva male, non sono riuscito più a riaddormentarmi fino al mattino.

Al mattino ho preso un foglio e una penna dal tavolo di Misia, ho scritto una lettera confusa e affrettata.

Parigi, 12 novembre

Caro Marco,

non ho la minima idea di quando leggerai questa lettera ma sarebbe bello se finalmente riuscissimo a chiudere questo vuoto di comunicazione dopo tutti questi anni (e grazie della tua lettera, è stata una sorpresa incredibile ma per qualche ragione non riuscivo a risponderti anche se ne avevo moltissima voglia, così questa è anche una risposta tardiva ma non solo perché ti scrivo per una ragione più specifica anche se forse non sono fatti miei, ma ho sempre fatto fatica a capire quale sia la linea di separazione tra i fatti tuoi e quelli miei e quelli di Misia, da quando ci conosciamo tutti e tre).

La ragione è: credo che dovresti cercare di parlare con Misia appena puoi, anche se lo so che hai sempre avuto questa tendenza a evitare tutto quello che ti sembra di <u>dovere</u> fare ma forse le persone cambiano e anche tu sei cambiato o comunque anche se non sei cambiato riesci a vedere le cose in un altro modo. Ma cerca di farti vivo con lei, perché lei è terribilmente orgogliosa e ostinata e tutto il resto, non è il tipo che si aspetta niente dagli altri o che chiede niente lo sai bene ma è una cosa che riguarda te e lei e anche un'altra persona (che non sono io). Insomma, mi rendo conto di come questa lettera è allusiva

*e non-chiara ma non posso dirti di più per lealtà verso Misia, e
ho dovuto scriverla per lealtà verso di te, così come vedi è una
situazione abbastanza complicata e io come sai non do proprio il meglio di me in queste circostanze, non sono proprio un
re della diplomazia e nemmeno del tatto ma ci voglio provare
perché c'è di mezzo una persona molto piccola a cui voglio altrettanto bene che a te e a Misia.*

*Io sto bene e per ora sono qua a Parigi a casa di Misia (lei è in
Colombia per un film e non torna fino credo alla fine del mese),
dipingo quadri molto più grandi degli ultimi che hai visto, acrilico su tela il che diventa sempre più un problema negli spostamenti ma ho cominciato a farli così a Minorca dove avevo molto più spazio e più luce, qui in compenso ho molti più pensieri
senza forma e sentimenti compressi il che è un'ispirazione, o comunque è quello che fa venire voglia di dipingere.*

*Spero che anche tu stia bene quando leggi questa lettera, e
che ti faccia vivo con Misia appena puoi (per favore fallo), è
una cosa importante, abbiamo già perso abbastanza tempo
tutti e tre nella non-comunicazione ed è uno spreco assurdo
non ti sembra?*

Un abbraccio

           L.

Poi sono uscito con il giovane Livio, e appena ho messo la
busta per Marco in una buca della posta mi sono pentito di
averlo fatto: ho cercato di infilare due dita nell'apertura per
riprenderla, ma non c'era verso; ho dato un pugno alla grossa scatola di metallo e mi sono fatto male alla mano, mi sono
fatto guardare storto dalla gente che passava.

Dipingevo, di giorno negli spazi liberi che mi lasciava il
giovane Livio e di notte finché non crollavo dallo sfinimento.
Mi era venuta una furia di realizzazione come anni prima,
quando Misia mi aveva convinto a lasciare il film di Marco e
lavorare per una mia mostra: dipingevo paesaggi travolti a
colpi rabbiosi di pennello, come se fosse l'unico modo di salvare il mio equilibrio precario dalla confusione totale. Quando smettevo avevo la sensazione di essere saltato avanti lungo un percorso difficile, avere conquistato un nuovo spazio e

una porzione diversa di orizzonte; non l'avevo mai provata prima con il mio lavoro, mi faceva un effetto inebriante.

Era merito di Misia, ancora una volta, o colpa sua a seconda di come uno voglia vedere le cose: avevo bisogno di dimostrarle di non essere del tutto privo di immaginazione e capacità e forza. Ma anche il fatto di passare ogni minuto delle mie giornate con una persona di quattro anni e mezzo estremamente vivace e irregolare aveva la sua influenza, dato che questa persona era l'unica che vedeva i miei quadri. Quando finivo di dipingerne uno chiamavo il giovane Livio nel soggiorno se non era già lì, gli dicevo «Allora?».

Lui guardava la tela con gradi variabili di curiosità e attenzione: se gli piaceva si avvicinava, mi indicava quelle che gli sembravano figure riconoscibili, o anche singole forme astratte, semplici segni di pennello; a volte ci metteva sopra le mani quando la vernice era ancora fresca, e dovevo ritoccare in fretta.

Dodici

Dopo cinque settimane in Colombia, Misia è tornata. Io e il
giovane Livio eravamo in cucina a mangiare spaghetti stra-
cotti conditi con olio di soia ed è suonato il citofono, ci siamo affacciati alla finestra e l'abbiamo vista dall'alto, con un
cappellino di paglia incredibilmente fuori stagione e sandali
ai piedi; siamo corsi giù per le scale come pazzi.

Ci siamo abbracciati tutti e tre davanti al portone, in una
sovrapposizione di slanci e sguardi e parole e constatazioni
di cambiamenti. Misia era sbalordita da quanto il giovane
Livio era cresciuto: l'ha preso in braccio e non riusciva a credere al suo peso, l'ha rimesso giù e non riusciva a credere alla sua altezza; mi guardava, diceva «Madonna, è un *adulto*,
in pratica». Ma lei stessa era diversa da quando era partita:
con i capelli raccolti a coda e gli occhiali scuri che si è rimessa subito nella luce opalina, il modo che aveva di andare verso le scale con il bambino aggrappato alla giacca di cotone
senza ricordarsi delle sue due valigie sul marciapiede di cui
una era nuova e tornare indietro quando io le avevo già prese, dirmi «Oh, scusami, Livio» in uno strano accento distratto. Era magra, anche, e pallida per essere appena tornata da
più di un mese di estate sudamericana; i suoi movimenti
avevano una qualità imprecisa che non le avevo mai visto
prima. Non era solo lo scombussolamento del viaggio e dei
fusi orari e delle stagioni saltate: mi sembrava che avesse
smarrito il suo equilibrio miracoloso, insieme al senso della
direzione.

In casa questa impressione è diventata ancora più forte, mentre lei camminava da una stanza all'altra e parlava di troppi argomenti diversi e faceva troppi gesti e poi d'improvviso si fermava, tutta l'attenzione evaporata dal suo sguardo fino a non farle quasi più registrare quello che io e il giovane Livio cercavamo di dirle.

Le ho fatto vedere la posta che le avevo accumulato sul tavolo-specchiera dell'ingresso, ma non sembrava per niente interessata, ha scosso la testa come se non la riguardasse. Le ho fatto vedere i disegni del giovane Livio, e i miei quadri appoggiati alle pareti del soggiorno; ha detto «Belli», senza guardarli davvero. Parlava del film e della Colombia e di una grassona che aveva visto sull'aereo e di un contadino che fabbricava cappelli di paglia e del colonialismo nordamericano e dell'industria del cinema in modo così concitato da farmi girare la testa: accumulava dettagli e osservazioni, allargava le braccia, passava da un tono di conversazione a un tono quasi teatrale a un tono trascinato a un tono da bambina a un tono da saccente insistente martellante, alzava e abbassava le mani, faceva sorrisi inutili e gesti incomprensibili, diceva «Che carino» a suo figlio che cercava complimenti per un altro suo disegno a matita e tempera, prima ancora di averlo visto davvero.

A un certo punto nel mezzo di un discorso a molti strati è sparita nel bagno e ci è rimasta chiusa per decine di minuti, senza rispondere al giovane Livio che la chiamava e batteva la mano sulla porta. Alla fine è uscita con un'espressione ancora diversa, ha detto a suo figlio «La mamma è un po' stanca», è andata nella sua camera. L'ho seguita pieno di preoccupazione, e l'ho vista andare giù come se un filo interno le si fosse rotto d'improvviso, finire distesa vicino al letto, tra i cuscini e i libri e gli oggetti sparsi che non avevo mai cercato davvero di rimettere a posto mentre lei era via.

Le sono corso vicino, ho detto «Misia, cosa c'è?», nel tono più apprensivo e inutile. Era terribilmente pallida, anche rispetto al suo colorito di base così chiaro; aveva gli occhi rovesciati all'indietro e mi sembrava che non respirasse più.

Ho avuto la percezione di essere su una linea divisoria tra il panico totale e uno strano genere di lucidità ghiacciata, dove sarebbe bastato lo sbilanciamento di un respiro o di una singola immagine mentale a farmi precipitare giù per il versante sbagliato. Senza che dipendesse da una mia vera scelta sono scivolato nella lucidità ghiacciata: ho preso per mano il giovane Livio che guardava costernato dalla porta e l'ho trascinato nella sua stanza e gli ho detto «Gioca, che la mamma si riposa» e l'ho chiuso dentro e sono tornato da Misia a passi molto rapidi ma senza correre e ho provato a darle schiaffi sulle guance per farla riprendere e l'ho trascinata fino alla parete e le ho messo un cuscino dietro la schiena e l'ho scossa e scrollata con tutte le mie forze e le ho soffiato in faccia e ho cercato di ascoltarle il respiro ma non ci riuscivo perché il bambino piangeva e gridava nella sua stanza e picchiava sulla porta come un pazzo, le ho dato altri schiaffi e scrolloni e le ho detto «Misia, svegliati, Misia» finché lei ha aperto gli occhi, li ha richiusi subito.

Questo mi ha sciolto di colpo il ghiaccio che avevo dentro: il sangue mi si è sgelato e ha cominciato a scorrermi nelle vene a una velocità terrificante. Mi sono precipitato in cucina e ho messo sul fuoco un pentolino d'acqua, ho tirato fuori il barattolo del caffè liofilizzato, sono corso di nuovo nella stanza di Misia che aveva gli occhi chiusi e la testa rovesciata all'indietro ma respirava, sono corso di nuovo in cucina, e il giovane Livio continuava a gridare e tempestare la porta della sua stanza, gli ho gridato «Adesso, adesso!», ho versato l'acqua calda nella tazza e ci ho messo almeno dieci cucchiaini di caffè uno dietro l'altro, sono corso di nuovo nella stanza di Misia, l'ho tirata su a sedere, ho cercato di farle bere il caffè ultraconcentrato ma non era facile perché lei non apriva le labbra, quando alla fine ci sono riuscito ha avuto un soprassalto, ha detto «Ahia, brucia!».

Mi guardava con le pupille molto dilatate, come se arrivasse da qualche territorio molto lontano; ho sentito una corrente di sollievo che mi andava a ritroso nel sangue, mi faceva girare la testa e pizzicare di mille spilli la mano che le tenevo dietro il collo.

Le ho fatto bere tutto il caffè ultraconcentrato, caldo com'era, poi l'ho tirata in piedi molto a fatica e ho provato a farle fare qualche passo attraverso la stanza, ma non era facile perché il suo peso sembrava distribuito in modo diseguale e il pavimento era troppo ingombro di ostacoli. Mi ha detto «Fammi sdraiare sul letto. Sto bene. Devo solo riposarmi cinque minuti».

L'ho aiutata a sdraiarsi sul letto e le ho messo un paio di cuscini sotto la testa, ma non ero affatto sicuro che fosse la cosa giusta da fare e non ero affatto sicuro che lei stesse bene: la guardavo da pochi centimetri con il fiato sospeso e il cuore che mi batteva a doppia velocità. Misia ha teso le labbra in una specie di sorriso faticoso, ha detto «Ti giuro, Livio, non c'è problema. Grazie. Sto bene. Lasciami solo dormire un secondo. C'è il bambino che piange, ci pensi tu?».

Così sono rimasto ancora qualche minuto a guardarla dormire, poi sono andato a riaprire la porta del giovane Livio.

Era seduto per terra tra fogli di carta strappati e giocattoli fatti a pezzi, con le guance rigate di lacrime di rabbia e di non-comprensione; mi ha gridato «Scemo! Cattivo! Grillotalpa! Formicaleone!» e altri insulti che gli avevo insegnato, mi ha tirato addosso un astronauta di plastica senza testa.

Gli ho fatto il passo della scimmia per calmarlo; gli ho fatto gli occhi di gufo con le mani rovesciate; gli ho detto «Osseda alittems! Atsab Oivil!» in un registro di tucano finché sono riuscito a farlo sorridere anche se non voleva.

Poi ci siamo messi a fare un disegno insieme, ogni tanto mi alzavo per andare a vedere sua madre che dormiva e dormiva, controllare il suo respiro.

Tredici

Misia ha dormito per sedici ore di seguito, poi quando si è svegliata ha ricominciato subito a farsi. Era una cosa che andava avanti da mesi in realtà, da quando era riprecipitata nel mondo dopo il lungo periodo protetto e chiuso e soffocato delle capre. Ma le cinque settimane in Colombia avevano rotto gli argini sottili entro cui era riuscita a tenersi fino a quel momento, l'avevano portata in un territorio dove non controllava più niente. Mi ha raccontato che l'organizzazione locale del film era in mano a veri trafficanti, e sul set girava così tanta coca che dopo pochi giorni tre quarti della troupe e degli attori avevano cominciato a usarla. Il regista che già si faceva come lei di eroina le aveva insegnato a mescolarci la coca e lei gli era andata dietro, per compensare la fatica e la noia e le attese e lo straniamento del set e la nostalgia del giovane Livio e il senso di distanza e il fastidio per il suo ruolo; di giorno in giorno era arrivata a dosi sempre più forti, si era preoccupata sempre meno delle conseguenze.

Quando era lucida me ne parlava con totale precisione, in termini di grammi e costi e intervalli d'uso e canali di approvvigionamento, ma per la maggior parte del tempo tendeva a considerare in modo attenuato la sua situazione, oppure me la presentava come una sua sfida personale al mondo. Quando cercavo di farla riflettere su come si stava distruggendo diceva «Non esagerare, adesso»; diceva «Sono peggio quelli che si fanno litri di alcool ogni giorno, ed è perfettamente legale e nessuno gli dice niente»; diceva «E allora?»;

diceva «Sarebbe meglio che mi preservassi con tutte le cure in modo da farmi demolire dalla vita nelle migliori condizioni possibili?»; diceva «Secondo te è tanto bello tutto quello che c'è lì fuori, i produttori ladri e i politici porci e le automobili e la televisione e le bombe e tutto il resto?»; diceva «Vale tanto la pena di essere perfettamente lucidi e consapevoli, per come è il mondo?»; diceva «E *sono* perfettamente lucida e consapevole, Livio».

Quando le rispondevo che il giro della roba pesante non mi sembrava tanto nobile o suggestivo per contrasto, lei diceva «È tanto nobile quello della gente normale, invece? Quello dei bastardi che vivono solo per i soldi e la carriera e ti camminano sopra senza pensarci un attimo?».

«Forse ci sono altre definizioni possibili di gente normale» dicevo io.

«Per esempio?» diceva Misia nel suo tono incalzante, dopo un giorno e una notte e ancora un mattino passati in giro per casa senza mai fermarsi.

«Tuo figlio, per esempio» dicevo io. «O io, per esempio. O Marco, per esempio.»

«Non siete gente normale» diceva Misia. «Lo sai bene.»

«Sì, ma fare harakiri non migliora il mondo» dicevo io, con le corde vocali che mi facevano male per la fatica di contrastare il suo tono.

«Il mondo fa schifo» diceva Misia. «Non mi interessa, il mondo.»

«E la tua famiglia?» le dicevo.

«La mia famiglia *quale*?» diceva Misia. «Mio padre e mia madre? Sono sempre stati troppo occupati da se stessi, per occuparsi di me.»

«Ma tuo figlio?» dicevo.

«Livio sta benissimo» diceva Misia. «Gli farebbe peggio una madre tutta perfettina che lo fa crescere con l'idea che la vita sia una pubblicità di biscotti senza fine.»

«Però non c'è qualcos'altro?» dicevo io, quasi al limite delle mie risorse. «Non c'è qualcosa di meglio che uno potrebbe fare o essere?»

«Per esempio?» diceva Misia, senza smettere di camminare avanti e indietro nella confusione della sua stanza. «Vendersi bene? Essere un buon prodotto appetibile e commerciabile? Mettersi sul mercato dei cuori o sul mercato dei pensieri o sul mercato dei corpi in attesa di compratori?»

Non c'era maniera di fermarla, o almeno io non ero la persona adatta per riuscirci: aveva questa ostinazione totale, come un'abitante del deserto che muore di sete piuttosto di allungare la mano verso il secchio d'acqua che le viene offerto.

Teneva la roba in una scatola di metallo nel bagno: due sacchetti di polvere bianca in parte cristallizzata, che annusati da vicino avevano un leggero odore medicinale. Un paio di volte mi è venuta la tentazione di rovesciarli nel gabinetto e fare scorrere via l'acqua, ma mi sembrava una forma di violenza e avevo paura che poi lei stesse male, ed ero sicuro che comunque se ne sarebbe procurata altra nel giro di poche ore.

Così siamo andati avanti in questa specie di ménage assurdo, dove io dormivo sul divano nel soggiorno e facevo la spesa e preparavo da mangiare e mi occupavo del piccolo Livio e dipingevo quando potevo, e Misia stava sveglia e dormiva nei momenti più strani del giorno e della notte, giocava con suo figlio con grande slancio e gli leggeva storie e d'improvviso si stancava, alzava il volume dello stereo fino a fare vibrare tutta la casa, si chiudeva in bagno e non rispondeva, usciva di casa senza dire niente, rientrava come se fosse sorpresa di trovarci qualcuno.

Continuava a ricevere una quantità di messaggi dal mondo, e man mano che si avvicinava l'uscita del nuovo film con la sua aura di capolavoro annunciato la loro frequenza e la loro intensità ha preso a crescere di giorno in giorno: lettere e biglietti e telegrammi e telefonate per sollecitare interviste e sedute fotografiche e incontri di lavoro e partecipazioni a programmi televisivi e cene e inaugurazioni e semplici conversazioni. Misia rispondeva in modo incostante, a seconda del momento in cui la coglievano: a volte in una parodia di tono impostato da attrice, a volte svagata al punto di farmi venire voglia di suggerirle io cosa dire, a volte con slanci improvvisi di entusiasmo, a volte polemica, senza il minimo tentativo di mediazione diplomatica. A volte non rispondeva per niente: mi faceva vedere l'invito a una serata di gala del ministero dello spettacolo, diceva «I bastardi squallidi e tronfi». A volte non rispondeva al telefono e impediva anche a me di farlo, o staccava addirittura la cornetta, la lasciava penzolare dalla cassettiera della cucina. A volte si vestiva e truccava in fretta per andare a parlare con un regista, e dopo venti minuti che era uscita la vedevo tornare con un'aria totalmente esausta, mi diceva «Non ce l'ho fatta», come se parlasse di un'impresa del tutto fuori dalla sua portata.

Una volta le hanno telefonato da "Paris Match" per farle un'intervista e un servizio fotografico in casa, e lei era in un momento buono e ha detto di sì; abbiamo passato tutta la mattina a mettere in ordine la casa e disporre gli oggetti e le stoffe secondo qualche criterio e attaccare alle pareti un paio di miei quadri perché Misia voleva a tutti i costi che entrassero nelle foto. Poi quando quelli della rivista sono arrivati e hanno suonato il citofono, lei è venuta da me in uno stato incredibile di stravolgimento, ha detto «Io non ce la faccio, Livio». È tornata a chiudersi nella sua stanza, e intanto il citofono continuava a suonare; se mi angolavo alla finestra della cucina potevo vedere la redattrice e il fotografo e gli assistenti sempre più nevrotizzati e furiosi, tra le loro macchine e il portone. Andavo a bussare alla stanza di Misia, le dicevo «Sei sicura che non vuoi farlo?». Lei diceva «Non posso». Tornavo a guardare dalla finestra della cucina, tutto piegato per non farmi vedere, con il giovane Livio che diceva «Cosa c'è?» e il citofono e adesso anche il telefono che suonavano senza interruzione. Tornavo alla porta di Misia, le dicevo «Non puoi almeno dirgli qualcosa?». «Non ci riesco» diceva lei. «Digli che sono sparita. Digli che sono in Africa.» Alla fine mi sono affacciato alla finestra, ho gridato nel mio brutto francese «La signorina Misià è sparita! La signorina Misià è in Africa!». La redattrice e il fotografo e gli altri hanno guardato in alto ancora più furiosi, mi hanno gridato con facce contratte frasi che non capivo; hanno continuato a occupare il marciapiede anche dopo che ho richiuso la finestra, ci hanno messo dieci minuti buoni prima di decidersi a risalire sulle loro macchine e andarsene via.

A volte invece Misia riusciva a fare tutto quello che doveva nel modo più professionale: andava a una trasmissione della televisione ed era tutta intensa e spiritosa e attraente e diceva cose interessanti e acute nel suo modo non-convenzionale e non-prevedibile, e credo nessun telespettatore avrebbe potuto immaginarsi lo stato in cui era stata solo un'ora prima di arrivare allo studio, o un'ora dopo appena tornata a casa. Riusciva ad avere quest'aria totalmente diretta, anche nel più fasullo dei programmi e con il più narciso e sordo e impermeabile dei conduttori; non mi stupiva che i mezzi di comunicazione fossero interessati a lei, che la sua faccia e la sua persona intera apparissero sempre più spesso su giornali e riviste, sopra o sotto il suo nome a caratteri di stampa da pronunciare «Misià».

A volte andava ad appuntamenti di lavoro con registi e produttori, discuteva progetti che poi mi raccontava con grande curiosità e slancio. A volte diceva che tutto quello che le proponevano erano idiozie senza senso e senza interesse: diceva «Sono solo specchi per piccoli pavoni impotenti che vogliono vedere e rivedere tutto il tempo quanto sono meravigliosi».

A volte mi faceva leggere lettere di suoi spasimanti per ridere insieme a me; a volte le strappava in mille pezzi senza neanche avere aperto le buste, o le buttava sul tavolo-specchiera all'ingresso dove si accumulavano a decine. Mi sembrava che in generale queste cose non la interessassero, ed era l'unico dato della sua vita che mi rassicurava, ormai.

A volte era brillante come al suo meglio e anche oltre; a volte la sua attenzione staccava completamente e parlarle era come parlare a una statua o a un animale di un'altra specie. A volte giocava con il giovane Livio con una frenesia che finiva per farlo diventare isterico; a volte non gli rispondeva neanche quando lui la strattonava per un braccio e le gridava all'orecchio in cerca di attenzione. A volte era bella in un modo pericoloso da rasentatrice di abissi, come se il suo corpo fosse più forte di qualunque sostanza potesse introdurci; a volte aveva la faccia gonfia e gli occhi pesti e gli avambracci sanguinanti, i capelli come lana mal cardata. A volte parlava e parlava a una velocità stupefacente senza mai fermarsi e faceva osservazioni fulminanti sul mondo e sulle persone e sulle ragioni del fare e del non fare; a volte trascinava poche parole con la più grande difficoltà, e quello che diceva aveva la stessa qualità inerte del suo sguardo. Vivere con lei era come andare su e giù in un ottovolante continuo, con pendenze troppo forti e curve troppo strette e accelerate furiose e frenate violente, senza margini e senza barre di sicurezza; la notte mi addormentavo in uno stato di frastornamento e di stanchezza come non mi era mai capitato.

Ma sono rimasto, perché la situazione era troppo difficile e perché ormai c'ero dentro troppo a fondo e perché ci voleva qualcuno che si prendesse cura del giovane Livio e perché non avevo nessun altro posto dove andare, perché sapevo che non mi sarebbe mai più capitato di poter stare così vicino a Misia.

Quattordici

Una sera Misia si è truccata e vestita nello stile eccentrico fatto di sovrapposizioni di stili e colori e materiali che aveva sviluppato negli ultimi tempi, è venuta nel soggiorno dove dipingevo a dirmi «Io sono fuori a cena».

«Con chi?» le ho chiesto, guardandole gli orecchini a gocce di vetro blu e lo zucchetto color turchese che si stava premendo in testa.

«Fatti miei» ha detto Misia dopo solo un istante di esitazione, come se parlasse a un padre o a una madre o a un fratello maggiore che non aveva.

«Anche miei, no?» le ho detto, già sudato e credo rosso in faccia. «Almeno un po', no? O sono una specie di famiglio che viene avvisato all'ultimo momento se deve preparare da mangiare anche per la signora o meno?»

Lei ha alzato le spalle, in una delle sue rapide reazioni di difesa; ha detto «Chi ti ha mai chiesto niente?».

Stavo per risponderle che me lo aveva chiesto eccome, quando era arrivata disperata a casa di mia madre a Milano; ma mi è venuto un lampo di incredulità all'idea di quanto mi ero lasciato affondare in questo ruolo di custode della casa e della tranquillità relativa, attaccato alla finta sicurezza della ripetizione per non vedere il resto.

Poi è suonato il citofono, e Misia ha dato un bacio al giovane Livio che piagnucolava e ha preso il suo cappotto di cachemire nero comprato in un negozio di vestiti usati, è uscita con uno sguardo di non-contatto. Ho messo una scatola di bastoncini di pesce a scongelare sotto il rubinetto dell'acqua calda; mi chiedevo quando sarei dovuto partire, e per dove, cosa sarebbe successo della piccola famiglia Mistrani.

Ma verso le undici Misia era già tornata: è passata oltre il soggiorno dove lavoravo come un pazzo furioso e si è chiusa nel bagno. Quando è venuta fuori era in preda a una forma di esaltazione sconnessa, come una bambina eccitata da una sorpresa e impaziente di averne altre e incapace di separare in modo preciso le sue sensazioni. Camminava avanti e indietro nel corridoio; è venuta a guardare il mio quadro, ha detto «Bellissimo», è andata a guardare fuori dalla finestra, ha tolto i Rolling Stones dallo stereo senza chiedermi niente, ha messo un disco dei Pink Floyd e quasi subito lo ha tolto e ha rimesso gli Stones, ha alzato il volume, canticchiava sulla musica di *You Can't Always Get What You Want* ma fuori tempo.

Le ho detto «Com'è andata?» con uno sforzo per togliere colore alla voce, non sembrare coinvolto.

«Bene» ha detto lei. «Bene bene bene.» Rideva; ha fatto un paio di giravolte al centro della stanza, contro la resistenza del vecchio tappeto. Ha detto «Perché non mi hai detto che mi avevano portato un pacchetto?».

«Te l'*ho* detto» ho detto io, con il sangue che improvvisamente cominciava a friggermi. «È lì all'ingresso insieme alla posta. Sembrava che non ti interessasse niente, ringrazia se non ho buttato tutto via.»

Lei era già nell'ingresso a frugare tra le decine di lettere non aperte; è tornata con il pacchetto di Tomás Engelhardt, cercava di aprirlo con dita imprecise.

«È con lui che sei andata a cena?» le ho chiesto, cercando di continuare a trasferire al mio quadro le tensioni che mi passavano dentro.

Misia ha detto «Ahà». Ha scartato il pacchetto, e non riuscivo a non guardare per quanto mi sforzassi, dentro c'erano una scatolina bombata e un biglietto. Il biglietto le è scivolato di mano, e siccome lei lo guardava ma non ha fatto neanche il gesto di raccoglierlo l'ho raccolto io: diceva *Un piccolo omaggio alla tua bellezza e grazia e intelligenza. Con ammirazione, Tomás*.

Gliel'ho ridato; lei l'ha letto e ha sorriso, si girava tra le mani la scatolina rivestita di velluto rosso. Le ho detto «Quale sarebbe, il piccolo omaggio?».

Lei ha aperto la scatolina, a qualche passo di distanza da me, come per paura che gliela strappassi di mano e la buttassi via: dentro c'era una spilla a forma di farfalla, tutta tempestata di diamanti e rubini. L'ha guardata da vicino, con una strana miscela di gratificazione e perplessità, confuse ancora più dalla sua chimica interiore alterata. Ha detto «Carina, eh?», non capivo se in forma di constatazione o di domanda.

«Mol-to» ho detto io, con i muscoli contratti dalla stessa ostilità concentrata di quando avevo visto Tomás Engelhardt sulla porta. «Un piccolo omaggio ben commensurabile, no? Come mandarti una mazzetta di biglietti di banca, no?»

«Smettila» ha detto Misia. «È un tipo sensibile, invece. Anche romantico. Non è come sembra.»

«L'ho conosciuto» le ho detto. «Molto rassicurante, no?» Non ci potevo fare niente: solo pensare che lei ci fosse uscita a cena inferociva il taglio di ogni mia consonante, mi dava un accento barbaro.

«Non lo conosci per niente» ha detto Misia. «Non hai la minima idea di come sia. Mi ha vista in un film e ha fatto di tutto per conoscermi, e io non ne volevo sapere, l'ho trattato malissimo, poverino.»

«Un giocatore di polo, no?» ho detto. «Buoni polsi solidi, e sa come si ordina in un ristorante, non sbaglia un gesto, no?» Mi faceva una rabbia incredibile non avere buttato via il suo pacchetto quando lo aveva portato, non avere pensato a un modo per evitare che si rifacesse vivo.

«Guarda che è anche uno che lavora tantissimo» ha detto Misia, con la sua spilla di diamanti e rubini tra le dita. «È sempre in viaggio tra qui e l'Argentina per la sua società di esportazioni, quando è a Parigi sta in ufficio fino alle nove o le dieci di sera. E giocava a polo solo perché è il loro sport nazionale, ma ha avuto un incidente terribile e ha dovuto smettere. È caduto da cavallo, si è fratturato il bacino e si è mezzo distrutto un'anca, ha dovuto fare anni di rieducazione per poter camminare di nuovo.»

«Mi dispiace» ho detto io. Cercavo di ricordarmi se lo avevo visto zoppicare, ma no: era rimasto piantato sulla porta con le sue spalle larghe, le gambe forse un po' troppo ferme, a pensarci.

Misia ha detto «È uno che ama l'arte, la conosce. Ha due lauree, legge libri, gli piace la pittura e la poesia».

«Accidenti» ho detto io, frastornato per come non riuscivo a vedere traccia del suo spirito critico o del suo senso dell'umorismo, e sorpreso di avere azzeccato la storia del polo. «Una specie di uomo rinascimentale dell'import-export. Fantastico.»

«Sei prevenuto» ha detto Misia dall'altra parte del soggiorno, con gli occhi che le brillavano di luce violenta.

«Non sono prevenuto» ho detto io, in un improvviso tono finto leggero. «Neanche un po', guarda.»

«E comunque mica mi ci voglio sposare o chissà che» ha detto lei. «Sono solo andata a cena con lui, accidenti.»

«Ma certo» ho detto io. «E non ci sarebbe niente di male neanche se ti ci volessi sposare. Non mi riguarderebbe comunque. Sarebbero fatti tuoi.»

Ma lei era arrivata a un punto di rottura, senza preavviso come in tutti i suoi passaggi di umore ormai: teneva la spilla-farfalla tra le dita, ha detto «Cosa credi, che mi importi di queste cose? Sono una che si fa comprare dalle spille di diamanti, secondo te? Io che non mi sono mai messa un cavolo di gioiello vero in vita mia?».

Ho fatto per risponderle, ma era già andata dritta alla finestra e l'aveva aperta, aveva già buttato la spilla di sotto con uno slancio: il gesto dipinto in meno di un secondo e subito cancellato.

Poi è scoppiata a piangere, lacrime di rabbia e di confusione che si asciugava con il dorso di una mano mentre respirava a soffi e singhiozzi. Ha detto «Non me ne importa niente di niente. Mi fa schifo tutto. Non sono adatta. Voglio solo morire».

È uscita dal soggiorno, e le sono andato dietro intriso di costernazione, le ho detto «Ehi, Misia». Ho cercato di fermarla per un braccio ma lei si è svincolata, ha detto «Lasciami stare. Lasciatemi tutti stare», ha continuato verso il bagno.

Mi sono spaventato, ho fatto un salto per bloccarle la porta prima che potesse entrare, ho detto «Misia, per piacere. Non volevo farti stare male. Scusami scusami scusami». Le guardavo gli occhi pieni di lacrime, facevo gesti a palme aperte come un selvaggio superstizioso che pensa di avere provocato un fenomeno naturale incontrollabile e cerca di fermarlo; ho detto «Calmati, per piacere».

Misia ha detto «Lasciami passare», ha cercato di spingermi di lato; e aveva una forza incredibile per essere così magra e scossa ma io ho fatto una resistenza disperata, ho detto «No che non ti lascio passare».

Lei ha provato ancora ad aggrapparsi alla maniglia al di là del mio braccio, quando ha visto che non ci riusciva mi è venuta addosso a graffi e tentativi di morsi e spinte e colpi di ginocchio finché è riuscita a scalzarmi e a passarmi oltre, entrare di un passo nel bagno. L'ho bloccata da dietro in una specie di presa da judo, ma lei si è messa a dibattersi e gridare in tono lacerante, con una violenza di nervi così totalmente irragionevole che ho dovuto lasciarla andare. Un istante dopo era già in punta di piedi all'armadietto alto sopra la vasca da bagno, già con una mano sulla scatola di metallo con dentro i sacchetti delle sue polveri. Ho cercato di strappargliela, e lei ha reagito in modo ancora più deragliato di prima; ci siamo scossi e strattonati e spinti alla luce azzurra di una lampadina dipinta, finché lei mi ha gridato a pochi millimetri dalla faccia «È la *mia* vita! Tu non c'entri niente! Decido io cosa voglio fare!».

L'ho lasciata di colpo, ho fatto un passo indietro; avevo le mani e i polsi e gli avambracci che mi facevano male per l'attrito furioso, i polmoni ansimanti e lo sguardo appannato; il cuore pieno di sensazioni rotte e mescolate come uova strapazzate in una scodella. Mi sono appoggiato di schiena al muro e sono andato giù fino a sedermi per terra, sono rimasto con una mano sugli occhi mentre Misia faceva i suoi traffici con il cucchiaino e l'accendino e la siringa e tutto il resto; l'ho sentita respirare affannata e picchiettare e premere, senza vedere niente finché lei ha fatto un respiro più lungo e ha soffiato fuori il fiato poco a poco; ho abbassato la mano e ho visto la sua faccia riflessa nello specchio trasfigurata in un'improvvisa serenità lunare.

Ha riposto tutto nella scatola di metallo, e la scatola di metallo nell'armadietto con cura rallentata, mi è passata oltre come se avesse migliorato di molto i suoi rapporti con la forza di gravità. È andata a rimettere sul giradischi il disco dei Pink Floyd che voleva sentire prima: le note di chitarra elettrica piegate e allungate sulla base di organo Hammond sono arrivate a onde attraverso la casa. Misia è tornata nel bagno, ha detto «Ehi, Livio, non ti preoccupare. Non era colpa tua, per prima». Sorrideva, ma distante.

Sono sceso in strada, ho perlustrato l'asfalto palmo a palmo alla luce dei lampioni per mezz'ora di seguito, ma non sono riuscito a trovare la spilla di diamanti e rubini di Tomás Engelhardt, doveva essersela presa qualcuno che passava.

Quindici

Io e Misia e il giovane Livio abbiamo continuato la nostra vita di quasi-famiglia, nel modo fatalista e dissociato che avevamo da quando Misia era tornata dalla Colombia. In certi momenti eravamo apparentemente sereni e vicini tutti e tre, malgrado la rete di tensioni che correva sotto la superficie di ogni gesto. Ma era come mettersi a fare un picnic seduti in un campo minato: da un momento all'altro Misia cambiava sguardo e umore senza nessuna ragione apparente, si metteva a piangere o a gridare o andava a chiudersi nel bagno o camminava intorno e parlava e parlava di cento argomenti diversi senza smettere neanche per prendere fiato, o andava nella sua stanza e si sedeva sul letto con aria persa senza rispondere a nessuno, o si sdraiava a dormire in pieno giorno per ore e ore di seguito. Suonava il telefono, ed era altra gente che chiedeva di lei per incontri di lavoro e impegni già presi e già saltati, dovevo dire ancora una volta che non c'era e che non avevo idea di quando sarebbe tornata. Poi magari uscivamo tutti e tre insieme a fare la spesa, e il fruttivendolo e la panettiera ci sorridevano e ci facevano complimenti perché sembravamo un bel gruppetto familiare, e dieci minuti dopo mentre attraversavamo la strada era già finita, Misia se n'era già scappata via di corsa e il giovane Livio piangeva e strillava e si dibatteva come un capretto impazzito, io dovevo stringerlo forte per un braccio per evitare che finisse sotto una macchina e pensavo che volevo andarmene da qualunque altra parte del mondo, sparire.

La cosa incredibile è che invece restavo lì, e per metà del tempo mi sembrava una vita quasi normale, e continuavo a dipingere intensamente appena potevo, e un giorno in cui Misia era in buona mi ha detto di prendere un paio di mie tele e mi ha trascinato in taxi insieme al giovane Livio da un gallerista che conosceva, e mi ha presentato con la generosità e l'entusiasmo contagioso dei suoi momenti migliori ed è riuscita a fargli dire che avrebbe visto volentieri qualche altro mio quadro, forse si sarebbe potuto anche organizzare qualcosa in una data non lontanissima. Siamo usciti in uno stato di eccitazione quasi come ai tempi di Milano prima della mostra nel cortile: tenevamo ognuno una mano del giovane Livio e urtavamo di spalla la gente lungo il marciapiede affollato, Misia diceva «Hai visto? Eh?». Sembrava che tutte le sue qualità straordinarie fossero tornate in suo pieno possesso per miracolo; solo quando ha lasciato la mano di suo figlio a un incrocio il suo profilo ha preso una qualità lontana e traslucente che mi ha fatto paura.

Mezz'ora più tardi era chiusa a chiave nella sua stanza, con il fortepiano di un disco di Haydn che faceva vibrare le membrane dello stereo fino quasi al punto di lacerazione; non rispondeva neanche a battere selvaggiamente sulla porta.

La sera dopo è venuta con il suo passo da animale esotico in pericolo di estinzione nella cucina dove stavo preparando insieme a suo figlio una minestra di patate e zucchine, ha dato un bacio al giovane Livio e senza guardarmi ha detto «Io esco a cena».

Mi è venuto un piombo istantaneo al cuore, ma non volevo fare proprio come il giovane Livio che le si era attaccato a una gamba e gridava «No, non vai!»; ho cercato di convogliare nella voce tutta l'ironia che mi restava, ho detto «Con il grande Engelhardt, no?».

Misia ha fatto di sì con la testa; ha detto «Non vi ci mettete in due, adesso».

«Non ti preoccupare» ho detto io, con un sorriso che mi costava un dolore acuto ai muscoli tensori della bocca. Ho detto «Divertiti. Buona cena. Auguri.»

Misia ha detto «Smettila, Livio, per piacere».

«Non vai, non vai!» gridava il giovane Livio, aggrappato alla sua giacca.

«Già smesso, già smesso» ho detto io, in un registro squilibrato che nasceva dal ridicolo della mia posizione. Battevo il mestolo sul bordo della pentola come se fosse uno strumento a percussione, ho detto «Che problema c'è? Io sono contentissimo. Sono qui che faccio il tifo per te. Vai, vai, chi ti ferma».

Ho preso il giovane Livio per un braccio, l'ho portato a guardare nel frigorifero quasi vuoto per distrarlo. Misia ha fatto un mezzo cenno perplesso: parte lì nella cucina, parte altrove.

Quando è uscita, io e il giovane Livio abbiamo mangiato la nostra minestra di patate e zucchine. Gli ho insegnato una nuova strofa di una filastrocca-scioglilingua alla rovescia, gliel'ho recitata tutta intera più veloce che potevo; ma non riuscivo a non pensare a sua madre, per quanto mi riempissi la testa di suoni. Oscillavo tra distacco e apprensione, gelosia feroce e razionalità, considerazioni-freno e immagini in corsa incontrollabile. Pensavo a come Misia era tornata presto l'altra volta che era uscita a cena con Engelhardt, mi rassicuravo nel modo più infantile all'idea della sua limitata autonomia chimica. Ho portato il giovane Livio in soggiorno e abbiamo aggiunto un paio di personaggi allo zoo che avevamo cominciato a dipingere insieme su una parete, poi l'ho portato in bagno, gli ho lavato via a fatica tutta la vernice dalle mani e dalla faccia. Rideva, ormai isterico di stanchezza; non ero mai riuscito a farlo rientrare in veri orari rigorosi da bambino come forse avrei dovuto. Mi ha chiesto di nuovo dov'era sua madre; gli ho detto di nuovo «È fuori a mangiare con un suo amico, ma non ti devi preoccupare, torna prestissimo». Mi sembrava incredibile essere io a rassicurare qualcuno, nello stato in cui ero; mi sembrava incredibile essere diventato un elemento di stabilità per un bambino di quattro anni e mezzo senza padre e con una madre in pericolo di estinzione. Mi faceva paura essermi assunto una responsabilità del genere verso di loro, senza neanche rendermene conto fino a che era stato troppo tardi; mi chiedevo come diavolo avrebbero potuto fare senza di me; se alla fine la mia presenza sarebbe stata più un danno che un beneficio.

Poi il giovane Livio era addormentato da un pezzo nella

sua stanza, e io dipingevo da ore, e un disco di Mike Bloomfield si era quasi consumato a furia di girare e girare sotto la puntina, e Misia non accennava minimamente a tornare a casa. Cercavo di fissare tutta la mia attenzione sul rosso di cadmio acrilico che pennellavo sulla tela con lo stesso ritmo incalzante del basso sotto la chitarra elettrica, ma Misia continuava a entrare a forza nei miei pensieri, come un rapinatore che gira intorno a una casa e prova ogni porta e finestra. Pattugliavo il mio perimetro mentale con una frenesia da assediato, e per tutti gli sforzi che facevo c'erano sempre nuove immagini che mi venivano in mente con una violenza di vetri rotti: Misia e Tomás Engelhardt seduti a un tavolo di ristorante, Misia e Tomás Engelhardt in strada, Misia e Tomás Engelhardt a casa di lui. Potevo vedere il sorriso di lui con definizione micrometrica, fino al riflesso di ogni singolo dente; la sua mandibola stolida, il tessuto della sua giacca senza pieghe, i modi con cui conduceva rapporti con il mondo ereditati dalla sua famiglia e confermati dai fatti e dal tempo e dalle persone che incontrava. Potevo vedere il modo di Misia di trattarlo con ironia e anche insofferenza eppure di essere terribilmente vulnerabile di fronte alla sua sicurezza ostentata: di lasciarsi impressionare e gratificare e alla fine sedurre, farsi inseguire a sguardi e a parole per poi cedere improvvisamente terreno in un sorriso non-sorvegliato, in una mano dalle dita sensibili e nervose lasciata esposta come una preda mentre la grossa mano di lui veniva avanti con persistenza inarrestabile.

Cercavo di continuare a dipingere contro la corrente di queste immagini, ma facevo sempre più fatica: ho cominciato a posare il pennello ogni pochi minuti, andare alla finestra e guardare giù nella strada bagnata di pioggia. Il riflesso dei lampioni sulle macchine parcheggiate e sul nero lucido dell'asfalto mi faceva precipitare ancora più attraverso abissi di non-controllabile e di non-raggiunto, di totalmente vago e perduto. Tornavo a dare colpi di pennello alla mia tela come un annegato che annaspa, e più mi sforzavo di farlo, più mi sembrava un esercizio stupido e disperato, senza la minima incidenza sull'affondamento generale delle cose.

Continuavo a guardare l'orologio: alzavo il polso ogni pochi minuti, lo scuotevo per capire se per caso le lancette si erano bloccate. Ma non si erano bloccate: di colpo erano già le dodici e mezzo, era già l'una, era già l'una e mezzo. Il tempo andava avanti a scatti, si mangiava fetta a fetta il campo semicircolare delle possibilità rassicuranti che ancora restavano. Camminavo avanti e indietro in questo spicchio decrescente pieno di riflessi angosciosi, rischiarato ogni tanto da immagini sempre meno realistiche di Misia tornata a casa: lei che scendeva da una grossa macchina tedesca e guardava in su verso le finestre, lei che arrivava di corsa e da sola lungo il marciapiede e trafficava con le chiavi nella concitazione; lei che entrava nel soggiorno senza che io neanche l'avessi sentita alla porta e mi diceva che si era annoiata da morire e che non aveva più intenzione di rivedere Tomás Engelhardt neanche in fotografia.

Ogni tanto avevo degli squarci di lucidità, in cui mi rendevo conto di quanto il mio atteggiamento era infantile e insensato, di quanto mi ero chiuso in un fondo di bottiglia di sentimenti e vite altrui, senza riuscire a venirne fuori per paura e incertezza e mancanza di autonomia. Ma questi squarci duravano solo pochi secondi; subito dopo mi sembrava che Misia fosse l'unica donna al mondo che mi interessava e che non sarei mai riuscito a sostituirla con nessuna; che senza di lei la mia vita avrebbe perso senso e direzione come quella di un cane abbandonato sul ciglio dell'autostrada prima delle vacanze. Mi sembrava che lei non potesse sopravvivere senza di me, e il giovane Livio ancora meno; il cuore riprendeva a battermi troppo veloce, ero di nuovo sopraffatto dal senso di responsabilità e dal senso di abbandono e da mille altri sensi più oscuri e indefiniti. Erano già le due, le due e mezzo, le tre; le lancette dell'orologio mi avevano già spinto fuori dall'ultimo spicchio di reparabilità, e ancora non volevo prenderne atto.

Andavo dalla mia tela alla finestra alla porta d'ingresso alla mia tela come un pazzo, e la mia tela cominciava a essere così affollata di forme e colori da non essere quasi più leggibile. Mi immaginavo di nuovo Misia che sorrideva a Tomás Engelhardt, un sorriso lungo influenzato dalla sua chimica interiore alterata; lui che le passava il braccio da ex giocatore di polo attorno alla vita e se la tirava vicino; la casa di lui piena di mobili stile impero e cineserie e dorsi di libri impressi a oro che rappresentavano la sua idea di gusto raffinato, luci basse e tappeti persiani su pavimenti di mogano ben cerato; la camera da letto di lui con una veste da camera di seta appesa all'attaccapanni e un letto a tre piazze costruito su misura, gli armadi e i comodini di legno scuro, i piccoli paesaggi dell'ottocento alle pareti e i libri di poesia lasciati in giro come tracce di sensibilità romantica e di buona cultura; altri gesti di avvicinamento tra lui e lei, gesti da femmina danneggiata in cerca di affetto e di rassicurazione, gesti da maschio con intenzioni serie; sguardi, respiri, controllo e istinto; sguardi.

Avrei potuto ammazzare Tomás Engelhardt, se solo avessi avuto il modo di localizzarlo nella grande città piena di milioni di persone sconosciute addormentate nei loro appartamenti: avrei potuto far saltare in aria l'intero edificio dove abitava, dopo avere portato fuori Misia; avrei potuto distruggere l'intero isolato senza preoccuparmi minimamente degli altri abitanti innocenti. Avrei potuto dichiarare guerra alla Francia intera, e all'Argentina, a tutti i giocatori ed ex giocatori di polo del mondo, a tutti i bastardi stolidi e arroganti e sicuri di sé che restavano colpiti da una donna come Misia e si sentivano in diritto di provare a conquistarla in un momento di totale vulnerabilità senza avere neanche la minima idea di chi lei fosse davvero né di cosa cercasse davvero nella vita.

Sono sceso per le scale e uscito in strada, come se da un punto di attesa più basso le cose potessero migliorare; ma nell'umido freddo e perso della notte aperta mi è sembrato che peggiorassero soltanto. E avevo paura che il giovane Livio si svegliasse senza trovare nessuno, e speravo che Misia per qualunque ragione potesse telefonare; sono risalito in casa.

Il giovane Livio dormiva fondo nella sua stanza, il telefono era muto come il meno amichevole degli oggetti; c'era una vibrazione di assenza ancora più forte di quando ero sceso pochi minuti prima. Ho provato a leggere una biografia di Saint-Exupéry, ma le parole stampate mi si fondevano nello sguardo prima ancora di arrivare al cervello; ho provato a dipingere ancora, ma la mano mi faceva male e il mio quadro ormai era rovinato. Ho provato a mettermi a dormire sul divano, ma non riuscivo a tenere gli occhi chiusi per più di qualche secondo, non riuscivo a stare fermo in nessuna posizione; il minimo suono mi sembrava la porta che si apriva, mi faceva scattare su seduto, sondare lo spazio acustico con il cuore che batteva accelerato alle tempie.

Mi sono alzato, mi sono rivestito in un'onda di sgomento e rabbia e autocommiserazione e paura acuiti in modo intollerabile ormai. Solo l'idea di guardare l'orologio mi provocava un panico da catastrofe; non c'era più verso di ricondurre nessuno dei miei sentimenti alla sua origine, dare un'interpretazione ragionevole e matura della situazione.

Poi ho sentito il citofono che suonava: mi ha comunicato una scossa così violenta che ho fatto un salto all'indietro come un coniglio elettrizzato. Sono corso alla finestra, ma vedevo solo un taxi nella luce molto debole dell'alba; sono corso al citofono, ma non riuscivo a sentire niente. Non capivo perché Misia non salisse direttamente; avevo la testa invasa da dieci scenari simultanei, tutti preoccupanti allo stesso modo. Sono corso giù per le scale; corso di nuovo su dal secondo piano a prendere dei soldi per il taxi; corso di nuovo giù. Ho aperto il portone con uno slancio frenetico da soccorritore, e in piedi di fianco al taxi invece di Misia c'era Marco che mi guardava.

Mi sono bloccato a metà movimento: zero pensieri, zero sensazioni, zero immagini mentali. Marco ha avuto il tempo di pagare il taxista e vederlo sfilare via e arrivare a un passo da me, prima che io riuscissi a venire fuori di qualche millimetro dalla mia colla di sorpresa concentrata.

Doveva pensare che fossi così stravolto per l'ora; ha detto «Mi dispiace. Il treno è arrivato adesso, non avevo voglia di stare in giro finché diventava giorno». Aveva i capelli più lunghi dell'ultima volta che l'avevo visto, un aspetto rock e scarruffato, un modo forse un po' meno saldo di stare in piedi.

Gli ho detto «Ero sveglio». Lo guardavo da un metro e mezzo: nella sua giacca di pelle nera, con la barba lunga e la sacca da viaggio in spalla, gli occhi impazienti e ironici così simili a quelli del giovane Livio; sentivo il panico totale di pochi minuti prima sciogliersi in un senso sempre meno indefinito di sollievo.

Marco ha detto «Ho ricevuto la tua lettera»; ha fatto un gesto come per indicare la strada da cui era venuto. Lo spazio tra noi sembrava difficile da attraversare, non ci spostavamo di un passo.

Poi io ho fatto un mezzo gesto come per stringergli la mano, e lui mi è venuto contro e mi ha abbracciato: ci siamo battuti le mani sulle spalle e sulla schiena, stretti le braccia così forte da farci male. Marco ha detto «Livio, porca miseria, sono *anni*».

«Sì, è pazzesco» ho detto io. «È pazzesco, pazzesco.» Mi sembrava di uscire da un paesaggio frantumato, riacquistare il senso dell'equilibrio e dell'ironia a ogni respiro.

Siamo entrati dal portone, e ci giravamo a ogni passo per riconoscerci, scambiarci occhiate da contatto ristabilito. Marco ha fatto un gesto, nel silenzio del piccolo palazzo addormentato; ha detto a mezza voce «Misia?».

«È fuori» ho detto io mentre andavo verso la scala. «È rimasta fuori a dormire.»

Lui mi seguiva su per i gradini con il suo passo inarrestabile, quando mi sono girato al primo piano ha detto «La tua lettera aveva questo cavolo di linguaggio allusivo. Da mafia. Non ho capito quale fosse il messaggio, ma mi hai fatto prendere un accidente».

Gli ho detto «Adesso ti spiego», ho continuato a salire. Cominciavo a rendermi conto solo allora delle implicazioni emotive e pratiche: le domande e risposte, le constatazioni e decisioni. Mi chiedevo se scrivergli era stata una buona idea, al di là del sollievo che continuavo a provare; se non avrei finito col peggiorare ancora una situazione già quasi disperata.

Siamo entrati in casa; Marco si è guardato intorno, senza posare la sua borsa da viaggio né togliersi il giaccone. Ho dovuto dirgli «Lascia pure» perché si decidesse a farlo, e ancora aveva un atteggiamento da soldato irregolare in territorio rischioso, si muoveva come se avesse paura di sentir scattare da un momento all'altro una trappola innescata.

Gli ho fatto strada nel soggiorno: mi sembrava di sentire per la prima volta l'odore di vernice acrilica e polvere e zenzero e minestra di verdura e incenso e gomma per bambini che c'era nell'aria. Ho aggiustato la sovracoperta del mio divano, ho detto «Siediti dove vuoi».

Marco non si è seduto; camminava intorno e guardava i miei quadri appoggiati alle pareti, guardava i libri e i dischi di Misia sugli scaffali e per terra, gli oggetti sparsi. Cercava di decifrare la situazione; ha detto «Quindi state insieme, in pratica?».

«No no» ho detto io, come se fosse un'idea che non mi aveva mai sfiorato nemmeno nel modo più lontano.

«Però *vivete* insieme, no?» ha detto lui, nel tono di uno che torna da grandi distanze, neanche più sicuro di che lingua si parli.

«Sì, da qualche mese» ho detto io, con un gesto verso il mio divano-letto per dissipare ancora meglio i possibili equivoci. Era strano, perché avevo un bisogno terribile di comunicazione, eppure non sapevo come parlargli di quello che avrei voluto. Ho detto «Non è una situazione tanto facile. È tutto abbastanza complicato. Complicato non nel senso di non-chiaro».

Marco scuoteva appena la testa, non capiva; il suo sguardo mi metteva ancora più in difficoltà.

Sono andato alla finestra, tornato al centro della stanza; ho detto «Avresti dovuto vedermi solo dieci minuti fa. Ero fuori da far paura, madonna».

«Ti ho visto quando sei sceso» ha detto Marco. Ha raccolto un vecchio disco degli Strawberry Alarm Clock per guardare la copertina; ha detto «E con chi è rimasta fuori, Misia?».

«Un bastardo ex giocatore di polo» gli ho detto. «Argentino con un nome tedesco. Dev'essere il nipote di qualche criminale nazista scappato, di sicuro.»

Marco ha fatto di sì con la testa, come se le mie parole e il mio tono non lo colpissero per niente. Guardava l'affresco delirante che avevo iniziato insieme al giovane Livio: lo zoo di animali immaginari che occupava quasi metà di una parete ormai. Ha detto «Cos'è, il tuo nuovo stile neo-primitivo? Neo-infantile, come lo definisci?».

«Non l'ho dipinto solo io» ho detto. «È un lavoro in collaborazione.» Stavo andando a sbattere dritto contro un muro di spiegazioni: ormai era solo questione di secondi prima dell'impatto.

Marco sembrava sempre più teso; ha detto «Quand'è che mi spieghi cosa voleva dire la tua lettera?».

Avrei voluto spiegarglielo bene, con amicizia ed equilibrio

e intelligenza, ma non riuscivo a trovare le frasi né le singole parole adatte, e meno le trovavo, più mi si surriscaldavano i circuiti dei pensieri. Ho detto «È che non sono bravo in questo genere di cose. Non sono un cavolo di diplomatico o consulente psicologico. Siete stati voi due a buttarmi in questo ruolo, io non ne avevo nessuna voglia al mondo». Parlavo a voce troppo alta, camminavo avanti e indietro e gesticolavo senza controllo, non riuscivo a fermare lo sguardo su Marco per più di un secondo alla volta.

Marco mi fissava; poi ha indicato di nuovo lo zoo immaginario sulla parete, ha detto «È questa la terza persona di cui parlavi nella lettera?». Era pallido, non sorrideva più; i suoi occhi erano così carichi di domande da farmi paura.

Gli ho detto «È di là che dorme. Se vieni te lo faccio vedere».

Siamo andati per il corridoio sghembo a passi silenziosi: avevo una sensazione di irrealtà così intensa che avrei potuto credere a qualunque cosa, vedere colori da caleidoscopio o stelle filanti sui muri, correre di nuovo giù per le scale e scappare per le strade di Parigi nel primo mattino, non farmi trovare più da nessuno, lasciare che tutto si spiegasse da solo.

Ho aperto la porta della stanza del giovane Livio, sono entrato alla debole luce rosso-arancio della lampadina notturna. Dormiva su un fianco nel suo pigiama a tuta, fuori dal piumino a disegni di farfalle come sempre, con la faccia alla parete e il piccolo corpo allungato in una posizione di salto o di volo. Marco mi è passato oltre in un soffio d'aria fredda; siamo rimasti fermi a guardare, come due astronauti senza casco davanti alla più inspiegabile delle sorprese di un altro pianeta.

Non ci siamo mossi né abbiamo detto niente per un periodo incommensurabile di tempo; sentivo solo il respiro del giovane Livio e i nostri due respiri più trattenuti, il ronzìo di fondo che avevo nelle orecchie.

Poi il giovane Livio si è girato nel sonno con un mugolio leggero: e anche con gli occhi chiusi era una combinazione stupefacente dei tratti di Misia e di Marco, più ancora di come mi era sembrato tutte le volte che l'avevo guardato. Ho visto l'espressione di Marco; il tremito che ha attraversato la sua figura come una corrente.

Non c'era più niente da vedere o da chiedere o da spiegare, eppure restavamo lì bloccati senza deciderci al minimo movimento. Ho dovuto fare uno sforzo per reagire, dire sottovoce a Marco «Forse è meglio che usciamo, se no si sveglia». Lui ha fatto di sì con la testa, senza staccare lo sguardo dal giovane Livio; l'ho tirato piano per un braccio, perché mi sembrava che da solo non ci riuscisse.

E appena siamo riemersi nel corridoio, senza parole e senza pensieri definiti, abbiamo sentito la chiave che girava nella porta d'ingresso, era Misia rientrata a casa.

Lei e Marco si sono guardati, come due animali notturni sorpresi da un flash nascosto: ogni muscolo e ogni nervo e ogni ricettore del corpo teso fino allo spasimo, in attesa di segnali a cui reagire.

Marco ha detto «Come va?», bianco in faccia.

«Bene, e tu?» ha detto Misia, in un timbro povero. Era in uno stato di estrema carenza chimica, ma si è girata con aria interrogativa verso di me; e ogni piccola scompigliatura dei suoi capelli e ogni piccola piega dei suoi vestiti mi risucchiavano nel mare di sentimenti deteriorati in cui avevo annaspato così a lungo durante la notte.

Ho dovuto guardare Marco per recuperare una sicurezza minima; le ho detto «Gli avevo scritto una lettera, qualche mese fa».

«Per dirgli cosa?» ha detto Misia, così tesa e fragile da sembrare sul punto di andare in pezzi, crollare davanti ai nostri occhi.

«L'ho visto» ha detto Marco, con un gesto verso la stanza del giovane Livio, prima che io potessi rispondere.

Misia ha sorriso in uno strano modo, si è premuta una mano all'attaccatura dei capelli; è quasi corsa verso il bagno, si è chiusa dentro.

Io e Marco siamo andati in cucina; lui si è seduto su una vecchia sedia di legno, guardava gli armadietti e il fornello e il frigorifero senza mettere a fuoco niente. Ho fatto bollire dell'acqua per un caffè in polvere, attento ai miei gesti come in un gioco di alto equilibrio: con la stessa cautela meticolosa, la stessa apprensione di fondo. Non riuscivamo a dirci niente, non riuscivamo neanche a guardarci; sentivo ondeggiare il pavimento sotto i piedi, le orecchie e gli occhi mi facevano male.

Poi Misia è tornata, con l'energia improvvisamente rinnovata che le veniva in questi casi; ma non sembrava per nulla serena rispetto a prima, era tesa da far paura. Ha preso una tazza del caffè che avevo fatto, è andata fino alla finestra, si è girata verso Marco, con uno sforzo per tenere dritto lo sguardo; gli ha detto «Allora?».

«Allora?» ha detto Marco, bloccato sulla sedia. Ha tossito, si è alzato; ha detto «Allora cosa?». Non sapeva che tono assumere e nemmeno come stare in piedi: se appoggiarsi a un armadio o fermasi al centro della stanza o avvicinarsi a lei o retrocedere verso la porta, se abbassare lo sguardo o alzarlo o spostarlo su un altro punto. Non l'avevo mai visto così incerto da quando lo conoscevo, così in attesa di un'iniziativa altrui. Ha detto «Sono qua»; ha alzato le mani e le ha riabbassate subito, ha fatto un tentativo patetico di sorriso.

Misia non ci ha neanche provato: mi incrinava il cuore vederla così attraversata da incertezza e nostalgia e rabbia, sentimenti abitati a lungo e lasciati indietro, ripresi e riperduti. Ha detto «Un po' tardi, no?».

«Non lo so» ha detto Marco, senza quasi più controllo sulla sua voce. Ha detto «Io non sapevo niente. Non avevo idea».

«Non hai fatto neanche molti sforzi per sapere, no?» ha detto Misia, con la tazza di caffè che le tremava tra le mani. Le sue espressioni passavano da un fuoco di emozioni vive a un'improvvisa neutralità che la faceva sembrare lontanissima; ha detto «No?».

«Forse» ha detto Marco, e mi sembrava che anche lui tremasse. «Forse non ci riuscivo, non lo so. Forse tendevo a scappare dalle cose. Forse non capivo niente di niente.»

Misia lo ascoltava e continuava a cambiare posizione, si passava le dita tra i capelli; il gioco tra le loro due sensibilità estreme era instabile al punto da affaticarmi il respiro.

Marco ha detto «Però adesso sono qui. Non avevo neanche capito la lettera di Livio, ma parlava di te e sono partito subito».

«Che gesto commovente, eh?» ha detto Misia; ma sentivo in modo acuto lo sforzo che doveva fare per mantenersi in attacco.

Marco non ha provato ad adeguarsi al suo sarcasmo fragile, la guardava e guardava il pavimento.

Misia sembrava attraversata da piccole onde ravvicinate di

rigidezza; ha detto «Accidenti. Così straordinariamente romantico. Con cinque anni e mezzo di ritardo, ma pazienza».

Marco ha scosso la testa; ha detto «È probabile che io abbia sbagliato tutto e che sia stato un idiota, ma è andata così».

«È probabile» ha detto Misia, con un'aria molto più adulta e vissuta e delusa di lui; con un'aria da bambina. Si è accesa una sigaretta, non riusciva a tenere stabile la fiammella.

E per quanto fossi coinvolto fino all'ultimo dei miei pensieri riguardo a tutti e due, mi è sembrato che fosse meglio lasciarli soli; sono andato più silenzioso e meno visibile che potevo verso la porta. Non era nobiltà d'animo al cento per cento: mi sentivo anche in colpa per non avere dato a Marco il messaggio di Misia la notte del matrimonio, per non essere mai riuscito a spiegare a nessuno dei due quello che sapevo o che pensavo dell'altro, per come i miei sentimenti verso di loro erano sempre stati contraddittori.

Misia ha detto «Guarda che puoi restare, Livio. Non c'è niente di segreto, qui».

Mi sono fermato sulla porta, invischiato nella scena senza scampo. Eravamo così stanchi e stravolti tutti e tre, nessuno di noi poteva più riuscire a esprimere un giudizio equilibrato su niente. E c'era il giovane Livio che dormiva a pochi passi di distanza, avrebbe potuto svegliarsi e venire a complicare ancora di molto le cose da un momento all'altro.

Marco ha detto «Te n'eri *andata*. Mi avevi lasciato lì come uno scemo tra tutti i problemi terribili del film».

«E tu mi sei venuto a cercare?» ha detto Misia, come se parlasse di una cosa successa poche ore prima; secoli prima.

«Non volevi sentire niente» ha detto Marco. «Eri al di là di qualunque punto di comunicazione. Avevi chiuso la porta.»

«Così ci hai rinunciato, no?» ha detto Misia. «Il che era anche più semplice, no?»

Marco ha detto «Non è mai stato semplice niente, con te. È sempre stata una complicazione infinita».

«Forse perché non sono mai stata abbastanza un servo?» ha detto Misia, con un'intonazione incostante quanto il suo sguardo, quanto i gesti che faceva. «Perché non stavo lì zitta e adorante a darti ragione su tutto quello che facevi?»

«Non è vero» ha detto Marco. «Io volevo parlare con te, ma non ci riuscivo più. Non c'era verso.»

«Neanche con te c'era più verso di parlare» ha detto Misia. «Eri così totalmente preso da te stesso e dalle cose straordinarie che dovevi fare. Il resto non contava niente, in confronto.»

Sono stati zitti, riverberati dalle loro parole, nella cucina ormai invasa dalla luce fredda del mattino. Guardavo lo spazio tra loro, e non capivo se era sul punto di ridursi di colpo e riportarli miracolosamente vicini, o invece aumentare e aumentare a scatti progressivi fino a diventare del tutto inattraversabile.

Marco ha detto «Mi dispiace».

Anche queste parole hanno creato un breve riverbero tra le pareti e i legni e il vetro della finestra: piccoli echi non-decifrabili nei nostri cuori scossi.

Marco ha detto «Se vuoi che ti chieda scusa, ti chiedo scusa. Se vuoi che mi metta in ginocchio e ti faccia una richiesta formale, non so?».

Sorrideva, ma incerto; e sorridevo anch'io per una specie di contagio automatico, sospeso sull'orlo di una possibile riduzione improvvisa dello spazio.

«Io mi sposo tra due settimane» ha detto Misia in tono strappato.

Io e Marco l'abbiamo guardata con lo stesso genere di incredulità concentrata mille volte, tutti e due senza il minimo dubbio che parlasse sul serio.

«L'ho deciso un'ora fa» ha detto Misia, nervosa e disperata al centro della cucina, con uno sforzo terribile per mantenere una sola espressione.

Lo spazio tra lei e Marco è rimasto fermo per secondi interi; poi ha preso ad allargarsi a una velocità così impressionante da farci traballare tutti e tre, spazzarci lontani come un vento polare a trenta gradi sotto zero.

Sedici

A Londra Marco viveva in un posto diverso da dove ero andato a cercarlo un anno prima, nel seminterrato di una casa a due piani in un vicolo a fondo chiuso vicino al Tamigi. Dentro non c'era quasi niente, a parte un letto doppio nella sua stanza e uno singolo nella stanza degli ospiti, un tavolo a cavalletti in cucina con tre sedie. Le pareti bianche erano nude, senza quadri né foto né scaffali; sul pavimento di legno c'era solo qualche libro tascabile e qualche lettera. Le altre cose di Marco stavano tutte nella sua sacca da viaggio o ai piedi del suo letto, ordinate come quelle di un marinaio o di uno strano monaco avventuriero. C'era questa dimensione depurata e astratta nel suo modo di utilizzare lo spazio, la stessa che avevo visto nella sua vecchia soffitta a Milano: questo istinto a non lasciare quasi tracce, non stratificare scorie man mano che viveva. Sarebbe stato difficile immaginare un contrasto più forte con la confusione multicolore in cui avevo vissuto negli ultimi mesi a casa di Misia.

Quando l'ho raggiunto, sembrava danneggiato al di là di ogni possibilità di recupero: non mangiava, non dormiva, non si faceva la barba, non si cambiava i vestiti, non rispondeva al telefono. Se ne stava quasi sempre chiuso nella sua stanza, usciva senza nessuna espressione riconoscibile in faccia, con una cuffia stereo alle orecchie e la stessa cassetta di Bob Dylan nel periodo mistico che girava e girava. Ogni volta che andavo a riferirgli di qualcuno che voleva parlargli con urgenza al telefono, o cercavo di convincerlo a fare due passi fuori, o gli portavo un sandwich di tonno e insalata che avevo comprato all'angolo della strada, o provavo a iniziare una ricostruzione di eventi e di stati mentali per capire meglio quello che era successo con Misia, diceva «Non sono interessato, grazie» senza neanche guardarmi. Avevo sentito molte volte la stessa frase pronunciata da Misia con lo stesso tono: era solo uno dei tanti modi di fare che si erano contagiati nel tempo senza neanche accorgersene, senza neanche sapere più da chi dei due avesse avuto origine.

Cercavo di non stargli troppo addosso, ed ero abbastanza danneggiato io stesso da non avere molta energia per farlo; lo tenevo sotto controllo a distanza, lo monitoravo a sguardi ogni volta che passava per il corridoio. Volevo continuare a dipingere, e mi ero portato dietro da Parigi tutte le tele e il materiale, ma non riuscivo a concentrarmi abbastanza, né a perdere concentrazione abbastanza. Faceva freddo, benché fosse già l'inizio di marzo: il riscaldamento non funzionava, e il seminterrato era umido e poco luminoso. Ma non sapevo come parlarne a Marco, nello stato in cui era; mi mettevo due golf uno sopra l'altro e a volte anche il giaccone, cercavo di tenermi in movimento.

Mi mancava il giovane Livio, dopo tutto il tempo che avevo passato a fargli da quasi-padre e quasi-madre e quasi-fratello; mi mancava la vicinanza destabilizzante di Misia. Ero preoccupato per tutti e due, e quasi a ogni momento del giorno e della notte mi veniva in mente una nuova ragione per esserlo. Mi chiedevo se il giovane Livio mangiava abbastanza, e cosa; se giocava abbastanza, e a che genere di giochi; se Misia aveva davvero intenzione di smettere di farsi come mi aveva giurato, o continuava peggio di prima; se era abbastanza protetta dal mondo, abbastanza protetta da se stessa. Mi chiedevo se davvero Tomás Engelhardt era l'uomo più affidabile e rassicurante che si potesse trovare, se davvero era in grado di occuparsi di Misia e del bambino come lei mi aveva ripetuto cento volte quando ero partito. Mi veniva il dubbio di essere stato vile ed egoista ad andarmene, di avere preso al volo la prima occasione per sottrarmi alle difficoltà crescenti della situazione. Mi veniva il dubbio che senza la mia lettera a Marco e senza il suo arrivo improvviso forse Misia non si sarebbe fissata con tanta determinazione nell'idea di sposarsi con Engelhardt e andare a vivere da lui con suo figlio; che senza di me a casa come baby-sitter e compensatore affettivo forse non avrebbe avuto neanche il tempo né lo spirito di andare in giro a farsi fare proposte di matrimonio da nessuno. Tendevo a dimenticarmi il senso di frustrazione terribile che avevo provato ogni volta che mi ero sforzato di consigliarla o proteggerla; poi mi tornava in mente il panico totale che mi aveva preso la notte dell'arrivo di Marco, mi sembrava di non avere avuto nessuna vera alternativa ad andarmene. Ma queste autorassicurazioni si dissolvevano nel giro di poco, presto ero già riintriso dal dubbio di essermi assunto delle responsabilità verso di lei e verso il giovane Livio solo per poi tradirle. Mi chiedevo quali sono i limiti di tolleranza alla fatica e all'esasperazione e all'inutilità che un'amicizia dovrebbe avere, prima di diventare una specie di vocazione missionaria o una storia d'amore unidirezionale equivocata e dissimulata tutto il tempo. Mi chiedevo se aveva avuto senso passare così da casa di Misia a quella di Marco; se era sano il modo che avevo di appoggiarmi a uno di loro due senza riuscire a immaginarmi nessun'altra scelta autonoma. Mi chiedevo se il legame non visibile che c'era tra noi tre era una forza, o invece un limite fatale alle nostre vite individuali.

Passavo le giornate e buona parte delle notti ad avere dubbi e a cercare di dipingere nel piccolo soggiorno del seminterrato vuoto e freddo di Marco, mentre lui se ne stava seduto sul pavimento della sua stanza senza dare segni di vita per ore di seguito.

Poi Marco si è ripreso, nel modo sconcertante che aveva sempre avuto nei suoi cambiamenti di umore: l'ho sentito rispondere al telefono prima che dovessi farlo io ancora una volta e dire che non c'era, l'ho sentito parlare forte e anche ridere attraverso la porta chiusa della sua stanza. Verso le otto di sera è venuto nel soggiorno, tutto elettrico e sbarbato e con vestiti puliti addosso; mi ha detto «Se andassimo a una festa, invece di stare chiusi qui dentro come talpe malate?».

«Una festa?» ho detto io.

«Muoviti, dài» ha detto Marco; era già quasi sulla porta.

In strada camminava veloce, parlava veloce, faceva gesti

veloci, sembrava lontano anni luce dallo stato in cui l'avevo visto fino a poche ore prima. Diceva «Che poi è così patetico, affannarsi a inseguire dati di fatto in trasformazione continua e pretendere di riportarli indietro alla loro origine per dare adesso le risposte che avresti dovuto dare allora. Appena ti riesci a vedere da una minima distanza ti *vergogni*, invece di farti tanta pena». Diceva «Che poi un figlio che cresce senza sapere che sei suo padre e senza neanche averti mai visto, non è che abbia chissà quale speciale legame segreto con te. Se non sa neanche chi sei, no?».

«Forse» dicevo io, travolto dalla sua foga malgrado l'attrito dei dubbi che continuavano a lavorarmi dentro.

Marco ha detto «È ridicolo. Pensiamo di essere padroni delle nostre vite, e non è vero. Le uniche cose che possiamo controllare sono marginali, rispetto al resto. Ti fa *ridere*, altro che piangere, se solo riesci a vederti da una minima distanza. Ti fa venire voglia di *muoverti*, porca miseria, staccarti di dosso tutta questa lacca di autocompassione».

Mi ha scrollato per un braccio mentre andavamo lungo il marciapiede a passo di corsa, ha detto «Eh, Livio?»; ha detto «Eh, porca miseria?». Il dispiacere per Misia e per suo figlio gli era rifluito in questa euforia violenta: gli faceva brillare lo sguardo alla luce dei lampioni, dava ai suoi movimenti una qualità da jungla urbana.

Abbiamo attraversato una via di traffico, e lui faceva gesti provocatori agli automobilisti, gridava «Fermati bastardo!». Andava avanti senza preoccuparsi di farsi investire, in una sua classica vena non-considerata, non-ragionevole, non-matura.

Abbiamo camminato sempre più veloci nella sera fredda, continuavo ad affannarmi per stargli dietro e lui continuava ad accelerare, come se stesse scappando con rabbia e imbarazzo dai sentimenti che non voleva riconoscere. Mi ha trascinato lungo King's Road, oltre i pub e i bar e i posti di hamburger e i piccoli ristoranti vegetariani affollati, e continuava a parlare e gesticolare; diceva «Che poi basterebbe avere una specie di autolimitatore di pensieri per stare meglio. Una specie di autolimitatore di sentimenti. Basterebbe non lasciarsi andare proprio a picco nella vita di un'altra persona, no?».

Gli correvo di fianco, e mi chiedevo quanto aveva potuto lasciarsi andare a picco nella vita di Misia senza che io lo sapessi; mi chiedevo se era un'idea che mi rasserenava o mi faceva stare ancora peggio.

Marco ha attraversato di nuovo la strada senza curarsi del traffico, mi ha trascinato per una via alberata fino a una casa a due piani che lasciava filtrare luci e musica e voci da ogni fessura, ha suonato il campanello. Si è girato a guardarmi; ha detto «Cerchiamo di divertirci, Livio, eh? Cerchiamo di esserci e di sentire e di pizzicare e raccogliere quello che c'è finché c'è, senza fare i sognatori e i distratti e gli autolesionisti, eh?».

«Cerchiamo» ho detto io. Lui mi ha dato un'altra scrollata per una spalla; la porta si è aperta, siamo entrati.

Dentro c'era una quantità straordinaria di persone esuberanti nell'aria rovente rispetto a casa di Marco, percorse da una vibrazione continua di parole e gesti e sorrisi e sguardi e sollecitazioni su ogni possibile canale di comunicazione. La varietà di timbri di voce e colori di stoffe e tagli di capelli e forme e dimensioni corporee e stili e modi di fare mi ha investito con una violenza che non mi aspettavo, come se fossi precipitato senza preavviso nel cuore di un mondo microscopico ingrandito milioni di volte. Mi sono reso conto da un momento all'altro di quanto mi ero tagliato fuori da tutto negli ultimi anni: di quanto avevo ristretto il cerchio delle mie percezioni fino a rinchiudermi in angolo da cui non riuscivo a vedere più di una o due cose alla volta. Mi faceva paura trovarmi di nuovo in campo così aperto, esposto a una quantità incalcolabile di tensioni e correnti; mi sembrava di non avere gli strumenti per sopportare questa moltiplicazione e tanto meno per fronteggiarla. Mi tenevo defilato dietro Marco, lo seguivo come un'ombra attraverso il mare di facce e braccia e mani e sorrisi e gambe e sigarette e scarpe e gonne e scollature e cravatte e occhiali e seni e occhi e denti e sorrisi ripetuti decine di volte tutto intorno.

Marco ha stretto la mano alla padrona di casa e mi ha presentato; è andato avanti con me sempre a rimorchio, ha pescato due bicchieri di vino dal primo vassoio e me ne ha dato uno, ha vuotato il suo in un paio di sorsi, è tornato subito indietro a prenderne un altro. C'erano varie persone che lo conoscevano: gli facevano cenni e gli sorridevano, lo bloccavano per un braccio lungo il percorso. Una ragazza alta è venuta a baciarlo e premerglisi contro con tutto il corpo, chiedergli come stava; un tipo alto e grosso con i capelli a spazzola gli ha gridato da un paio di metri «Allora non sei sparito!». Sembravano quasi tutti affascinati da lui, per come dovevano averlo conosciuto nel lungo periodo in cui non ci eravamo visti: c'erano queste onde rapide di risposta appena lui si avvicinava, questo modo di girare la testa e focalizzare lo sguardo al momento giusto, aprirgli l'arrivo.

Marco rispondeva ai saluti e alle cordialità automatiche e alle domande, eppure non mi sembrava che gli venisse così facile esserci e sentire e raccogliere e pizzicare come mi aveva detto prima di entrare. Camminavo dietro di lui nelle correnti di sguardi e gesti, con le orecchie invase di musica e voci, assediato e affascinato e intimorito dalla varietà di persone e dalla riserva inesauribile di energia dinamica che le faceva muovere e parlare e assumere espressioni facciali senza sosta, e tutto il tempo ero consapevole di un suo sforzo interiore, mi aspettavo che si girasse verso di me da un momento all'altro e dicesse «Ce ne andiamo?».

Ma non l'ha detto, e ha continuato a bere tutto il vino che trovava o che gli veniva offerto, e poco a poco ha cominciato a riprendere velocità e leggerezza, come un aereo troppo carico che corre e corre sulla pista e alla fine con molta fatica riesce a decollare. Vuotava bicchieri in due sorsi, stringeva mani, abbracciava, faceva osservazioni, si girava a presentarmi; l'alcool e l'adrenalina gli si mescolavano dentro e lo facevano parlare sempre più brillante e cinico e spiritoso, nessuna delle persone che aveva davanti avrebbe mai potuto immaginare che fosse rimasto seduto sul pavimento della sua stanza paralizzato dal dispiacere puro per due settimane.

Ci guardavamo ogni tanto, e mi faceva impressione vederlo tornare in possesso di strumenti di comunicazione che non gli conoscevo neanche. Mi ricordavo la sua ostilità naturale di un tempo per gli assembramenti sociali di qualunque genere: come i bar con troppa gente o l'inaugurazione di una galleria d'arte o perfino la prima proiezione del suo primo film riuscivano a fargli venire voglia di scapparsene via, trascinarmi con lui. Adesso sembrava che gli riuscisse facile, se non fosse stato per il modo un po' troppo accelerato che aveva di muoversi e parlare e aprire e chiudere argomenti, girare la testa, cercare il contatto di un altro sguardo, tagliare attraverso la folla vibrante. Puntava alle donne, soprattutto: andava dritto verso di loro e provocava sorrisi, dilatazioni di pupille, movimenti di braccia, indietreggiamenti e ondeggiamenti e inarcamenti e tendimenti. Non era attratto solo da quelle belle; potevo vedere il modo in cui raccoglieva un singolo motivo di particolarità nello spazio affollato e se ne faceva calamitare. Si avvicinava, parlava caldo, appoggiava una mano su un braccio o su un fianco o anche alla base di un collo, accostava la tempia a una tempia, parlava in un orecchio, rideva. Continuava a bere: continuava a pescare bicchieri, mandare giù il contenuto senza pensarci, accentuava ancora la sua inclinazione interiore già ripida.

Ogni tanto si girava verso di me che lo seguivo come un'ombra, mi tirava vicino e diceva «Questo è il mio fantastico amico Livio, uno dei più bravi pittori italiani della nuova generazione!», mi spingeva nelle braccia di una ragazza che andava indietro e rideva.

Gli dicevo «Piantala, Marco»; cercavo di recuperare un equilibrio minimo.

Ma lui non aveva più freni: mi strattonava di nuovo per un braccio, diceva «Davvero. Solo che è diventato terribilmente timido, ormai. Tanti anni fa quando ci siamo conosciuti era la persona più comunicativa del mondo, mi appoggiavo a lui per avere a che fare con chiunque. Ma adesso la situazione si è rovesciata, non è strano? Non so se è stata la vita, o è tutto un gioco di ruoli alla fine, non lo so». Mi spingeva di nuovo avanti, come un compagno di scuola molesto e senza senso della misura; diceva «Ma è una persona fantasticamente sensibile, e un amante eccezionale, davvero».

Mi svincolavo con più furia, gli dicevo «Falla finita». Lui già guardava altrove, già andava in una nuova direzione. Cercavo di scusarmi, mi sottraevo ai tentativi di conversazione come potevo, bevevo anch'io ma non mi sembrava di ottenere grandi effetti; finivo per andare di nuovo dietro a Marco. Avevo sentimenti misti verso di lui, come mi era capitato mille altre volte: desiderio di emulazione e desiderio di dissociazione, desiderio di lasciarlo alla sua parte senza fargli da spalla o da spettatore.

Ma proprio quando ero più irritato con lui, mi sembrava

d'improvviso di vederlo molto meno in controllo delle sue oscillazioni di quanto potesse sembrare, le sue corde tese quasi al punto di rottura come quelle di uno strumento brillante ma fragile. Pensavo che questo era un altro tratto in comune tra lui e Misia; gli andavo di nuovo vicino con un senso di protezione, e mi rendevo conto che non serviva a molto ma non potevo farci niente, forse era davvero tutta una questione di ruoli come diceva lui.

Lui a un certo punto mi ha preso per un braccio, sbilanciato e iperveloce com'era, a metà delle scale che portavano al piano di sopra attraverso torrenti di facce e gesti e sguardi e musica e sovrapposizioni e accavallamenti di vibrazioni. Mi ha detto «Ti rendi conto di quanto è stupido stare a immalinconirsi e desolarsi per una persona, Livio? Pensare che tutto quello che cerchi e di cui hai bisogno ce l'abbia solo lei?».

Facevo di sì con la testa per rispondere alla pressione incalzante della sua mano sul mio braccio e del suo sguardo nel mio, ma nel flusso distorto e troppo ravvicinato della comunicazione mi sembrava che quello che voleva dirmi andasse in senso opposto alle sue parole. Gli ho detto «E se invece fosse proprio così? Se ti accorgessi di avere delle vere ragioni profonde per immalinconirti e desolarti?».

«Non è così, non è così» ha detto Marco con una foga selvaggia. Guardava intorno in cerca di appigli e sollecitazioni e conferme; ha detto «Ti rendi conto di quanti problemi riusciamo a farci, io e te? Ti rendi conto che sei stato mesi a Parigi a fare l'infermiere e il baby-sitter, e non è servito a niente? Mentre la vita continuava a scorrere via a una velocità incredibile? E uno può anche ripeterselo di continuo, ma lo stesso non c'è verso di capire quanto veloce davvero?».

«Cosa c'entra questo?» gli ho detto, con la musica e le voci che mi martellavano direttamente sul nervo acustico.

«C'entra, c'entra» ha detto Marco, con uno sguardo da kamikaze dei sentimenti. «L'importante è pensare *meno*, ricordare e immaginare e aspettare *meno*. Prendere subito quello che c'è e basta. Vivere il momento, Livio.»

«Il momento non è niente» gli ho detto. «Se è un orfano di tutto il resto. È inconsistente e bidimensionale peggio di uno dei miei quadri, il momento.»

«Il momento è *tutto*, Livio» ha detto lui. «Ed è l'unica cosa che abbiamo davvero.» Non mi sarei stupito se l'avessi visto correre verso una finestra e buttarsi di sotto, mentre lo diceva; se l'avessi visto proporsi in matrimonio a una che non gli piaceva affatto.

Lui ha puntato verso una ragazza alta con i capelli biondi molto corti e un anellino al naso, le ha detto a bruciapelo «Lo sai che sei la donna più straordinaria di tutta *Londra*?».

Lei ha avuto un piccolo spasmo di stupore e di gratificazione; e un minuto dopo Marco era lì abbracciato a lei come un naufrago sentimentale, la baciava come se fino a quel momento non avesse respirato che in attesa di lei.

Non ho avuto più voglia di fargli da spalla; sono andato in giro tra la gente per conto mio e ho continuato a bere tutto quello che trovavo, vino e birra e gin e vodka senza minimamente scegliere, senza neanche sentire il sapore. Mi sembrava di avere bisogno di compensazioni, dopo mesi di angosce e attese e consigli e azzeramenti di desideri e slanci a vuoto per altri. Bevevo e guardavo la gente, appoggiato a una parete o vicino a una finestra o seduto su un divano o sul bordo di una sedia o in piedi di nuovo sul pavimento che sembrava diventare più elastico e instabile di minuto in minuto. Non stavo male; avevo uno strano punto di vista azzerato, tutti i sensi smussati e ovattati dall'effetto dell'alcool e dei dubbi che mi scorrevano dentro.

Poi ero davanti a una ragazza piccola dall'aspetto orientale, ed eravamo nel mezzo di una conversazione senza che mi fossi reso conto di come era iniziata, e anche se non capivo tutto quello che diceva le parlavo senza la minima difficoltà di lingua né di pensiero, mi lasciavo trascinare dalla stessa identica corrente di comunicazione che c'era tra le altre persone vocianti e gesticolanti tutto intorno. Ero lì, preso nel gioco caldo e irriflessivo delle espressioni e dei toni, e a tratti mi veniva in mente Misia a Parigi con le sue sostanze chimiche, mi veniva in mente il giovane Livio che dipingeva animali del nostro zoo immaginario sul muro del soggiorno. Mi venivano in mente singoli sguardi e gesti: il colore di una gonna o di un fazzoletto; una matita; un biglietto scritto in fretta sul tavolo sbilenco della cucina.

Cercavo di tornare alla conversazione, e ci riuscivo per qualche minuto, e poi ero di nuovo ritrascinato via a strappi;

di nuovo a chiedermi se avrei potuto buttare le polveri di Misia, chiuderla in casa e cercare di curarla invece di assecondarla nel modo ultracomprensivo che avevo avuto. Mi chiedevo di nuovo quali sono i limiti di un'amicizia, e se un'amicizia deve averne, se potevo considerarmi un vero amico; se un amico è più vicino di un amante, alla fine; se il suo campo d'azione e la sua persistenza sono maggiori e più profondi. Ero lì a venti centimetri di distanza dalla ragazza piccola che si chiamava Louise e mi spiegava in modo meticoloso le tecniche dello stencil, ed ero lontano centinaia di chilometri, non riuscivo neanche a sentirla.

Lei a un certo punto se ne è resa conto, perché mi ha fatto un cenno a tergicristallo con la mano, ha detto «Ooh, ci sei ancora?».

«Ci sono, ci sono» ho detto io, in un tentativo affannato di tornare indietro. Ho visto Marco a qualche metro da me, ancora più stretto alla ragazza alta dietro una colonna di gesso che non li riparava quasi dalla folla di sguardi; mi ha fatto un'impressione di naturalezza primaria, ma questo non mi impediva di provare tristezza.

Louise ha visto dove guardavo, ha detto «È Marco Traversi. Quello del video dei Machineheads».

«È il mio migliore amico» le ho detto, in uno scatto automatico di orgoglio. «Ci conosciamo da una vita.»

«Bel tipo» ha detto lei, e mi sembrava che mi vedesse in una luce più interessante, di riflesso. «Ha fatto anche un grande clip per gli Uninstall, l'hanno passato un sacco di volte su MTV.»

«Ha fatto anche tre grandi film» ho detto io. «È un grande regista, Marco.»

Louise faceva di sì con la testa, ma senza registrare davvero; non aveva visto i film e non ne sapeva niente, forse non li avevano nemmeno distribuiti in Inghilterra. Mi è venuta ancora più vicina, bevuta e comunicativa com'era; ha detto «Anche tu sei un bel tipo, lo sai? Hai gli occhi di due colori diversi o cosa?».

Così ci siamo baciati, nello spirito senza contorni del momento, anche se non avevo capito bene chi fosse lei e nemmeno se mi piacesse davvero. Ma Misia a centinaia di chilometri da me stava per sposarsi con un ex giocatore di polo argentino per il quale avevo provato la più forte antipatia istintiva, e Marco a qualche metro era rovesciato addosso a una totale sconosciuta per la quale non provava niente; mi sembrava che non ci fosse più un rapporto molto diretto tra sentimenti e azioni.

Poi ero abbracciato a Louise su un divano, senza il minimo dubbio che se l'avessi lasciata sarei stato trascinato alla deriva nel buio senza forma e senza nome e senza senso dell'universo. La musica mi provocava una compressione ritmica di immagini e parole, la parte davanti del corpo mi scottava e la schiena era gelata; appena provavo a scostarmi di qualche centimetro dalla bocca di Louise mi prendeva una vertigine da precipizio. C'era gente che ci passava intorno da tutti i lati, in un assedio sempre più estenuante di repertori di espressioni e di gesti, non riuscivo a guardare o ascoltare più niente senza sentirmi sopraffare. Mi tenevo stretto a Louise con gli occhi chiusi, tutto piegato per adeguarmi alla sua altezza ridotta, e avrei voluto più di qualunque altra cosa trovare una stanza chiusa o anche solo una nicchia nel muro o perfino uno spazio sotto il pavimento dove potermi sentire al riparo dalla pressione intollerabile del mondo.

Quando Louise mi ha chiesto se avevo voglia di andare a casa sua non mi è sembrato vero; non mi è sembrato vero che non sparisse tra la gente a metà delle scale, che mi camminasse ancora al fianco nel buio freddo e umido di fuori, che mi aprisse la portiera della sua piccola macchina giapponese e mi facesse salire.

Più tardi nella sua stanza tutta decorata a stencil si è girata su un fianco per guardarmi raggomitolato nel letto con il piumino tirato fino al mento, ha detto «Hai come un'aria strapazzata dalle situazioni, non so».

Non mi sembrava che avesse molto senso negarlo, così ho detto «È probabile».

Lei ha sorriso, ma in un modo puntuto e non-familiare, per quanto mi sforzassi di non accorgermene.

Diciassette

Quando sono tornato a casa di Marco a metà mattina c'era una ragazza dai capelli rossi nel soggiorno, guardava uno dei miei quadri con una coperta sulle spalle e tremava dal freddo. Si è voltata con aria assorta, ed era nuda sotto la coperta, ha detto «Non c'è modo di scaldare questa casa?». Le ho detto che non avevo idea, ho guardato intorno: gli stivali di Marco e le scarpe da donna e i calzoni sul pavimento, i bicchieri mezzi pieni, i joint mezzi fumati lasciati in giro dalla notte. Potevo sentire le tracce nell'aria: le risa e i gesti, i movimenti attraverso le stanze.

Nel bagno c'era la ragazza alta con i capelli corti, si stava facendo la doccia, tutta bianca e lunga senza neanche avere chiuso la porta; ha mandato un piccolo grido quando sono entrato. Ho detto «Scusa, scusa», ho richiuso subito, ho fatto qualche passo di imbarazzo nel corridoio.

Marco è venuto fuori dalla sua stanza, a piedi nudi e con il suo vecchio golf grigio ferro in mano, mi ha guardato tra palpebre strette come se non fosse del tutto sicuro di riconoscermi. Si è infilato il golf a metà, senza venire fuori con la testa; da dietro il riparo della lana ha detto «Dove cavolo sei sparito, ieri sera? Avevo invitato anche Janet, pensavo che tu tornassi».

Gli ho detto «Sono andato a casa di una. Mi sembravi troppo preso per avvertirti».

«Sì?» ha detto lui, ancora nascosto nel golf. Dalla sua stanza venivano le note di una canzone di Bo Diddley, rimpicciolita dalle casse minuscole del suo mangiacassette portatile. Finalmente è emerso con la testa: rideva, ha fatto un paio di movimenti stilizzati di danza.

Mi sembrava di avere una lucidità cristallina rispetto a lui, e questo mi faceva sentire a disagio; mi faceva sentire meno capace di lasciarmi andare, troppo lineare e ragionevole.

Nei giorni e nelle settimane dopo la vita con Marco è diventata sempre più frenetica. Londra era grande e piena di cose da fare, e lui non aveva la minima intenzione di restare chiuso in casa a riflettere sulla tristezza della vita: ogni sera c'era una festa o una cena o una proiezione o una mostra o un concerto o uno spettacolo di teatro dove tuffarsi a stabilire nuovi contatti e bruciarne altri, inventarsi storie, consumare energia e capacità di sorprendersi. Correvamo da un punto all'altro della città per incontrare e trascinarci dietro le persone più diverse, sulla macchina di qualcuno o in metropolitana o a piedi, senza preoccuparci mai degli orari o delle distanze o di nessun'altra considerazione pratica. Marco parlava veloce, si muoveva veloce; costruiva in pochi tratti ragioni d'interesse intorno a qualcuno e poi se ne stancava e lasciava perdere di colpo, si dedicava con la stessa intensità ad ascoltare e pungolare, sondare e spremere qualcun altro, si precipitava dentro mondi che non conosceva ancora come se precipitasse giù per scale a chiocciola in stanze segrete piene di oggetti straordinari. Sembrava senza peso come nei suoi momenti migliori a Milano anni prima, anche se continuavo a leggere tracce di disperazione appena sotto la superficie: ma sembrava fuori portata rispetto alle pretese della fame e del sonno e della fatica, riusciva a comunicare a chi gli stava vicino una sensazione simile di immunità.

Io gli andavo dietro, a volte mi lasciavo sospingere avanti: facevo il rompighiaccio e il clown se ce n'era bisogno, parlavo e recitavo poesie e cantavo alla rovescia in italiano e in spagnolo e in inglese se ce n'era bisogno. Stavo sveglio quanto lui, fumavo e bevevo quanto lui, dormivo poche ore in pieno giorno come lui. Cercavo di essere come lui, in pratica, e per buona parte del tempo mi sembrava di riuscirci; ma quando mi buttavo allo sbaraglio con le ragazze come faceva lui, non funzionava. Ci restavo male, ogni volta, e non riuscivo a capire per quale ragione mi fosse così difficile essere leggero e rapido e non-sentimentale: se era qualcosa che non avevo ancora capito o invece dipendeva da una parte irrimediabile della mia natura.

Ero più lento di lui, di sicuro, e tendevo più di lui alla stabilità, per quanto mi sforzassi di correre e dimenticarmi nomi e facce e ragioni. Continuavo a pensare a Misia e al giovane Livio: a volte nelle ore più strane mi veniva una curiosità violenta di sapere come stavano, com'era la nuova casa dove erano andati a vivere, cos'era successo del progetto di matrimonio con Tomás Engelhardt. Ogni volta che telefonavo a mia nonna e a mia madre a Milano chiedevo se per caso Misia aveva lasciato messaggi o numeri di telefono per me, ma non ne aveva lasciati. Provavo anche a chiamare il suo appartamento a Parigi, ma non c'era nessuno, e anche se me l'aspettavo l'idea della suoneria che trillava nel vuoto mi riempiva di nuova angoscia.

Cercavo di lavorare: dipingevo appena c'era un ritaglio di tempo non occupato da voci e movimenti, con la vista confusa per il poco sonno, le ginocchia deboli. Marco si alzava nel pomeriggio tardo e veniva a piedi nudi nel soggiorno o nella stanza degli ospiti dove avevo messo il cavalletto a seconda della situazione, mi diceva «Che fantastica disciplina» nel suo tono sarcastico.

Gli dicevo «Forse anche tu dovresti pensare al tuo lavoro, ogni tanto».

«Quale lavoro?» diceva Marco, con la faccia improvvisamente dura.

Abbiamo finito completamente i soldi, tutti e due. Il flautista che aveva in affitto il mio appartamento-corridoio a Milano aveva smesso di pagare e se n'era andato senza dire niente, Marco aveva bruciato le ultime riserve che gli restavano dai videoclip. Erano settimane che mia nonna mi diceva al telefono «Come cavolo fai a vivere?». Ogni volta le rispondevo di non preoccuparsi, ma ogni volta ero più preoccupato. Ho fatto una telefonata a carico del destinatario al mio semigallerista a Milano; mi ha detto «Guarda che non sei mica così grande da poterti permettere di fare il fantasma, caro Livio». Gli ho risposto che ci avrei pensato, gli avrei fatto sapere.

Marco non sembrava minimamente toccato dalla situazione. La sua casella della posta era piena di bollette da pagare e ingiunzioni e solleciti, il frigorifero era vuoto, mangiavamo una volta al giorno se ci andava bene, e lui diceva «Cosa dovrei fare, secondo te? Andare a vendermi per un altro film? Raccontare in giro che ho una storia meravigliosa in testa? Come tutti i buffoni da circo che ci sono sui giornali e alla televisione?».

Vivere senza niente lo rendeva più lucido ed estremo, aumentava la velocità dei suoi pensieri, faceva brillare di un'aura più intensa le sue parole. Del resto era forse la persona al mondo che ricavava meno soddisfazione dal possesso di cose; non gli importava niente di una bella casa, aveva sempre gli stessi vestiti addosso, non si accorgeva quasi del sapore dei cibi. A sentire lui non si era mai sentito imprigionato come quando viveva a Parigi con i soldi e gli impegni e le gratificazioni che gli venivano dai suoi film, e gli credevo, faceva parte del suo modo provvisorio e incurante di essere. C'era sempre qualche ragazza che gli portava una torta di mele o una pizza vegetariana o un boccetto di vitamine, sapeva di non essere proprio il tipo che viene abbandonato da tutti nell'indigenza; ma se gli fosse capitato non credo che sarebbe andato ad affannarsi in giro per rimediare. La sua incuranza aveva sempre avuto una linea di fondo vicina all'autodistruzione, e gli si era accentuata di molto da quando era venuto a Parigi per Misia troppo tardi. Era un genere di autodistruzione diverso da quello di Misia, ma non ci voleva molto a capire che portava agli stessi risultati: lo stesso spreco di qualità, lo stesso modo ostinato di rifiutare i segnali del mondo, la stessa delusione di fondo dissimulata dietro un velo di ironia.

Passavo le notti e le giornate con lui, e pensavo quasi tutto il tempo che era una vita piena di sollecitazioni e di stimoli, ma c'erano momenti ricorrenti in cui avevo la sensazione precisa che non mi facesse molto bene.

Diciotto

Verso la metà di aprile sono tornato a Milano. Marco mi ha preso in giro quando gli ho spiegato che dovevo assolutamente risolvere la questione del mio appartamento-corridoio e vendere qualche quadro e vedere mia nonna e mia madre: ha detto «Che bravo ragazzo, che bravo ragazzo». Diventava cattivo, appena gli sembrava di vedere un vuoto di lealtà o di coraggio o di coerenza in qualcuno che gli era vicino; mi sono invischiato in balbettamenti di giustificazioni per rimediare, ho suscitato altre sue osservazioni sarcastiche. Ma quando sono stato pronto per partire mi ha aiutato a portare alla stazione le mie tele avvolte nella plastica, mi ha aiutato a caricarle sul treno. Poi ci siamo salutati in fretta, anche se mancava quasi mezz'ora alla partenza: gli ho detto «Torno subito, tra qualche settimana al massimo. Non sparire di nuovo, eh?». Marco ha detto solo «Ciao, Livio» con uno sguardo triste, mi ha dato una pacca su una spalla. Dal finestrino aperto l'ho guardato andare via senza girarsi: la sua figura compatta percorsa da una tensione irrequieta che la faceva quasi correre sotto le volte della vecchia stazione vittoriana.

Milano mi è sembrata incredibilmente piccola e stagnante, dopo mesi passati in vere città: incredibilmente compiaciuta del molto poco che aveva da offrire a se stessa. Anche mia nonna mi è sembrata un po' rimpicciolita rispetto a come me la ricordavo, ma per fortuna non aveva perso in energia né in follia. Mia madre si era tinta i capelli di un rosso acceso, mi ha detto che aveva conosciuto un farmacista molto più giovane di lei e che voleva presentarmelo perché si erano fidanzati. La stanza dove avevo dormito a casa sua era piena di stoffe e specchietti e piccoli pupazzi indiani come il resto della casa, mi dava l'idea di una regressione a una fase adolescenziale, mi toglieva il terreno sotto i piedi. Il mio appartamento-corridoio era in uno stato di squallore totale dopo anni di flautista, pieno di rumore intollerabile e più buio ancora del seminterrato di Marco a Londra; a vederlo così mi sembrava l'ultimo posto dove un pittore potesse lavorare, mi chiedevo come avevo fatto a non accorgermene prima.

Il mio semigallerista in compenso ha detto che i miei ultimi quadri avevano più forza e più movimento e un uso più interessante del colore; che evidentemente Parigi e Londra mi facevano molto meglio delle isole Baleari: che dovevamo organizzare subito una mostra. Guardavo le tele appoggiate al muro mentre lui faceva questi discorsi, e pensavo a quando erano piene di riflessi delle vite di Misia e Marco, quasi in ogni colpo di pennello e aggregazione di pigmenti. Pensavo ai sentimenti che loro mi avevano suscitato mentre dipingevo: alla partecipazione e alla frustrazione che avevo trasformato ed esorcizzato senza neanche rendermene conto. Mi colpiva l'idea che uno potesse vedere un mio quadro e apprezzarlo, eppure perdere tre quarti del suo vero significato se non aveva conosciuto Misia né Marco nella fase specifica in cui lo avevo dipinto.

Non mi sentivo a casa né ero contento, anche se avevo la mostra da allestire e mia madre continuava a prepararmi cibi altamente energetici per farmi riprendere dalla magrezza e dal pallore che secondo lei venivano da mesi di abbandono spaventoso. In realtà mi sentivo abbandonato in modo molto più acuto di come mi fosse mai capitato prima: mi sentivo senza interlocutori e senza ragioni, trascinato dalla deriva su una costa priva di qualunque possibilità di sostentamento. Mi aggiravo nel mio appartamento-corridoio per capire cosa avrei dovuto farne, e mi tornavano in mente tutte le volte che c'era venuto Marco per parlare di progetti non-realistici nel suo modo febbrile, e quando ci era salita Misia la prima volta, e anche se mi sentivo incredibilmente stupido mi si riempivano gli occhi di lacrime.

Per fortuna l'allestimento della mia mostra è diventato un impegno abbastanza pressante da lasciare sempre meno spazio agli altri pensieri. Andavo e venivo dal corniciaio alla galleria, controllavo la lista degli inviti, discutevo del rinfresco e degli altri dettagli con la precisione veloce che mi aveva insegnato Misia. Ma non ho resistito a chiamare ancora una volta la sua casa parigina vuota, una sera che lo sgomento mi aveva ripreso con forza; mi sono immaginato ancora una volta il trillare del telefono nelle stanze che insieme avevamo riempito di voci e gesti e problemi irrisolvibili. Ho telefonato a Marco subito dopo, e lui miracolosamente era in casa e ha risposto: mi ha detto «Allora?» nel suo tono arrochito dal fumo e dall'alcool e dalla mancanza di sonno regolare. Gli ho raccontato di Milano e della mia mostra, conciso quanto potevo per passare sotto la soglia bassa della sua attenzione. Lui ha detto «E ti sei già lasciato ricatturare dalla mamma e dalla nonna e da quella meraviglia allegra di città?». Gli ho detto «No, no, per niente. Torno a Londra subito dopo la mostra», in un tono affannato di autogiustificazione.

Poi sono uscito a camminare nel corso, e pensavo a come con Marco ero sempre teso fino allo spasimo per corrispondere alle sue aspettative, anche quando lui non andava in nessuna direzione distinguibile. Pensavo a quanto la sua influenza sembrava farmi meno bene di quella di Misia: a come ero venuto via da Parigi pieno di sentimenti danneggiati e via da Londra senza quasi sentimenti. Provavo un sollievo inconfessabile all'idea di essere per il momento fuori dalla sua vita; e allo stesso tempo mi sentivo in colpa per esserlo, mi chiedevo se era una forma di meschinità esistenziale, come avrebbe detto lui.

La mostra è andata ancora meglio di come io o il mio semigallerista avessimo sperato. Eravamo nel cuore degli anni Ottanta pieni di gente che faceva soldi e li spendeva, e i miei quadri costavano meno di una giacca firmata e non erano brutti: la sera dell'inaugurazione per metà erano già venduti. Ho provato una strana tristezza all'idea che le tensioni di Misia e Marco attraverso i miei quadri si fossero convertite in motivi di attrazione per compratori non attraversati da nessuna tensione. Ho pensato che avrei dovuto stare attento, se non volevo finire per vendermi insieme ai miei quadri; ma avevo i discorsi di Misia e Marco sull'arte e sul mercato abbastanza chiari nelle orecchie, per contrastare possibili tentazioni.

La sera dell'inaugurazione ho anche conosciuto mia moglie Paola. Era venuta insieme a una sua amica: le avevo notate vicino al tavolo del rinfresco, una alta e una bassina, leggermente intimidite dall'avidità con cui gli altri invitati si buttavano su bevande e sfogliette salate e formaggio in tocchi. Ma ero bloccato in un piccolo gruppo di amiche di mia nonna, e subito dopo avevo dovuto rispondere alle domande imprecise della giornalista di una televisione privata che non smetteva per un attimo di aggiustarsi i capelli; quando finalmente ero riuscito a liberarmi avevo guardato intorno senza il minimo dubbio che le due ragazze timide se ne fossero andate. Invece erano ancora lì, le uniche due persone senza niente da mangiare o da bere in mano, la bassina con una giacchetta color carta da zucchero e una faccia infantile e anche adulta dai lineamenti brevi. Ero andato a farmi dare due bicchieri di vino bianco frizzantino e glieli avevo portati, la prima volta in vita mia che facevo un gesto del genere e non mi era venuto neanche male; la mia futura moglie Paola aveva sorriso così limpida e rasserenante da farmi capire subito che il mio era stato un gesto irreparabile.

Ci eravamo rivisti qualche sera dopo, nel caldo innaturale della primavera avanzata milanese, e dopo un'ora che camminavamo e parlavamo sotto i portici del centro mi ero reso conto di vederla come la mia unica possibile via di salvezza. In una gelateria che offriva decine di gusti e di colori perfettamente artificiali le avevo preso una mano dalle dita piccole e corte e gliel'avevo baciata senza pensarci, le avevo detto «Lo sai che sto molto bene con te?». Lei aveva sorriso nel modo che mi aveva colpito alla mia mostra, aveva detto «Anch'io».

Il giorno che ho chiuso la mostra, Paola mi ha invitato in Val d'Aosta nella casa di vacanza dei suoi genitori, e ci siamo rimasti dieci giorni. Quando siamo tornati a Milano eravamo quasi una coppia sposata: attaccati uno all'altra da una colla di gesti e parole e temperature e consistenze, offerte e richieste e richieste. C'era solo una linea sottile che correva lungo questa incollatura, e sapevamo tutti e due che avrebbe potuto allargarsi da un momento all'altro fino a staccarci del tutto, ed era la mia promessa di tornare a Londra da Marco. Paola aveva accettato l'idea e il rischio collegato, era abbastanza intelligente ed equilibrata da capire la veemenza con cui gliene parlavo. Le dicevo «Non posso adagiarmi qui solo perché sto più comodo e sereno»; dicevo «Non posso perdere tutte le mie fonti di ispirazione»; dicevo «Non posso lasciare Marco solo ad autodistruggersi». Paola diceva «Ma certo»; diceva «Fai quello che senti»; sorrideva nel suo modo rasserenante. Ero lì nella tranquillità tiepida del nostro stare vicini a mettere in ordine il mio appartamento-corridoio, e quando meno me l'aspettavo mi arrivavano queste immagini totalmente sregolate, mi facevano muovere a scatti. Mi sembrava di avere un impegno morale in sospeso, di non poterci rinunciare senza perdere la faccia e la dignità e forse la tensione interiore.

Telefonavo a Londra a ore diverse, ma Marco non c'era mai. Ogni volta rimettevo giù la cornetta con un misto di sollievo e delusione, dubbi rinnovati su me stesso, slanci mentali azzerati in pochi secondi. Intanto continuavo a ridipingere le pareti insieme a Paola, cambiare il materasso e i rubinetti del bagno, mettere cibo vero nel frigorifero invece di tavolette di cioccolata per la prima volta in vita mia. Paola restava da me a dormire una notte su due, di mattina andava a lavorare nel suo studio pubblicitario e appena aveva finito mi raggiungeva, scrivevamo insieme piccole liste di cose da fare per rendere più abitabile lo spazio in cui avevo vissuto in modo così scomodo e disordinato per anni.

Il venticinque maggio mia madre mi ha telefonato per dirmi che era arrivata una lettera per me al suo indirizzo.

Londra, 14 maggio
Caro Livio,

quando leggerai questa sarò partito da qualche giorno, così è inutile che tu mi telefoni o mi scriva perché vado dall'altra parte del mondo e non credo che avrò un vero recapito per un pezzo.

Qui è finito tutto*, non per esaurimento o esasperazione o disincanto o delusione o pura noia della ripetizione, né perché il*

316

mucchio delle bollette e dei solleciti è diventato così alto da in-
gombrare tutto il ripiano del vecchio mobile di cucina. È finito
perché la settimana scorsa mi sono svegliato alle tre di pome-
riggio e non avevo la minima idea di chi fosse la tipa che era lì
addormentata nel mio letto, e quando sono andato in bagno e
mi sono guardato allo specchio ho scoperto che non avevo
nemmeno più la minima idea di chi fossi io, e mi è venuta una
paranoia così forte che ho cominciato a sbattere contro i muri
come una specie di farfalla notturna impazzita, avresti dovuto
vedere la faccia della poverina quando è venuta a vedere cosa
succedeva ma ti assicuro che in vita mia non avevo mai pro-
vato una paura così concentrata ed estesa, senza traccia di
confini interiori o esteriori. Sai come quando mi raccontavi
che da ragazzino ti fissavi a guardare un oggetto e a pensare al
suo nome e di colpo cominciava a sembrarti del tutto incom-
prensibile e contagiava in un attimo tutto quello che avevi in-
torno di non-senso? È stata la stessa cosa, di colpo è saltato
completamente il mio sistema di nomi e significati e da un
momento all'altro non c'era niente che avesse anche la più va-
ga familiarità, sai come potrebbe succedere a un alieno da un
altro pianeta che con infinita pazienza è riuscito a mettere in-
sieme pezzo a pezzo un codice per decifrare il mondo e ci si è
applicato tanto da finire per crederci, e da un momento all'al-
tro il codice smette di funzionargli e il suo paesaggio mentale
gli si scompone davanti come una scena teatrale che viene
smantellata nel giro di pochi secondi? Andavo da una parete
all'altra con la testa piena di immagini indecifrabili di me e di
gente che conoscevo e di gente che non conoscevo e di te e di
Misia e di mio figlio e di scene dei miei film e di luoghi e di og-
getti, nomi e facce e gesti e parole che mi arrivavano incontro
come cartelli stradali visti da un treno ad alta velocità total-
mente fuori controllo, e più me ne rendevo conto, più la velo-
cità e la mancanza di controllo aumentavano. Fa paura, Livio,
e tu sei una delle poche persone che possono capire cosa voglio
dire, l'unico modo di venirne fuori è strisciare raso terra come
chiunque venga fuori da un terremoto credo, tenersi bassi più
che si può e stare più attenti che si può ai segnali elementari
che ancora si riesce a percepire, senza neanche sognarsi di ri-
costruire sistemi di convenzioni ancora più complessi e anco-
ra più fragili di fronte alla prossima onda di terremoto.

Così adesso mi muovo raso terra, così basso che non ho nessun posto dove cadere, come diceva Dylan. Abbiamo continuato a macinare questo cavolo di cultura del niente fritto così a lungo, questa specie di ideologia del movimento continuo verso il nulla che ti sfinisce abbastanza da darti l'idea di essere davvero impegnato in qualcosa, e nel frattempo il mondo diventa sempre più irrimediabilmente brutto e tu sei solo una specie di schiavo di te stesso specializzato nella doratura dello stagno per nascondere il fatto che non sei capace di fare niente di più semplice e costruttivo.

E come vedi queste sono altre parole a vuoto, l'unica cosa reale è la mia borsa da viaggio lì pronta sul pavimento davanti alla porta, e il fatto che tra dieci minuti sarò sulla metropolitana per Heathrow dove prenderò un aereo per Lima dove domani mi verranno a prendere i tipi del Jautàm che è un piccolo gruppo di disperati che stanno cercando di fare qualcosa contro la politica di un governo di bastardi sostenuti dalla Cia e contro i maoisti e contro i narcotrafficanti e contro le multinazionali e contro i missionari cattolici e contro tutti. Così almeno forse questo è un modo per fare l'unico lavoro che so fare senza che diventi un altro esercizio di autocompiacimento o un altro modo per incoraggiare la gente a comprare qualcosa, voglio girare un film senza la minima traccia di ambizioni collaterali, solo per far vedere le cose da un punto di vista che di solito non riesce ad arrivare a nessuno dei canali di informazione, mi interessa solo se riesce ad avere qualche genere di utilità pratica.

Mi dispiace di non averti telefonato, o se tu mi hai cercato e non mi hai trovato, ma non avevo voglia di farti sentire in colpa o di farti sentire in dovere o qualcosa del genere, e mi sembrava di averti fatto assistere troppo a lungo a un lato troppo stupido del mio modo di essere. Se ci penso non c'è una sola cosa che io abbia fatto fino a questo momento che mi sembri avere un senso o una ragione vera, parlo delle cose che ho deciso di fare e di quelle che mi sono successe comunque e mi sembrano vuote e irrilevanti allo stesso modo, mi sembrano solo dei piccoli imbrogli come tutto il resto che viene fabbricato e venduto e pubblicizzato in giro.

Adesso ti saluto se no perdo l'aereo, spero che tu faccia una vita interessante e che non ti preoccupi troppo delle mostre che riesci o non riesci a fare ma ti preoccupi di quello che senti davvero e delle persone che ti sono vicine e di tutto il resto, se per caso vedi Misia e il bambino o anche solo li senti dai un bacio a tutti e due anche da parte mia ma per piacere non dirgli che te l'ho chiesto, non stare neanche a dirgli di questa lettera. Ciao.

M.

Diciannove

Meno di due mesi dopo che ci eravamo messi insieme, Paola è rimasta incinta. Mi sono chiesto molte volte cosa sarebbe successo se Marco non avesse avuto la sua crisi totale e io fossi tornato a Londra a rituffarmi nella vita dissestata che avevo fatto con lui, ma questo non è mai stato un genere molto utile di considerazioni. Quando Paola mi ha dato la notizia non sono stato felice né dispiaciuto: l'ho vista come un'estensione naturale del tessuto di sensazioni e pensieri quietati in cui ci eravamo avvolti. Mi sembrava che la lettera di Marco avesse chiuso una paratia stagna tra me e i fermenti del mondo; mi è venuta voglia di allentare i muscoli e socchiudere gli occhi, lasciarmi portare dalla corrente nello scafo rinforzato della mia nuova vita.

Io e Paola ci siamo sposati, anche se da quando avevo tredici anni avevo continuato a giurare che non l'avrei mai fatto; ma i suoi genitori ci tenevano molto, e lei è riuscita a convincermi nel suo modo equilibrato che non era poi un grave tradimento di principi o un'autodenuncia al tribunale dei sentimenti come credevo io. Mia madre, che si era risposata con il suo farmacista poche settimane prima, ha detto che le sembrava un'idea meravigliosa. Mia nonna ha detto «Sei sicuro di averne proprio bisogno?». Siamo andati alla villa comunale dove anni prima avevo fatto da testimone a Misia, e certo mi faceva impressione e mi imbarazzava, ma le mie sensazioni erano in una fase molto poco acuta. Non mi dispiaceva nemmeno che i testimoni fossero due amici di Paola che non conoscevo quasi: era un particolare che accentuava la mia distanza dagli eventi, riduceva le mie responsabilità dirette.

Paola ha lasciato il suo lavoro nello studio pubblicitario e si è dedicata a tempo pieno all'organizzazione della nostra vita: ha trovato un inquilino per l'appartamento-corridoio dove ormai ci pestavamo i piedi tutto il tempo e ha trovato una nuova casa in affitto, l'ha sistemata in modo che io avessi una vera stanza-studio dove dipingere, con abbastanza luce e spazio a disposizione. Ogni tanto mi guardavo intorno nell'ordine diligente e funzionale, e mi faceva quasi ridere il contrasto con la vecchia casetta di campo a Minorca e con gli appartamenti di Misia e di Marco, con la vita assorta e sofferente e sbandata che ci avevo fatto. Ma questa era una vita più comoda e produttiva: dormivo bene, mangiavo in modo regolare, dipingevo molto, e se avevo meno sollecitazioni in compenso usavo meglio le mie risorse; non mi capitavano quasi più momenti di panico né perdite improvvise di senso. Io e Paola stavamo molto tra noi, ogni tanto vedevamo qualche sua amica o amico, o suo fratello che faceva l'avvocato o anche i suoi genitori, ed erano tutte persone equilibrate e rassicuranti come lei, che mi trovavano simpatico e apprezzavano il mio lato pittoresco senza mai arrivare al punto di essere proprio dei guardoni paganti. Mi sembrava di avere recuperato la mia vecchia capacità di sentirmi a mio agio in quasi ogni genere di ambiente, adesso che ero fuori dall'influenza di Misia e Marco e dei loro modi altamente critici di vedere tutto. Guardavo la televisione e leggevo i giornali, ed erano cose che con Misia o Marco non si potevano fare a meno di non volersi addentrare in nuovi discorsi snervati e scorticati sullo schifo del nostro paese e sulla sua irrimediabilità, e non mi sembrava che mi provocassero niente più di un'irritazione mescolata a stupore, ogni tanto a divertimento.

Una volta per esempio ho visto una fotografia di Settimio Archi nella pagina degli spettacoli del "Corriere della sera", in un articolo dove si parlava del suo ingresso nel consiglio di amministrazione della Rai come rappresentante del partito socialista, e mi ha fatto ridere invece di riempirmi di amarezza e di desolazione come sarebbe successo solo qualche mese prima. Le opinioni politiche di Paola erano moderate quanto tutti i suoi sentimenti; non c'era una volta che mi sollecitasse nelle mie corde intolleranti. Ho cominciato a pensare che forse non era un tratto inevitabile della mia natura essere radicale e categorico e selettivo a un grado estremo; che in fondo non c'era niente di orribile nel fatto di provare a vivere sereno, né in quello di trovarmi bene anche con gente non proprio identica a me, in situazioni non proprio modellate sui miei ideali più assoluti. Non mi sentivo imborghesito, o passato a far parte di un'altra categoria di persone; mi sembrava di essere più o meno lo stesso Livio di prima, solo un po' meno esposto alle intemperie.

Misia non si è fatta viva in nessun modo; al suo vecchio numero di telefono ha cominciato a rispondere un nuovo inquilino che non sapeva niente di lei. Marco mi ha mandato una cartolina ad agosto, ed è arrivata solo a ottobre, tutta graffiata e spiegazzata dopo chissà quale viaggio attraverso il Perù: la foto a colori falsati di una signora dalla faccia india che guardava da sotto la falda di un grande cappello. Dietro c'era scritto solo *Ciao, M.*

Poi non ho più avuto nessuna notizia da nessuno dei due, e non mi è sembrato neanche così strano. Ogni tanto mi veniva una preoccupazione improvvisa per uno di loro, magari mentre dipingevo apparentemente sereno e assorto nel mio lavoro, o la notte mentre dormivo: il cuore prendeva a battermi veloce e la testa mi si riempiva di immagini di Misia o del giovane Livio o di Marco in pericolo o in difficoltà o anche solo infelici. Mi capitava di rado; per il resto mi chiedevo solo cosa stessero facendo e dove, ma in una forma allontanata e sfuocata, quasi inavvertibile la maggior parte del tempo.

Venti

A dicembre il mio semigallerista mi ha organizzato una mostra, in un piccolo comune nella fascia industriale a nord di Milano dove aveva aperto una nuova galleria: ha detto che la vera ricchezza dell'Italia era nei centri minori, e che bisognava andare a cercare i compratori a domicilio. Era ora, perché avevo la casa piena di quadri nuovi, e la vita serena e attenuata che facevo con Paola costava molto più di quella nonserena e non-attenuata che facevo prima.

La sera dell'inaugurazione il pubblico era ben pasciuto e chiacchierone e avido di rinfreschi, ma molto più cauto negli investimenti in arte di come aveva sostenuto il mio semigallerista. C'erano questi commercianti o piccoli industriali in cappotti di montone rovesciato, queste proprietarie di negozi e frequentatrici di palestre tinte e bistrate nelle loro pellicce; si aggiravano tra le mie tele come se non riuscissero a decifrarne molto. Chiedevano informazioni sui costi e sui titoli e sulle tecniche di pittura senza mostrarsi per niente coinvolti, malgrado gli sforzi del mio semigallerista e di Paola che andava avanti e indietro con il suo pancione a sorridere e spiegare e versare calici di spumante secco e offrire salatini. Mia nonna si aggirava con una sua amica, tutta nervosa perché aveva rinunciato a un convegno a Firenze per venire; mia mamma cercava più che altro di tenersi lontana da lei e di controllare quanto beveva il suo nuovo marito farmacista. Io mi sforzavo di rispondere alle domande senza direzione e ai luoghi comuni da storia dell'arte a dispense, ma mi costava fatica, sudavo dal lato sinistro del corpo come una fontana. Mia nonna ogni tanto mi si avvicinava, piccola e cattiva com'era, diceva «La prossima volta i quadri li puoi vender dentro una macelleria, direttamente». Le dicevo «Non peggiorare le cose, per piacere»; ma era l'aspetto brutto del mio lavoro, fare il piazzista di me stesso come avrebbe detto Marco, mettere fuori i prodotti della mia immaginazione e del mio modo di essere per farli giudicare e misurare da occhi non-amici e non-vicini. Per quanto mi sforzassi di vederla come una cosa normale, mi faceva lo stesso effetto di un gruppo di perfetti sconosciuti che ti entrino in casa a rivoltarti i mobili e frugarti negli armadi e guardare sotto i tappeti come se tu li avessi pregati di farlo: avevo lo stesso senso di oltraggio difficile da controllare.

Poi ero in questo stato di vera sofferenza, con un occhio all'orologio per vedere quando sarebbe finita e un occhio alla porta d'ingresso nella speranza che arrivasse qualcuno di un po' meno stolido, e ho visto entrare Misia con suo marito Tomás.

Ci ho messo forse due secondi interi a riconoscerla, perché i suoi colori e i suoi vestiti e il suo aspetto d'insieme erano incredibilmente diversi da quando l'avevo salutata a Parigi tra le valigie e le scatole di cartone pronte per il trasloco a casa Engelhardt: era luminosa come la prima volta che l'avevo vista, e ancora più bella ed elegante, ancora più un'apparizione nell'assembramento sordo dei frequentatori della galleria.

Mi ha abbracciato e baciato sulle guance con il suo slancio fantastico, ha detto «Livio, che bello! È una specie di miracolo! Ho guardato il giornale in albergo per puro caso, ho visto il tuo nome in un trafiletto grande così nella pagina della provincia!».

Ho detto anch'io «Che bello!». Ma ero totalmente sopraffatto dalla sorpresa, e dalla sua trasformazione che la faceva risaltare sullo sfondo come in un musical americano degli anni Quaranta. Era una donna smagliante, adesso, fuori dall'ombra di tristezza e sofferenza costante che mi avevano fatto stare tanto male nei mesi di Parigi; il suo sguardo e i suoi lineamenti e il suo corpo intero erano attraversati da una forza positiva che dava una qualità magica a ogni suo gesto. Le ho detto «E il giovane Livio?».

«Sta benissimo» ha detto Misia, con un sorriso che mi faceva socchiudere gli occhi. «L'abbiamo lasciato a Parigi, da un suo compagno di scuola. Era così eccitato e divertito che non ci ha quasi salutati.»

«Quale scuola?» le ho chiesto; provavo una forma di vertigine da incredulità e da tempo passato, nuove distanze irrecuperabili.

«La scuola» ha detto Misia. «Va in prima.»

Non riuscivo a registrare abbastanza rapido i dati che mi arrivavano, non riuscivo a smettere di guardarla: la sua faccia aveva ripreso colore, gli occhi le brillavano, i suoi lineamenti erano tesi e pieni e meravigliosamente definiti.

Si è girata verso suo marito che si teneva un paio di passi dietro di lei in attesa che i nostri saluti finissero, mi ha detto «Livio, Tom». Ha fatto un cenno spiritoso con la mano da me a lui, ha detto «Vi siete già visti una volta, no?». Sorrideva con lo sguardo e con le labbra, si muoveva tra noi come una farfalla rara venuta fuori dalla crisalide scontenta e infelice della sua vita di prima.

Tomás Engelhardt mi ha stretto la mano con energia, ha detto «Certo che ci siamo visti. Come va, come va?».

«Bene, e tu?» ho detto io, con una traccia dell'ostilità di allora che mi si indeboliva a vista d'occhio. Il fatto era che anche lui sembrava trasfigurato da un'onda inarrestabile di energia positiva: gli si infondeva nei lineamenti e nei gesti e perfino nello sguardo che mi ricordavo così arrogante e privo di curiosità.

Lui ha fatto un gesto verso i miei quadri con la mano forte, ha detto «Mi sembrano molto belli. Voglio vederli bene uno per uno».

«Anch'io» ha detto Misia. «Dovrei conoscerli già abbastanza, ma ho paura di non essere stata molto lucida quando li dipingevi.»

E non erano proprio gli stessi quadri che avevo dipinto a casa sua, ma li avevo fatti sulla scorta delle idee e delle sensazioni che mi erano venute allora; ed era vero che lei non era molto lucida in quel periodo, ma senza i suoi consigli e le sue provocazioni e i suoi giudizi tagliati non mi sarebbero certo venuti così. Continuavo a osservarla mentre li guardava, incantato da quello che riconoscevo e da quello che non riconoscevo in lei: da come l'intermittenza e lo squilibrio ricorrente dei nostri giorni parigini avevano lasciato spazio alla sua fluidità naturale, ma con una luce ancora più calda e felice di prima. Era guarita, e l'unica traccia della sua malattia era nell'intensità estrema del suo essere sana, nell'accelerazione delle sue manifestazioni di allegria e comunicatività.

Ho fatto con lei e Tomás il giro della mostra, li ho presentati a Paola e a mia nonna e al mio semigallerista e a mia madre. Era divertente l'impatto che avevano sulle persone: i loro sorrisi erano contagiosi quanto l'onda da musical su cui si muovevano, gli altri si facevano prendere fuori guardia, finivano per allentare i lineamenti in espressioni non-controllate. Misia ha abbracciato Paola e l'ha baciata quasi con lo stesso slancio che aveva avuto per me; le ha sfiorato la pancia di sette mesi, ha detto «Che bello, che bello, come sono contenta!». Paola non riusciva mai a essere molto cordiale con le persone che non conosceva, ma l'ho vista smarrire di colpo i suoi modi un po' rigidi, sciogliersi in sguardi e toni di voce stranamente emotivi.

Misia era entusiasta di lei; mi ha preso sottobraccio e mi ha portato a qualche passo di distanza senza smettere di guardarla, ha detto «Mi sembra una persona stupenda. Sono così felice per te. Lo speravo così tanto, che trovassi una ragazza carina ed equilibrata e serena, prima o poi».

È stata felice anche di rivedere mia nonna: le ha detto «Lei è il personaggio più leggendario della famiglia di Livio! È l'origine della sua follia creativa!».

Mia nonna non ha reagito male, come avrebbe fatto con quasi chiunque altro; le ha detto «Anch'io avevo un ricordo abbastanza interessante di lei».

Misia ha abbracciato mia madre, ha abbracciato il suo nuovo marito farmacista che sembrava molto colpito; ha stretto la mano con la più grande energia al mio semigallerista, gli ha detto «È stato grande a credere in Livio quando non ci credeva nessuno. Grande».

Ed era entusiasta dei miei quadri, nel modo senza condizioni o clausole che aveva quando qualcosa le piaceva davvero. Li guardava da vicino e da qualche passo di distanza, diceva «Sei andato *avanti*, Livio. Sei diventato un vero pittore, accidenti».

Tomás non cercava di intromettersi, era intento a studiare i miei quadri come se fossero appesi alle pareti di uno dei principali musei europei. Ogni tanto si girava verso Misia, ma lei non lo lasciava solo per più di qualche minuto di seguito: tornava di continuo da lui e lo stringeva per un braccio o gli prendeva la mano o gli si appoggiava contro, gli diceva qualcosa all'orecchio con trasporto allegro, bisogno di contatto e di rassicurazione rinnovata. Lui le dava un bacio sui capelli, le appoggiava una mano alla vita, le parlava a pochi millimetri di distanza, metteva a disposizione la sua figura solida. Era così riverberato di Misia e delle sue qualità straordinarie da sembrare altrettanto mobile e intelligente, perfino attraente come non mi era affatto sembrato a Parigi; mi suscitava uno strano misto di stupore e invidia e ammirazione, mi faceva pensare che non era vero che le persone non cambiano o cambiano solo in peggio come aveva detto Misia una volta.

Quando lui e Misia hanno finito di guardare e riguardare tutti i miei quadri si sono parlati ancora a brevissima distanza, poi lei è andata dritta dal mio semigallerista, gli ha detto «Vorremmo comprare quello là, e quello là, e quello, e quello». Indicava da un punto all'altro della galleria; andava con il suo passo fantasticamente elastico ed equilibrato a rivedere da vicino un quadro e tornava indietro, diceva «E quello».

Il mio semigallerista aveva un sorriso come non glielo avevo mai visto: continuava a fare di sì con la testa, pizzicarsi la barbetta rossa, dire «Certo», dire «Okay», segnare su un blocchetto i numeri dei quadri.

E tra gli altri visitatori della galleria che fino a quel momento si erano tenuti così cauti e generici e renitenti si è diffuso una specie di contagio: una signora dalle grosse caviglie si è decisa di colpo per un quadro, e subito dopo si è fatto sotto un tipo senza collo con la moglie che lo incalzava, subito dopo c'erano due coppie che quasi si contendevano una tela grande. Era come se fossero trascinati loro malgrado a fare come Misia e suo marito; c'era questa leggerezza improvvisa che scioglieva le resistenze, questo movimento di gesti e sguardi travolti da un vento impulsivo. Paola e il mio semigallerista non riuscivano a crederci: continuavano a farmi cenni, indicarmi i bollini rossi sotto i nuovi quadri venduti, sorridere a labbra tese.

Io ero sorpassato dalla sorpresa, non sicuro di cosa stesse succedendo.

Più tardi siamo andati tutti insieme a mangiare qualcosa in una finta vecchia trattoria dove il mio semigallerista aveva prenotato. Misia ha cercato di parlare ancora dei miei quadri, ma non c'è riuscita a lungo: lei e suo marito suscitavano una curiosità così intensa che perfino mia nonna ha accettato di passare in secondo piano e si è messa a fare domande sul cinema e Parigi e l'Argentina e i loro viaggi, le cose che avevano fatto e visto e sentito di recente. Era Misia che raccontava, soprattutto; ma suo marito Tomás era lì appena lei lo cercava con lo sguardo o con una mano, pronto a tracciare una rapida linea di informazioni precise e riferimenti oggettivi su cui lei poteva continuare a intrecciare le sue impressioni più libere e multicolori. Ha raccontato di come aveva deciso di chiudere definitivamente con il cinema, e di come nessuno dell'ambiente era riuscito a capire perché non volesse cavalcare l'onda di successo del suo ultimo film. L'unica ragione che produttori e registi potevano immaginarsi era che lei volesse alzare la posta, o che un altro produttore o regista le avesse fatto un'offerta migliore; quando lei spiegava che semplicemente non le interessava più un mondo così finto e narcisista e nevrotico, reagivano ogni volta costernati e offesi, invasi da sospetti rinnovati.

Mia nonna le ha detto «Ha fatto bene, tanto il cinema ha sempre usato le donne in un modo schifoso. Il peggio del peggio degli stereotipi sessisti, da quando esiste».

Mia madre ha detto «Non è vero. Il cinema fa diventare le donne bellissime. Anche lei era venuta fantastica, nel film del Marco Traversi».

«Io comunque ero stufa» ha detto Misia, senza reazioni avvertibili al nome di Marco. «E non c'entravo niente. Non avevo mai avuto voglia di fare l'attrice, e ancora meno la diva. Ma non ci riescono a credere, che una non abbia per aspirazione ultima il massimo del successo possibile. Che una preferisca occuparsi di suo figlio, o di se stessa, di quello che le interessa davvero. Non riescono a vedere fuori dal loro pollaio, e credono che sia il *mondo*.»

Parlava di sé in questo modo senza essere minimamente egocentrica o compiaciuta, e lo stesso c'erano dubbi sottili che mi passavano tra i pensieri: mi chiedevo se la sua era comunque una rinuncia all'indipendenza; se la libertà di adesso dipendeva solo da lei o in buona parte da suo marito Tomás che le stava seduto così devoto e rassicurante alla destra. Ma mi ricordavo bene di come era stata libera anche quando non c'era lui; di come aveva già lasciato il successo una volta per andarsene a vivere tra le capre senza la minima sicurezza di niente.

Lei ha raccontato del giovane Livio, di mostre di pittura ad Amsterdam e a Londra, concerti a Berlino e a New York, viaggi a Capo Nord e in Marocco. Parlava piena di slancio e di colore, e le sue enfasi e i suoi accenti non si fermavano più sulle ragioni di rabbia o tristezza o frustrazione che avevamo localizzato insieme così tante volte: andava oltre, portata dal suo vento ottimista, a grandi slanci e grandi curve, con una luce allegra e fiduciosa negli occhi. Mi chiedevo se anche questa era una conquista o una perdita; se c'era una parte di perdita in ogni conquista; se ero solo geloso del fatto di vederla così contenta, così in possesso della sua nuova vita di cui non sapevo quasi niente.

Tomás Engelhardt da parte sua era estremamente gentile e attento con tutti, come se il suo grande amore per Misia gli avesse tolto almeno in buona parte la cartonatura insensibile che mi aveva così irritato la prima volta che ci eravamo visti. Parlava con me e con Paola e con mia nonna e con il mio semigallerista come se davvero gli interessassimo: chiedeva informazioni, faceva osservazioni, ascoltava, sorrideva, versava vino con grande garbo. A un certo punto si è anche tolto la giacca, e non eravamo proprio in un ristorante formale ma non mi sarei mai immaginato che potesse farlo, si è rimboccato le maniche sugli avambracci forti. Ha fatto una serie di domande non-generiche al mio semigallerista sulla sua strategia commerciale rispetto a me, gli ha dato in modo molto chiaro e senza presunzione una serie di consigli su come raggiungere e allargare il mio mercato potenziale, ha esposto con efficacia le ragioni per cui pensava che valesse la pena di farlo.

Lo osservavo mentre il mio semigallerista assumeva sempre più un atteggiamento da mio gallerista vero, e mi faceva impressione vedere quanto era diverso da me e da Marco, e quanto malgrado questo o proprio per questo la sua combinazione con Misia sembrava dare risultati di gran lunga più positivi. Mi chiedevo come mai persone molto simili possano farsi danni gravi, e persone apparentemente lontanissime migliorarsi in modo così spettacolare; mi chiedevo se c'era una regola dietro tutto questo o solo il caso, se era un effetto permanente o temporaneo. Mi chiedevo se anche la mia combinazione con Paola dipendeva da un principio di assortimento di nature; che tipo di conseguenze aveva davvero su di me e su di lei.

Lei e Misia continuavano a guardarsi; ogni tanto si parlavano all'orecchio, ridevano, si facevano domande e complimenti reciproci. Mi faceva piacere, e mi comunicava un senso impalpabile di esclusione, come può succedere a un festeggiato che resta sempre un po' fuori dagli scambi dei suoi festeggiatori.

A un certo punto parlavano a bassa voce e Paola ha avuto una specie di guizzo, ha detto «Ma dai!».

Misia aveva un'aria strana, ha guardato suo marito con un genere intimo di complicità.

«Cosa, topino?» ha detto Tomás, nel suo timbro cosmopolita convogliato in un registro vezzeggiativo.

E non mi sarei mai immaginato di sentire nessuno chiamare Misia "topino", ma lei nella sua nuova versione sembrava felice anche di questo, sembrava che non avesse aspettato altro che poter essere leggera e infantile come la vita non le aveva mai permesso di essere.

Ha detto «Niente, che anch'io aspetto un bambino». Si è sfiorata la pancia con una mano, e non si vedeva ancora niente ma di colpo mi è sembrato che il suo aspetto e il suo spirito fossero totalmente influenzati da questa condizione.

C'è stata una serie di esclamazioni e commenti lungo la tavola; il mio ormai vero gallerista ha fatto portare del vino speciale per festeggiare doppiamente o triplamente la circostanza. Ho alzato la voce e gesticolato anch'io, un po' ubriaco e scosso da molte ragioni; eppure non riuscivo a cancellare la sensazione di essere più lento di come avrei voluto, troppo ingranato dentro i miei limiti naturali. Ma con Misia era sempre stato così, non mi sembrava che ci fosse niente da fare.

Ho parlato un po' con lei, in un registro che mi veniva fin troppo scherzoso e superficiale, forse per esorcizzare il mio senso di ritardo sugli eventi e le immagini ancora vivide del nostro periodo insieme a Parigi. Lei ne parlava quasi con incredulità: diceva «Ero così un *relitto*, madonna. Chissà che incubo devo essere stata, povero Livio».

«Smettila» dicevo io; pensavo a quanto ero arrivato vicino a diventare un relitto anch'io, in quei giorni.

«E sei stato così fantastico con Livio junior» diceva Misia. «Non so come avrei potuto fare, senza di te.»

«Piantala» dicevo io, pieno di nostalgia per il giovane Livio e per quella parte perduta delle nostre vite. Facevo anche una fatica incredibile a ricacciare indietro le immagini di Marco che mi venivano in testa: Marco che guardava il giovane Livio addormentato nella sua stanza, Marco molto pallido che ascoltava Misia in cucina, Marco sulla porta con la sacca da viaggio in spalla, paralizzato dal dispiacere. Cercavo di pensare ad altro, creare uno sbarramento mentale di immagini diverse; ma quelle di Marco tornavano fuori così prepotenti da farmi pensare che Misia se ne rendesse conto.

«Pensavo che non ne sarei uscita mai» ha detto Misia, come se parlasse di un tempo infinitamente lontano. «Pensavo di essere in un fondo di bottiglia chiusa. Sai come quei topi ballerini bianchi e neri che corrono avanti e indietro in una scatola di vetro e si mettono a girare su se stessi sempre più veloci e non possono andare da nessuna parte?»

«E come ne sei uscita?» le ho chiesto, in un tentativo di tono equilibrato.

«Con Tom» ha detto Misia. «Da sola non ce l'avrei mai fatta. Sarei ancora lì a girare come una trottola, o forse sarei morta.»

Guardavo mia nonna e la sua amica e mia madre e suo marito e il mio gallerista e la coppia di suoi clienti-amici che era venuta con noi, mi chiedevo se si sarebbero mai immaginati che la donna straordinaria alla mia sinistra era stata legata a una dipendenza chimica e assediata dall'instabilità e dalla desolazione totale fino ai limiti dell'autodistruzione. Mi chiedevo come avrebbero reagito a saperlo: che effetto avrebbe avuto sui loro paesaggi mentali.

Misia ha detto «Non è stato facile neanche per Tom, e non

è certo uno che si spaventa di fronte alla difficoltà. Ma ha trovato l'unica clinica in Francia con un programma di disintossicazione che funziona davvero, e ha trovato una ragazza canadese bravissima per tenere Livio. Ha dovuto sospendere il suo lavoro per due settimane, in pratica, per starmi vicino nella fase più difficile».

Ho guardato Tomás mentre lei diceva queste cose: non sembrava che ascoltasse, parlava con il mio gallerista in un tono di attenzione pienamente indirizzata. Gli ho guardato il collo, la sfumatura a rasoio dei capelli alla nuca e intorno alle orecchie, e anche questi particolari rivelavano una solidità di rapporti con il mondo che non era mia e non era di Marco.

Misia ha detto «Sono state due settimane terribili. Terribili. Stavo così male che mi chiedevo tutto il tempo se non era meglio rinunciare e riprendere a farmi come prima. Ma ero arrivata al fondo, ormai. Tom l'ha capito subito, e ha capito che doveva forzarmi la mano se voleva aiutarmi davvero. È stato lì per tutto il periodo critico. Non mi ha lasciata sola un'ora. Doveva fare le sue telefonate di lavoro dal bar della clinica, poverino».

Lui si è girato verso di me, preso come sembrava dalla conversazione con il mio gallerista; ha detto «L'unico problema erano le monete. C'erano due telefoni a monete, soltanto. Non ne avevo mai abbastanza, dovevo farmene portare scatole intere dall'ufficio».

Sorrideva, come uno scavalcatore di montagne e un risolutore di problemi, mi guardava con i suoi occhi color nocciola chiaro in un'offerta di amicizia e anche di sostegno se ce ne fosse stato bisogno, affidabile e leggermente prevaricatorio quanto i suoi sentimenti per Misia di cui io ero un così caro amico. Per quanto mi sforzassi non riuscivo a trovarlo davvero simpatico, e non mi piaceva l'idea che avesse forzato la mano di Misia anche se per una buonissima ragione, eppure non riuscivo neanche più a essergli ostile: oscillavo tra non-sentimenti opposti, con un sorriso molto asimmetrico sulle labbra.

Misia doveva rendersene conto, nel suo modo ultrapercettivo; ha stretto suo marito per un braccio e me con l'altra mano come per forzarci verso un'amicizia, ha detto «Adesso basta con queste storie, Livio ha fatto una bellissima mostra e abbiamo due bambini in arrivo e siamo tutti insieme, è una serata meravigliosa e sono felice e spero che lo siate anche voi».

Le ho detto che anch'io lo ero; intorno alla tavola tutti sorridevano, senza sapere bene perché.

Poi non eravamo già più tutti insieme: mia nonna se n'era andata con la sua amica e mia madre con suo marito senza salutarla e il mio gallerista con l'assegno firmato da Tomás, Misia mi aveva scritto su un foglietto il suo nuovo indirizzo e numero di telefono e aveva detto «Domani andiamo in Argentina, ma tra otto giorni siamo di nuovo a Parigi. Sentiamoci *presto*». Ero rimasto solo con Paola, nella via improvvisamente deserta del piccolo centro industriale lombardo.

Ho guidato la nostra Renault di seconda mano lungo la statale che portava a Milano attraverso conurbi e suburbi e centri commerciali e ipermercati dormienti; nessuno dei due parlava. Ogni tanto guardavo Paola per una frazione di secondo, in attesa di un commento dopo tutta l'eccitazione e gli sguardi e le parole, ma lei stava zitta, fissava dritto avanti. Alla fine le ho detto «Allora? Come ti è sembrata Misia?».

Lei ha aspettato ancora; ha detto «Eh, molto bella e vivace e intelligente e tutto».

«Ma?» le ho detto, irritato dalla resistenza nella sua voce.

«Ma cosa?» ha detto lei, ancora senza guardarmi.

«Perché lo dici in questo tono?» le ho detto, con una vena nervosa che continuava a salirmi dentro per i giudizi e le riserve implicite.

«Non ho nessun tono» ha detto Paola, così sobria e vicina a se stessa, così lontana da Misia e anche da me.

«Però?» le ho detto, e mi rendevo conto di non sopportarla.

«Però niente» ha detto Paola. Ma finalmente si è girata; ha detto «Se vuoi che ti dica la verità, così, un po' eccessiva forse. Un po' star e un po' matta, non so. Ha questo modo di mettersi al centro dell'attenzione, molto molto consapevole dell'effetto che fa. Tutti la stanno a sentire, anche se parla di cose sue private. Ma è anche molto simpatica e generosa e tutto, naturalmente, e si vede che è tua amica da una vita, ed è fantastico che ti abbia comprato cinque quadri, te ne ha fatti vendere altri sei».

«Lascia perdere i quadri!» ho gridato io, nella voce-megafono che lei non aveva ancora sentito. «Non me ne importa niente dei quadri! Non me ne importa niente di niente!» Ho tirato giù il finestrino, ho fatto entrare aria fredda e umida, pieno di rabbia all'idea che Misia potesse suscitare questo genere di interpretazioni solo perché non rientrava in nessuna casella rassicurante e facile da classificare.

Ventuno

Venti giorni dopo che ci eravamo visti alla mia mostra, Misia ha telefonato da Parigi, tutta cordiale e comunicativa. Ha detto «Se aspettavo che chiamassi tu, brutto bastardo. I tuoi quadri sono arrivati oggi, sono bellissimi».

«È che non sono più abituato all'idea di poterti chiamare» le ho detto. Era vero: avevo guardato quasi ogni giorno il foglietto dove lei aveva scritto il suo numero, non ero mai riuscito a prendere il telefono in mano.

«Che pazzo sei, Livio» ha detto Misia. «Pensavo di averti totalmente disgustato quando ci siamo visti, che non mi volessi mai più sentire.»

«Ma se eri fantastica» le ho detto. «Se sei arrivata come una specie di visione miracolosa.»

Paola era seduta a pochi metri da me davanti alla televisione, di nuovo mi è sembrato di leggere messaggi ostili nel suo modo di guardare dritto.

«Smettila» ha detto Misia. «Ti passo l'altro Livio.»

Il giovane Livio è venuto al telefono: ha detto «'me stai?» senza molta convinzione, nel suo accento ancora più strano di come lo ricordavo.

Ho cercato di parlargli, ma non era facile, tra la sua timidezza e la distanza e Paola seduta tutta rigida a pochi metri. Alla fine gli ho detto «Senti, ci vediamo prestissimo. Ti vengo a trovare. Ripassami la mamma». Ho detto a Misia che saremmo andati a Parigi appena nasceva nostro figlio.

Lei ha detto «Sì, ma devi giurarmelo. Non fare il vigliacco.

Potete stare qui quanto volete, abbiamo una casa vergogno- samente grande. C'è una stanza che è perfetta come tuo stu- dio, con anche un lucernario. Ci lavori certo meglio che a Milano, e stiamo tutti insieme. Giurami che venite».

«Te lo giuro» ho detto io; avrei voluto essere già in strada verso le Alpi. «Appena nasce il bambino veniamo. Promesso.»

Quando ho messo giù con il cuore che mi batteva per l'an- sia di movimento, Paola ha detto «Guarda che mica si può trascinare in giro per l'Europa un bambino appena nato».

Il suo tono e il suo sguardo mi hanno fatto venire un senso concentrato di claustrofobia; le ho detto «Mi spieghi perché devi essere così rigida e ostile ogni volta che c'è di mezzo Misia?».

«Cosa c'entra Misia?» ha detto lei. «È solo che non puoi metterti a sbalestrare un bambino così.»

«Ma se non è ancora nato?» ho gridato io. «Se non sappia- mo nemmeno come sarà? Magari sarà un viaggiatore incre- dibile fin dall'inizio, cosa ne sai?»

«Non essere infantile» ha detto Paola, con uno sguardo ca- rico di adultaggine indignata e intestardita.

«Non sono infantile» ho gridato io. «Sei tu che sembri una specie di zia piena di pregiudizi e di prevenzioni e trasformi l'idea di avere un figlio in una prigione prima ancora che lo abbiamo visto!»

Lei mi ha guardato come si potrebbe guardare un pazzo furioso o un animale scappato dallo zoo; io sono andato ver- so la porta senza fare nessun caso ai mobili lungo il percor- so, ho sceso le scale in preda al genere più violento di esaspe- razione universale.

Due giorni dopo è arrivata una lettera di Marco dal Perù.

Chucaburu, 1° gennaio
Ehi, Livio, buon anno!
Spero che questa lettera ti arrivi prima o poi e che tu riesca a leggerla anche se il nastro è quasi senza inchiostro e due tasti sono zoppi, ma come puoi immaginarti non è proprio il posto migliore dove cercare manutenzione per una macchina da scri- vere. Comunque:
il Perù viene fuori A) dal fatto che per puro caso (o non-ca-

so) ho incontrato in un bar di Londra un paio di tipi che sono in contatto con questo piccolo gruppo di pazzi qui, e B) dall'idea che ormai tutto quello che non si vede non esiste. Così ho pensato che forse il mio lavoro può anche non essere del tutto privo di senso, se lo fai come lo faccio adesso. In una situazione come questa scopri che ha una strana qualità quasi magica, che ti permette di entrare in luoghi e in situazioni dove non si potrebbe mai arrivare altrimenti. Dovrebbe succedere il contrario, che la gente diventi aggressiva e intollerante se tu la filmi e sia aperta e disponibile se sei una semplice persona che vuole comunicare. Invece le cose si sono evolute (o involute) al punto che con una cinepresa puoi avvicinarti a gente che ti sparerebbe subito senza neanche chiederti chi sei, e guardare quello che vuoi e fare le domande che vuoi, passare perfino da una parte all'altra senza che ti ammazzino o cerchino di farlo (mi è successo solo quando non avevo una cinepresa con me, e non facevo niente di strano). E questo anche in situazioni dove in apparenza nessuno era mai venuto in contatto con una cinepresa prima. Forse dipende dal fatto che quello che esce da una cinepresa sembra dirottato su un piano parallelo dove scorrono solo informazioni imparziali, così stolidamente e acriticamente imparziali da poterle piegare e deformare senza che nessuno se ne accorga.

Ma qui è tutto abbastanza strano, tra posti totalmente sperduti nella jungla e città totalmente deteriorate, lento fino a sembrarti quasi immobile e poi improvvisamente molto rapido. Devi essere sempre pronto a passare da uno stato di stallo al massimo dei giri con zero preavviso, e devi anche mettere in conto che le cose possano andare parecchio male di colpo, senza che tu abbia avuto il tempo di renderti conto di quanto male. (L'altro ieri è morto un ragazzo molto simpatico che aveva guidato il camioncino con cui sono venuto qui, gli hanno sparato mentre era andato a prendere della benzina e l'hanno appeso a un albero per i piedi e l'abbiamo trovato che ancora respirava ma non c'è stato niente da fare a parte sentirlo gridare e rantolare come un capretto scannato per tutta la notte, l'attrezzatura medica che c'è qui sono due scatole di garze sterili e un barattolo di streptomicina scaduta da anni.)

Va bene, adesso devo smettere perché ho tenuto la lampada accesa fin troppo e anche di notte bisogna stare attenti, ma

337

non avevo voglia di venirti a guastare l'anno nuovo con storie brutte, avevo solo voglia di salutarti e dirti che ti voglio bene, spero che tu sia contento e che riusciamo a rivederci prima o poi, se le cose non vanno proprio male tornerò a Londra prima o poi quando avrò raccolto abbastanza materiale.

Ciao.

P.S.

Se per caso invece dovesse andare proprio male, potresti dire a Misia e al giovane Livio che (cancellatura) e avrei voluto scrivere anche a loro ma non sapevo dove, e che ti ho chiesto di dirglielo?

M.

Ventidue

Il dieci febbraio è nata mia figlia. Stavo preparando il fondo di una tela di un metro e venti per un metro e ottanta, e Paola dal soggiorno ha emesso uno strano grido da agonizzante ma trattenuto, quando sono corso a vedere ha detto «Credo che mi si siano rotte le acque». L'ho trascinata giù in strada e sulla macchina senza capire quasi niente, e appena siamo stati in mezzo al traffico lei ha cominciato a dire che non voleva andare alla clinica di mia nonna come eravamo d'accordo, di portarla invece alla clinica dove erano nati lei e suo fratello.

Le ho detto «Ma se abbiamo seguito il programma e tutto, abbiamo fatto settimane di preparazione». Cercavo di farmi largo nel traffico e le guardavo la pancia, mi asciugavo il sudore con il dorso di una mano.

«Non mi fido» ha detto Paola in tono sordo. «È una cosa un po' da matti. Anche tua nonna è un po' matta.»

«Mia nonna è una ginecologa fantastica» ho detto io, mentre facevo il pelo alla fiancata di un autobus. «Se non fosse stato per lei sarei rimasto mezzo paralizzato a vita.»

«Sì, ma io preferisco la medicina normale» ha detto Paola, con le mani sulla pancia e difficoltà evidenti a respirare e a stare seduta dritta.

«Cosa intendi per normale?» le ho detto. «Normale come partorire sdraiata e legata su un lettino di ferro da autopsia?»

«Tu cosa ne sai?» ha gridato lei, già oltre i limiti della comunicazione possibile. «Non sei mica una donna.»

«No, ma ho parlato con delle donne» le ho detto.

«Hai parlato con le donne sbagliate» ha detto Paola, puntellata contro lo schienale del sedile.

E mi sembrava incredibile scoprire in un momento così significativo quanto eravamo in disaccordo; mi si sono confuse tutte le idee, non sapevo più da che lato guardare. Ho detto «In ogni caso non si può mica andare in una clinica così, se non ti aspettano».

«Mi aspettano» ha detto lei, a colpi di respiro affannati, con le ginocchia che le tremavano. «Ci sono andata per tutto l'ultimo mese con mia madre. Neanche lei si fida di tua nonna.»

Questo genere di sorprese ha sempre avuto un effetto devastante su di me: l'idea che qualcuno di molto vicino pensi e faccia cose molto lontane da quelle che ti immagini, senza lasciartelo capire in nessun modo. Sono andato in corto circuito totale: ho cominciato a strappare il volante da un lato e dall'altro, ingranare le marce sbagliate, accelerare a vuoto; rischiavo ogni secondo di andare a sbattere contro altre macchine o contro il marciapiede, travolgere qualche pedone.

«Portami alla clinica normale» ha detto di nuovo Paola; e l'ha ripetuto due o tre volte così concitata e ansimante e puntellata sul sedile che ho slalomato nel traffico come un pazzo nella direzione che voleva lei, e anche se non c'era paragone con quello che riuscivo a fare un tempo con la mia vecchia cinquecento, siamo arrivati alla sua clinica in meno di otto minuti.

L'ho sostenuta su per gli scalini e attraverso l'atrio, e lì le cose sono degenerate ancora, perché c'erano un custode e un'infermiera e un medico giovane che ci guardavano senza mostrare il minimo interesse, e mi sembrava che Paola fosse molto vicina al limite massimo, e dalla mia prospettiva la sua pancia era enorme e facevo fatica a sostenerla e a cercare un percorso nello stesso tempo, così mi sono messo a gridare «Non c'è un cavolo di nessuno che ci dà una mano, qui?» nella voce-megafono di cui mi è già capitato di parlare ma che tra i marmi lisci e le colonne dell'atrio risuonava da fare paura. E Paola invece di essere con me almeno in questo ha cominciato a dirmi «Non gridare» e «Smettila», e fare resistenza con i piedi e assumere espressioni facciali di noncorresponsabilità, il che ha contribuito a esasperarmi al punto che quando finalmente un paio di infermiere si sono affacciate da un corridoio ho gridato «È perché è una clinica pubblica che vi muovete così *lente*?».

Paola mi ha pizzicato il braccio fino a farmi male, aveva lo sguardo più estraneo che le avessi visto da quando stavamo insieme. Al piano di sopra il ginecologo capo da cui lei era andata di nascosto per tutto l'ultimo mese aveva una brutta faccia da dobermann aggressivo e distratto, ha detto «Eh, c'è tempo» dopo avere dato a malapena un'occhiata. Gli ho detto «Non mi sembra tanto» e lui ha fatto scorrere via lo sguardo come se non mi avesse neanche sentito, così gli ho gridato «Guarda che sto parlando a te, brutta faccia da dobermann!». Lui si è spaventato e si è girato verso gli assistenti e le infermiere che gli stavano dietro, e Paola ha detto «Livio, *finiscila*», e c'erano altre partorienti lasciate in parcheggio su lettini e sedie di ferro ad aspettare che qualcuno si decidesse a occuparsi di loro, mi guardavano con una forma quasi di orrore; non riuscivo a credere di avere un sistema di percezioni così diverso dal resto del mondo. Per la rabbia e il senso di solitudine ho gridato ancora più forte alla stanza in generale «Perché bisogna dare ragione a questi bastardi ladri e incuranti? Perché bisogna fare le vittime senza dire niente?». Ho gridato a una tipa affranta dagli occhi bulbosi «Lei per esempio è contenta di stare lì così? Non le sembra che dovrebbero chiederle qualcosa e trovarle una sistemazione un po' più comoda, per lo meno?». Lei non mi ha risposto, ha girato la testa per interrompere il contatto d'occhi. Giravo intorno, nel cerchio di sguardi distolti che mi creava una vertigine, e Paola era meno vicina di chiunque altro e mi sembrava che boccheggiasse e si tenesse le mani sulla pancia ormai in un modo estremo, avrei voluto portarla via di corsa verso la clinica di mia nonna ma sapevo che non ci sarebbe mai venuta ed era troppo tardi in ogni caso.

Ho dato un calcio a una sedia di ferro, e mi rendevo conto che non era proprio il posto dove provocare questo genere di rumori ma non riuscivo a fermarmi: ero in uno dei miei momenti di totale non-accettazione delle cose e totale perdita di codici, sudavo e gridavo nella luce al neon tra le pareti verdine e l'odore di lisoformio come un animale non commestibile trascinato al mattatoio. Sono arrivati due infermieri robusti e si sono scambiati un cenno muto con il ginecologo come in un film di gangster, hanno detto «Questo spazio è solo per le partorienti». Ho gridato «E allora perché ci entrate voi, e perché ci entra quel bastardo?», e loro hanno cominciato a spingermi verso le scale e a torcermi un braccio dietro la schiena e anche a darmi calci negli stinchi ogni volta che cercavo di svincolarmi, mi hanno trascinato lungo i corridoi e attraverso l'atrio e spinto fuori sul piazzale di cemento, sono rimasti a guardarmi tutti ansimanti per lo sforzo come dopo chissà quale buona impresa, hanno detto che se provavo a rientrare chiamavano la polizia. E c'era gente ferma a osservare la scena con la solita morbosità fredda che la gente ha a Milano quando succede qualcosa nella strada, e per quanto girassi la testa tutto intorno non vedevo assolutamente niente che mi piacesse o anche solo potesse corrispondermi in piccola parte, dalle facce dei passanti ai suoni di fondo alla consistenza polverosa e umida dell'aria al colore dei muri al senso di orizzonti chiusi da tutti i lati e a tutte le distanze.

Ho camminato intorno all'isolato per forse mezz'ora, con un senso così violento di estraneità rispetto allo scenario che avrei potuto buttarmi sotto la prima macchina o prendere a calci il primo vigile o entrare nel primo bar e bermi tutto quello che c'era, fondermi il cervello o almeno la consapevolezza. Invece alla fine sono entrato in un bar e ho telefonato a mia nonna e le ho chiesto se poteva venire, sono andato ad aspettarla all'angolo della clinica.

Mia nonna è arrivata dopo non so quanto tempo, si ostinava a girare in macchina da sola e non sapeva parcheggiare anche quando trovava un posto. Era furiosa che non fossimo andati da lei, dopo tutte le volte che ne avevamo parlato: diceva «Che cavolo di atteggiamento vile e remissivo. Se fossero tutti così non cambierebbe mai niente. E proprio tu, con quello che abbiamo passato quando sei nato».

Le ho spiegato che non era stata una mia idea e che non ero stato molto remissivo, tanto che mi avevano buttato fuori a calci. Ma lei è rimasta irritata, le seccava terribilmente dover fare l'ostaggio della ginecologia tradizionale. Ha detto «Lo sai quante centinaia di migliaia di donne sono morte di setticemia da parto solo perché i medici non si lavavano le mani? Mica secoli e secoli fa, l'altro ieri, quasi. Lo sai che quello che ha scoperto il nesso tra la sporcizia delle mani dei ginecologi e le infezioni delle puerpere l'hanno fatto diventare pazzo? Era un ungherese, tutta la classe medica gli è stata addosso a denigrarlo e ridicolizzarlo finché è finito in manicomio».

Le ho detto «Va bene, va bene, nonna, ma vorrei vedere Paola. Ormai è lì dentro».

Mia nonna dopo una conversazione molto tesa ha convinto i medici della clinica a lasciarmi rientrare, sotto la sua responsabilità. Siamo andati tesi e furibondi per i corridoi, scortati da un infermiere-guardia fino alla sala maternità; e Paola aveva già partorito e le avevano anche già portato via la bambina, mi guardava con zero simpatia dal lettino dove l'avevano sdraiata.

Le ho detto «Hai visto che quel bastardo aveva torto e non c'era affatto tutto il tempo che diceva?».

Lei con gli occhi semichiusi per vedermi il meno possibile ha detto «Sei riuscito a rovinare completamente quello che doveva essere uno dei momenti più belli della mia vita, Livio».

Ventitré

Quando Paola è tornata a casa con la bambina, mi sono reso conto che non ero affatto preparato al tipo di impegno che viene richiesto a un genitore. L'unica vera esperienza che avevo mai avuto con una persona piccola erano stati i mesi a Parigi con il giovane Livio, ma era un bambino di quasi cinque anni, e tutt'altro che ordinario per di più. Adesso invece c'era questo strano essere minuscolo e inetto che generava una quantità assolutamente sproporzionata di frequenze acute e assorbiva tutta l'attenzione disponibile senza lasciarne neanche un po' per gli altri; non riuscivo a trovare nessun modo di comunicarci, o anche solo di stabilire un contatto.

Paola era molto apprensiva, e ancora risentita con me per la scenata nella clinica; ha scoperto da un giorno all'altro che non ero proprio un grande organizzatore o risolutore di problemi pratici, ha cominciato a rinfacciarmelo a ogni minima occasione. C'erano i suoi genitori, anche, e suo fratello avvocato con la moglie, e mia madre che veniva a dare consigli assurdi e a invadere il territorio di Paola e a litigare per telefono con mia nonna, finché io andavo per gradi verso la porta d'ingresso e l'aprivo e dicevo che uscivo a fare un po' di spesa, correvo giù dalle scale come un topo che scappa dalla tana completamente inondata.

Ho telefonato a Misia da una cabina telefonica, con le tasche piene di tutte le monete che avevo trovato in casa, furtivo peggio che se stessi chiamando un'amante nascosta.

È venuta a rispondere nel suo tono migliore e più ottimista, ha detto «Livio! Allora, è nato o no?».

«È nata» le ho detto. «Da tre giorni.»

«Una bambina!» ha detto Misia. «E come si chiama?»

«Elettrica» ho detto io, con la bocca che mi faceva male solo a pronunciare il nome.

«Ah» ha detto Misia.

«Non ti piace?» le ho chiesto, assediato dai suoni del traffico, con la cornetta premuta forte all'orecchio.

«No, no, è carino» ha detto lei, in un tono gentile ma non convinto.

Così le ho detto «Io avrei voluto chiamarla Misia, come tu hai chiamato Livio Livio, ma non per uno scambio di gentilezze, mi piaceva il nome. Ma Paola non ne ha voluto sapere e si è messa a insistere per chiamarla Luciana come sua madre, ha fatto una resistenza così accanita che alla fine le è andato bene Elettrica, piuttosto».

«Ma cosa c'è?» ha detto Misia con una nota di allarme. «Mica vi siete messi a litigare e a stare male per delle cose stupide?»

«No» le ho detto. «Forse sono io che ho qualche problema. Non è che mi senta proprio al diapason della felicità estrema. Mi sento abbastanza da cani, in realtà.»

Misia è stata zitta forse due o tre secondi, all'altro capo della linea piena di fruscii e di scatti, e io ero lì sudato fradicio a infilare monete nella macchinetta una dietro l'altra, mi chiedevo se la mia situazione nel suo insieme non era ancora peggio di come pensavo; poi lei si è messa a ridere, e anche se non mi sembrava che ce ne fossero molte ragioni, mi ha confortato.

Le ho detto «Cosa cavolo ridi?».

«È l'idea che mi fa ridere» ha detto lei, ancora rideva.

«Quale idea?» le ho detto, a voce alta come se si trattasse di coprire la distanza, e seccato per come lei non mi prendeva sul serio, ma non era niente rispetto al conforto che mi dava.

«Di tutta la situazione» ha detto Misia. «Mi sembra di vederti.»

Le ho detto «Non sono uno spettacolo divertente, Misia»; ma cercavo di vedere anch'io il lato umoristico nel quadro generale.

«Non ti angosciare così, Livio» ha detto lei. «È una storia che ridimensiona tutto il resto in modo abbastanza drammatico, avere un bambino.»

Avrei voluto dirle che non era tanto avere un bambino quanto tutto il resto a preoccuparmi, ma le monete nelle mie tasche erano finite, ne restava solo una piccola pila sopra il telefono. Ho detto «È che mi sento solo, più che altro. Mi guardo intorno e non vedo niente o nessuno che mi assomigli, porca miseria».

«Succede anche a me, ogni tanto» ha detto Misia; mi ha comunicato un senso sottile di sconcerto, speranza come una fenditura di luce in un muro di cemento.

Le ho gridato «Non ho più monete! Si sta mangiando le ultime!».

«Venite a trovarci!» ha gridato lei, nel modo che aveva di adattarsi quasi automaticamente al tuo livello di comunicazione. «Appena potete! Non fate i pigri! Vi aspettiamo!»

Poi le ultime monete erano finite e la comunicazione chiusa; sono uscito dalla cabina, mi chiedevo perché avessi dovuto telefonare a Misia da lì anziché da casa; perché avessi provato una scintilla appena avvertibile di delusione quando alla fine lei aveva parlato al plurale.

Quando la bambina ha compiuto un mese ho proposto di nuovo a Paola di andare a Parigi, e ne è nata una nuova discussione furiosa sulla trasportabilità di una persona così giovane. Abbiamo continuato a dibatterne per giorni, e alla fine forse per estenuazione lei si è convinta, ha detto «Va be', se proprio non puoi farne a meno».

Ho telefonato subito a Misia, e non c'era; ho lasciato detto di richiamarmi, ma non l'ha fatto. L'ho trovata la sera dopo: le ho detto «Lo sai che ci siamo decisi miracolosamente a muoverci? Veniamo a trovarvi!».

Misia ha detto «Livio. È morto il padre di Tomás stamattina. Siamo in partenza per Buenos Aires».

«Oh, porca miseria» ho detto, come uno scolaro delle medie che ha appena sbattuto la testa contro un muro. Ho detto «Mi dispiace»; e non me ne importava niente del padre di Tomás anche se Misia aveva questo tono addolorato, ma ero intriso di dispiacere al punto di non riuscire quasi più a respirare.

Misia ha detto «Ti chiamo quando torniamo, adesso siamo tutti un po' scossi per pensare a nient'altro».

«Certo, certo» le ho detto. «Non ti preoccupare. Buon viaggio. Di' a tutti che mi dispiace molto.»

Paola era lì nel soggiorno che mi guardava con aria interrogativa; quando ho messo giù la cornetta le ho detto «Non andiamo più a Parigi, sarai contenta» come se fosse colpa sua. Mi sembrava che lo fosse, anche.

Misia ha telefonato dall'Argentina alla fine di marzo: ha detto che Tomás aveva dovuto prendere possesso della situazione molto estesa e complicata che gli aveva lasciato suo padre, e che non erano più riusciti a muoversi, avevano iscritto il giovane Livio a una scuola di Buenos Aires, per il momento non pensavano di tornare a Parigi.

Ci siamo giurati che avremmo trovato lo stesso il modo di vederci, prima o poi e in qualche punto del mondo; ed erano parole così vaghe da comunicare credo la stessa desolazione a tutti e due.

Ventiquattro

Londra, 28 settembre

Livio,

   ieri sera pensavo alle ragioni per cui non riesco a telefonarti, così questa mattina ho deciso invece di scrivere, mi viene più facile e forse è un modo meno invadente di ristabilire un contatto dopo tutto questo tempo, o forse è solo un modo più vile, non lo so. Sono tornato qui da tre mesi, ma tra il lavoro e la riabilitazione della gamba non ho avuto un solo istante per le questioni private, o almeno questa è una buona scusa per non essermi fatto vivo prima, no?

   La riabilitazione della gamba è dovuta a una storia che è successa a giugno in Perù, quando sono finito giù per una scarpata di trecento metri in una Land Rover telonata mentre stavo venendo via con altre tre persone da un posto nel nordest che si chiama Tolmecìn, dove eravamo andati a fare delle riprese e per poco l'esercito non ci aveva beccati nel mezzo della notte. Eravamo su questa strada sterrata che viaggia lungo un crinale di monte con uno strapiombo dai due lati e boschi molto ripidi, abbastanza tesi come ti puoi immaginare dopo quello che era successo, io e un tipo della zona che si chiamava Paulo e ci faceva da guida e William che è il fonico e una mia amica fotografa americana che si chiama Ellen Kravitz, avevamo un Kalasnikov e un paio di pistole sotto dei sacchi di juta ma non è che ci dessero molta sicurezza, e a un certo punto siamo venuti fuori da una curva e questo Paulo si è messo a gridare «Mira, mira, el Arco Iris!» e a gesticolare come un pazzo, e alla nostra destra c'era l'arcobaleno più incredibile che avessi mai visto in vita mia. È difficile descriverlo, ma era molto più esteso e alto di un arcobaleno normale e i colori erano molto più intensi e separati uno dall'altro, nello stato in cui eravamo è stata una specie di visione sovrannaturale. Eravamo così ossessionati da questioni puramente tangibili, tra l'esercito e le spie e la pioggia e gli insetti e l'umidità terribile che rovinava la pellicola e il fatto che non riuscivamo a trovare benzina per spostarci e neanche molto da mangiare e non dormivamo abbastanza e tutto il resto, siamo rimasti trasfigurati tutti e quattro, sai come davanti a un miracolo o a un'allucinazione o a uno spettacolo che ti sembra altamente simbolico ma non è chiaro in che senso, avevamo lo stesso genere di smarrimento. E un attimo dopo la Land Rover se ne stava andando giù per la scarpata con noi dentro. La cosa curiosa è che mi era capitato varie volte di sognare proprio una scena del genere, e nella realtà c'era lo stesso rallentamento strano, vedevo la scarpata quasi verticale e i tronchi degli alberi che ci venivano incontro e la Land Rover che si inclinava con la più grande dolcezza su un lato e cominciava a rotolare su se stessa. Non so cosa sia, forse è l'incredulità o lo spavento o il senso di non poterci fare niente che crea una sfasatura tra quello che succede e le tue percezioni, e questo neutralizza temporaneamente alcuni sensi e ne accentua altri, così che mi sembrava di vedere un film sulla moviola di una sala di montaggio con un sistema audio ultrasofisticato, avevo una percezione incredibilmente definita del rumore dei cespugli e dei rami che travolgevamo e delle pietre e del fango e dei tronchi e della lamiera e delle gomme e delle balestre e dei liquidi nel motore e della benzina nel serbatoio e delle nostre valigie e della cinepresa e di tutti i singoli oggetti che ci eravamo portati dietro e di ognuno dei nostri respiri e delle singole esclamazioni e versi e scricchiolii interiori che producevamo mentre rotolavamo giù.

Per farla breve: Paulo poverino è morto schiacciato sotto il cofano della Land Rover e non siamo neanche riusciti a tirarlo fuori, William si è rotto un braccio e un paio di costole e aveva la faccia inondata di sangue per un taglio al cuoio capelluto, io mi sono rotto la gamba destra in due punti, Ellen non si è fatta niente perché si era aggrappata sul fondo della Land Rover come in una barchetta rivoltata dalle onde e non aveva mollato la presa, se non ci fosse stata lei credo che saremmo rimasti laggiù per sempre. (Ed è stata abbastanza dura comunque tirarci fuori dal fondovalle, perché come puoi immaginarti non era proprio un posto dove uno chiama una squadra di soccorso e noi non eravamo proprio nella forma migliore per una scalata nel fango e tra le piante, la gamba mi faceva così male che mi sarei sparato, se fossi riuscito a trovare una delle nostre pistole nello sfacelo incredibile di oggetti sparsi sui rami degli alberi tutto intorno, le camicie e le mutande e i fogli e tutto il resto, è incredibile quanto sia largo il raggio in cui si può spargere tutto quello che prima era compresso e ordinato in poco spazio. Ma la cosa che mi fa impressione se ci penso adesso a parte il dispiacere per Paulo che era una bravissima persona è l'idea di poter precipitare in questo abisso di materia, in tutto questo sangue e fango e grida e dolore e paura in fondo a una scarpata di trecento metri solo per avere guardato la più suggestiva e inconsistente delle visioni, anche questo sembra altamente simbolico e non è chiaro in che senso.

(Ellen è la donna più incredibilmente pratica ed efficace che tu possa immaginare, è riuscita a tirarci fuori da lì e anche a recuperare le pizze di pellicola mentre io ero completamente fuori gioco per il dolore terribile alla gamba, ed è riuscita a portarci fino al ciglio della strada e a far venire dopo non so quante ore un tipo con un carretto tirato da un cavallo. È anche riuscita a fare aggiustare e ingessare le ossa a me e a William in un posto che si chiama Fraternidad de Cabozòn e dovresti vederlo Livio perché sembra inventato dal più convenzionale e stucchevole degli scrittori sudamericani, e me l'hanno fatto così male o forse io non sono stato abbastanza tranquillo, quando ho tolto il gesso un mese dopo ero perfettamente zoppo. Sai una specie di zoppo dell'ottocento, ti saresti credo divertito a vedermi andare in giro trascinando la gamba in questo modo patetico, un vero quadro commovente.) Così alla fine Ellen che per qualche strana ragione si ostinava a volersi occupare di me anche se ero diventato la persona più intrattabile del mondo mi ha convinto a tornare nel mondo civilizzato per farmi curare un po' meglio, e siccome non avevo nessuna intenzione di andare a New York dove voleva portarmi siamo tornati a Londra (dove mi hanno dovuto rompere la gamba una seconda *volta in condizioni un po' più asettiche della prima e me l'hanno rimessa insieme con un po' più di cura).*

Il risultato di tutta questa storia è che adesso zoppico in modo molto più elegante di come zoppicavo in Perù, e che vivo con Ellen che mi ha salvato la vita in diversi sensi, e che ho passato tutto il tempo che mi è rimasto libero dalle menate della gamba a montare il materiale che avevo girato e a sonorizzarlo, e non è venuto propriamente un documentario come pensavo all'inizio ma uno strano ibrido, ci ho messo sopra mie osservazioni e considerazioni abbastanza a ruota libera e musiche molto belle che in parte avevo registrato là e in parte qua a Londra. Poi è successo che l'ha visto qualcuno prima che fosse ancora finito e l'hanno invitato a un festival a Brighton patrocinato dalla regina il cinque ottobre prossimo, io non avevo nessuna voglia di mandarcelo ma Ellen ha insistito dicendo che era per questo che ero andato in Perù in primo luogo, e forse ha ragione non lo so ma comunque mi mette in imbarazzo l'idea di rientrare nei panni dell'autore del cavolo anche se il film non parla di me ma forse invece parla di me alla fine, comunque per temperare almeno in parte l'imbarazzo e avere un'opinione spero critica e anche un pretesto pratico per rivederci dopo tutto questo tempo volevo chiederti se per caso non avresti voglia di fare un salto qui entro il 4 ottobre e venire con me a Brighton, io sarei molto contento ma vedi tu se ti va e se puoi.

Un abbraccio

M.

Venticinque

La cosa assurda è che quando ho detto a Paola che volevo andare a Londra per rivedere Marco e accompagnarlo al festival, è diventata furiosa. Eravamo a casa in un mattino grigio, senza nessuna apparente tensione positiva o negativa tra noi, e da un momento all'altro lei ha cominciato a rovesciarmi addosso una quantità incredibile di accuse e rimproveri e cattivi giudizi che erano rimasti nascosti nei suoi modi quieti come killer tribali nel folto di una jungla. Di colpo è venuto fuori che facevamo una vita di schifo, che non le avevo mai proposto un viaggio né un'uscita a cena né niente di carino; che ero chiuso nei miei quadri e nei miei pensieri e nelle mie amicizie in un modo terribilmente egoista e anche offensivo. È venuto fuori che lei aveva aspettato e aspettato una mia iniziativa di qualsiasi genere senza il minimo risultato; che l'unica volta che decidevo di uscire dalla mia inerzia totale era per andarmene in Inghilterra da solo.

Le ho detto «Non capisco cosa ti toglie se vado due giorni a trovare Marco, dopo una vita che non lo vedo».

«Mi toglie che non ci vuoi andare con me» ha detto Paola, tutta angolata e accelerata dal risentimento.

Le ho detto «Ma se quando ti ho proposto di andare da Misia a Parigi non ne volevi sapere? Se hai fatto sbarramento nel modo più sordo e accanito finché lei non è andata in Argentina?».

«La bambina era troppo piccola per viaggiare» ha detto lei senza guardarmi.

«Eri tu che non ne avevi voglia» le ho detto, con la voce che mi saliva di tono anche se non volevo. «Eri tu che avevi la testa piena di giudizi su Misia e di ostilità prefabbricate.»

«Comunque cosa c'entra con adesso?» ha detto Paola, mentre piegava con stizza una camicia della bambina.

«C'entra» ho detto io. «Perché mi hai già fatto perdere uno dei miei due migliori amici, e adesso cerchi di farmi perdere anche l'altro.»

«Lo vedi?» ha detto lei. «Lo vedi come mi escludi da tutto? I tuoi migliori amici! Come se fossero una specie di tesoro segreto! Io i miei amici li vedo insieme a te, non li vado a trovare di nascosto per conto mio!»

«I tuoi amici sono una noia da morire!» le ho gridato, e gesticolavo come un pazzo, camminavo come un pazzo attraverso il soggiorno. «Sarei contento se tu li vedessi di nascosto, i tuoi amici! Ci metterei la firma subito!»

«Lo vedi?» ha gridato Paola, già in lacrime per la rabbia e il senso di esclusione. «Lo vedi come sei? Lo vedi?»

In realtà il mio era credo un tentativo di fuga o anche un tentativo di tradimento, a seconda del punto di vista; e la sua una crisi di insicurezza, nata da tutti i miei racconti su Misia e Marco, dall'idea che la mia vita avesse un lato più interessante da cui lei era completamente tagliata fuori. Se io fossi stato più chiaro avrei forse trovato il modo di spiegarle perché avevo voglia di andare a Londra da solo, se fossi stato più maturo le avrei proposto di venire con me. Ma non mi sembrava di essere affatto maturo, e avevo un'ansia troppo violenta di evasione per essere chiaro. Ho finito per reagire nel modo più vile: invece di dirle di preparare i bagagli o partire per conto mio e andare a vedere Marco e il suo nuovo film e scoprire come camminava e com'era Ellen la fotografa americana e come vivevano, ho cominciato a giustificarmi e fare marcia indietro. Ho detto a Paola che mi dispiaceva, che non avevo mai avuto nessuna intenzione di escluderla o di farla star male o di litigare con lei; che accompagnare Marco al festival non era una questione di vita o di morte, che avremmo potuto andare a trovarlo insieme un'altra volta o fare qualcos'altro insieme, bastava parlarne.

Lei poco alla volta si è calmata; ma aveva capito una volta per tutte quanto mal sostenuto e mal difeso era il mio desiderio di uno spazio mentale e affettivo separato, quanto poco ci voleva a farmici rinunciare. Uno chiede all'altro tutta la felicità del mondo, come diceva Misia, e quando scopre che l'altro non è in grado di fornirgliela spontaneamente trova legittimo usare qualunque strumento per ottenerla, minacce o lacrime o porte sbattute o grida o bambini tirati di mezzo. Ho fatto marcia indietro e indietro, ho negato e negato tutto, ho detto che non me ne importava niente di Londra né di Marco né di Misia né di nessuno, che mi bastava stare bene con lei e con la bambina.

Così non sono andato a trovare il mio migliore amico, e non l'ho accompagnato al festival di Brighton, e non gli ho neanche telefonato per dirglielo; gli ho solo scritto una lettera imbarazzata e non-sincera di giustificazioni e scuse. Marco non ha risposto.

Ma il sei e il sette e l'otto ottobre ho comprato in un'edicola del centro tutti i quotidiani inglesi che sono riuscito a trovare. Sul "Times" e sull'"Observer" c'erano recensioni entusiastiche del film di Marco, tipo «la straordinaria forza espressiva di un occhio senza pregiudizi», e «una fantastica capacità di usare le immagini per indagare sulla condizione umana e sul mondo in generale, e intanto raccontare di sé molto in particolare».

Ne parlavano tutti come di un film d'autore, più che di un documentario: mi chiedevo cosa ci fosse stato dentro le scatole di pellicola sparse per la scarpata in Perù nell'incidente dell'arcobaleno, che lavoro avesse fatto Marco nei tre mesi in cui era stato chiuso a montare. Mi chiedevo quanto avesse influito sul risultato finale la sua gamba rotta e male aggiustata, quanto il dispiacere per Misia e per suo figlio, quanto il fatto di avere a fianco Ellen la fotografa americana. Mi chiedevo tutte queste cose su di lui, e non avevo neanche il coraggio di telefonargli, l'unico contatto che sono riuscito a stabilire è stata una seconda lettera di complimenti generici e balbettati.

Marco di nuovo non ha risposto; da un momento all'altro mi sono accorto che si era riaperto tra noi l'abisso di non-comunicazione che ci aveva divisi tante volte in passato, e che questa volta era inequivocabilmente per colpa mia.

A volte mi capitava di leggere di lui sui giornali italiani, che nel loro modo ritardato e orecchiato si erano accorti del suo film peruviano e del consenso e dei premi che stava conquistando in Inghilterra e nel resto del mondo e adesso cominciavano a farne una ragione di orgoglio nazionale, come se Marco non se ne fosse andato da anni a vivere altrove perché in Italia si sentiva soffocare. A volte mi veniva una forma di invidia per quella che doveva essere la sua vita: per l'intensità e gli incontri e le sorprese che doveva avere, il giardino delle mille possibilità come diceva lui. A volte mi veniva l'impulso di telefonargli o almeno scrivergli un'altra lettera in termini molto più sinceri delle prime due, ma non l'ho fatto.

Ho provato a telefonare a Misia in Argentina, invece, per sapere del suo nuovo figlio e di cosa succedeva della sua vita, ma al numero di Buenos Aires rispondeva sempre una persona di servizio che diceva «La signora è via». Mi faceva impressione sentire chiamare Misia «signora»; mi chiedevo se lo era diventata davvero: se aveva cambiato modo di vestirsi e di muoversi e di parlare, se aveva cambiato sguardo. L'ho cercata ancora due o tre volte, poi ho accettato l'idea che anche con lei si fosse creato un abisso di non-comunicazione, e in parte mi sono sentito offeso, in parte sollevato all'idea che nessuno si riaffacciasse nella mia vita a inquietarmi.

Non era una vita così sgradevole: aveva una sua qualità tiepida e rassicurante, come una pozza termale in un giorno freddo. La piccola Elettrica cresceva, e cominciavo a trovare modi di comunicare e anche divertirmi con lei; Paola faceva del suo meglio per aiutarmi a dipingere, mi pungolava ogni volta che mi vedeva cedere alla pigrizia o alla noia o alla pura mancanza di motivazioni. Il mio gallerista vendeva i miei quadri su una base regolare, a prezzi che salivano lentamente anche se non proprio agganciati all'andamento del mercato.

A febbraio io e Paola abbiamo deciso di andare a vivere fuori Milano, per avere più spazio e non far crescere nostra figlia nella mancanza totale di verde e di aria. Abbiamo fatto indagini ed esplorazioni a nord e a est e a sud e a ovest, finché Paola ha trovato una casetta in una zona semiagricola di ex paludi preistoriche tre quarti d'ora a nord di Milano. Non era un posto particolarmente suggestivo e nemmeno particolarmente naturale, ma era tranquillo e io avevo un garage-studio dove lavorare; la vista piatta e brulla e quasi sgombra dalle finestre corrispondeva bene al nostro clima interiore.

PARTE QUARTA

Uno

Il venti dicembre di tre anni fa l'aria dentro la nuova casa era surriscaldata dall'impianto a gas regolato al massimo della capacità: accorciava il respiro, rallentava senza rimedio i pochi pensieri che mi passavano per la testa mentre dipingevo. Al piano di sotto mia figlia maggiore stava attaccata alla televisione come se fosse interessata alla pubblicità in modo specifico, mio figlio piccolo continuava a sbattere sul pavimento i suoi personaggi mutanti giapponesi, mia moglie Paola gli diceva «Fai *piano*» in un tono trascinato che riusciva solo a peggiorare le cose. Io guardavo la neve rinsecchita nel giardino dalla grande finestra del mio studio in cima alle scale, mi chiedevo che senso aveva la vita in generale e la mia in particolare; l'odore di vernice acrilica accentuava la nausea che mi passava dentro come un'onda oceanica.

Il telefono si è messo a suonare sul tavolino alto, l'ho lasciato andare avanti finché Paola da sotto ha gridato «Livio, puoi rispondere, per piacere?» nello stesso identico tono che usava con i nostri figli.

Così ho posato il pennello e ho sollevato la cornetta con una forma di risentimento sottomarino, ho detto «Sì?».

Una voce che non riconoscevo ha detto «Livio? Sei tu?».

«Chi parla?» ho detto io; la mia voce mi tornava indietro, in un anello ellittico di non-voglia, non-senso di niente.

La voce dall'altra parte ha detto «Ehi, non mi riconosci? Sono Misia!».

«Ehi!» ho detto io. Ero così lontano da tutto e poco interessato e poco partecipe, in un secondo la voce di Misia si è tirata dietro tutti i significati e le sorprese e le ragioni del mondo, mi ha fatto quasi cadere all'indietro per lo sbilanciamento improvviso.

«Come stai, brutto bastardo di uno?» ha detto Misia. «Questa volta abbiamo lasciato passare *troppo* tempo. È una specie di crimine.»

«Ti avevo cercata» ho detto, ma senza convinzione perché non riuscivo neanche a ricordarmi quanti anni prima.

«Cosa fai rintanato in quel posto terribile?» ha detto Misia. Il suo famoso tono di provocazione riusciva a viaggiare quasi intatto, attraverso gli sfrigolii e i riverberi della linea transoceanica. Ha detto «Se non avessi provato a chiamare tua madre, non ti avrei trovato mai più».

«Non è così terribile» ho detto io, e mi rendevo conto di come ancora una volta cercavo di giustificarmi con lei.

«Ma lavori o cosa?» ha detto Misia. «O stai per partire per le vacanze? Che programmi hai?» Mi faceva impressione risentire la musicalità irrequieta della sua voce: quanto mi era familiare e lontana, irrimediabile.

«Zero programmi» ho detto, in un tentativo di tono energico, non convincente nemmeno al mio orecchio interno. «E tu cosa fai?»

«Quanto tempo è che non ci vediamo, Livio?» ha detto lei, nel modo che aveva a volte di non registrare le domande degli altri per troppo impeto delle sue.

«Forse cinque anni?» ho detto io. «Sei?» Mi sembrava molto di più, molto meno: la mia intera percezione del tempo era alterata e confusa, come se fossi appena uscito vivo per miracolo da un terribile incidente di macchina.

«Ma non eri la nostra mente cronologica?» ha detto Misia. «Il nostro calendario perpetuo in costante aggiornamento automatico?»

Mi colpiva che dicesse "nostro", e lo ripetesse due volte; ho detto «Non ho più una grande memoria, negli ultimi tempi. Non so se è l'età o l'aria o la vita di famiglia».

Misia si è messa a ridere nel suo modo contagioso; ho riso anch'io, con le voci della televisione e dei bambini e di mia moglie che arrivavano da sotto. Ho detto «E tu dove sei?».

Lei ha detto «Buenos Aires. Ma tra una settimana andiamo in campagna, e volevo invitarti. Invitar*vi*. Sei ancora sposato, no?».

«Sì» ho detto, cercando di sopprimere il tono di autogiustificazione che mi veniva. «E tu?»

«Molto» ha detto lei. «E quanti figli hai?»

«Due» ho detto. «E tu?» Pensavo a come avevamo potuto non vederci né sentirci così a lungo; ero furioso con me stesso, con tutte le trappole e la colla della vita.

«Due» ha detto Misia.

Siamo rimasti zitti per qualche secondo nel fruscio della comunicazione transoceanica, affacciati credo nello stesso modo su migliaia di possibili parole e frasi e pensieri senza parole che ci passavano davanti.

Misia ha detto «Allora? Venite o no? È estate piena, qui. In campagna sarà una meraviglia, potremo fare il bagno nel fiume e andare a cavallo e guardare tutti gli uccelli incredibili che ci sono».

«Eh, non lo so» ho detto io, frastornato dalla luce e dai colori nella sua voce. «Ci devo pensare. È un'idea improvvisa.»

«Perché, quanto ti ci vuole adesso per decidere?» ha detto Misia.

«Mah, niente» ho detto, e mi vergognavo di essere così cauto. «Devo parlarne con Paola. Per il bambino piccolo e tutto. Ha solo tre anni e mezzo.» C'era anche il problema che non avevo i soldi per il viaggio, i lavori alla nuova casa erano costati tutto quello che avevo e ancora restavano in sospeso vari pagamenti.

«Il mio piccolo ne ha quasi cinque» ha detto Misia. «Ha pochi mesi meno di Elettrica, no? Si divertiranno moltissimo insieme. Avranno mille cose da fare, vedrai.»

«Ci penso e ti dico qualcosa» ho detto io, per non dare troppo spazio all'idea di essere in un fondo di sacco di vita, chiuso in cima con lo spago. «Ti richiamo prestissimo. Parola.»

«Vi mando i biglietti» ha detto lei. «Ve li spedisco oggi. Vi faccio prenotare per il ventisei, così potete passare il Natale con i vostri parenti e noi con i nostri e poi finalmente siamo liberi di fare quello che ci pare.»

«Ma no, no, no» ho detto io, già sopraffatto dalla sua impazienza per le attese e i tempi intermedi e le terre di nessuno. «I biglietti li prendo io, se decidiamo di venire.»

«Smettila» ha detto lei. «L'idea è stata mia, ve li spedisco io. Ma *dovete* venire. Non lasciamo passare un'altra vita intera senza vederci, Livio.»

«Ne parlo con Paola e decidiamo» ho detto; ma non era più questione di decidere niente ormai, avevo un'accelerazione interna così forte che il cuore mi faceva male.

Misia ha cambiato registro di colpo, e anche questo me lo ricordavo così bene: ha detto «Me lo *prometti* che venite, Livio?».

Le ho detto «Promesso, promesso» non riuscivo più a stare fermo.

Misia è rimasta sospesa un paio di secondi, come su un mare incerto; ha detto «Allora ci vediamo prestissimo, ciao», nel modo strappato e improvviso che aveva a volte.

Sono tornato a guardare fuori dalla grande finestra: l'albero di sambuco grigio e steccoso, le impronte degli scarponcini dei bambini nella neve vicino all'orto. Mi faceva uno strano effetto pensare di avere passato anni interi senza allontanarmi più di qualche decina di chilometri da casa; non capivo cosa mi era successo esattamente, come avevo potuto dimenticare o nascondere o forse anche perdere la curiosità e l'irrequietezza e il bisogno fisico di scenari nuovi che un tempo mi erano sembrati parte di me quanto i miei lineamenti e il mio modo di muovermi. Mi chiedevo se era stata colpa mia o di Paola o dei bambini o della vita; se è vero che le persone maturano o invece è solo una definizione-ombra per consolarsi di una riduzione drastica di possibilità.

Dal piano di sotto Paola mi ha gridato «Chi era?».

«Misia Mistrani» ho gridato io. «Andiamo a trovarla in Argentina.»

«Cosa?» ha gridato Paola, sopra le voci della televisione e dei bambini.

«Cominciamo a preparare i bagagli!» ho gridato io. «Andiamo dall'altra parte del mondo!»

Due

Le ore e ore di vibrazioni e soffi d'aria convogliata sono finite ed eravamo già scesi dall'aereo, già dentro l'aeroporto di Buenos Aires tutto sguardi e gesti e voci e scritte e movimenti che non riuscivo a decifrare a prima vista. Non c'ero più preparato, con tutti i viaggi che avevo fatto in passato: mi è salita dentro una paura da territori non-familiari, appena oltre il banco della dogana dove finiva lo spazio sterilizzato e internazionalizzato e cominciava il paese vero. Guardavo Paola con il piccolo Vero per mano ed Elettrica che aiutava a spingere il carrello con le valigie, mi sforzavo di apparire più disinvolto che potevo mentre cambiavo dei soldi e provavo a telefonare a Misia senza riuscirci.

Non era facile, nella confusione di cartelli pubblicitari e altoparlanti e taxisti legali e abusivi e trafficanti di valuta e procacciatori di clienti per gli alberghi e altri generi di venditori e postulanti che si facevano sotto e dicevano «Señor, Señor» con gesti di invito e di insistenza. Paola si teneva vicini i bambini e i bagagli con un'espressione così tesa da farmi irrigidire ancora, farmi guardare intorno come per fronteggiare un attacco o un furto da un momento all'altro. Le ho detto «Cerchiamo di stare calmi per piacere. È un paese abbastanza civile, ormai».

«Io sono calmissima» ha detto Paola. «Sei tu che sembri agitato.»

«Non sono agitato per un cavolo di niente» ho detto io, pieno di rabbia all'idea di come ci eravamo chiusi fuori dalle correnti del mondo al riparo dei nostri modi accertati, fino a perdere quasi del tutto la capacità di muoverci.

Il telefono di Misia era sempre occupato, e le voci e gli sguardi e i gesti continuavano a incalzarci da tutto intorno; ho detto «Cominciamo ad andare in città, intanto». Ho spinto il carrello con le valigie e la mia famiglia a traino verso l'uscita, e mi sembrava un peso insopportabile e mi sembrava di non poterne fare a meno, mi suscitava sensi di protezione e insofferenza pura.

Paola ha visto un grosso tipo in divisa da autista che teneva tra le mani un cartone bianco con scritto MOLNAR, ha detto «È per noi?».

«Non lo so» ho detto io, già perso il conto di tutte le cose che cercavo di tenere d'occhio.

Lei è andata a battere un dito sopra il cartello, chiedere «Il nome è Mo-li-na-ri, forse?».

Il tipo ha fatto di sì con la testa, ma in modo vago; ha indicato una limousine nera parcheggiata fuori, di lato alla banchina. Gli ho chiesto chi lo mandava; lui ha detto «Transcargo, Transcargo».

Ma il panico da territori sconosciuti mi aveva travolto al punto che mi sembrava di leggere nel suo sguardo una luce feroce da predatore di turisti; vedevo già la nostra famiglia scaricata in qualche vicolo della periferia estrema, senza più bagagli né soldi né documenti. Lui intanto aveva preso il carrello dei bagagli, lo spingeva con determinazione verso le porte a vetri.

Paola lo seguiva a passi nervosi, con lo sguardo che oscillava tra sospetto acuto e desiderio di adagiarsi in un'accoglienza ben organizzata; il piccolo Vero continuava a dire «Ho sete»; la giovane Elettrica sembrava terribilmente incerta. Ho detto all'autista «Grazie, non vogliamo niente, arrivederci», cercavo di strappargli il carrello dalle mani.

Lui ha fatto resistenza, senza vere manifestazioni di aggressività ma era largo quasi il doppio di me; diceva «Andiamo al hotel, signore, al hotel».

Fuori dalle porte a vetri l'aria calda dell'estate ci è venuta addosso insieme alla luce violenta, ha aggravato di molto la mia impressione di non essere più in grado di affrontare un vero viaggio. Mi sembrava di dover fare un percorso di guerra nella compagnia meno adatta, rallentato e intralciato e indebolito di riflessi al punto di non riuscire a muovermi con la minima fluidità; per reagire mi sono attaccato con tutte le forze al carrello dei bagagli, ho gridato all'autista «Ci lasci in pace, per favore! Non abbiamo bisogno di niente! Non l'hanno mandata a prendere noi! Non siamo mai saliti su una limousine in vita nostra!».

L'autista ha ceduto in modo inaspettato al volume della mia voce e alla mia trazione: ha lasciato andare il carrello, è rimasto fermo a guardare con un'espressione delusa mentre io trascinavo i miei bagagli e la mia famiglia verso la fermata dei taxi dove una lunga fila di viaggiatori era in attesa.

Abbiamo aspettato nel caldo, aggrappati alle nostre valigie come pionieri patetici intorno al carro mentre respingevamo gli assalti dei taxisti abusivi. Paola era indignata con me: quando le ho chiesto cosa aveva mi ha detto «Cavolo di modi isterici. Per fortuna eri tu che dicevi di stare calmi».

«Cosa dovevo fare, secondo te?» le ho detto, quasi gridando di nuovo per la frustrazione di vedermi in un ruolo in cui non riuscivo a riconoscermi. «Dovevo lasciare che ci trascinasse tutti dove gli pareva?»

«Sembrava una brava persona» ha detto Paola, nel suo tono più equilibrato. «Aveva gli occhi buoni.»

«Aveva gli occhi di un criminale» ho quasi gridato io. «Ne ho visti, li so riconoscere.» Ero sudato fradicio, morso ai fianchi e alla schiena dall'incertezza, pieno di insofferenza per il nostro rapporto chiuso; furioso con Misia per avermi strappato alla tranquillità natalizia della mia casa nella campagna lombarda e precipitato nella confusione e nella paura e nei dubbi ancora una volta quando non ero più in grado di fronteggiarli. Mi veniva in mente il suo modo di toccarsi i capelli mentre ascoltava, il suo sguardo così focalizzato sulle cose che la interessavano e così incurante di tutto il resto; mi sembrava di non avere nessuna voglia di rivederla dopo tanti anni. Ho quasi gridato a Paola «Ma poi cosa devo fare? Assumermi tutte le responsabilità di questo viaggio, non assumermele? Guarda che non ci tengo a decidere io, per niente. Decidi tu se vuoi, io vengo a traino».

Elettrica era costernata, Vero continuava a lagnare; Paola mi ha detto «Non *gridare*, che ci guardano tutti».

Il grosso autista del cartello è tornato da noi tutto trafela-to, ha detto «Señora Engelhardt, Señora Engelhardt», faceva con la mano il segno di una cornetta di telefono per spiegare come era riuscito a chiarire la cosa. Paola mi ha guardato di taglio, riprovazione allo stato puro nei suoi occhi.

Ho lasciato all'autista il carrello con i bagagli senza più dire niente; siamo saliti tutti sulla Lincoln nera a passo lungo, abbiamo fatto il viaggio di trasferimento fino a Buenos Aires in un silenzio così denso e risentito che anche i bambini ne erano contagiati.

Il "Muflon de oro" era un vecchio elegante albergo di lusso nel centro della città, con una hall tutta legni scuri e ottoni lucidi e velluti bordeaux; alla reception si sono profusi in sorrisi e mezzi inchini appena ho detto il mio nome, il concierge mi ha spiegato sottovoce che eravamo ospiti della signora Misia Engelhardt e dovevamo chiamarla subito. Una ragazza in un tailleur rosa che non le lasciava quasi muovere le ginocchia ci ha portati con un ascensore a gabbia all'ultimo piano, ci ha introdotti in una suite dal pavimento di legno con divani e poltrone e pouf in ogni angolo, specchi dalle cornici dorate, tende pesanti.

Appena se n'è andata, Paola mi ha guardato in un modo ibrido; ha detto «Un posticino semplice. In due notti spendiamo tutto quello che ci siamo portati».

«Siamo *ospiti*» le ho detto secco, anche se non avevo avuto intenzione di accettare l'invito. In realtà per quanto mi guardassi intorno non riuscivo a trovare la minima corrispondenza tra lo spirito del posto e quello di Misia, tranne forse nel fatto che il lusso era in parte intenerito dalla estrema vecchiezza dell'edificio e degli arredi. Ma anche il bouquet di fiori sul tavolino del soggiorno era troppo barocco per il gusto che mi sembrava di conoscere così bene; e più ci ripensavo, più mi sembrava strano che Misia ci avesse mandato un autista invece di venire lei all'aeroporto. Mi chiedevo quanto poteva essere cambiata dall'ultima volta che l'avevo vista, e quanto in profondità: quali parti della sua natura complessa potevano essere venute fuori a scapito di quali altre.

Ho provato di nuovo a telefonarle, ma una voce di cameriera ha risposto che era fuori, non sapeva quando sarebbe tornata.

Paola si è occupata dei bambini che dovevano fare la pipì e bere e cambiarsi e continuavano a lamentarsi di piccole cose, poi quando loro si sono attaccati con curiosità perplessa alla televisione in spagnolo mi ha detto «Quanto ci restiamo, a Buenos Aires?».

«Poco, credo» ho detto, nel tono più incurante che mi veniva, perché come ogni volta con Misia non mi sentivo del tutto padrone del mio destino e allo stesso tempo mi veniva da difenderla da possibili attacchi esterni. «Credo che partiremo quasi subito per la campagna.»

«Cosa vuol dire credo?» ha detto Paola. «Cosa vuol dire quasi subito? Domani, dopodomani? O stiamo qui appesi finché Misia non ci fa sapere che programmi ha?»

«Perché hai questo tono?» le ho detto. «Dopo che lei è stata così affettuosa da invitarci e tutto?»

«Non ho nessun tono» ha detto Paola. «È solo che vorrei conoscere il programma, se non è chiedere troppo.»

«Vedrai che adesso ci chiama» le ho detto. «Ha voluto solo farci arrivare senza assilli, vedrai.»

Paola ha fatto di sì con la testa, chiusa nella sua posizione. Potevo anche capirla, ma questo non mi impediva di provare rabbia per come era totalmente incapace di cambiare prospettiva, sorprendermi con un punto di vista più luminoso e leggero.

Abbiamo aspettato un'ora che Misia si facesse viva, in uno stato di sbalestramento da cambio di fusi orari e di stagione; poi visto che era solo pomeriggio e nessuno chiamava e i bambini erano irrequieti e la tensione tra me e Paola continuava a salire come in una guerra di logoramento, ho proposto di andare a fare due passi per la città.

Le vie intorno all'albergo rimbombavano del traffico amplificato e riflesso tra le facciate degli edifici, l'aria aveva odore di benzina e gasolio bruciato, folle rapide correvano lungo i marciapiedi come in una grande città americana o europea, se non fosse stato per gli strani angoli di deterioramento qua e là. Paola camminava con Vero per mano e un'espressione irrigidita di disapprovazione; quando le ho chiesto cosa aveva, ha detto «Niente, niente, è una meraviglia». In effetti non sembrava una città particolarmente bella, tra le macchine e i camion e gli autobus e i martelli pneumatici che grattavano l'aria e assediavano i marciapiedi con un rumore più crudo e aspro e slabbrato di quello che conoscevo; e c'era una speciale mancanza di spazi aperti o protetti, non riuscivo a intravedere nessun punto di respiro o di tregua nel tessuto sovraffollato delle costruzioni. Il caldo mi prendeva allo stomaco e mi scombinava il passo, la luce bianca violenta mi faceva socchiudere gli occhi mentre camminavo con Elettrica stretta per mano e sguardi in tutte le direzioni per controllare gli altri due membri della famiglia e prevenire i movimenti del traffico e trovare un percorso meno faticoso. Abbiamo finito per fermarci in un bar, sederci su quattro sgabelli a bere tè freddo e guardare il movimento attraverso le vetrine orlate di decorazioni di Natale senza dire una parola.

Quando siamo tornati in albergo non c'era ancora nessun messaggio di Misia. Ho riprovato a telefonarle; la cameriera mi ha ridetto che non ne sapeva niente. Paola stava togliendo le scarpe a Vero, non mi ha guardato ma potevo sentire la sua irritazione come una frequenza acuta insistente.

Le ho detto «Sarà tutta presa dai preparativi per la campagna. Si farà viva tra pochissimo».

«Certo» ha detto Paola nel suo tono più freddo. «E comunque più fa così e più ti piace, no?»

«Non ricominciare» le ho detto, in un tentativo di atteggiamento fermo per coprire i miei smottamenti interiori.

Tre

Il mattino Misia non c'era ancora, né aveva mandato messaggi; alla reception dicevano «Mi dispiace» ogni volta che chiamavo per informarmi.

Siamo andati ancora in giro per la città padroneggiata dal rumore e dal caldo e dalla luce violenta; dopo avere camminato e camminato come animali turistici braccati da ogni lato ci siamo rifugiati nello zoo per trovare scampo. Abbiamo trascinato i piedi lungo i vialetti tra le gabbie degli struzzi e dei cammelli e dei lama, ci siamo lasciati cadere su una panchina davanti alla vasca delle foche, ad assorbire per riflesso la frescura relativa dell'acqua. Il piccolo Vero era l'unico ad avere conservato un margine di energia, continuava a insistere per farci alzare e andare a vedere altri animali. Io e Paola lo usavamo come ponte di comunicazione, visto che avevamo smesso di parlarci in modo diretto: gli dicevamo «Chiedilo alla mamma», o «Fattici portare dal papà». Appena oltre le siepi e la recinzione la città continuava a grattare e stridere e raspare senza tregua.

«Si sarà dimenticata completamente di noi» ha detto Paola a un certo punto, con lo sguardo su Vero che tirava sassolini nella vasca delle foche. «Avrà incontrato qualcuno o fatto qualcosa, non le saremo neanche più tornati in mente.»

«Senti, non credo proprio» ho detto io, anche se non ero più sicuro di niente.

«Non credi proprio?» ha detto Paola, con uno sforzo per continuare a non guardarmi. «Cosa vuol dire, che in fondo potrebbe anche essere così?»

369

«Ma no» ho detto. «Non è mai stata una che fa bidoni, Misia. Non agli amici, in ogni caso.»

«Che meraviglia» ha detto Paola. «Che donna straordinaria.»

Non avevo la forza di polemizzare oltre; ero troppo spossato dal caldo e dal rumore, da tutte le mie aspettative incerte tenute a freno.

Quando siamo tornati in albergo c'era un messaggio di Misia che diceva *Telefonami*. Ho dato un'occhiata a Paola ma non le ho detto «Hai visto?»; lei ha portato i bambini a guardare le vetrinette di sete firmate e bracciali d'oro nella hall.

Misia ha risposto subito al telefono, ha detto «Dov'eri?».

«In giro» ho detto io; mi faceva impressione sentire la sua voce così da vicino. Ho detto «Dato che non sapevamo più niente di te.»

«Ti piace la città?» ha detto lei, senza neanche provare a scusarsi per non essersi fatta viva prima.

«Così» le ho detto. «Non abbiamo visto molto, ma è un po' assediante. Un po' confusa e senza forma, senza spazio, senza vista, no?»

«Sì» ha detto Misia. «È l'unica città su un fiume dove il fiume non si vede. Un fiume grande, anche.»

Mi sono venute in mente le descrizioni di Buenos Aires negli anni Trenta che avevo letto a casa sua a Parigi nella biografia di Saint-Exupéry, avrei voluto parlargliene.

Lei ha detto «Stasera c'è un concerto in memoria del padre di Tomás, in una chiesa. Ci vediamo là?».

«Va bene» ho detto io, senza chiederle niente dei nostri programmi più a lungo termine anche se Paola mi sorvegliava da una decina di metri con uno sguardo nemico.

Misia mi ha dato l'indirizzo della chiesa, ha detto che i nostri nomi erano già nella lista degli invitati; poi bruscamente mi ha salutato. Sembrava inseguita da mille pensieri e impegni e richieste, senza spazio per soffermarsi come riusciva sempre a fare un tempo.

La sera abbiamo lasciato i bambini con una baby-sitter in albergo, abbiamo preso un taxi. Paola si era messa l'unica giacchetta elegante che aveva in valigia, stava seduta dritta e non ascoltava quello che dicevo.

Siamo scesi davanti a una grande chiesa grigia, su un sagrato attraversato da qualche coppia e qualche singolo in abiti formali che andava a passi veloci verso il portone d'ingresso. Paola era rigida di accuse tacite verso di me e verso il paesaggio; ha detto «Possibile che non si veda il fiume da nessuna parte, in questa città?».

«Va be', ma ci sarà qualcos'altro, no?» le ho detto, tirandola per un braccio verso l'ingresso della chiesa.

Appena dentro c'erano due ragazze in una specie di tenuta da collegio, ci hanno chiesto i nomi per controllarli sulla lista degli invitati. Glieli ho detti; loro hanno fatto scorrere due volte l'indice lungo la lista senza trovarli, scuotevano la testa. Non si distingueva molto alla luce gialla e tenue delle candele, ma la chiesa era piena di persone sedute, una strana miscela di solennità religiosa e mondanità. Ho detto alle due attendenti «Siamo amici di Misia. Misia Mistrani Engelhardt». La cercavo con lo sguardo senza riuscire a vederla, tra la folla ben ordinata di profili alteri e cupi nella mezza ombra. C'era un'orchestra da camera schierata davanti alla navata, e una cantante vestita di scuro pronta a cominciare; dagli invitati venivano suoni soffiati e mormorati. Le due attendenti hanno scosso di nuovo la testa; un ultimo invitato in ritardo ha mostrato il suo cartoncino ed è scivolato oltre.

Ho fatto ancora un tentativo di convinzione, ma Paola ha detto «Senti, io mi sono rotta le scatole e me ne torno in albergo», è andata rapida verso l'uscita.

L'ho inseguita fuori dalla chiesa, le ho gridato «Aspetta! Cerchiamo di ragionare!». Lei non si girava neanche, andava via dritta come una piccola nave da guerra alimentata a offesa. Ma quando l'ho raggiunta a due passi dal marciapiede ho sentito una specie di soffio che mi arrivava alle spalle, mi sono girato e c'era Misia.

Era vestita in un tailleur nero molto serio, con un cappellino nero in testa che contrastava con la sua pelle quasi bianca alla luce dei lampioni; ma il suo sguardo era ancora come me lo ricordavo, il suo sorriso ha sciolto le barriere di protezione dei miei sentimenti.

Ci siamo abbracciati in un modo elastico e ripetuto che mi ha fatto ridere e mi ha fatto venire le lacrime agli occhi, mi ha fatto sentire mille volte più vicino a me stesso di pochi minuti prima. Siamo andati indietro di mezzo passo, per guardarci e registrare le trasformazioni che riuscivamo a leggere. Ero incantato dalla tridimensionalità improvvisa della sua persona: dalla posizione dei suoi piedi sulle pietre del sagrato.

Quando mi sono voltato a guardare Paola, era contratta a un metro da me come la testimone di una rapina. Misia l'ha abbracciata come aveva fatto alla mia mostra anni prima; come allora ho visto i lineamenti di Paola ammorbidirsi, le sue labbra sciogliersi in una piega di sorriso malgrado tutta la resistenza che faceva.

Misia è tornata a un punto intermedio tra me e lei, ci guardava e cambiava posizione nel suo modo irrequieto; ha detto «State benissimo, tutti e due».

E non era vero che mi sentivo così bene, né dentro né fuori, ma mi confortava come stava lei: forse un po' più piena agli zigomi, un po' più tonda sui fianchi dell'ultima volta, un po' più vestita e pettinata da signora, ma era ancora lei, non sembrava aver perso nessuno dei caratteri che me l'avevano resa così speciale. Le ho detto «Anche tu stai benissimo».

Non aveva tempo, per quanto il suo sguardo e il suo sorriso fossero con noi; ha fatto un gesto verso la chiesa, ha detto «Io devo assolutamente essere là dentro. Era già tutto pronto per cominciare, quando ho visto che andavate via».

Le ho detto «Certo», sospeso tra lei e la chiesa e Paola e il bordo del marciapiede.

Anche lei ha esitato; ha detto «Sarà una menata tremenda. C'è tutta la famiglia di Tomás e metà della mia famiglia, e un sacco di gente noiosa. Volete che invece ce ne andiamo da qualche parte a bere qualcosa?».

Paola la guardava, totalmente perplessa; ma Misia era sempre stata così riguardo agli obblighi, provavo un sollievo incredibile all'idea che almeno in questo non fosse cambiata. Le ho detto «No, no. Mi interessa, anche».

Così siamo tornati dentro la chiesa, nella debole luce gialla e l'ombra già più venata di brusio rispetto a quando eravamo usciti; io e Paola ci siamo seduti in una delle ultime file, Misia ha raggiunto suo marito e i membri delle loro due famiglie nella prima fila. Non riuscivo a distinguere molto a distanza, tranne Tomás massiccio e teso alla destra di un'anziana signora arcigna che doveva essere sua madre, e un bambino tutto vestito da adulto che doveva essere il loro figlio, un ragazzo che mi sembrava troppo grande per essere il giovane Livio. Mi chiedevo se Tomás poteva immaginarsi che solo tre minuti prima sua moglie era stata sul punto di scapparsene a bere qualcosa con noi invece di tornare al suo fianco; mi chiedevo se Misia l'avrebbe fatto davvero, o era stata solo una frase per confermare l'immagine che avevo di lei. Mi chiedevo come questa immagine poteva conciliarsi con l'alterigia quasi caricaturale delle persone sedute: con i nasi a becco di falco e d'aquila e di crociere, le sopracciglia tese sopra gli occhi tedeschi e spagnoli sudamericanizzati, le stoffe scure e i fazzoletti di lino, i ventagli e le velette, le scarpe nere lucide dai tacchi crudeli. Mi chiedevo se era possibile che non ne fosse stata contagiata, se era solo la sua apparenza a essere rimasta intatta.

Misia controllava a sguardi la situazione tra il pubblico; ha parlato con il direttore della piccola orchestra e con la cantante, è tornata a sedersi di fianco a suo marito come avrebbe potuto fare la regina di una moderna monarchia costituzionale.

Mi chiedevo cosa avrebbe pensato Marco a vederla in questo ruolo: se si sarebbe divertito o amareggiato, o avrebbe fatto finta di non esserne toccato per niente; se avrebbe detto «Tipica Mistrani, no?».

Quattro

A metà mattina siamo andati tutti insieme verso un piccolo aeroporto privato a nord di Buenos Aires, nella limousine nera a passo lungo che era venuta a prenderci con tanta difficoltà al nostro arrivo. Tomás seduto contro il senso di marcia era pieno di cortesie formali e sostanziali verso me e Paola e i nostri figli: ci illustrava le zone della città che attraversavamo, e la situazione politica ed economica del paese, il carattere nazionale e la lingua, i modi di fare e i modi di dire. Sorrideva e faceva gesti eloquenti e generalizzazioni, dava prove verbali di distacco e autoironia; ma sotto il tono privo di incertezze che doveva avere tanto rassicurato Misia quando si erano conosciuti mi sembrava di avvertire qua e là un piccolo cedimento, come in un meccanismo resistente sottoposto a un attrito eccessivo. Appena questo cedimento si manifestava, in un vuoto improvviso di parole o in una momentanea perdita di direzione dello sguardo, lui raddoppiava l'investimento di energia comunicativa: produceva giudizi estesi e considerazioni universali, istruzioni all'autista, disposizioni ai bambini.

Misia lo lasciava parlare, guardava fuori con una strana aria assente nascosta dietro gli occhiali da sole, lontana dall'attivismo brillante e autorevole che aveva messo in mostra la sera prima al concerto commemorativo. Mi aveva così colpito e riempito di dubbi nel suo ruolo di donna di dinastia, rapida e sicura nei segnali da ricevere e da mandare, e adesso sembrava da tutt'altra parte, un'ex ragazza melanconica e

vagamente annoiata che guardava scorrere il paesaggio su-
burbano privo di interesse e lasciava a suo marito tutto il peso delle relazioni con il mondo.

Il loro figlio di quasi cinque anni si chiamava Max ed era
un bel bambino, con una vena di fragilità malgrado le continue sollecitazioni di suo padre a non seccare gli ospiti non
lagnarsi e comportarsi da uomo e da sportivo. Guardavo
Tomás tutto intento a mettere nuove didascalie alle nostre
impressioni, e mi sembrava una specie di miracolo che Misia
fosse riuscita a infondere nel figlio che avevano fatto insieme
una sensibilità e un'intelligenza che era impossibile riconu-
scere nei tratti del padre. Mi chiedevo se Tomás se ne rendeva conto; se questa consapevolezza lo avviliva o invece lo
gratificava, come uno può essere gratificato da un'acquisi-
zione permanente di beni preziosi.

Il giovane Livio ormai aveva quasi dodici anni e un'aria irregolare e interessante, il suo sguardo e il suo modo di muoversi e di angolare la testa per ascoltare mi ricordavano quelli di Marco fino quasi a mettermi in imbarazzo. Ho provato a
parlargli come facevo quando avevamo vissuto insieme, ma
non sembrava che lui si ricordasse molto della nostra vecchia complicità, e in ogni caso era troppo cresciuto rispetto
al linguaggio di allora. Gli ho chiesto se gli piaceva l'idea di
andare in campagna; ha detto «Non tanto». Gli ho chiesto
perché; ha detto «Non c'è niente. Solo erba e mucche e cavalli». Parlava italiano con un accento difficile da definire, ar-
gentinato ma con risonanze francesi, e questo aggiungeva un
altro elemento di particolarità al suo insieme già così poco
comune. Tomás lo trattava con cautela: nemmeno quando lo
vedeva mettere i piedi sul sedile di pelle lo affrontava nel modo perentorio che aveva con il piccolo Max. Gli diceva «Scusa, Livio, ti dispiacerebbe togliere i piedi da lì?». Il giovane
Livio alzava gli occhi verso il tetto dell'abitacolo, toglieva i
piedi come se acconsentisse a una richiesta assurda, con un
atteggiamento di totale dissociazione da tutti gli altri occu-
panti della limousine. Elettrica lo guardava, era molto più
interessata a lui che al piccolo Max che aveva quasi la sua
età. Misia sembrava lontana, per conto suo.

All'aeroporto io Paola Misia e i bambini siamo entrati in
una specie di club-house, mentre Tomás andava a controllare

l'aereo e il trasferimento dei bagagli. Abbiamo mangiato un panino al prosciutto e bevuto acqua minerale in piedi davanti a un bancone, tra pareti di legno decorate con vecchie fotografie a colori di varie parti del paese. Vero e Max correvano in giro, il giovane Livio ed Elettrica guardavano fuori da finestre diverse, io stavo quasi zitto, Paola era tornata alla rigidezza da sfinge del giorno prima, Misia mi guardava ogni tanto ma senza togliersi gli occhiali da sole. Mi sembrava che ci fossero troppe interferenze tra noi, troppe onde magnetiche sovrapposte una all'altra fino a rendere incerto qualunque segnale.

Dopo mezz'ora Tomás è venuto a dirci che l'aereo era pronto: fuori sulla pista sbiancata dal sole c'era un piccolo bimotore con la scritta *TransCargo* a caratteri rossi. Ci siamo pigiati dentro finché non c'è stato un solo centimetro di spazio libero; Tomás ha controllato che fossimo tutti ai posti giusti e con le cinture allacciate, si è messo ai comandi, ha detto «Okay». Misia si è animata, come se la luce le si fosse riaccesa dentro: ha battuto le mani, ha detto «Evviva, si parte!». Si è allungata a dare un bacio ai bambini seduti dietro, ha battuto una mano sulla spalla di Paola seduta davanti di fianco a Tomás, una mano sulla mia schiena.

Poi eravamo in aria sospesi nella vibrazione da grosso calabrone meccanico, con Tomás, molto concentrato in un ruolo che gli corrispondeva bene, competente e preciso come credo in tutto quello che faceva di pratico. Ma a guardarlo da dietro mi rendevo conto di quanto avesse perso lo smalto magico di miglioramento che gli avevo visto anni prima alla mia mostra: c'era un velo di grasso e di stanchezza che dava ai suoi lineamenti una opacità appesantita e rallentata, senza ossigeno. La sua sicurezza automatica di un tempo era andata: doveva attaccarsi forte alle cose adesso, distinguere tra i segnali in arrivo e procedere grado a grado, e questo provocava leggeri scatti nei suoi lineamenti, piccole convulsioni improvvise subito riassorbite.

Abbiamo volato verso nord, bassi sulla pianura brulla attraversata dalle diramazioni del fiume Paraná. Misia indicava sotto, mi ha detto «Non c'è molto, eh?». I miei figli erano incredibilmente eccitati dall'aereo, il piccolo Max si era fatto contagiare e ridacchiava isterico allo stesso modo; il giovane Livio guardava fuori pensieroso.

Quando finalmente siamo arrivati sopra la proprietà degli Engelhardt, Tomás ci ha fatto un giro intorno prima di scendere. Misia si premeva contro il finestrino per vedere meglio, ha detto «Guardate, guardate!», ha provocato nuovi squittii e strida nei bambini. Sotto c'era una casa bianca con due ali, circondata da grandi alberi in una distesa sterminata di prati attraverso cui correvano i segni sottili delle recinzioni per il bestiame; a perdita d'occhio non si vedevano altre costruzioni né strade né altre tracce di vita umana organizzata.

Tomás ha virato d'ala, è sceso verso un prato lungo e dritto; ha toccato terra con perizia, ha fatto caracollare il piccolo aereo fino a fermarlo a qualche decina di metri dalla casa bianca. Siamo sgusciati fuori nella luce infuocata, e due ragazze e un uomo e una donna ci sono arrivati incontro, a fare grandi saluti deferenti a Tomás e a Misia e ai bambini e poi anche a Paola e a me, prendere i bagagli. Misia si è fatta passare una grossa borsa, ha cominciato subito a tirare fuori regali che aveva portato per loro da Buenos Aires: un asciugacapelli, barattoli di marmellata, sottopiatti colorati. Si vedeva che questo ruolo le piaceva, le reazioni di entusiasmo comunicavano ai suoi gesti un'eccitazione quasi infantile. Tomás le ha detto «Non credi che potremmo aspettare a quando siamo dentro, magari?». Era lì in piedi di fianco al suo aereo, con una mano di taglio sulla fronte per schermare la luce: di nuovo ho visto un'ombra di stanchezza e disorientamento passargli dentro.

Quando siamo stati sotto il portico colonnato che riparava l'ingresso è venuto fuori Piero il fratello di Misia, vestito in modo perfettamente mimetico rispetto al luogo, con pantaloni e stivali da gaucho, una camicia color crema dal colletto ad alettoni che gli dava un'aria molto più sana e benestante dell'ultima volta che l'avevo visto. Ha abbracciato sua sorella e suo cognato e i loro figli come uno zio coloniale appena eccentrico, con un ruolo ben accertato e legittimato nelle faccende della famiglia. Solo quando mi ha stretto la mano ho visto una specie di scarto furtivo nel suo sguardo; ma è durato un istante, subito ha baciato la mano a Paola come se non avesse il minimo dubbio sulla stabilità e la consistenza della sua posizione.

L'interno della casa era vecchio e confortevole e un po' cupo, quasi buio rispetto alla luce accecante di fuori, con marine e paesaggi alpini dei primi del novecento alle pareti e mobili di legno scuro, lunghi corridoi che allontanavano le camere tra loro. Misia ha guidato me e Paola in fondo all'ala opposta a quella dove stavano lei e Tomás e i loro figli, con una giovane cameriera che ci veniva dietro. Ha fatto un cenno riferito alla casa mentre camminava, ha detto «L'ha costruita il padre di Tomás. Vecchio tedesco latifondista, no?».

Ma ci si muoveva con agio totale, attratta e distratta da mille particolari che dovevano avere impegnato la sua attenzione negli anni passati. Ha fatto scorrere le tende alle finestre, anche se la giovane cameriera avrebbe voluto farlo al suo posto; ha controllato che ci fosse acqua nelle brocche sui comodini, che gli armadi fossero sgombri e il rubinetto della doccia funzionasse e i cuscini nella stanza dei bambini fossero abbastanza piccoli; ha dato istruzioni alla cameriera in uno spagnolo rapido e appena più dolce del giusto. La guardavo muoversi con questa sicurezza automatica da padrona di casa che la allontanava da me in modo irrimediabile, e d'improvviso mi è sembrato che il suo corpo facesse una curiosa resistenza ai suoi movimenti, e i suoi pensieri alle sue parole, i suoi sentimenti ai suoi sguardi.

Lei si è accorta di come la fissavo, mi ha detto «Cosa c'è?».

«Niente» ho detto io, ma sapevo che era troppo percettiva per non capire.

Si è messa a ridere, ha fatto un gesto come se buttasse una pallina in aria. Subito dopo è tornata seria; ha mostrato a Paola dov'erano gli asciugamani di scorta, come funzionavano i vecchi interruttori color avorio.

Verso sera ero nel soggiorno a sfogliare un libro di tavole di Audubon sugli uccelli delle Americhe, e ho sentito delle voci e un trapestio alla porta d'ingresso. Sono andato a guardare da una finestra: era la madre di Tomás con un'accompagnatrice altrettanto vecchia e rigida, vestite di scuro tutte e due come la sera del concerto commemorativo. Ho visto Tomás e Misia che le scortavano dentro con il loro seguito di bagagli portati dalle cameriere; sono sgusciato fuori dal soggiorno più svelto che potevo, giù per il corridoio come un ladro, fino alle due stanze che ci avevano assegnato. Paola stava svuotando una delle valigie dei bambini; mi ha guardato con la testa inclinata, ha detto «Non ti fa tanto bene, l'Argentina».

Un'ora dopo ci siamo ritrovati tutti nella sala da pranzo, comprese le due vecchie signore e l'amministratore della tenuta che sembrava un giocatore di rugby a riposo e sua moglie imbellettata e cotonata come una soubrette della televisione italiana. Le cameriere hanno servito una cena a base di carne arrosto e carne grigliata e carne stufata e carne fritta accompagnata da vini rossi spessi e pesanti. Tomás era tutto compreso nel suo ruolo di capofamiglia e ospite, attento a ogni minima esigenza di sua madre e della sua dama di compagnia e di Paola e mia e dei bambini. Potevo immaginarmelo nella stessa situazione ai tempi della sua vita pre-Misia, arrogante e del tutto privo di dubbi come il giorno che si era presentato alla porta dell'appartamento di Parigi per lasciarle una spilla perfetta. Adesso il suo sorriso aveva perso sicurezza, i suoi movimenti avevano una qualità telefonata, il suo sguardo si lasciava attraversare da correnti sotterranee di irritazione, il suo tono di voce si logorava in un esercizio didascalico e ripetitivo che suscitava in Misia piccoli lampi avvertibili di insofferenza.

Per il resto anche lei era ben dentro il suo ruolo, mentre rispondeva alle osservazioni della madre di Tomás sul tempo o mentre ascoltava la sua dama di compagnia parlare di persone che non le interessavano affatto, mentre spostava lo sguardo lungo la tavolata per controllare che tutto andasse bene e sussurrava qualcosa alle cameriere. Continuavo a osservarla; mi chiedevo come avrebbe reagito quando ci eravamo conosciuti, se le avessi detto che un giorno sarebbe diventata così.

Eppure non sembrava avere perso energia o brillantezza in questo adattamento: era come se avesse trovato una nuova parte da interpretare con la sua intelligenza rapida di sempre, ricavandone due parti di noia e una parte di divertimento e una parte di gratificazione, quattro parti di rassicurazione rispetto allo sgomento ricorrente della sua vita di prima. Era ancora viva, per essere una donna di mondo piena di doveri e responsabilità e limiti di comportamento; riusciva ancora a parlare in modo interessante e non-convenzionale, saltare i ponti delle introduzioni e delle spiegazioni e delle interpretazioni guidate. Tomás sembrava terribilmente lento e poco elastico in confronto; Paola con la sua razionalità obbligata sembrava quasi ferma. La vecchia Engelhardt e la sua amica avevano raggelato l'atmosfera già non facile, ma Misia non si tirava indietro: usava la sponda delle loro barriere mentali per fare osservazioni giuste e domande irrequiete e anche battute, provava addirittura a farle ridere e ogni tanto ci riusciva, anche se era un riso secco e appena percepibile.

L'amministratore e sua moglie hanno raccontato di un viaggio in Patagonia il mese prima, e di una mostra di bestiame dove erano appena stati, della visita di un consulente texano che aveva dato alcuni suggerimenti sull'alimentazione delle mucche. Erano robusti tutti e due, gonfiati da un'alimentazione iperproteica e probabilmente dalla scarsa attività fisica che gli derivava dal privilegio di sovrintendere il lavoro di una ventina di gauchos sparsi con le loro famiglie per le migliaia di ettari della proprietà. Si rivolgevano alla vecchia Engelhardt con una deferenza da servi, a Tomás e Misia con una confidenza a cui erano stati evidentemente incoraggiati ma che non copriva i loro sentimenti disagevoli di fondo. A Piero Mistrani invece parlavano in un tono da compagni di traffici, che dovevano avere sviluppato nel tempo passato insieme senza i padroni di casa. Misia si è messa a fare domande sui gauchos, sui cavalli, sulle famiglie dei proprietari terrieri confinanti; cercava di ricavare immagini precise dalle risposte, pretendeva particolari nitidi. Tomás si è sentito in dovere di scavalcarla, adesso che si parlava di questioni così tangibili: ha giocato sui registri gravi della sua voce e sulla sua autorevolezza da uomo a uomo per riportare il discorso a termini più ristretti, per allargarlo a forza. Misia ha solo perso interesse; ha chiesto a Elettrica dei regali che aveva ricevuto a Natale.

Finita la cena la vecchia Engelhardt e la sua amica si sono ritirate, Misia e Paola hanno portato a dormire i bambini, l'amministratore e sua moglie si sono congedati, le cameriere hanno finito di ripulire tutto e sono sparite, io sono rimasto solo nel soggiorno con Tomás e Piero. C'era un silenzio pesante quanto l'aria ferma della notte; non avevo niente da dire, ero pentito di non avere insistito di più con Paola per mettere io a letto i bambini. Piero ha detto che doveva fare una chiamata via radio dall'amministratore visto che il telefono non funzionava, è uscito con il suo passo di chi sta sempre cercando di evitare qualcosa o qualcuno. Sono rimasto solo con Tomás, avrei potuto spararmi.

Lui ben affondato in una vecchia poltrona di pelle mi ha chiesto della situazione economica in Italia, della situazione politica. Gli ho detto che non sapevo niente di economia, e che per la politica non riuscivo neanche più a leggere i giornali. Lui ha detto «Ti capisco», ma ero sicuro che non mi capiva affatto, per quanto Misia avesse potuto influenzarlo in anni di matrimonio. Mi ha offerto del brandy, mi ha offerto un sigaro: aveva questi modi da vecchio proprietario di latifondo, si rimpadronivano di lui adesso che era nella casa di suo padre. Parlava come da un osservatorio internazionale informato e disincantato, eppure c'era una sonnolenza di fondo che gli si riversava nella voce e tingeva le sue parole di una luce diversa. Era la stessa luce che avevo visto in chiesa la sera del concerto commemorativo, nelle facce degli ospiti e degli altri membri del suo clan: il contagio spagnolesco che aveva illanguidito e allentato la sua rigida matrice tedesca e l'aveva fatta in parte smarrire.

Non sapevo di cosa parlargli, ma non riuscivo neanche a stare zitto o a fare da bersaglio alle sue domande; alla fine gli ho chiesto «Come mai tuo padre è venuto fin qui, dalla Germania?».

«È una storia lunga» ha detto lui con il sigaro in bocca, ma d'improvviso era a disagio.

«No, perché è abbastanza strano» ho detto io, con l'istinto che ho sempre avuto per peggiorare le situazioni imbarazzanti. «Proprio da una parte all'altra parte del mondo, no?»

«In effetti» ha detto Tomás, senza più sguardo.

«Quando è venuto?» gli ho chiesto, perpendicolare al suo disagio.

«Mah» ha detto lui. «Negli anni Quaranta, più o meno.»

«E come mai?» gli ho detto. Avevo la tempia sinistra che sudava e la camicia appiccicata alla schiena, ma mi era venuto questa specie di accanimento incontrollabile, che nasceva dall'ostilità istintiva superata a forza di ragione, dall'idea che lui avesse passato sei anni della sua vita con Misia e avesse fatto un figlio con lei e nel frattempo l'avesse forse cambiata senza possibilità di ritorno. Ho detto «Come gli è venuto in mente, di prendere e venire fino in Argentina, che allora doveva essere un posto incredibilmente remoto?».

Tomás è rimasto incerto ancora un paio di secondi, poi ha livellato lo sguardo, mi ha detto «Credo che il fattore decisivo sia stato l'incontro con mia madre. Suo padre faceva un po' il lavoro che faccio io adesso, se l'era portata dietro in viaggio d'affari in Germania».

«E tuo padre cosa faceva?» gli ho chiesto.

«Allora la guerra, credo» ha detto Tomás, ma senza distogliere gli occhi. «Come chiunque in Europa, in quegli anni. Mia madre è argentina da dodici generazioni. In origine una famiglia di Pamplona, abbastanza antica.»

Siamo stati zitti nelle nostre poltrone; guardavo le marine e gli alpeggi dei paesaggisti tedeschi alle pareti e mi immaginavo Engelhardt padre che arrivava a Buenos Aires attraverso qualche rete nazista di salvataggio, con una valigia piena di soldi e gioielli di ebrei massacrati. L'aria mi sembrava difficile da respirare, il fumo del sigaro di Tomás mi bruciava i bronchi; sentivo una corrente di rabbia folle per Misia attraverso tutto il sistema nervoso.

Tomás ha detto «Misia dice che hai una capacità prodigiosa di ricordarti date e nomi».

«Molto meno che in passato» ho detto io. Avrei voluto alzarmi e appiccare fuoco alla casa; continuavo a sudare, tendevo l'orecchio per sentire se Paola o Misia tornavano.

«Io invece non ho mai avuto una gran memoria» ha detto Tomás. «Magari nel lavoro sì, quando è una cosa molto tecnica o importante, ma per esempio nei sentimenti scopro sempre di avere una visione terribilmente retrospettiva.»

«Succede» ho detto io. Ma avrei voluto fargli altre domande su suo padre, chiedergli perché pensava di potere uscire da un argomento come quello con un semplice cambio di tono di voce. Avrei voluto chiedergli perché diavolo con una famiglia come la sua si era andato a mettere con Misia; se lo aveva fatto per ambizione o per curiosità, per dimostrare a se stesso che proprio tutto poteva essere comprato, per dimostrare agli altri di essere diverso dai suoi genitori.

Lui ha detto «Poi la memoria è arbitraria almeno quanto la percezione della realtà, no? Non è che mentre viviamo una cosa siamo così straordinariamente oggettivi, alla fine».

Ero quasi incantato dallo sforzo terribile che faceva per mostrarsi interessante e complesso e inquieto quanto Misia: sembrava sfibrato da questa fatica, eppure non si dava per vinto, come se potesse continuare a provarci per sempre.

«Anche Tolstoj ne parlava, no?» ha detto, e ondeggiava le grosse ginocchia. «La *Sonata a Kreutzer*, no?»

«Non so» ho detto io, e pensavo a tutte le volte che Misia mi aveva parlato di Tolstoj nel suo modo appassionato e non-oggettivo, mi sembrava anche questo un tentativo grossolano di appropriazione. Non era divertente; quando Paola è entrata nel soggiorno ho provato sollievo.

Poi è arrivata anche Misia con il suo passo ancora ben equilibrato; quando ci ha visti sprofondati nelle poltrone alla luce gialla delle lampade a stelo ha detto «Che bel *quadro*», rideva. Mi sono chiesto di nuovo se la vita con Tomás l'aveva cambiata in modo irrimediabile; se ogni persona giovane ha dentro di sé una gamma di possibilità contrastanti che a un certo punto quasi senza preavviso si riducono a una sola mentre tutto il resto passa sullo sfondo e diventa la pura coloritura di un carattere ormai fissato. Mi sono chiesto se alla fine era meglio essere sbagliati ma stabili, piuttosto che continuare a oscillare per sempre tra un'idea e l'altra di sé, senza mai fare una scelta definitiva né essere mai del tutto contenti.

Piero Mistrani è tornato con un finto inchino da gentiluomo, ha detto «Signori buonasera». Anche lui mi faceva impressione in questa nuova chiave, con il completo di lino color panna che si era messo per la cena e i capelli ormai radi pettinati all'indietro, capace di trasformarsi quasi quanto Misia e rapido quasi quanto lei, ma solo quasi. Misia era sempre stata protettiva con lui e aveva sempre cercato di dargli un ruolo nella sua vita, ma certo adesso riusciva a farlo molto meglio che in passato, aveva un intero vasto scenario da mettergli a disposizione.

Lui ha tirato fuori di tasca un sacchetto di erba e ha cominciato a preparare in modo molto elaborato uno spino professionale, mentre Paola faceva a Misia complimenti sulla stoffa delle tende e Tomás mi chiedeva aggiornamenti e segnalazioni sul mercato italiano dell'arte e io gli rispondevo senza ascoltarlo davvero. Ero invischiato nel gioco di non-sguardi tra lui e Misia e Misia e Piero e Misia e me e Paola e Misia: nel modo che avevamo tutti di cambiare posizione e angolo uno rispetto all'altro per studiarci e rappresentarci, misurarci senza farlo capire.

Piero ha acceso lo spino professionale, ha inclinato all'indietro la testa per aspirare più a fondo che poteva nel suo modo da ex tossico; l'odore resinoso di marijuana si è insinuato tra gli odori di essenze legnose pregiate e ben curate del soggiorno, ha raddolcito e snervato tutta l'atmosfera. Misia ha allungato la mano per prendere lo spino da suo fratello, ha inspirato il fumo nel modo che mi ricordavo, e per un attimo è stata molto più vicina alle immagini di lei che avevo in testa: mi è sembrato di rivedere la luce pirata nel suo sguardo, l'elasticità da gatta selvatica nel suo corpo, sotto le buone stoffe ben tagliate.

Mi ha passato lo spino, e a causa dello strano clima ho inspirato con fin troppa forza, ed erano anni che non fumavo, anni che neanche bevevo quasi più per la pressione normalizzatrice di Paola, ed era erba sudamericana potente e ben curata: mi ha fatto un effetto allucinogeno, nel giro di pochi secondi. Sono ricaduto all'indietro sullo schienale; il soggiorno è diventato più grande e più grande, le luci più gialle, le poltrone più lontane tra loro, larghe e cedevoli come piccole paludi personali in cui affondare senza limiti. Tutta la situazione mi è sembrata una palude, collosa quanto il contagio spagnolesco nello sguardo di Tomás, non-convincente come un vecchio sceneggiato della televisione italiana di quando ero bambino, ogni personaggio risucchiato nelle sabbie mobili di un copione esausto.

Sono saltato in piedi come se fosse questione di salvarmi la vita; ho fatto qualche passo instabile sul pavimento che scricchiolava, ho porto lo spino a Tomás con un gesto di provocazione per vedere se c'era una possibile via d'uscita. Lui l'ha preso, l'ha fumato senza scomporsi né cambiare minimamente sguardo, poi l'ha passato a Paola e ha continuato a parlare come prima. Anche Paola ha fumato, e gliel'avevo visto fare forse due volte da quando la conoscevo, nemmeno lei è uscita di un millimetro dal suo registro.

Poi il fratello di Misia ha detto che doveva andare a fare un'altra chiamata via radio, e Paola ha chiesto a Tomás quali erano le vere basi dell'economia argentina, Tomás si è messo a tracciarle nel modo più meticoloso il quadro globale e i possibili scenari di cambiamento. Misia si è alzata di scatto come avevo fatto io, ha detto «Vado a vedere se c'è qualcosa di dolce».

Le sono andato dietro senza nemmeno pensarci; sentivo gli sguardi di Tomás e di Paola mentre attraversavo il soggiorno, mi facevano una specie di solletico alla nuca.

L'ho seguita nella grande cucina attrezzata come quella di un albergo, con elettrodomestici tedeschi, utensili surdimensionati, ripostigli capaci, piani di lavoro di acciaio zincato. C'era uno strano contrasto tra l'organizzazione dello spazio e l'impazienza di Misia che frugava e spostava e faceva cadere cose. Dalle finestre si vedeva uno spruzzatore automatico che schizzava acqua su un prato all'inglese, alla luce di faretti bassi da giardino. Misia ha aperto il frigorifero, ha tirato fuori un barattolo di vetro pieno di pasta color nocciola, ne ha preso una cucchiaiata con la fantastica avidità naturale di quando aveva davvero fame. Ne ha porto anche a me; senza neanche chiederle cos'era mi sono riempito la bocca di crema zuccherina. «*Dulce de leche*» ha detto Misia con una faccia buffa. «È latte cotto e ricotto con lo zucchero.»

Ne abbiamo mangiato ancora; ridevamo e ci guardavamo, toccavamo oggetti intorno, avevamo tutte queste domande sulla punta della lingua e non dicevamo niente.

Alla fine Misia ha detto «Così?».

«Così?» ho detto io; oscillavo senza equilibrio, nel ronzio del frigorifero e del congelatore, sotto le luci al neon da cucina d'albergo. Dal soggiorno arrivavano le voci di Tomás e Paola: l'italiano enfatico di lui che non riusciva a nascondere la linearità da treno su binari di quello che diceva, il timbro senza squilibri di Paola che contrappuntava nuove domande e osservazioni.

«Come va?» ha detto Misia. «In generale? La vita?» Era così vicina che potevo sentire il campo magnetico della sua anima intensa, ma non ero sicuro di niente. Potevo vedere i segni sulla sua faccia, anche: le piccole rughe di espressione agli angoli della bocca e sulla fronte, le tracce di quello che aveva fatto e sentito nel corso degli anni, del sole che aveva preso e la luce e le lacrime e i sorrisi e tutto il resto.

«Non so» ho detto. «La vita?» Ho fatto mezzo gesto in aria; mi è venuto da ridere.

«Scemo» ha detto Misia, cercava di restare seria. «Volevo dire i bambini, Paola, il lavoro, tutto.»

«Tutto fantastico» ho detto; mi sono puntato un dito alla tempia, come una pistola.

«Smettila» ha detto Misia, con uno sguardo metà curioso e metà provocatorio. «Paola è sempre molto carina e in gamba. Migliorata, dall'altra volta che l'ho vista.»

«Anche Tomás» ho detto io.

Lei ha preso ancora un cucchiaio di dolce di latte ma non ne aveva più voglia; è andata a posarlo nel lavello, ha rimesso il barattolo nel frigorifero. Il fruscio dei suoi passi sulle tavole del pavimento aveva la stessa consistenza sfuggita e laterale del suo sguardo, mi suscitava la stessa scia di impressioni indecise. Ci muovevamo da un punto all'altro della cucina, e la distanza tra noi restava sempre uguale; sorridevamo e tornavamo seri, alzavamo le braccia dai fianchi e le lasciavamo ricadere, pensavamo alle cose che avremmo voluto dire e stavamo zitti. Il ronzio del frigorifero si è interrotto con una vibrazione di assestamento; dal salone è arrivata più forte la voce di Tomás, come un altro genere di motore quasi instancabile.

Misia di colpo mi ha detto «E Marco?».

«Marco?» ho detto io, spaventato dalla luce improvvisa nel suo sguardo.

«Sì, come sta?» ha detto Misia, e tutta l'angolazione della sua persona rispetto a me era cambiata.

«Non lo sento da anni» ho detto. «L'ultimo suo film è andato alla grande. L'ha girato in Irlanda.»

«Questo lo so» ha detto Misia. «Li leggo anch'io i giornali.» Mi stava di fronte piena di istinti vivi, senza più filtri di ruoli né comportamenti; mi sembrava di sentire il suo respiro e quasi il battito del suo cuore.

«Per il resto non ho idea» ho detto. «Ma credo che stia bene. È diventato una specie di mito, ormai. È entrato in una categoria strana.»

«Che categoria?» ha detto Misia (di nuovo il fruscio della sua persona, il suo sguardo che scorreva di lato).

«Di quelle poche persone che non riesci a fermare» ho detto, senza capire perché parlavo così. «Sai quelle che non combaciano mai del tutto con le loro fotografie? Che sono sempre già un po' oltre, o comunque da un'altra parte? Ha questo modo di essere terribilmente dentro quello che fa e poi non esserci più, sparire senza preavviso proprio quando chiunque altro bacerebbe per terra pieno di felicità e riconoscenza.»

«Sì, eh?» ha detto Misia, con un tentativo di sorriso che non le riusciva.

Mi veniva da andare avanti ancora, per la miscela strana di insoddisfazione e stupidaggine e invidia e frustrazione e fatica e gelosia e delusione e incertezza che mi si era incendiata dentro. Ho detto «E più fa così, più la gente è affascinata, più gli sta dietro. È una specie di destino, che ha. Pensa alla storia del Perù, il regista acclamato che lascia perdere il successo e le gratificazioni e i soldi che gli offrono e va a rischiare la vita nel più umile e rischioso dei reportage e torna a casa ferito a una gamba, con un capolavoro sotto braccio».

Misia è tornata a prendere il cucchiaino di dolce di latte dal lavello, senza distogliere gli occhi da me; mi sono spostato per mantenere costante la distanza.

Ho detto «No? L'artista apolide che sfida ogni pericolo incluso quello di essere dimenticato, e viene inseguito dal suo talento anche se tenta di sottrarglisi in tutti i modi? Che fa una vita da hooligan e vince il premio speciale della regina a Brighton, e i giornali scrivono che non si mette neanche la cravatta per ritirarlo?».

Misia mi guardava con una mano appoggiata sul fianco; ha detto «Che figo, eh?».

«Da *morire*» ho detto io, ma avrei potuto mettermi a sbattere la testa contro il muro, per la luce che vedevo nei suoi occhi.

«Mentre noi due affondavamo nella vita borghese?» ha detto Misia. «Come palombari che vanno giù a piombo per sentirsi al sicuro lontano dalle possibili tempeste?»

«Più o meno» ho detto; cercavo di pensare alle profondità diverse a cui comunque eravamo scesi io e lei.

«Solo che poi a un certo punto si interrompe il flusso d'aria» ha detto Misia. «Le navi appoggio se ne vanno e i palombari restano senza contatti con la superficie.» È andata lungo la parete, i suoi movimenti erano quasi gli stessi che mi ricordavo nel primo film di Marco. Ha detto «Se ne stanno lì carichi di piombo con i piedi ben piantati sul fondo, e non riescono più a *respirare*».

«Madonna, smettila» le ho detto, perché mi sembrava di soffocare davvero.

Misia si è fermata davanti a uno degli armadi; per un attimo mi è sembrato di vederla oscillare tra come era stata e come era adesso, tra la sua parte insofferente e quella ragionevole, quella selvatica e quella civilizzata, quella infantile e quella adulta. Sono rimasto immobile a guardarla, sospeso sulle sue espressioni come se potesse venirne fuori una risposta o una soluzione applicabile anche a me.

Poi lei ha scosso la testa; i suoi lineamenti si sono distesi, il suo respiro è rientrato sotto controllo, il suo modo di muoversi è tornato quello di una elegante e intelligente signora dell'alta borghesia internazionale madre di due figli. Parte della sua luce se n'è andata, insieme a buona parte della mia tensione.

Cinque

Subito dopo colazione Misia ha portato me e Paola e i bambini a fare un giro intorno alla casa. Indicava gli alberi che c'erano già dai tempi del padre di Tomás e quelli che aveva piantato lei; passavamo sotto i rami da cui volavano via cardinalini scarlatti e altri piccoli uccelli colorati, socchiudevamo gli occhi nel gioco di luce e ombra. Misia conosceva i nomi scientifici e volgari di tutte le piante del giardino, li pronunciava con un misto di sicurezza e stupore, come il risultato di una conquista non facile. Diceva «Quando vivevo a Milano non sapevo distinguere un faggio da un platano, ho dovuto cominciare da zero. Nei primi tempi qua mi sono letta tutti i libri di botanica che ho trovato». Diceva «Questo è un liriodendro»: la parola vibrante di tutto lo slancio e la musica che poteva contenere.

Paola faceva di sì con la testa e ogni tanto sorrideva quando lei la guardava, ma tutti i muscoli del suo corpo erano contratti in un'opposizione accanita. È probabile che facesse confronti con la nostra casa in Lombardia vicino alla strada statale, con il giardino appena piantumato di stecchi e l'erba bruciata dal gelo umido: vederla camminare così rigida e mal disposta vicino a Misia mi faceva tenerezza e mi faceva rabbia, mi faceva venire voglia di scrollarla, gridarle di assumere almeno un'espressione più sincera.

Tre cani di varie taglie ci seguivano, con manifestazioni di affetto e improvvise perplessità dovute forse ai lunghi intervalli tra le visite dei padroni. I bambini cercavano di carezzarli, li inseguivano sull'erba falciata corta. Solo il giovane Livio si teneva più dietro, con un'espressione assorta che mi ricordava suo padre; quando si accorgeva che lo guardavo girava la testa in un'altra direzione, non aveva nessuna voglia di farsi studiare.

Misia ci ha portati in un campo dove c'erano decine di piccole piante di agrumi ingiallite e in parte secche, ha detto «Oh, madonna». Ne ha sfiorate due o tre con le dita, come se ogni rametto rovinato le provocasse un dispiacere acuto.

Le ho detto «Non sono stati bagnati?».

«Non sono stati niente» ha detto lei; continuava a guardarsi intorno tra i filari di piccoli alberi mezzi morti. «Non sono stati bagnati, né sarchiati, né concimati. *Niente*. E dire che c'era qui Piero che doveva occuparsene. Era qui per questo.»

Abbiamo continuato ad aggirarci nel tentativo di agrumeto andato in malora; il paesaggio intorno era piatto e vuoto fino all'orizzonte, chilometri e chilometri di erba e cespugli radi.

Misia ha detto «Non hai idea di quanto tempo ho passato a occuparmi di questo posto, nei primi anni. Mi sembrava la nostra frontiera, da fare crescere poco a poco. Sai per quando i bambini diventano grandi, no? Passavo giornate intere a fare mappe e disegni e progetti».

«E adesso?» le ho chiesto, incerto per come nella sua voce c'era un senso di cose immaginate e perdute, attenzione molto focalizzata e poi dissolta. Ma non ero con lei; l'idea della frontiera privata della famiglia Engelhardt mi comunicava fastidio molto più che commozione, perfino i suoi occhiali da sole mi irritavano.

Misia continuava a guardare i piccoli agrumi stroncati dall'incuria; ha detto «Non lo so. C'è tanto di quel terreno, ed è un cavolo di latifondo, lasciato a se stesso. A vederlo è anche bello, ci puoi passare delle magnifiche vacanze e andare a cavallo e tutto, ma se cominci a pensarci è assurdo. Se pensi che dobbiamo importare quasi tutta la frutta e la verdura da altri paesi, e che ci sono milioni di persone in miseria tremenda, e che con l'acqua e il clima che abbiamo si potrebbe far crescere di tutto. Basterebbe *cominciare*, in modo molto semplice e pratico, senza bisogno di inventarsi chissà che».

«Invece?» le ho detto. Anche questi discorsi mi irritavano: mi sarebbe sembrato più coerente che si limitasse a fare la signora di latifondo, si godesse il paesaggio così come lo aveva acquisito con il matrimonio.

Lei ha fatto un gesto intorno, ha detto «Lo vedi. Tutti sono così abituati a questa dimensione abbandonata e inerte, migliaia di ettari in mano a un solo proprietario e lasciati a pascolo per le mucche, come cento o duecento anni fa. E *nessuno* che si voglia dare minimamente da fare per cambiare».

«Per esempio come?» le ha chiesto Paola, come se volesse più che altro contrapporsi al tono affranto di Misia con il suo tono tutto razionalità e controllo.

«Per esempio coltivando agrumi» ha detto Misia, con un altro cenno al suo ex frutteto. «Se gli dai l'acqua e li curi qui crescono benissimo. Si potrebbe coltivarli su larga scala, usare le risorse della terra, dare lavoro a un sacco di gente.»

«Ma?» le ho detto io, estenuato dalla luce e dal conflitto di sentimenti che avevo dentro.

Misia ha detto «Ma nessuno ha l'interesse o la voglia di farlo. Tutti i proprietari hanno questo atteggiamento da vecchi hidalgo colonialisti. E il colonialismo spagnolo è sempre stato così totalmente predatorio e sterile. Fa paura quando vedi le scie che ha lasciato».

«E i proprietari tedeschi?» le ho chiesto. Pensavo ai discorsi di Tomás la sera prima: al suo sguardo, al suo modo di stare affondato nella poltrona.

«Hanno tutti lo stesso spirito» ha detto Misia. «Sono tutti presi in questo balletto rigido di forme sociali, in questa pantomima ridicola.»

«Anche Tomás?» le ho chiesto. Paola camminava avanti con Vero per mano, si girava ogni tanto, con il collo irrigidito dai giudizi già dati. Il giovane Livio aveva catturato un ramarro e lo teneva con competenza tra le mani, lo faceva vedere a Elettrica affascinata e inorridita.

Misia ha detto «Tom è stato in giro per il mondo. È d'accordo che le cose dovrebbero cambiare, naturalmente. Mi ha sempre lasciato fare, quando ho avuto delle idee per questo posto. Mi ha incoraggiata, anche».

«Però?» le ho detto. Mi rendevo conto di essere insistente, ma avevo un desiderio non-confessabile di minare le strutture portanti della sua vita di adesso, o almeno scoprire le fondamenta su cui si reggeva.

Lei ha detto «È il clima generale, non è che lui possa tenersene fuori. Già è cambiato quando siamo venuti a Buenos Aires da Parigi, come se avesse dovuto prendere un altro ruolo. È una storia di secoli che gli viene addosso, è più forte di lui. Dice che è d'accordo con me e che le cose devono cambiare, ma dentro di sé pensa che non ci sia niente da fare. È più facile, anche, arrendersi alla corrente di fondo».

Ho detto «Eh, sì». Ancora una volta non mi piaceva la mia voce; avrei avuto bisogno di un paio di occhiali da sole come lei, per schermare la luce ed equilibrare almeno in parte la conversazione.

Misia ha detto «Non è colpa di Tom. È la sua famiglia, il mondo in cui è cresciuto. La vecchia Doña Inés, l'hai vista ieri sera. E i vicini che abbiamo. È una società di uomini, fanno queste facce quando sentono una donna che cerca di parlargli di qualcosa di serio. Sono così poco interessati a qualunque genere di cambiamento, anche se sembrano molto più moderni e internazionali dei loro genitori».

Un cane si è messo a correre in tondo come un pazzo, i bambini ridevano; Paola ha sgridato Vero perché non voleva tenersi in testa il cappellino, Misia si è girata a guardarla. Avrei voluto chiederle perché non se ne andava, invece di essere scontenta; perché non se n'era andata da anni, invece di adattarsi ad avere una parte in un mondo così orrendo.

Lei ha detto «È vero che anch'io sono venuta qui sempre meno, negli ultimi anni. Ma con la scuola di Livio siamo abbastanza vincolati, e tra poco comincia anche Max. E non puoi aspettarti che qualcuno faccia le cose per te. L'ho visto con Piero. In meno di un anno si è fatto risucchiare da tutto il peggio di questo posto».

Siamo usciti dall'ex agrumeto, abbiamo dato attenzione ai bambini che in quel momento non ne volevano affatto. Il giovane Livio ha messo il ramarro in mano a Elettrica, che è corsa a posarlo in testa a Vero che è diventato tutto rosso e si è messo a strillare su una frequenza acuta. Il ramarro è caduto a terra, è sgusciato via rapido tra l'erba; Paola ha gridato a Elettrica «Sei proprio un'*idiota*!»; i cani hanno abbaiato per contribuire all'agitazione. Guardavo Misia da cinque o sei passi di distanza, nella sua tenuta da ragazza-difficile-divenuta-star-divenuta-proprietaria-di-latifondo: mi faceva fatica cercare di capire in quale di queste parti era davvero la sua anima.

Pochi minuti dopo sembrava già tornata per intero al suo ruolo e alle possibilità che le offriva, dai progetti di riforma agricola alle decorazioni botaniche più leggiadre. Ha indicato alcuni paletti di legno piantati nel prato ben curato intorno a casa, ha detto «Qui ci andranno delle paulonie e un osmanto. L'osmanto ha un profumo così straordinario, bisognerebbe sempre averne uno fuori dalle finestre della camera da letto».

Ci portava in giro intorno alla sua casa bianca, parte precisa e parte frivola, parte impulsiva e parte razionale, parte vicina, parte lontanissima, e mi sembrava che cercasse di sottrarsi alla sua ombra, ci riusciva per minuti interi.

Più tardi è atterrato sul prato lungo e dritto il piccolo bimotore con cui eravamo arrivati il giorno prima, ne sono scesi Tomás e il padre di Misia e sua sorella Astra. Ho visto dal patio Misia che gli andava incontro insieme a due cameriere e li abbracciava, tornava con loro e il loro seguito di valige verso casa. Ho avuto la tentazione rapida di nascondermi da qualche parte, ma sapevo che avrei dovuto salutarli prima o poi, sono rimasto lì.

Il padre di Misia era come me lo ricordavo dalla mattina del suo primo matrimonio: un uomo scostante e nervoso dai begli occhi chiari, attraversato da una forma di imbarazzo che lo spingeva a una mancanza di garbo quasi brutale. Mi ha stretto la mano senza quasi guardarmi, già pieno di ragioni di scontento, per il caldo e per il fatto che attraversava un periodo di insonnia, per una bottiglia di olio d'oliva toscano che gli si era rotta nel caricare il bagaglio. Misia gli ha chiesto se aveva notizie di sua madre; lui ha detto «Che ne so di quella pazza da manicomio. Chiedilo a tua sorella», guardava oltre con aria di chi si è già sottratto alla questione.

Il fratello di Misia è uscito sul patio, con una faccia di sonno anche se era mezzogiorno passato; lui e suo padre e sua sorella Astra si sono salutati senza nessuna cordialità, in uno scambio di rapide espressioni di disagio.

Astra si era adattata come suo fratello alle nuove risorse di Misia: tutta vestita e pettinata e atteggiata da giovane signora di mondo, con occhiali da sole simili a quelli di sua sorella e un modo finto naturale di muoversi, un tono da quasi-padrona verso il personale di casa, appena attenuato dal suo spirito infantile e invadente.

Come quando li avevo visti insieme al primo matrimonio di Misia, mi colpiva che tre fratelli partiti da una dotazione di elementi simili si fossero evoluti in modi tanto diversi: mi sembrava ancora più un miracolo che Misia fosse diventata quella che era, e ancora più una perdita che attraverso Tomás avesse finito per trasformarsi in un altro genere di persona. Mi chiedevo che peso aveva avuto in questa trasformazione l'atteggiamento parassitario dei suoi fratelli; che peso la totale mancanza di calore e di atteggiamenti paterni in suo padre. Lontano come mi sentivo ormai da Misia, mi faceva rabbia la naturalezza proterva con cui Piero e Astra sapevano di poter fare affidamento su di lei, lo sguardo incurante e villano con cui suo padre si è infilato in casa.

Eppure Misia sembrava contenta di avere quasi tutta la sua famiglia di origine con sé, così lontano dalla parte del mondo dove era cresciuta: faceva gesti rapidi e battute con i suoi fratelli, tirava fuori episodi della loro storia comune e cercava di farsene raccontare altri, li stuzzicava con occhi che le brillavano, rideva. Tra Piero e Astra c'era una tensione evidente, ma cercavano di coprirla per potere attingere alle comodità e all'affetto che Misia metteva a disposizione, si adattavano alle parti che lei sembrava richiedergli in cambio.

A pranzo Misia ha continuato in questo ruolo di anima e legante della famiglia: tutta la sua percettività e la sua energia applicate a stimolare e alimentare la comunicazione, vincere la rigidità ferrosa della vecchia Engelhardt e la freddezza di suo padre e le ostilità incrociate dei suoi fratelli. Era un ruolo che si era assunta fin da piccola come diceva Marco, lo aveva sostenuto nel corso degli anni fino al punto che i suoi famigliari lo consideravano del tutto scontato. La guardavo al centro della lunga tavolata, e il peso della sua responsabilità invece di commuovermi mi faceva venire voglia di lasciarla perdere, insieme a tutta la sua famiglia e alle sue complicazioni infinite.

Il padre di Misia aveva aperto un ristorante italiano a Buenos Aires da tre anni, ma le cose gli andavano male perché aveva scelto una zona sbagliata della città e perché aveva fatto errori amministrativi e di altro genere a cui adesso alludeva in modo non chiaro. L'unica cosa certa era che l'impresa era stata finanziata da Tomás per fare contenta Misia, e che adesso ci voleva un nuovo intervento sostanziale perché il ristorante non chiudesse sommerso dai debiti. Misia si faceva carico della questione con tutta l'attenzione precisa e appassionata di cui era capace: cercava di rassicurare suo padre e nello stesso tempo di non umiliarlo davanti a tutti, gli toglieva responsabilità, sottolineava le cose giuste che aveva fatto, dava consigli e incoraggiamenti. Tomás la assecondava con grande garbo, garantiva il suo appoggio come se si trattasse di una cosa trascurabile anche se non lo era, stava al gioco nell'attribuire la responsabilità maggiore del disastro all'andamento dell'economia argentina nel suo insieme. D'altra parte non avrebbe potuto fare altrimenti senza deludere sua moglie in modo grave; anche lui era imprigionato in un ruolo, con la differenza rispetto a Misia che se l'era scelto, per la gratificazione di essere sposato a una donna come lei e per il gusto che aveva nell'entrare da padrone illuminato nelle vite degli altri.

Il padre di Misia non solo non si mostrava riconoscente per tutto quello che veniva fatto per lui, ma per imbarazzo o per carattere continuava a rispondere nel modo più villano a ogni osservazione che potesse sembrare vagamente critica nei suoi confronti. Diceva (a Misia) «Va be', va be', non mi stare a spiegare la rava e la fava»; diceva (a Piero che in effetti aveva fatto un commento vuoto) «Senti questo, che non sa neanche allacciarsi le stringhe delle scarpe, da solo»; diceva (a Tomás, ma in tono sensibilmente meno duro) «Lo so io cos'è un ristorante. Voi argentini mangereste solo carne bruciata sulla griglia e patate». Con la vecchia Engelhardt era più attento, per viltà e perché gli faceva piacere considerarla parte della sua stessa categoria di genitori delusi e insoddisfatti.

Mi faceva una rabbia incredibile vedere come aveva con Misia le aspettative di assistenza e di attenzione univoca di un fratello minore o addirittura di un figlio, eppure questo non gli impediva di rivolgersi a lei con giudizi sprezzanti sull'educazione del giovane Livio, consigli superficiali e tranciati sulle sue capacità di madre e di donna. Non la ascoltava quando cercava di rispondere e di spiegare, la interrompeva a metà frase, faceva gesti di insofferenza, sbuffava e guardava da un'altra parte, tornava ad aggredirla con ironia violenta, la prendeva in giro senza traccia di partecipazione. Non ci voleva molto a capire quanta poca serenità e protezione doveva averle dato da bambina, quanto al contrario per egoismo e impazienza e presunzione doveva averla minata e spaventata e lasciata sola di fronte al mondo, senza altri strumenti di difesa che le sue capacità innate. Gli altri suoi due figli competevano con lui sullo stesso terreno ma con armi meno tracotanti: non smettevano di pretendere aiuto e cure e ruoli in cui insediarsi, davano in cambio qualche dimostrazione di affetto, anche se non spesso e non con molto slancio. Tutti e tre avevano l'aria di considerare Misia più fortunata di loro; stavano lì seduti alla sua tavola, ben pettinati e rimpannucciati, e pretendevano e pretendevano, con una facilità e un'insistenza insaziabili.

Misia si adeguava al loro flusso continuo di richieste con una specie di spirito di servizio, come quando si girava verso Max che non riusciva a tagliare la bistecca da solo o quando guardava il giovane Livio per capire se non aveva più fame o era inverso per qualche ragione, o quando si allungava verso la vecchia Engelhardt arcigna per chiederle qualcosa e coinvolgerla nella conversazione generale. Tomás invece di difenderla dal sarcasmo di suo padre tendeva a stabilire con lui una complicità fra uomini; e aveva anche lui un flusso costante di richieste di attenzione, benché convogliate in modi molto diversi da quelli dei suoi parenti di sangue. Ma potevo vedere l'effetto rassicurante che aveva su di lei, con il suono della sua voce e il suo rapporto con le cose, i suoi stessi limiti mentali: Misia non aveva neanche bisogno di guardarlo per sapere che era lì, e questo la faceva sentire in grado di continuare ad assumersi responsabilità verso tutti. Sembrava che le desse una forma di felicità relativa, nella vita che aveva finito per scegliersi: che la facesse sentire realizzata nella parte di nutrice e protettrice e mamma di molti figli, in un'estensione estrema delle sue risorse naturali.

Pensavo a tutto quello che lei aveva fatto in passato per me e per Marco, quando non c'era ancora nessun Tomás a rassicurarla: a quanto le era venuto istintivo sostenerci e spingerci a fare del nostro meglio, a quanto le era riuscito bene. Mi chiedevo se la distanza che adesso sentivo era dovuta al fatto che lei si era dedicata ad altre persone e ad altre richieste; mi chiedevo se per caso ero anch'io come il padre di Misia e come i suoi fratelli, pronto a offendermi e diventare irriconoscente appena lei non accorreva alla prima richiesta e non metteva subito in gioco tutti i suoi strumenti di comprensione e soluzione. La guardavo al centro della lunga tavolata; i miei sentimenti diventavano sempre meno chiari.

Sei

La mattina del trentun dicembre hanno cominciato ad arrivare gli amici e i vicini che Tomás e Misia avevano invitato per il capodanno. Ero nel giardino con i bambini mentre Paola prendeva il sole davanti alla nostra camera, ho visto i grossi fuoristrada inglesi e giapponesi che venivano dalla strada sterrata sul retro, altri due piccoli aerei che atterravano sul prato-pista. Guardavo i tipi che scendevano nei loro vestiti da campagna, a loro agio come padroni del mondo, con figli e valigie firmate e cani Labrador al seguito, gesti di familiarità complice e distratta per Tomás e Misia, salamelecchi leziosi per la vecchia Engelhardt e la sua amica. Mi tenevo al riparo degli alberi dai nomi esotici, esasperato dalla contraddizione di impulsi e impressioni e giudizi e constatazioni e timori e dati di fatto che mi si agitavano dentro senza mai sedimentarsi per più di qualche minuto. Guardavo Misia ricevere i suoi amici e vicini intollerabilmente diversi da com'era lei quando ci somigliavamo, tra sentimenti che intuivo e gesti che vedevo, parole che mi arrivavano attraverso il prato nell'aria ferma. La mia relativa stabilità era andata in malora come il suo tentativo di agrumeto modello, ormai; mi aggiravo nel giardino come un ladro, seguivo i bambini per tenermi lontano dalla casa.

Più tardi, dopo che ero stato costretto a salutare i due fratelli minori di Tomás e le loro mogli e gli amici e i vicini di latifondo e a scambiare qualche parola con la Engelhardt madre, e dopo una lite nel corridoio molto rapida ma molto concentrata con Paola a proposito dei vestiti che doveva mettersi nostro figlio Vero, Tomás è venuto in giro a chiedere chi aveva voglia di fare una passeggiata a cavallo. Ho detto subito di no, perché ero stato una sola volta a dodici anni in un centro ippico e mi ricordavo ancora lo spavento e il disagio a essere seduto su un animale così alto; ma Tomás ha insistito, e ci si è messa anche Misia, ha detto «Dai, Livio, vedrai che ti piace».

Anche Paola si è fatta convincere, e non era mai salita in sella in vita sua; siamo andati tutti nel giardino sul retro della casa, dove i gauchos avevano legato a una staccionata una dozzina di cavalli già sellati e imbrigliati, con i grossi colli e le criniere tagliate corte, pelli di pecora sulle selle per renderle più morbide. Gli altri del gruppo si erano portati le loro tenute da equitazione, stivali al ginocchio e pantaloni a sbuffo e guanti estivi traforati e caschetti da polo e occhiali a specchio dalla sottile montatura brunita: uomini e donne intrisi di un'arroganza fisica e morale che gli rendeva odiosa la voce e gli faceva scaricare il peso sui talloni mentre aspettavano che Tomás finisse di trovare gli abbinamenti tra cavalli e cavalieri.

Mi ha aiutato lui a salire sul baio tozzo e tardo che mi aveva assegnato, e mentre mi spingeva in sella con le mani forti mi è venuto un vero senso di rivolta all'idea che Misia fosse stata attratta da questa sua fisicità non-sensibile eppure molto collaudata, confermata sul campo fin da quando era ragazzino. Da sopra il cavallo l'ho guardato mentre mi dava istruzioni su come stare seduto e come manovrare le redini, ma più che ascoltarlo cercavo di capire se e in cosa era meglio dei suoi amici detestabili che già manovravano in giro come a una parata equestre e trafficavano con staffe e frustini e si scambiavano battute di ironia tracotante da circolo molto chiuso. L'unica qualità che riuscivo a vedergli rispetto a loro era la traccia di fatica che gli era entrata nei lineamenti, e la relativa debolezza nella parte inferiore del corpo dovuta all'incidente di polo di cui mi aveva parlato Misia. Ma più lo guardavo e più mi sembrava che la vicinanza dei suoi amici lo facesse tornare di minuto in minuto verso la sua natura d'origine: già non c'era quasi più traccia delle smagliature ricorrenti che mi avevano colpito durante il viaggio, già il suo tono aveva preso lo stesso spirito dei piccoli sorrisi a labbra tirate e dei rapidi ammiccamenti che gli arrivavano da tutto intorno.

Gli ho detto «Ho capito, grazie», anche se non era vero; l'ho osservato mentre con galanteria automatica aiutava Misia a issare Paola su una specie di mulo che le avevano trovato per prudenza. Misia le ha regolato le staffe e stretto il sottopancia e dato istruzioni di postura con una competenza che mi colpiva, attiva e ben disegnata nei suoi pantaloni aderenti color panna; suo marito la guardava con approvazione, come se avesse superato un esame che veniva ripetuto a intervalli regolari. Pensavo alla sua capacità stupefacente di imparare: di registrare a colpo d'occhio i particolari determinanti e decifrarli, impadronirsene fino a farli entrare definitivamente nella sua gamma di conoscenze e di possibilità espressive. Pensavo a quanto ero più lento di lei anche in questo, alla fatica che facevo a uscire dal campo ristretto delle cose che già sapevo; stringevo le gambe con tutte le forze intorno alla pancia del mio cavallo, mi sentivo rigido e limitato.

Siamo andati al passo per la prateria brulla e rovente, in un gioco continuo di affiancamenti e brevi rincorse trottate e scambi di cenni e sguardi ai cavalli e ai cavalieri e schiene inarcate e teste girate e redini tenute con una sola mano e di nuovo piccoli sorrisi ironici e gesti verso l'orizzonte indistinto, dimostrazioni di disinvoltura e incuranza e sicurezza. Misia era elegante in sella, con la schiena da ballerina ben dritta e le gambe che seguivano con una tensione leggera i fianchi del cavallo; non riuscivo a non guardarle il sedere mentre si sporgeva a parlare a una vicina di latifondo piatta e secca, non riuscivo a non guardarle i capelli che le ricadevano chiari sulle spalle ben proporzionate. Ma quando si è girata verso di me e mi ha sorriso non le ho risposto quasi, ero troppo pieno di sentimenti in contrasto e di preoccupazione per i movimenti del mio cavallo. Non mi sembrava affatto di riuscire a dominarlo: accelerava e rallentava il passo per tenersi nel branco, ogni volta che facevo un tentativo con le redini rispondeva con uno strappo brusco della testa. Mi sembrava una rappresentazione simbolica della mia mancanza generale di controllo, nel concerto di brutti sguardi nascosti dietro lenti specchiate; mi comunicava rabbia e paura in misura quasi uguale, mi faceva venire voglia di saltare giù e tornarmene a piedi fino a casa. L'avrei anche fatto, se non avessi saputo di trovarci il padre di Misia e la vecchia Engelhardt con la sua dama di compagnia e le altre due anziane canaglie coloniali che le avevano raggiunte per il capodanno.

Tomás cavalcava il suo pony da polo con padronanza assoluta: ogni tanto lo faceva scattare al piccolo galoppo per costeggiare il gruppo degli ospiti e controllare che tutto andasse bene, ostentare destrezza e scambiare battute. Lavorava di talloni e con un frustino corto intrecciato per dare al cavallo una prontezza nervosa di movimento che lui non aveva affatto quando era a piedi: caracollava intorno in questa specie di esercizio compensatorio, con la grossa testa ex bionda senza cappello e il collo largo saldato al grosso torso, il braccio destro lasciato ricadere sul fianco in un atteggiamento molle rispetto al resto del corpo. Si è accostato a Paola che aveva più paura di me e si aggrappava alla sella e continuava a dirmi «Questo mi par-te» ogni volta che ci trovavamo vicini, le ha detto «Non c'è bisogno di stringere tanto le ginocchia. Tieni più bassi i talloni».

Lui e un paio di suoi amici non aspettavano che l'occasione per mostrarsi galanti e bravi cavalieri: si sono prodigati in frasi e gesti di assistenza finché Paola ha preso ad accentuare le sue manifestazioni di vulnerabilità come non sapevo che potesse. Si faceva spiegare come appoggiare i piedi nelle staffe e come tenere le redini tra le dita; si faceva toccare i polsi e alzare i gomiti e tamburellare la schiena e sfiorare i polpacci e il mento e il sedere, tra avvicinamenti e scivolamenti laterali e torsioni di busti, dorsi di mani passati sulle fronti ad asciugare il sudore. Rideva, diceva «Mamma mia», diceva «Sono senza speranza», diceva «Oh, grazie!». Sembrava contenta, d'improvviso: sembrava allegra e frivola e leggera e perfino languida, tutta la sua rigidità preconcetta dissolta come per incanto.

Anche Tomás e i suoi amici sembravano contenti, nella loro competizione di sicurezza maschia e di braveria: pungolavano i loro cavalli per esibirsi in brevi scatti, li frenavano con un gioco di polso, si sopravanzavano in continue battute brillanti in spagnolo e italiano e inglese, ogni lingua scandita e accentata nello stesso modo. Paola rideva, socchiudeva le palpebre, rispondeva con altre battute, esagerava la paura che le veniva appena il suo cavallo-mulo prendeva a trottignare. Gli occhi le brillavano, invece di stare tutto il tempo fissi e cauti su di me in attesa del peggio; aveva l'aria di una persona che ricomincia a respirare dopo un lungo periodo di apnea, mi comunicava uno strano sconcerto aggiuntivo.

Misia era in testa alla cavalcata, con sua sorella Astra e suo fratello Piero che le venivano dietro nei loro atteggiamenti da membri minori della famiglia reale; neanche lei mi sembrava molto meglio degli altri a vederla così, malgrado i suoi discorsi nell'agrumeto e le riflessioni che mi aveva suscitato la sera prima a tavola. Mi sentivo l'unico estraneo in un gruppo omogeneo di persone che si vestivano e si tagliavano i capelli e si guardavano intorno e si parlavano e si muovevano in un modo che mi era irresistibilmente odioso; ero pieno di veleno concentrato e senso di non-appartenenza, con tutti i muscoli interiori contratti al punto di farmi male quanto le mani che stringevano le redini di cuoio grezzo.

Poi Misia si è girata a dire «Allora, facciamo una galoppata?», e prima che io potessi gridare qualcosa o aggrapparmi meglio alla sella tutti i cavalli davanti a me compreso quello di Paola fiancheggiata dai suoi paladini erano già partiti di scatto, anche il mio aveva già strappato in avanti con forza irresistibile malgrado i miei tentativi disperati di trattenerlo, si era già buttato a testa bassa in un movimento basculante di muscoli e nervi e ossa che a ogni falcata sembrava sul punto di scaraventarmi a terra nel modo più violento e farmi rompere il collo, farmi restare paralizzato per sempre con tutta la rabbia e l'estraneità che avevo dentro.

La sera tutti gli invitati e i parenti e gli amministratori e anche un gruppetto di gauchos con le famiglie erano nel giardino: i padroni seduti al lungo tavolo sistemato sotto una grande tenda sostenuta da nervature di metallo, i gauchos discosti di venti metri a un tavolo più rustico vicino alla griglia per le carni. Dalle casse di noce del vecchio stereo di casa uscivano walzer di Strauss che scivolavano come tappeti mobili sotto l'intrecciarsi controllato delle voci, le cameriere andavano e venivano con i piatti di portata e le caraffe d'acqua e di vino, i bambini si alzavano appena c'era un varco di distrazione, correvano intorno insieme ai cani finché le madri non li richiamavano. Tomás e Misia facevano i padroni di casa, con l'energia e la persistenza e la buona divisione di ruoli che avevano dimostrato per tutto il giorno: indirizzavano i cibi e le bevande e la conversazione, distribuivano attenzioni e cure, si prodigavano perché la macchina complessa della grande cena di capodanno continuasse a girare come era necessario.

Guardavo Misia dal mio posto, seduto dolorante per il cavallo tra la dama di compagnia della Engelhardt madre e una vicina di latifondo finta bionda e perfettamente impermeabile a qualunque argomento che mi potesse venire con grande fatica in mente, e mi chiedevo se per caso tutte le mie opinioni passate su di lei erano state fondate su un equivoco. Mi chiedevo se era stato come in una storia d'amore, quando uno vede nell'altra persona qualità straordinarie che poi svaporano man mano che la conosce meglio fino a dissolversi del tutto, con la differenza che la nostra non era una storia d'amore e le apparenti qualità straordinarie si erano conservate intatte per quindici anni senza che nessuna esperienza diretta potesse intaccarle. Mi chiedevo cos'era stato a farmela vedere tanto a lungo come il mio ideale di donna, e farmi arricchire questo ideale di elementi ogni volta che scoprivo un nuovo particolare della sua natura complessa; se si era mai resa conto davvero di quello che significava per me, se ci aveva giocato; se sapeva come avevo continuato a confrontare con lei le altre donne della mia vita, solo per vederle sempre uscire male dal confronto; se si immaginava il terribile senso di carenza che mi aveva suscitato a intervalli ricorrenti. Mi chiedevo se quella che vedevo adesso era un'altra delle sue molte fasi, o invece la trasformazione definitiva nella persona che lei avrebbe sempre voluto essere; se si rendeva conto che questa persona non solo non mi piaceva ma non mi era nemmeno simpatica. Mi chiedevo se la nostra similitudine di un tempo dipendeva dal fatto che eravamo ancora in un tratto indefinito e irrealizzato dei nostri percorsi, e si era dissolta in modo naturale appena eravamo passati al tratto successivo, oppure quello che c'era tra noi era così forte da poter sopravvivere a qualunque cambiamento esteriore.

Mi sentivo da cani, in realtà: ero sudato e indolenzito e avevo la testa piena di pensieri che mi mettevano caldo, le mie due vicine di sedia e la allevatrice di dogo argentini e il broker di borsa-arbitro di polo che avevo davanti mi erano così indistintamente intollerabili che avrei potuto strangolare uno di loro a caso, senza la fatica di scegliere. In qualunque direzione girassi lo sguardo raccoglievo solo ragioni per stare peggio: i bambini Molinari ed Engelhardt che ridacchiavano al loro angolo di tavolo insieme ad alcuni amichetti di recente acquisto, il padre di Misia che faceva generalizzazioni spietate sull'Italia come se parlasse a cittadini di un paese migliore, Paola che sembrava avere trovato una nuova vita tutta trillata e squittita tra gli ex campioni di decathlon e gli allevatori di tori da concorso e i giovani investitori internazionali dalla schiena ben muscolata che le lanciavano frasi spiritose e le facevano complimenti, le riempivano il bicchiere appena accennava a vuotarsi.

Anch'io bevevo a ciclo continuo, vino rosso denso e morto e affumato come vecchio velluto d'albergo: lo sentivo entrare nel circolo sanguigno in un flusso di pensieri pesanti e percezioni affaticate, brutte immagini non desiderate. La lunga tavolata era inchiodata sotto i teli di cotone spesso, ogni persona bloccata rigida al suo posto e nel suo ruolo malgrado lo spazio aperto pochi metri più in là per migliaia di chilometri e il cielo nero pieno di stelle giganti. C'era questa terribile staticità che veniva dalle convenzioni e dagli atteggiamenti e dalla cultura di legno e ferro rugginoso delle persone sedute: soffocava la notte in una prigione, non la lasciava respirare. Continuavo a guardarmi alle spalle e di lato per capire se avrei potuto alzarmi e sgusciare via nella campagna, ma non mi sembrava di avere la prontezza né lo slancio per farlo; stavo incollato alla mia sedia rivestita di pelle, la conversazione superficiale e spocchiosa e insistente dei miei vicini mi sciacquava addosso come un brutto mare pieno di alghe viscide e crostacei morti.

In questo spirito mi veniva da pensare a me nel modo peggiore e meno ottimista che mi fosse capitato da anni, senza la minima riflessione o immagine mentale che mi potesse fare intravedere uno spiraglio. Mi sembrava di non essere mai riuscito a combinare niente di costruttivo, di essermi lasciato vivere senza mai assumermi una vera responsabilità o compiere una vera scelta. Mi sembrava di avere affidato la mia vita a

Paola per pura vigliaccheria e bisogno di una madre sostituta che decidesse al posto mio; di avere con i miei figli un rapporto superficiale e insignificante, in bilico continuo tra ricerca di gratificazione e noia; di dipingere i miei quadri nel modo più meccanico, senza ricavarne nessuna vera ricerca e nessuna vera soddisfazione a parte quella di venderli quando mi andava bene. Mi sembrava di avere già passato da un pezzo la fase delle possibili grandi sorprese della vita, di essere ormai imprigionato in una forma che da lì in poi poteva solo degenerare. Continuavo a bere, e il vino non mi piaceva, e con ogni nuovo bicchiere affondavo di un altro grado nella desolazione pura; ci provavo quasi gusto, ero quasi curioso di vedere fino a che punto avrei potuto andare giù.

A un certo punto Misia mi è arrivata alle spalle, eravamo al dolce e lei aveva preso a spostarsi lungo la tavolata per rivolgere a ogni ospite parole e sorrisi e interi discorsi animati che non volevo neanche provare a distinguere nel cicaleccio generale. Mi ha toccato un braccio, ha detto «Va tutto bene?».

«Benissimo» ho detto io, senza neanche girare del tutto lo sguardo.

Lei ha detto «Sei sicuro?». Mi guardava con la testa inclinata, accalorata dalla conversazione e dai suoi doveri di ospite, brilla per il vino; la luce giocosa che le vedevo negli occhi aveva l'effetto di spingermi ancora più a fondo.

«Sicuro» ho detto. «Sicuro.»

Lei continuava a guardarmi, non-convinta, scuoteva piano la testa. Da tutta la tavolata i suoi ospiti la incalzavano con richiami e sollecitazioni: un cretino dalla testa perfettamente argentata parlava di lei ad altri e diceva «La nostra stra-or-di-na-ria padrona di casa», l'allevatrice di dogo argentini voleva coinvolgerla in una discussione sui gioielli Tiffany, suo padre seduto cinque posti più in là alzava una caraffa vuota e diceva «Non c'è più vino» nel suo tono di richiesta senza fine. Misia li ha tamponati con un gesto a palme aperte; mi ha premuto una mano sulla spalla, ha detto «Non è vero. Sei inverso. Io ti conosco, sei nero. Ti annoi».

«Ma no» ho detto io, in un tono falso e strascicato che mi faceva pena. Ho indicato un vicino di latifondo che le faceva cenni, tutto compiaciuto dell'onda dei propri capelli, le ho detto «Guarda che ti vogliono».

«Lascia perdere» ha detto Misia. «Ti annoi da morire, e ti fa orrore la situazione. La cena e gli invitati e tutto.»

Ho alzato le spalle; non riuscivo a confermare né a smentire, sorridevo in un modo estenuato.

«Ti sembra uno schifo totale» ha detto Misia, ed era un po' più che brilla, la sua voce e il suo sguardo avevano una temperatura che mi spaventava. «Ti sembra che io sia diventata una bastarda insopportabile che fa una vita di merda in mezzo a gente di merda.»

«Dai, Misia» ho detto io, ma stavo cominciando a confondermi in modo grave. La gente di merda lungo la grande tavolata continuava a guardarci, anche: i musi da nobili cavalle e da falchi delle praterie si giravano verso di noi con sempre più insistenza.

«L'ho capito subito» ha detto Misia. «Dal primo momento che sei arrivato, l'altro giorno.» Potevo vedere l'agitazione che le dilagava dentro sempre più rapida, sapevo come le succedeva.

L'allevatrice di dogo alla mia sinistra dopo averci studiati a sguardi-sonda si è alzata, ha detto a Misia «Siediti, se dovete parlare». Mi è sembrato di vedere un sorriso cattivo sulle sue labbra strette; e brutti sguardi dalle altre persone che avevano preso a spostarsi lungo la tavolata e a scambiarsi i posti con movimenti steccati, prigioniere dei loro stessi gesti.

Misia mi si è seduta accanto senza neanche pensarci, si è allungata in avanti su un braccio, girata verso di me; ha detto «Sei tutto carico di giudizi inappellabili e condanne definitive. Che brutta sorpresa dev'essere stata, la tua migliore amica che diventa una stronza».

«Ma va'» le ho detto, senza riuscire a smettere di registrare i gesti di suo padre e il profilo della vecchia Engelhardt e la voce di Tomás e le risa acute di Paola e lo sguardo melanconico del giovane Livio e le corse dei miei e suoi figli dietro ai cani e i traffici di Piero che insieme all'amministrazione della tenuta faceva gli ultimi preparativi ai margini del prato per i fuochi d'artificio di mezzanotte.

Misia ha detto «Dimmi che non è così, allora. Che non sono diventata una stronza latifondista odiosa con cui non hai più niente in comune al mondo».

«Piantala, Misia» le ho detto, ho preso un'altra gollata di

vino amaro e denso che mi trascinava ancora un po' più in basso.

«Dimmelo» ha detto Misia, con lo sguardo infiammato e una vera violenza di verità nelle dita che mi stringevano il braccio sinistro.

«Non sei diventata una stronza latifondista odiosa» ho detto io alla fine, come se cercassi di prendere respiro da una fonte d'aria troppo lontana. «Sei solo diventata diversa da quella che conoscevo, o che pensavo di conoscere, non lo so. Ma è anche normale, credo.»

«Perché, com'era quella che pensavi di conoscere?» ha detto Misia. «Spiega.»

«Diversa» ho detto.

«Diversa come?» ha detto lei, con gli occhi da gatta di paesi strani che mi incalzavano fin dentro l'anima.

«Diversa» ho detto, come un cane ottuso aggrappato a un osso.

«Ma cosa vuol dire diversa?» ha detto Misia. «Più pazza, più libera, più sprovveduta, più scema, più simpatica, più disgraziata? Cosa vuol dire?»

«Diversa» ho detto ancora, aggrappato a un crinale più che a un osso, accecato e assordato dalla paura di precipitare.

«Scusa Misia» ha detto la Engelhardt madre, con una mano dalle dita secche sporta verso di lei come un'arma socialmente accettabile. «Ti dispiace se interrompo la tua interminabile conversazione così intensa e privata?»

Misia si è girata a guardarla: ho visto un gesto di giustificazione che le affiorava e tornava subito indietro, così veloce da cambiarle il colore degli occhi in un istante. Ha detto «Sì che mi dispiace!».

La Engelhardt è arretrata come se fosse stata punta da una vespa; altre facce si sono voltate sulla sua onda di ritorno, con espressioni simili di non-comprensione, allarme da comportamenti anomali.

Misia si era alzata in piedi: ha detto alla Engelhardt «Non ci sono parole per dirti quanto mi dispiace. Sono *sopraffatta* dal dispiacere. Stavo parlando con il mio migliore amico di una cosa che mi interessa molto, mi dispiace *infinitamente* essere interrotta per qualche menata inutile e odiosa!».

Altre facce ancora si sono girate, sguardi e gesti bloccati a metà movimento intorno alla tavola; la Engelhardt ha recuperato con uno sforzo, ha detto tra palpebre strette «Mi pare che tu sia poco carina, Misia cara».

«Sono *molto* poco carina, Inés cara!» ha detto Misia. «Non ti immagini *quanto* poco!»

Parlava con un'esasperazione che doveva essersi accumulata nel corso degli anni passati a fare la figlia e la sorella e la madre e la moglie e la nuora e la cognata e la sostenitrice di responsabilità e la compensatrice di errori e l'ispiratrice di idee e la dispensatrice di cure e attenzioni, eppure la sua voce era piena di musica, la sua persona elastica e reattiva in un modo entusiasmante. Mi sembrava di vederla riemergere per miracolo dalle trasformazioni e gli adattamenti e le razionalizzazioni e le maturazioni forzate della sua vita, con la stessa impazienza rabbiosa di quando l'avevo conosciuta; ero con il cuore fermo, il respiro perduto.

La faccia della Engelhardt era diventata grigia per la stizza, i suoi lineamenti da vecchia maschera coloniale tremavano di indignazione. Ha detto «Non credo che il tuo tono sia minimamente ammissibile, da nessun punto di vista».

«Per esempio da *quale* punto di vista?» ha detto Misia, rivolta a lei ma anche a suo padre e a suo fratello e a sua sorella e a Tomás e ai due fratelli minori di Tomás e alle loro mogli, all'intero fronte di amici di famiglia e vicini di latifondo che erano passati dalla sorpresa all'allarme più intenso.

Tomás ha fatto il giro del tavolo con un'espressione di stabilità inattaccabile; è venuto a prendere Misia per un braccio, dirle «Tesoro, cerca di calmarti. Hai solo bevuto un po' troppo vino».

«Non è il vino!» ha detto Misia. Si è liberata dalla sua mano, tremava; ha detto «È che sono stufa *marcia* di tutti voi! È che mi avete rotto l'*anima* e non ne posso più! Non ho più voglia di starvi ad ascoltare né di starvi a guardare, *basta*!».

Tomás la fissava senza muoversi, ma potevo vedere come assorbiva gli sguardi da tutto intorno e se ne faceva appoggiare; ha preso di nuovo Misia per un braccio, con la mano da ex giocatore di polo e afferratore di situazioni e figlio di nazisti espatriati e discendente di conquistadores sterminatori di indios, le ha detto a mezza voce «Adesso fai il favore di smettere questa scena. Andiamo un attimo in casa e mi spieghi qual è il problema».

E mi è saltato completamente il controllo, peggio ancora della sera che avevo conosciuto Misia in un punto lontano delle nostre vite: un momento ero lì, paralizzato dallo stupore per la situazione nel suo insieme, e un momento dopo ero un selvaggio totale, pronto a scendere in guerra insieme a lei contro chiunque, senza la minima considerazione per i rapporti di forze o il controllo del campo o le possibili conseguenze. Sono saltato in piedi e ho strappato la mano di Tomás dal braccio di Misia, gli ho gridato «FAI *TU* IL FAVORE DI LASCIARLA STARE, BRUTTO CINGHIALE LATIFONDISTA OTTUSO E ARROGANTE DI UNO!».

La mia voce da megafono non mi era mai uscita così assordante: Tomás e sua madre e i suoi fratelli e le loro mogli e il padre di Misia e sua sorella e tutte le altre persone sedute e in piedi intorno alla grande tavola mi guardavano come se non riuscissero a capire che genere di fenomeno avevano davanti. Ma neanche questa reazione era naturale, perché ci si condensava dentro l'essenza di tutti gli atteggiamenti e i toni e i modi che mi avevano riempito di disagio dall'inizio e mi avevano fatto pensare che Misia fosse diventata simile a loro fino a farmi sentire solo e disperato, senza più nessun punto di riferimento al mondo.

Ho gridato ancora più forte, anche se non credevo che fosse possibile e forse nessuno lo avrebbe creduto «FATE *TUTTI* IL FAVORE DI LASCIARLA STARE, SMETTETELA DI SACCHEGGIARE E SACCHEGGIARE DA LEI PER RIEMPIRVI UNA VITA CHE ALTRIMENTI SAREBBE VUOTA E SECCA COME UN INVOLUCRO DI LARVA DI CICALA!».

Sono rimasto lì fermo nel riverbero della mia voce amplificata fino quasi a scardinarmi, e per quanto cercassi nel lago di sguardi che avevo intorno non riuscivo a vederne nessuno che mi fosse lontanamente simpatico o anche solo familiare, a parte quello di Misia e quello del giovane Livio che osservava la scena seduto in fondo alla tavola in un modo obliquo che conoscevo.

Ed era mezzanotte dell'ultimo dell'anno anche se sembrava che tutti se ne fossero dimenticati, tranne Piero Mistrani e l'amministratore della tenuta che erano troppo lontani dal tendone per accorgersi di niente: proprio quando Tomás ha deglutito sul punto di rispondermi si è sentita una vampata improvvisa e un soffio violento, uno scoppio da vera guerra ha spaccato l'aria e proiettato schegge e scintille e strisce di luce bianca nella notte nera. E sono partiti subito altri fuochi di artificio, e anche i gauchos ne avevano preparati poco lontano; il cielo si è riempito di botti e lampi e girandole e fontane e cascate di colori incandescenti che si riflettevano sulle facce delle persone intorno al tavolo e sfalsavano la loro percezione dello spazio e scompaginavano i loro movimenti, lasciavano i loro sguardi senza nessun punto di appoggio.

PARTE QUINTA

Uno

Il dodici luglio scorso è morta mia nonna. Le ho telefonato alle otto di mattina e non rispondeva e mi è venuta una strana preoccupazione senza forma, così sono andato a casa sua a vedere. Ho suonato il campanello e battuto sulla porta, ho detto «Nonna? Nonna?» nel modo più insistente. Il suo vicino di casa avvocato è uscito sul pianerottolo, ingrigito dall'ultima volta che l'avevo visto; mi ha detto «Forse è meglio aspettare, prima di chiamare i pompieri e far buttare giù tutto». Ma dopo quasi un'ora di bussamenti intermittenti e voci senza risposta ho finito per farli venire ancora una volta, e quando hanno sfondato la porta e abbiamo potuto entrare mia nonna questa volta era morta davvero, distesa sul suo letto con i lineamenti abbastanza sereni e due boccette di sonniferi e una tazza di tè sul comodino, un biglietto per me nella sua calligrafia a zampe di gallina che diceva *Cerca di vivere in modo interessante perché guarda che questo viaggio finisce a una velocità prodigiosa*.

Non sono stato propriamente addolorato: ho avuto più la sensazione che un pezzo consistente del mio paesaggio interiore fosse finito da qualche altra parte dell'universo. Mentre guidavo senza direzione per le strade, i movimenti del traffico e le facce delle persone lungo i marciapiedi e le vetrine e i negozi e i cartelli alle fermate degli autobus e i tubi di scarico dei motorini e i nomi e le immagini delle pubblicità avevano la stessa strana qualità non-riconoscibile. Ho cercato di fissare i miei pensieri sulle questioni più pratiche che mi venivano in mente, la mostra che la mia nuova gallerista mi aveva organizzato per la fine di settembre a Bologna, la vacanza di venti giorni con i bambini che avevo strappato a fatica alla mia ex moglie, l'idraulico che avrei dovuto chiamare a sistemare gli scarichi nella mia nuova casa-studio prima che tutta la città chiudesse per agosto, l'aiuto che avevo promesso alla mia fidanzata Monica per un esame all'università sul futurismo, il viaggio in Irlanda che volevamo fare insieme alla fine dell'estate; non serviva. La cosa curiosa è che fino a poche ore prima mi era sembrato di essere in una fase abbastanza dinamica e positiva della mia vita, e di colpo invece ero in fondo al peggiore dei miei abissi ricorrenti, ogni apparente progresso ridotto a zero.

La persona con cui avrei avuto più voglia di parlare era Misia, ma Misia dopo due anni di lavoro ininterrotto al vecchio centro di restauro di Firenze era con i suoi figli in Grecia nell'isola di Fourni, a fare una vacanza senza telefono e senza collegamenti rapidi come una volta. Eravamo intesi che ci saremmo risentiti a metà agosto quando tornava, fino allora non avevo la minima idea di come mettermi in contatto con lei. Così sono rimasto nel soggiorno stagnante davanti alla televisione, a guardare le facce ambigue e furbe e idiote e oscene e ridicole che scivolavano una dietro l'altra sotto il vetro dello schermo, il suono delle loro voci come il più terrificante dei rumori di fondo.

Quando Monica è tornata a casa e le ho detto di mia nonna, ha assunto un'espressione di dispiacere convenzionale: ha scosso la testa, ha detto «Anche una delle mie due nonne è morta». È andata in cucina a frugare nel frigorifero. L'ho seguita senza riuscire a capire il senso dei miei passi né la consistenza del pavimento; le ho detto «Il fatto è che la mia era una nonna un po' speciale». Lei mi ha guardato, con una fetta di prosciutto crudo che le penzolava tra le dita, e la sua faccia era tesa agli zigomi come una mela e i suoi capelli color mogano brillavano alla luce fredda del frigorifero, i suoi occhi neri erano lucidi di impermeabilità come due giovani foche nel mare artico; ha detto «Eh, lo so, ma quando si è vecchi si muore, Li. Cosa ci vuoi fare?». Ha alzato appena le spalle e contratto le labbra, in un piccolo sorriso di saggezza derivata.

Sono stato lì per risponderle qualcosa, ma mi sembrava

che mi costasse già troppa attenzione riuscire a muovermi nel corridoio senza perdere il riferimento delle pareti.

Ho telefonato a Paola per parlare con i miei figli; lei mi ha risposto nel tono di tacita accusa generalizzata che usava quasi sempre da quando avevamo deciso di separarci. Non riuscivo neanche a capire come potesse essere così piena di rancore verso di me, quando al ritorno dal nostro viaggio in Argentina anni prima era stata così precisa nel definire il fastidio che le dava il mio modo di parlare e di gesticolare e di rivoltolarmi nel letto la notte e di ingozzarmi di fiocchi di granturco la mattina e di urlare con i bambini nel giardino e di sudare dal lato sinistro al minimo spostamento emotivo, e il mio lavoro e i miei guadagni inadeguati e il mio rapporto inetto con le cose e il mio atteggiamento verso di lei e i miei gusti musicali e la mia passione acritica per Misia e la mia non-somiglianza con gli uomini che aveva appena conosciuto. Non riuscivo a capire come non si sentisse sollevata all'idea di non stare più con me, invece di comportarsi come il compratore di un'automobile usata che scopra che la trasmissione è difettosa e la frizione bruciata. Non mi sembrava di averle mai dato l'idea di fare un grande affare a prendermi, né di averle mai descritto in termini esaltanti la mia tenuta di strada.

Quando finalmente sono riuscito a dirle di mia nonna è stata zitta un paio di secondi e poi ha detto «Mi dispiace»; ma lei e mia nonna non si erano mai trovate simpatiche, e in ogni caso non riconoscevo la sua voce, non riconoscevo nemmeno le mie ragioni di averle telefonato. Mi ha passato i miei figli, e neanche loro erano per niente cordiali, rispondevano a frasi smozzicate come due piccoli adulti pieni di resistenze già efficaci e opinioni già formulate. Dopo qualche minuto ho lasciato perdere; sono andato nel bagno a buttarmi acqua in faccia e sui capelli, e sul collo e sulle braccia e sulla maglietta di cotone appiccicata dal sudore e di nuovo in faccia, fino a che si è formato un lago sul pavimento intorno al lavandino.

Poi alle due di notte del giorno del funerale di mia nonna ero a letto sdraiato piatto sulla schiena con Monica alla mia sinistra che dormiva malgrado il caldo e le zanzare feroci, e pensavo a che imbroglio è l'idea che una persona cresca nel corso della vita, quando il massimo che le può succedere è accumulare informazioni inutili e curiosità esaurite e slanci delusi e riflessioni tardive e constatazioni e prese d'atto e patteggiamenti e smaliziature, come detriti sopra un carretto di legno a ruote finte-robuste che si schianta appena trova una buca seria o un vero sasso aguzzo lungo la strada. Pensavo anche all'arrivo a sorpresa di Settimio Archi a metà funerale: alla sua discesa dalla macchina scura con i lampeggianti seguita dalla macchina dei carabinieri di scorta, ai suoi occhiali da sole a finestrella e al suo nuovo taglio di capelli, al suo modo di dirmi «Ti sono molto vicino» e guardarsi intorno per vedere le reazioni che suscitava presso una campionatura di elettori altrui. Pensavo che per uno come lui il nostro paese si era rivelato un posto fantastico; che tra tutte le persone più o meno della mia età che conoscevo era forse l'unico ad avere quel genere di sorriso soddisfatto, difficile da nascondere anche nel mezzo di una situazione triste.

Sono saltato su a sedere di scatto; Monica si è rigirata tra le lenzuola, senza svegliarsi. Il telefono sul comodino suonava nel suo modo afono; ho cercato a tentoni la cornetta, ho sentito una voce che diceva «Livio?».

Ho detto «Mar-co!», senza il minimo dubbio che fosse lui anche se erano chissà quanti anni che non ci vedevamo né sentivamo.

Marco Traversi ha detto «Ho letto di tua nonna sui giornali italiani».

«Eh già» gli ho detto.

«Era un bel tipo» ha detto Marco.

«Sì» ho detto io.

«Non credo che tu saresti come sei, se non ci fosse stata lei» ha detto Marco. «Non proprio, almeno.»

«No» ho detto io.

Siamo stati zitti, forse cinque secondi.

Marco ha detto «È un delitto, non sentirsi così a lungo. Siamo due scemi. Le cose finiscono, poi».

«Lo diceva anche mia nonna» ho detto io. «Dove sei?»

«A Londra» ha detto Marco.

«Dove sono venuto anni fa?» gli ho detto.

«No» ha detto Marco. «Ho cambiato casa cinque volte, da allora.»

«Dammi l'indirizzo» gli ho detto. «Arrivo con il primo aereo che riesco a prendere.»

Due

Quando sono atterrato a Heathrow, Marco mi aspettava nella sala arrivi: ho sentito una sua mano sulla spalla mentre attraversavo la folla in attesa, prima di avere il tempo di riconoscere la sua faccia in mezzo alle altre. Ci siamo abbracciati e dati pacche a slanci ripetuti, ci siamo girati intorno per vedere come eravamo diventati: gli guardavo i segni in faccia, la piccola cicatrice che aveva all'angolo di un occhio, le ciocche grigie nei capelli lunghi fino alle spalle. Ma era in forma, più di quando ero partito da Londra chissà quanti anni prima: la luce scura nei suoi occhi non aveva perso intensità, la sua figura compatta non aveva perso tensione, nei vestiti neri da rock-star tagliati meglio di quelli che ricordavo. Sembrava che il tempo lo avesse liberato via via dalle incertezze e dai dubbi di quando era più giovane, fino a farlo diventare un artista di quarant'anni sicuro di sé e focalizzato, con una qualità morbida di movimenti malgrado il lieve zoppicamento dalla gamba destra, una dispersione minima di energie sulle ragioni che non lo interessavano.

«Non stai male come mi immaginavo» ha detto quando ho ripreso la mia borsa da viaggio; si è rimesso un paio di occhiali da sole avvolgenti che gli nascondevano del tutto lo sguardo.

«Sto peggio dentro» ho detto io; ma adesso che camminavamo vicini nel traffico di viaggiatori mi sembrava di non stare per niente bene neanche fuori. Mi sembrava che su di me il tempo avesse prodotto solo danni, invece: che mi aves-

417

se solo spennacchiato i capelli e allargato la faccia e allentato i muscoli della pancia, creato voragini di non-fiducia e paura e incertezza dove prima c'erano semplici crepe. Mi sentivo una specie di grosso ex-bambino deteriorato di fianco a un uomo nel pieno delle sue risorse, se solo provavo a vedermi attraverso gli occhi degli sconosciuti che ci sciamavano intorno.

Marco forse se ne è reso conto, perché mi ha strattonato forte, ha detto «Livione caro, adesso basta buttarti giù. Siamo insieme dopo una vita, madonna, vedrai che adesso ti rimetti in sesto».

«Ma perché, cosa sembro?» gli ho detto. «Un relitto?»

«Dai, sei fantastico come sempre» ha detto Marco; mi ha trascinato veloce verso una delle uscite.

Fuori c'era una tipa dalle gambe lunghe seduta in una vecchia Jaguar verde con la portiera aperta, teneva i piedi fuori e parlava in un telefono da macchina; è sbucata a fare un cenno quando ci ha visto. Marco mi ha detto «Quella è Sarah», ci siamo avvicinati mentre lei riattaccava il telefono e veniva fuori dalla macchina.

Era alta, con occhiali da sole in stile insetto e capelli biondi-bianchi drizzati a riccio di mare, camicia bianca con jabot e maniche a sbuffo, gonna molto corta, stivaletti laccati rosso sangue dal tacco alto. Marco le ha detto in inglese «Livio Molinari, il mio migliore amico».

Sarah ha sorriso, si è allungata con un piccolo scatto nervoso a darmi la mano. Doveva avere intorno ai trentacinque anni, anche se da lontano poteva dimostrarne venti, per il suo stile e il disegno degli occhiali e il modo che aveva di muoversi; e c'era qualcosa in lei che ricordava qualcosa di Misia, Misia nel periodo estremo di Parigi molto più di Misia dieci giorni prima a Firenze in partenza per la Grecia. Aveva un'aria simile da donna-bambina non facile da trattare, un modo simile di fissare gli altri negli occhi con ostinata padronanza di giudizio; guardarla mi creava uno strano effetto di sovrapposizioni temporali, mentre mi tenevo vicino al cofano senza sapere cosa fare della mia borsa da viaggio.

Siamo saliti sulla vecchia Jaguar, lei e Marco davanti e io dietro. Non mi ero aspettato specificamente di trovare Marco da solo, però man mano che registravo la tensione nei loro sguardi nascosti dagli occhiali cominciavo a provare una forma vaga di delusione da escluso, che si mescolava al sollievo di essere stato raccolto all'aeroporto e alla gioia di essere lì, al dispiacere che Monica non avesse voluto venire con me. Ho fatto uno sforzo per tirarmene fuori; ho detto «Bella macchina, eh?».

Marco controllava a occhiate intermittenti Sarah alla sua sinistra, come se ci fosse qualche difficoltà sospesa tra loro; mi ha guardato nello specchietto retrovisore, ha detto «Sarah ha un programma di musica inglese ultracontemporanea su WebTv».

Aveva un accento quasi straniero, a sentirlo parlare italiano nell'abitacolo della vecchia Jaguar rivestita di radica e cuoio ben conciato: un'incertezza appena avvertibile nello scegliere le parole e convogliarle in una frase, orientarle verso di me che lo ascoltavo da dietro.

«Tu fai il pittore, no?» mi ha detto Sarah mentre si accendeva una sigaretta extralunga dal filtro dorato. La suoneria di un telefono cellulare ha trillato nella sua borsa di finta lucertola blu elettrico; lei l'ha scossa furiosamente per cercarlo, ha risposto «Sì?».

Marco mi ha detto a mezza voce «Il suo programma va molto forte. È una star, qui»: non ho capito se con un fondo di ironia, o come semplice constatazione.

«Venerdì alle tre è impossibile» ha detto Sarah al telefonino, elettrica quanto il blu della sua borsetta. «Gliel'ho già spiegato venti volte. Alla una o alle cinque okay con uno sforzo, NON alle tre. Chiaro?» Ha chiuso la comunicazione, rimesso il telefonino nella borsetta; ha aspirato a fondo la sigaretta, allungata all'indietro sul sedile. Era più lavata via di Misia, adesso che la vedevo meglio, e il suo naso più corto e molto meno espressivo; la corrente nella sua voce e nei suoi movimenti aveva una natura completamente diversa.

Marco girava la testa verso di lei a intervalli, guardava me nello specchietto, sembrava che non riuscisse a decidere le priorità della sua attenzione. Mi ha detto «Ci sono rimasto da cani per tua nonna, accidenti. Ieri pomeriggio avevo comprato il "Corriere della Sera", e non lo faccio quasi mai perché leggere dell'Italia mi danneggia soltanto, e ho visto l'articolo. Non sapevo che fosse stata così una pioniera».

«Eh, abbastanza» gli ho detto. Mi chiedevo se è normale che ci voglia del tempo per ristabilire una comunicazione dopo tanti anni, anche con una persona molto vicina; cercavo di ricordarmi come era stato con Misia.

«Pensavo che fosse una delle tue leggende, più che altro» ha detto Marco. «Hai questo modo così impressionista di vedere e raccontare tutto, è sempre difficile capire come sono le cose davvero.» È suonato il telefono della macchina; lui mi ha guardato nello specchietto con una smorfia di fastidio, ma quando ha risposto aveva un tono come un coltello ben temperato: ha detto «Senti, meno di cinquantamila no di certo. Ho una sovrapposizione di date e mi vanno via due settimane intere solo per le riprese. Zero margini di trattativa, ecco i margini. Fammi sapere, ciao».

Sarah soffiava fuori fumo e lo guardava, messaggi senza parole che viaggiavano tra loro in andata e ritorno. Ha tirato fuori di tasca una cassetta e l'ha infilata nello stereo: la vecchia Jaguar si è riempita di pulsazioni basse che si gonfiavano fino a rompersi e si rigonfiavano subito, come bolle di sapone elettroniche. Marco si è girato a darmi una pacca su un ginocchio, in uno degli impulsi quasi violenti di comunicazione che mi ricordavo bene; ha detto «Lo sai che non mi sembra vero che sei qui? Pensavo che ci fossimo persi per sempre, porca miseria! Livio!».

«Marco» gli ho detto, confuso dal calore improvviso nella sua voce.

Ma il telefono da macchina è suonato di nuovo; lui ha detto «Oh porco cane, scusa». Ha detto al ricevitore «Chi è? No, no. Arrowhead per la sequenza del sogno, Tosh Hill per la realtà. Credo che sia abbastanza chiaro, se appena uno sa leggere una sceneggiatura. Credo che non ci voglia un genio straordinario. La distanza non mi interessa. Non sono fatti miei. Vedi tu»; ha messo giù, mi ha fatto un altro gesto di scuse ma era sospinto da altri pensieri, disturbato dalla musica a bolle che usciva dagli altoparlanti.

Di nuovo lui e Sarah si sono guardati a intermittenza senza parlare, nascosti dietro i loro occhiali da sole. Il cellulare di Sarah ha trillato di nuovo; lei l'ha scosso fuori dalla borsetta, insieme a chiavi e rossetti e portacipria e a un'agendina gonfia al punto di scoppiare, l'ha preso con mani frenetiche. Ha detto «No che non puoi, Nick. È la *mia* fascia oraria, decido io, okay? Non se ne parla neanche. Digli di rivedersi lo share totale della settimana, prima di dire cazzate». Ha ascoltato qualche secondo, e faceva «Ahà, mhm», ma quasi subito è saltata di registro, ha gridato in un tono acuto «Senti, quelli della Pepsi vengono a parlare con *me*, prima! Sono *io* che concordo questo genere di merda, è chiaro?!».

Marco si è girato a guardarmi: mi ha fatto con la mano libera un cenno che sembrava una presa di distanza da lei, ha detto «Quelli della Pepsi, ci pensi?».

Ero in uno strano stato seduto alle loro spalle, ondeggiavo con il molleggio della vecchia Jaguar tra amicizia ed estraneità, sudore da circuiti interiori surriscaldati soffi di aria troppo fredda dal condizionatore sregolato.

Marco mi ha detto «La tua famiglia come va?».

«*Ex* famiglia» ho detto io. «Mi sono separato due anni e mezzo fa.»

«Va be', almeno questa è una buona notizia» ha detto Marco; rideva. «Le ultime volte che mi hai scritto eri nella spaventosa landa piatta del matrimonio.»

«Non riuscivo più a muovermi» ho detto. «Non sono neanche riuscito a venire alla proiezione del tuo film. Sai quando ti prende quello strano genere di paralisi, dove hai paura a fare il minimo gesto?»

«Lo si capiva dalle tue lettere» ha detto Marco. «Sembravi disperato.»

«Lo ero» ho detto io, anche se non stavo molto meglio adesso.

Marco ha detto «Io e te siamo probabilmente le due persone al mondo con meno probabilità di sopravvivenza in un matrimonio»; rideva più forte, ma in un registro aspro e secco, non allegro.

Sarah ha avuto uno scatto, dalla sua posa nervosa su un gomito: gli ha detto «Cosa c'è di così divertente? Ti dispiace tradurre?».

«Parlavamo del matrimonio» ha detto Marco in inglese. «Non di te, stai tranquilla.»

«Non sei spiritoso» ha detto Sarah. «Non sei spiritoso per niente. I due ragazzi italiani che si rivedono, che risate.» Aveva un profumo di frutta psichedelica, appena si muoveva:

ananas e fragola e ciliegia e buccia di mandarino e pompelmo e banana, cannella, caucciù.

«Neanche tu sei spiritosa, se reagisci così» ha detto Marco.

«Come ho reagito?» ha detto Sarah, con le dita dalle unghie laccate di nero che picchiettavano sul bracciolo tra i loro sedili. Si è accesa un'altra sigaretta extralunga, guardava da dietro le sue lenti scure, da ape o da vespa punk-rock.

«Sarah, per *piacere*» ha detto Marco. «Non mettiamo a disagio Livio. È appena arrivato, accidenti.»

«Non vi preoccupate per me» ho detto. «Posso benissimo aprire lo sportello e buttarmi sotto il camion lì dietro.»

Hanno riso tutti e due, per il mio tono e per il mio inglese scoordinato, per i gesti che ho fatto. Il telefono cellulare di Sarah si è rimesso a trillare, lei ha frugato con una mano sola nella borsetta di finto coccodrillo, la sigaretta nell'altra mano faceva cadere cenere sul cuoio del sedile. Marco si è girato di nuovo a guardarmi; anche il suo telefono da macchina si è messo a suonare.

Stavano nella zona dei Docks, in una casa nuova a due piani e mezzo tutta vetrate e lucernari e acciaio e legno chiaro e lampade alogene. Un cameriere dall'aspetto indiano mi ha preso la borsa da viaggio, ha ascoltato le istruzioni di Sarah su come regolare il condizionatore d'aria al piano di sopra ed è scivolato via con un sorriso. Nel soggiorno a due livelli Marco mi ha detto «Ecco qua, la casa». Ha fatto un gesto intorno, mentre Sarah andava ad ascoltare i messaggi da una segreteria telefonica e si accendeva ancora un'altra sigaretta con un accendino a forma di cammello e si toglieva uno stivaletto laccato rosso sangue.

C'era una grande scala di metallo, divani e poltrone e tavolini dall'aspetto ironico, serigrafie pop anni sessanta e quadri neoselvaggi anni novanta, tre grandi fotografie di Sarah stampate su tela, sculture di alluminio e sughero, mobils di foglie di rame che pendevano dall'alto, bottiglie di vetro blu e arancione in una varietà di forme e dimensioni, un grande televisore con l'audio a zero sintonizzato su WebTv che trasmetteva immagini di un massacro in Africa alternate alla faccia di un cantante distorta dal grandangolo.

La segreteria telefonica era piena di messaggi per Marco e

per Sarah corsi in parallelo alle chiamate sui loro cellulari: tutti e due ascoltavano e camminavano intorno, commentavano con espressioni di interesse o disapprovazione o perplessità irritata. Io mi tenevo vicino alla vetrata: guardavo le costruzioni e i moli lungo il fiume, i lampioni e le altre luci che cominciavano ad accendersi man mano che la sera diventava scura.

Il cameriere indiano ha portato un vassoio con tre bicchieri di vodka e acqua tonica e succo di limone, ce li ha porti senza produrre il minimo rumore di passi. Sarah ha preso un sorso dal suo bicchiere, ha infilato un disco nello stereo: voci passate attraverso molti filtri elettronici su una base di percussioni basse che uscivano da due altoparlanti minuscoli e da un enorme woofer nascosto sotto qualche divano. Le voci della musica si mescolavano a quelle della segreteria telefonica, non riuscivo a capire come lei e Marco riuscissero a distinguere i messaggi registrati. Bevevo la mia vodka-tonic e li guardavo muoversi come due strani pesci in uno strano acquario, più confuso ancora di quando li avevo ascoltati in macchina nel percorso dall'aeroporto.

Si è sentita un'onda dissonante di musica molto metallica da qualche porta interna che si apriva, è arrivato nel soggiorno un ragazzo di forse quindici anni con la testa rapata a zero e scarponi anfibi ai piedi, le stringhe che gli strascicavano sul pavimento. Marco ha fatto un cenno tra me e lui, ha detto «Carl, Livio». Il giovane Carl ha bofonchiato qualcosa senza avvicinarsi né sorridere; è andato dritto verso sua madre con un'espressione rivendicativa e una mano allungata a palma in su, le ha detto «Minimo *venti* sterline, se no non ci faccio niente».

Sua madre era curva sulla segreteria telefonica, gli ha gridato «Non vedi che sto ascoltando, Carl, maledizione!».

Carl le ha gridato «Io devo uscire adesso, non me ne fotte niente!».

Sarah gli ha fatto un gesto furioso; la voce nella segreteria telefonica diceva «undici mattina – cinque pomeriggio – decidi tu – basta saperlo – domani – dodici – chiamare Tokyo – in tempo», le voci della musica facevano «Awwwhmmm, Awwwheeee, Awwhoaaaa».

Carl ha battuto un piede per terra, ha gridato in un registro aspro «Porca puttana, mamma, dammi venti sterline e smettila di scassare!».

Sarah si è tolta lo stivaletto rosso che ancora aveva al piede e gliel'ha scagliato contro, l'ha preso a una spalla. Carl le ha sputato addosso, ha gridato «Sei una merda!». Sarah gli ha tirato il suo bicchiere di vodka-tonic: si è schiantato vicino a dov'ero io, ha schizzato liquido e frammenti di vetro sul pavimento di mogano satinato. Carl ha gridato «Stronza!»; Sarah ha gridato «Tu non mi parli così, piccolo verme!»; si sono azzuffati per un istante furioso, a graffi e strappi e torsioni di polsi prima che Marco li separasse a forza, gridasse «La finite, allora?».

Sarah tremava di rabbia, si aggiustava la camicia; ha detto «Quel verme non si deve più azzardare a parlarmi così!»; Carl ha detto «Quella stronza avara, è da stamattina che le avevo chiesto i soldi!».

Marco ha detto «Cercate di calmarvi, adesso»; ha tirato fuori di tasca alcuni biglietti di banca accartocciati, li ha dati a Carl che ancora guardava sua madre in atteggiamento da rissa. Sarah gli ha detto «Se non impari a comportarti da persona civile ti taglio le palle». Carl ha fatto un brutto gesto, ma pensava già ad altro; ha detto a Marco «Mi presti la tua giacca nera a quattro bottoni con il colletto piccolo?». Marco ha fatto di sì con la testa; Carl è uscito con le venti sterline in mano, le stringhe degli scarponi che gli andavano dietro a strascico.

Il cameriere indiano è venuto a raccogliere i frammenti di vetro con una paletta e uno scopino, ha asciugato la vodka-tonic dal pavimento con un panno in pochi secondi, come se avesse un'abitudine collaudata a questo genere di evenienze.

Marco mi ha guardato con un'espressione ibrida; ha detto «La famiglia, Livio. Eh?».

E non era proprio una scena idilliaca, ma era vero che era una scena di famiglia, mi ha fatto venire in mente i miei figli: singole espressioni a scatti, gesti bloccati per una frazione di secondo. Mi ha fatto venire in mente il giovane Livio l'ultima volta che l'avevo visto a Firenze, altrettanto scontento e indefinito di Carl ma con una luce mille volte più curiosa e interessante negli occhi.

Sarah aveva finito di ascoltare la segreteria, era ancora

tutta scossa per la rissa con suo figlio; ha detto a Marco «Grazie tante. Sei un grande aiuto, per stabilire qualche principio educativo di base».

«Volevo solo chiudere la faccenda» ha detto Marco, in un tono improvvisamente affaticato.

«Appunto» ha detto Sarah. «A te basta non avere troppe menate, no?»

Marco ha detto «Senti, non mi sembrava di assistere a una grande lezione di comportamento».

«Ahà» ha detto Sarah; ha alzato la musica con un telecomando. Sembrava una sorella maggiore di suo figlio, a vederla così: aveva lo stesso sguardo autoriflesso e rivendicativo, la stessa pressione di ragioni univoche.

Marco le ha detto «Potresti abbassare un filo, per piacere?».

Lei l'ha guardato come di fronte a una richiesta odiosa; ha toccato in modo inavvertibile il tasto del volume e ha lasciato cadere il telecomando su una poltrona, è salita al piano di sopra per la scala di metallo.

Marco è venuto vicino alla vetrata; mi ha detto «Ehi», mi ha dato una pacca sulle spalle.

«Ehi» ho detto io. Fuori la sera era già diventata buia, tutte le luci della città accese.

Marco ha detto «Ti faccio vedere la tua stanza? Puoi scegliere tra il piano di sopra e qui giù. Forse qui giù sei più indipendente».

«Grazie» ho detto. «Ma non voglio invadervi la vita. Voglio dire, sono molto contento di essere qui con voi e tutto, ma mi rendo conto che avete un sacco di cose da fare.»

«Cosa cavolo dici?» ha detto Marco. «Ci siamo mai fatti questo genere di problemi, tra noi?»

«No, ma forse erano altri tempi» ho detto. «Forse eravamo in altre fasi delle nostre vite.»

Marco mi guardava con le mani in tasca, ha detto «Perché, adesso in che fase saremmo, secondo te? La fase della non-comunicazione e della non-amicizia e del non-tutto il resto?».

«Non lo so» gli ho detto. «Forse sono io un po' strano. Adesso con questa storia di mia nonna, ma anche due anni e mezzo fa con la separazione, anche prima. Mi sembra di avere una tendenza ad andare a pezzi in modo ricorrente, non so.»

Marco stava per dirmi qualcosa, ma è suonato il telefono;

ha teso l'orecchio per sentire attraverso la musica lo scatto della segreteria: una voce ha detto «Sono Ted. Marco? Marco, ci sei?». Marco ha esitato qualche secondo tra me e la voce, alla fine è andato a rispondere: ha detto «Sì? Me l'immaginavo. Ci avrei giurato, Ted. Gli americani sono fatti così. Sono come dei bambini di nove o dieci anni, in media. Hanno bisogno di continue conferme e rassicurazioni, o si fanno prendere dal panico. Ma tu spiegagli bene che sono stati loro a cercare me, non viceversa, perché io non rassicuro proprio nessuno». Poi ha guardato nella mia direzione; ha detto «Va bene, va bene, va bene. Adesso scusa Ted, ma sono appena rientrato e ho degli ospiti. Ci sentiamo domattina». È tornato da me, ha detto «Mi dispiace. Ogni tanto avrei voglia di staccarli tutti, questi telefoni».

Siamo stati zitti, nel soggiorno saturo di suoni elettronici che giravano ad anelli ravvicinati. Cercavo di sorridere, ma mi sembrava di essere sull'orlo di un collasso di qualche genere: mi era saltato il senso dello spazio e il senso dell'equilibrio, e anche l'udito mi faceva scherzi strani, la vista mi si confondeva appena giravo la testa tra i segni di vite altrui altamente definite che avevo davanti. Ho detto «Credo di essere un po' stanco e confuso, in realtà. Ogni volta che comincio a pensare, mi va insieme tutto».

«E tu non pensare» ha detto Marco, in un tono improvvisamente così calmo e saggio. Ha abbassato lo stereo con il telecomando; ha detto «Sei qui tra amici, non ti sta addosso nessuno. Rilassati. Rimetti insieme i pezzi. Prendi il tuo tempo».

Cercavo di assorbire le sue parole come un balsamo di rassicurazione, ma non mi facevano più l'effetto di una volta: c'erano troppe correnti nel suo sguardo, troppi segnali contrastanti nei suoi gesti e nell'arredamento del soggiorno.

Sarah dal piano di sopra ha gridato «Perché hai abbassato la musica?».

«Perché non riuscivamo a sentire niente!» ha gridato Marco. «Con tutte queste finte voci elettroniche del cavolo!»

«È un disco bellissimo!» ha gridato Sarah, affacciata alla balaustra della scala, con i capelli biondo-bianchi appiccicati all'indietro e un body zebrato addosso. «Cosa vorresti sentire, solo blues inglese degli anni Sessanta?»

«Meglio delle voci elettroniche!» ha gridato Marco.

«Non sono elettroniche!» ha gridato Sarah. «Sono vere voci digitalizzate! E hanno venduto cinque milioni e mezzo di copie in due mesi!»

«Dunque sono fantastici, no?» ha gridato Marco.

«Sì, sono fantastici!» ha gridato Sarah.

«Perché hanno venduto cinque milioni e mezzo di copie?» ha gridato Marco.

«Anche!» ha gridato Sarah.

Marco ha premuto con dita furiose il telecomando: il volume è salito al massimo, tutta la casa ha preso a vibrare come un grande altoparlante, Sarah è sparita da sopra.

Siamo rimasti un paio di minuti in questo mare agitato di brutte onde sonore, poi ho gridato a Marco «Dov'è quella camera che dicevi? Io me ne andrei a dormire!».

«Ma non hai voglia di mangiare qualcosa?» ha gridato Marco. «Fare un giro per la città? Abbiamo prenotato in un ceylonese vero! Sono molto bravi!»

«Magari domani!» ho gridato io. «Adesso sono troppo fuso!»

Lui ha fatto di sì con la testa, non-convinto; mentre uscivamo dal soggiorno ho sentito la voce di Sarah che attraverso le onde selvagge della musica gridava «Abbassa il volumeeeee!».

Poi sono stato a letto sveglio per ore, senza neanche riuscire a leggere il libro sui Vichinghi che avevo preso da uno scaffale. Guardavo le illustrazioni delle barche a vele quadre sui mari cupi, e pensavo che forse mi sarei sentito meno inadeguato in quasi qualunque altra epoca della storia, rispetto a questa. Mi sembrava di avere staccato gli ormeggi dai pochi punti fissi che avevo senza pensare alle conseguenze, essermi lasciato trascinare dalla mia non-partecipazione in brutte acque, senza nessuna sponda accettabile in vista.

Tre

Lo studio di Marco era a un quarto d'ora di macchina da casa, al primo piano di un edificio completamente nascosto da ponteggi e teli di protezione che creavano un effetto notte alle cinque di pomeriggio. Dentro era tutto soffi quieti di condizionatori e luci fredde, manifesti e fotografie dei suoi film, targhe e coppe e iscrizioni incorniciate dei premi che aveva vinto. Marco mi ha presentato la sua segretaria e la sua assistente e il suo montatore, magri e pallidi tutti e tre, percorsi da un'ammirazione senza limiti per lui: sguardi febbricitanti di chi ha la fortuna di fare il lavoro più straordinario che esista. Mi ha fatto vedere una sala per riunioni e una sala di proiezione ben attrezzata, una sala di montaggio completamente elettronica dove il giovane montatore magro ha chiuso la porta ed è tornato svelto ai controlli, ha cominciato a far scorrere immagini sullo schermo di un monitor.

Marco gli ha chiesto di passare e ripassare la stessa porzione di film molte volte di seguito, ed era così densa di dissolvenze incrociate e sovrapposizioni e inserti lunghi meno di un secondo da non essere quasi leggibile. Eppure Marco ci si muoveva con agio, navigava nel fiume vertiginoso di immagini alla ricerca di un punto dove intervenire. Mi ha anche spiegato come funzionava la cosa, mentre lo faceva: mi indicava i piccoli riquadri nello schermo, ognuno un'immagine fissa come una fotografia, diceva «Puoi avere sei o anche otto sequenze alla volta sotto controllo, ci fai quello che vuoi. Hai tutto qui davanti simultaneamente, no? Puoi fare tutte le prove che ti pare, trovare cento o mille soluzioni virtuali diverse e confrontarle e decidere quale preferisci, e solo a quel punto farla diventare una soluzione reale. Ti dà una libertà illimitata, rispetto alla pellicola. Se pensi a quando dovevi stare lì come un sarto patetico a tagliare e giuntare, e ogni scelta era una rinuncia, e disfare tutto e tornare indietro costava una tale fatica *meccanica*».

Mi guardava, per capire se ero colpito; ma l'idea di questa moltiplicazione non-reale di possibilità mi confondeva e mi faceva paura, tutta la soddisfazione che riuscivo a dargli era fare di sì con la testa.

Lui dava ordini nervosi al giovane montatore magro, che cliccava e spostava cursori grafici e creava variazioni e alternative di montaggio come un piccolo schiavo elettronico, gratificato e stremato dal suo ruolo. Nel riquadro più grande dello schermo c'era un tipo con una palandrana in mezzo a una strada, in quelli piccoli un'automobile rossa che appena animata si precipitava veloce lungo una curva, un sole che scendeva a capofitto su una pianura, il profilo di una ragazza che rideva e si passava una mano tra i capelli biondi, la superficie di un lago o di un mare come una vibrazione di scaglie argentate. Al tocco di un clic un'immagine in movimento si attaccava all'altra o le scivolava sotto o sopra o entrava o usciva al punto di partenza in meno di un secondo. L'audio era girato a zero, non c'era un solo suono a parte lo scorrere del mouse e il suo ticchettare intermittente e il fruscio del polso destro del giovane montatore magro, la voce nervosa di Marco ogni tanto.

Diceva «Provami un secondo con la 5 A. Torna indietro. Prova la 5 B, fino all'incrocio. Stop. Riprendi da lì. No, con la A». Le immagini scivolavano una nell'altra senza attrito né rumore, come fantasmi nitidi e prevedibili, pronti a cambiare forma e colore alla minima sollecitazione.

Marco stava affacciato sullo schermo con un'espressione di tensione insoddisfatta, come uno che continua a bere e bere acqua molto depurata senza mai riuscire davvero a farsi passare la sete. Cambiava idea, tornava indietro, si impuntava per trovare una versione impercettibilmente diversa; ogni tanto chiedeva consigli al giovane montatore magro, ma bastava sentire il tono sottile con cui lui rispondeva per capire che non si considerava all'altezza di dargliene, e che Marco non si aspettava davvero di riceverne. A un certo punto quando era particolarmente incerto tra due sequenze mi ha detto «Tu cosa ne pensi?».

«Non lo so» gli ho detto. «Non me ne intendo per niente. È la prima volta che la vedo, questa macchina.»

«Va bene,» ha detto Marco «ma quale versione ti piace di più?»

«Non ho idea» gli ho detto. «Mi sembrano equivalenti, più o meno.» Non è che volessi essere sincero a tutti i costi, o dargli chissà quale opinione illuminante: ero sopraffatto dalla mancanza di familiarità e di senso che mi assediava da tutto intorno. Ho detto «Forse dovrei avere un'idea del film, per dirtelo».

«Non è un film» ha detto lui, in uno scatto nervoso. «È un clip per una canzone e lo devo consegnare domani.» Si è girato verso il giovane montatore magro, gli ha detto «Montami la 5 B fino in fondo. No, anzi, torna alla prima versione, con un segmento del sole, da 3277 a 3290».

È uscito nel corridoio, gli sono andato dietro. La sua assistente è arrivata con uno sguardo interrogativo, fogli di numeri e date in mano; Marco mi ha detto «Io dovrei studiare con Leena questi piani di lavorazione e fare qualche telefonata, ti secca? Puoi guardarti un po' di video nella saletta di là, se hai voglia».

Così sono andato dove diceva, ho preso da una mensola una cassetta del suo primo film e una del suo ultimo, ne ho infilata una a caso nel lettore sotto il grosso monitor. Ma tutti i giochi elettronici al centesimo di secondo che avevo appena finito di vedere mi avevano contagiato in qualche modo, perché non riuscivo a seguire il ritmo naturale di nessuno dei due film per più di qualche scena: cambiavo cassetta, andavo avanti-veloce con il telecomando al primo accenno di fatica, saltabeccavo da una faccia all'altra e da una storia all'altra e da una colonna sonora all'altra, da uno stile all'altro, da un'intenzione all'altra. Può darsi che avessi anche una curiosità comparativa non-consapevole, ma certo mi faceva uno strano effetto accostare la faccia di Misia a quella dell'attrice americana che Marco aveva preso come protagonista l'ultima volta, confrontare le inquadrature tagliate e i movimenti ruvidi degli inizi con quelli studiati fino all'ultimo millimetro e perfettamente fluidi di adesso. Mi faceva uno strano effetto la differenza di sentimenti che potevo leggere nei due film: la proporzione totalmente diversa di istinto e mestiere, azzardo e sicurezza, ironia e umorismo, rabbia e stizza, curiosità e cultura, esplorazione di territori sconosciuti e perlustrazione di perimetri conquistati. Mi chiedevo se è sempre così, ogni volta che un artista ha la fortuna di riuscire ad essere ammirato per quello che fa; se è inevitabile che a un certo punto smetta di inventare e divertirsi e rischiare, per dedicarsi solo alle forme che gli riescono bene nei modi che controlla completamente. Mi chiedevo se è un cambiamento irreversibile come la metamorfosi di un insetto, o invece c'è un modo di tornare indietro o di andarsene in un'altra direzione: pensavo a come Marco era riuscito a smettere dopo i suoi primi successi e aveva lasciato l'Italia, a come dopo se n'era andato in Perù; a come il suo film peruviano aveva finito per spingerlo con più forza verso il ruolo da cui era scappato. Mi chiedevo se io non avevo avuto nessuna trasformazione solo perché non ero un grande pittore, se non mi ero mai assestato solo perché non avevo mai inventato gran che; se non avevo rischiato niente con i miei quadri perché avevo rischiato troppo con i miei sentimenti esposti come cavi scoperti della corrente elettrica. Sono rimasto chiuso non so quanto nella saletta a guardare il primo e l'ultimo film di Marco e pensare, sudare malgrado il condizionatore d'aria giapponese che soffiava regolare.

Marco ha bussato alla porta, si è affacciato a dire «Sei ancora lì?».

Sullo schermo c'era Misia che camminava sul cornicione nel suo primo film, giovane e tesa e incosciente in un modo che mi faceva paura quasi come quando ero stato lì a guardarla dalla finestra.

Marco ha detto «Mamma mia, sei andato a riesumare le vecchie cose».

«È ancora molto bello» gli ho detto.

«Ce ne andiamo?» ha detto Marco, senza più guardare lo schermo. «Sono le otto. Mi dispiace averti fatto aspettare così tanto, ma ho dovuto litigare con un po' di gente.»

In strada la sera era ancora luminosa, fuori dai ponteggi telati che avvolgevano lo studio. Avrei fatto due passi volentieri, ma Marco si è infilato i suoi occhiali da sole avvolgenti e ha puntato dritto verso la vecchia Jaguar verde; siamo saliti. Guidava distratto, non sembrava contento né molto amichevole; quando il suo telefono da macchina si è messo a suonare ha risposto «Sì?» con rabbia. Ha cambiato tono, ma non di molto: ha detto «Entro giovedì mattina, d'accordo, d'accordo».

Siamo scivolati per le vie, di nuovo senza parlare; Marco ha acceso la radio, l'ha spenta. Avevo la testa piena delle immagini del suo primo e del suo ultimo film e dei pensieri che mi avevano attivato, complicavano ancora i miei tentativi di capirlo.

Ha detto «Devo decidere entro questa settimana per un film che dovrei fare con gli americani».

«Che film?» gli ho detto, con davanti agli occhi due o tre primi piani in bianco e nero di Misia a ventiquattro anni.

«Una specie di storia di fantascienza» ha detto Marco. «Non proprio fantascienza, ma è ambientato nel futuro. New York nel 2012.»

«E come gli è venuto in mente di proporlo proprio a te?» gli ho detto.

«L'ho scritto io» ha detto Marco.

Siamo stati zitti; gli guardavo le mani sul volante, mi veniva da tossire.

«Ci mettono ventidue milioni di dollari» ha detto Marco. «E tutta la loro forza spaventosa per la distribuzione e la pubblicità. Fa impressione, quando vedi dal di dentro che meccanismi sono.»

«Me l'immagino» gli ho detto; pensavo a come avevamo messo insieme il suo primo film, secoli prima.

Marco ha detto «Non so se ci riesci davvero. Non hai più a che fare con delle persone. Sono come un'altra *specie*. Anche gentili e garbati e tutto, ma gli unici parametri che hanno sono i soldi. Non c'è altro. Neanche la *finzione* che ci possa essere altro. Neanche la minima simulazione di entusiasmo o partecipazione o curiosità. Sono interessati a te solo perché pensano di fare un buon investimento, basta. Potrebbero finanziarti un film dove massacri davvero della gente, se sapessero di non andare in galera».

«Madonna» ho detto, con un senso di malessere che continuava a salirmi dentro.

«Sì» ha detto Marco. «I produttori sono sempre brutta gente, tutti quelli che ho conosciuto. Ma questi fanno *paura*.» Guardava dritto davanti, era così teso che non riusciva a girarsi neanche di poco. Ha detto «Dovresti vedere il contratto che mi hanno preparato. Le clausole. Pretendono anche che io mi faccia controllare da uno psichiatra, prima dell'inizio delle riprese e durante e dopo, per garantirgli che non sono completamente fuori. Se risulta che sono fuori, mi tolgono la regia e chiamano un altro. Dovresti vedere la piccola lista di attori americani che mi hanno preparato per i ruoli principali. Le piccole modifiche alla sceneggiatura che mi consigliano di fare, dopo essersi consultati con tutti i loro psicologi e sociologi eccetera».

Gli ho detto «E tu firmi?».

«Credo di sì» ha detto Marco sempre senza guardarmi, nascosto dietro le lenti scure.

«Ma perché?» gli ho chiesto. «Non sei sempre riuscito a fare i film che volevi, senza avere a che fare con queste macchine spaventose?»

«Sì, ma questa è un'altra dimensione» ha detto Marco. «In confronto a questo, i film che ho fatto finora sono piccole cose da dilettanti. Non hai idea della differenza di mezzi.»

«Ma mezzi per cosa?» gli ho detto, angoscia crescente per non riuscire a vedergli lo sguardo né a leggere nel suo tono di voce.

«Per fare un bellissimo film, spero» ha detto Marco. «E per farlo vedere a tutto il mondo, invece che a uno squisito circolo di eletti. Per farlo vedere anche al pubblico sordo e distratto che si nutre di effetti speciali e ammazzamenti e stereotipi e idiozia concentrata, fare arrivare anche lì un germe minimo di pensieri e di dubbi. Alla faccia della macchina per soldi che lo produce.»

«E ci riuscirai?» gli ho detto. «È una cosa possibile, date le condizioni?»

Marco ha detto «È l'*unica* cosa possibile, se non voglio disintegrarmi al punto che non riuscite più a trovare neanche un frammento minuto di me».

Poco dopo ha fermato davanti a un ristorante take-away cinese; ha detto «Non ti andrebbe di mangiare a casa, stasera? Avremmo un invito a una cena fuori, ma non sarebbe più bello stare tra noi? Cosa ne dici?».

«Vedi tu» ho detto. «Come preferite tu e Sarah. Non fatevi problemi per me. Sentitevi liberi.»

Lui è sceso senza neanche più ascoltarmi; l'ho seguito dentro a ordinare una cena per quattro da portare via.

Quando siamo tornati a casa, lo stereo mandava intorno una vibrazione raspata e gorgogliata di suoni sintetici su cui una voce di ragazzino emetteva squittii senza parole comprensibili. Sarah era tutta vestita e truccata da sera, con i capelli dritti sulla testa e un tubino rosso di lamé, calze a rete e polacchine fino a mezzo polpaccio. Ha visto la scatola di cartone bianco che Marco aveva in mano, gli ha detto «Cos'è?».

«Cinese» ha detto Marco. «Abbiamo deciso di mangiare qui.»

Sarah ha contratto i lineamenti, ha detto «Stai scherzando, o cosa?».

«Stiamo tra noi» ha detto Marco. «Livio è appena arrivato. Mangiamo a casa. Parliamo un po', una volta tanto.»

Sarah ha fatto qualche passo sui tacchi instabili delle polacchine; aveva questi zigomi prominenti, queste labbra nervose in una piega insicura. Ha perso la testa, da un momento all'altro: ha gridato «Tu devi essere completamente impazzito! Non possiamo fare un bidone del genere a Myra Bickelstein! Ci sono Tari e Janette e Rudi, e Antonia Ashton e Mick Jagger e gli Hewlett e i Tilmann e Paula Kampinsky che non ci vede da un anno!».

«E allora?» ha detto Marco, con una specie di sorriso provocatorio. «Non muore certo, se continua a non vederci.»

«Tu non puoi parlare così!» ha gridato Sarah più forte. «Non puoi rovinare tutte le mie amicizie e frequentazioni solo per il gusto di farlo e perché ti senti tanto superiore!»

«Io non mi sento affatto superiore» ha detto Marco, in un tentativo di tono pacato. «È solo che per una volta forse si potrebbe anche stare a parlare con un amico, invece di andare in giro a fare i pappagalli e le bertucce.»

«Pappagallo sarai tu!» ha gridato lei. «Non hai il minimo rispetto per me e la mia immagine! Vuoi distruggermi tutti i rapporti con il mondo!»

Marco sembrava stupito dall'agitazione violenta di Sarah, ma la sua espressione facciale non era affatto quella giusta per calmarla: aveva questo modo di guardarla da un paio di metri con la testa inclinata, come per apprezzare meglio l'aspetto ridicolo della situazione. Neanche il suo tono era giusto, quando ha detto «Di quale mondo parli? Guarda che il mondo è abbastanza grande».

«Il *mio* mondo!» ha gridato Sarah, con la stessa furia che avevo visto travolgerla la sera prima con suo figlio. «È l'unico che mi interessa! E anche a te interessa, mi sembra, tranne quando hai voglia di fare il figo con il tuo amico italiano!»

«Non mi interessa tanto, se vuoi saperlo» ha detto Marco. «Non mi è mai sembrato così affascinante o divertente da mandarmi a pezzi se mi perdo una cena del cavolo.»

«Bravo!» ha gridato Sarah; ha battuto le mani in un modo scomposto, si muoveva intorno sulle gambe lunghe. «Sei fantasticamente chic e distaccato, eh? Però la settimana scorsa quando c'è stata la cena dai Groper-Waldon e io avevo da fare alla televisione ti sembrava una questione di vita o di morte, invece! Mi hai fatto rinviare tutto di un giorno, per non perdertela!»

«Non è affatto vero» ha detto Marco. «Eri tu che non potevi farne a meno.»

«Eri *tu*!» ha gridato Sarah. «Eri tu che morivi di parlare del tuo film con Jack Connaugh e tenerti buono Jim Bowler e fare la corte a Barbara Chen e farti incensare tutto il tempo dai vari Higgins e Mocardo e da tutta la compagnia di servi e ruffiani professionisti!»

«Quelli sono i *tuoi* amici» ha detto Marco, con un'occhiata verso di me per trovare un riferimento o controllare le mie reazioni. «È il tuo mondo, lo dicevi prima. Sai cosa me ne importa, di quella gente. Se parlo con qualcuno è solo per non crepare di noia, guarda.»

«Certo, certo!» ha gridato Sarah. «Perché tanto sei sempre superiore a tutto, no? Anche quando ci sei dentro fino al collo! È inutile che fai quel cavolo di sorrisetto, adesso!»

«Non è un sorrisetto» ha detto Marco, ma lo era. Aveva sempre avuto questo modo di non riuscire a stare del tutto serio nemmeno nelle situazioni più drammatiche: questa strana specie di distacco che non era proprio freddezza ma una forma di distanza dal fondo delle cose.

«Sì che è un sorrisetto!» ha gridato Sarah, in un tono ormai completamente fuori controllo. «Perché tanto decidi tu se ci sei o non ci sei, come sempre! Se gratificare noi poveri mortali della tua partecipazione o invece andartene sulla luna e guardarci pieno di compassione!»

Il cameriere indiano si è affacciano nel soggiorno con un vassoio di aperitivi, ma vista la situazione si è ritirato subito, senza un suono.

«Smettila, Sarah» ha detto Marco, ancora con un quasi-sorriso di fronte ai suoi sentimenti sconvolti, in un tono che a non conoscerlo poteva sembrare canzonatorio e a conoscerlo era difficile da definire.

«Non la smetto per niente!» ha gridato Sarah. «Adesso fai il favore di vestirti e andiamo!»

«Non ne ho voglia, davvero» ha detto Marco. «Vai tu. Io sto qui con Livio. Tanto poi se venissi non faresti che lamentarti per giorni di come parlavo con una o di come guardavo un'altra o di qualcosa del genere.»

«Perché è così!» ha gridato Sarah. «Perché sei sempre così bastardo, e in più come se fosse la cosa più naturale del mondo! Come se avessi diritto a qualche genere di trattamento particolare in virtù delle tue qualità straordinarie!»

«Ma non è vero» ha detto Marco, con uno sforzo consapevole per mostrarsi coinvolto. «Sei tu che hai questo bisogno terribile degli altri, tutto il tempo. Sei tu che hai paura di *scomparire*, se non sei negli occhi e nei discorsi della gente!»

«Io faccio *televisione*!» ha gridato Sarah, in una spinta furiosa di rabbia e frustrazione e rancore. «Anche se tu pensi che sia uno schifo e che sia irrilevante, rispetto a quello che fai tu.»

«*È* irrilevante» ha detto Marco, già tornato al suo tono di apparente distacco. «Ma anche quello che faccio io è irrilevante, guarda. È così triste dare tanto peso alle cose che facciamo. Così miope.»

«E invece a cosa dovrebbe dare peso, una?» ha gridato Sarah. «Visto che non te ne frega niente neanche di me e di Carl, e che non hai nessuna voglia di fare un figlio, e che sei lì ma in realtà non ci sei affatto, hai questo modo di ricattare tutti con l'idea che potresti andartene in qualunque momento chissà dove e non farti vedere più!»

Stavo lì in piedi tra loro nel grande soggiorno tutto vetri, in uno stato di disagio estremamente concentrato. Non riuscivo a capire se avrei dovuto intromettermi o lasciarli soli; se ero io che avevo un effetto devastante sui rapporti familiari dei miei migliori amici, o era la pura coincidenza di riaffacciarmi nelle loro vite al momento sbagliato.

«Come mai sei così *risentita*, Sarah?» ha detto Marco, come se continuasse ad assistere a una scena inspiegabile.

«Perché non ne posso più di come sei!» ha gridato Sarah. «Perché non ho più voglia di trovarmi in queste situazioni di merda e sentirmi una povera cretina, anche!»

Marco ha provato a toccarle un braccio, ma molto poco convinto; ha detto «Non so, forse possiamo parlarne con più calma?».

«È troppo tardi!» ha gridato Sarah, come se la flessione nel tono di Marco avesse infiammato di nuova benzina la sua furia. «Lasciami stare! Non c'è più niente da dire! Non serve a niente!» Si è precipitata verso l'ingresso ed è uscita, ha sbattuto la porta.

Marco guardava il punto dove lei era stata fino a due minuti prima; ha guardato me.

Gli ho detto «Corrile dietro, dai».

Lui è rimasto ancora sospeso tra un possibile slancio e il suo contrario; ha detto «Lascia perdere».

«Ma?» ho detto io.

«Va alla sua cena» ha detto Marco. «Ci tiene tanto.»

Siamo andati in un pub a qualche isolato da casa, pieno di fumo e di vapori di alcool, ci siamo seduti a un fondo di tavolaccio vicino a una parete di vecchi mattoni rossi. Marco ha ordinato due birre, ha aperto una piccola finestra che dava su un cortile chiuso, ha fatto entrare un poco di aria ferma. Quando hanno portato le birre, ha bevuto la sua in pochi sorsi, senza dire niente.

Cercavo di tenergli dietro, ma avevo più fame che sete, e anche la fame mi si era quasi bloccata all'idea di essere riuscito a guastare i suoi equilibri con la mia influenza sbilenca come era successo con Misia. La birra non mi faceva nessun effetto positivo, peggiorava solo il sapore amaro che avevo in bocca. Marco doveva avere una sensazione simile, perché si è alzato ed è andato al bancone, è tornato con una bottiglia di vodka e due bicchierini.

Abbiamo bevuto vodka sopra la birra, tra le facce arrossate del pub e gli scoppi di risa e le sigarette accese e gli sguardi lenti. Marco rovesciava la testa all'indietro a ogni bicchierino come faceva Misia, per non sentire il sapore e avere l'effetto più rapido e concentrato; ho provato a bere allo stesso modo, nel giro di qualche minuto ero così fuori che non mi sentivo più il pavimento sotto i piedi.

Al terzo bicchierino di vodka Marco mi ha detto «Secondo te è vero che non ho sentimenti? Che sto sospeso nelle situazioni senza mai esserci davvero?».

«Non lo so» ho detto io; cercavo di pensarci.

«Cosa vuol dire, non lo sai?» ha detto Marco in un tono allarmato. «Hai dei dubbi anche tu, allora?»

«È vero che sei strano» ho detto alla fine. «Posso capire che una come Sarah arrivi a esasperarsi totalmente, con uno come te.»

«Ma *perché*?» ha detto Marco. «In *cosa* sono strano? Cosa dovrei fare per esserci davvero, invece?»

Pensavo alla sua storia con Misia: a come era scappato appena lei gli aveva fatto sentire una minima pressione di richieste. Mi veniva rabbia; mi veniva voglia di approfittare di questo suo momento di incertezza per dargli addosso, spiegargli quanto volentieri avrei fatto dieci volte per Misia quello che lui si era rifiutato di fare.

«Potresti non scappare, forse» gli ho detto, in un tono che mi veniva ancora più duro di come avrei voluto. «Potresti non pensare sempre che tutto quello che vuoi debba essere senza peso e senza fatica, e lasciarlo cadere appena scopri che invece ce l'ha.»

«Bel discorso» ha detto lui; ma c'era una luce sgomenta nei suoi occhi.

Io ero troppo invaso di rabbia per essere indulgente, troppo affollato di immagini di Misia intristita o delusa o desolata per colpa sua. Mi passavano nella testa come fotografie molto vivide: lei a Milano e a Zurigo e a Parigi e in Argentina nelle varie sue fasi degli ultimi vent'anni, nei ripieghi e le compensazioni e i contrasti che aveva trovato per sopravvivere al fatto di essere innamorata di un uomo che non riusciva a esserci. Ho detto «Forse potresti non essere così maledettamente convinto che gli altri debbano assecondare i tuoi cambiamenti di umore e aspettare le tue iniziative e rassegnarsi al fatto che non ci sei senza però smettere di starsene lì a disposizione».

Marco ha mandato giù un altro bicchierino di vodka; ha detto «Ma non è *vero*, Livio. Io non sono convinto di niente, riguardo agli altri. Sono così e basta».

«Comodo» gli ho detto, con la vodka che mi sollevava e mi spingeva avanti come una mongolfiera in un vento cattivo.

«Non è comodo per niente, invece» ha detto Marco. «Non so se è vero che non ci sono, ma se è vero allora non ci sono stato mai. Neanche quando ero bambino e la città dove vivevo non mi piaceva e il clima della mia famiglia non mi piaceva e non mi piaceva niente di quello che vedevo e sentivo e facevo e non mi piacevo io. Avevo questo modo di andare altrove, nel futuro o su qualche piano parallelo, in qualche genere di quarta dimensione dove niente poteva intaccarmi di desolazione. Non è che il mondo mi sia piaciuto tanto di più, dopo.»

«Cos'è, allora?» gli ho chiesto. «Una specie di malattia emotiva? Sei chiuso in una specie di bolla trasparente che ti blocca qualunque percezione diretta?» Tendevo a prendere tutto alla lettera, in questo stato: visualizzavo ogni sua parola in un film di fantascienza dei sentimenti.

«Ma no» ha detto Marco.

«È una forma di difesa?» gli ho detto. «Un modo di tener fuori in partenza la delusione?»

«Che ne so» ha detto Marco. «Non mi sembra di essere un alieno da sezionare e analizzare in laboratorio. Siete voi che esagerate, madonna.»

«Voi chi?» gli ho detto. Era come se nuotassimo in uno stagno, adesso, ai due lati del tavolo, con movimenti e sguardi da grosse rane complicate.

«Tu, Sarah. Tutti» ha detto Marco. «Avete questo modo di farmi sentire in colpa.»

«Anche altri?» gli ho detto. Mi sembrava di avere perso sensibilità alle mani, sfregavo i pollici sullo spigolo del tavolaccio senza ricavarne nessuna percezione certa.

«Quali altri?» ha detto Marco, annaspando nell'acqua ferma della nostra comunicazione.

«Sei tu che dici tutti» ho detto io; le mie parole avevano

uno strano suono. «Non stiamo parlando di sentimenti e di non-sentimenti?»

«Non so di cosa stiamo parlando» ha detto Marco.

Abbiamo bevuto ancora, fatto gesti e discorsi più imprecisi di come ricordassi tra noi. Ma era un'imprecisione che rifletteva lo stato delle nostre vite, in continui slittamenti di piani che rendevano difficile decifrare niente in modo accurato.

Marco ha detto «Non ti sembra incredibile la rabbia che aveva Sarah stasera? Il rancore furioso? Se ci pensi con un minimo di distacco? Se provi solo ad azzerare tutto e torni a tre anni e mezzo fa quando io e lei non ci conoscevamo neanche? C'erano questi due perfetti sconosciuti, ognuno nella sua vita, e adesso sono presi in un duello accanito di accuse e difese e giustificazioni e rinfacciamenti. Senza neanche avere capito cos'è successo nel frattempo».

«Però è successo» gli ho detto. «C'è stato tutto uno spazio di sentimenti alterni, nel frattempo. Di richieste e offerte e richieste, no?»

«Boh» ha detto Marco, si picchiettava la mano chiusa sul mento.

«Lo vedi che *sei* un alieno, allora?» gli ho detto. Ma neanch'io riuscivo a ricordarmi molto dello spazio tra quando avevo conosciuto Paola e il giorno in cui lei mi aveva buttato fuori di casa. Mi ricordavo solo molte ragioni di disaccordo e differenza ed estraneità: molte brutte facce e brutte frasi, brutti sentimenti mandati avanti come soldati verso le trincee dell'altro.

Marco ha detto «La domanda è: alla fine qualunque storia diventa la stessa cosa, una volta assestata e stabilizzata? Una volta esaurite le idealizzazioni e le simulazioni e le dissimulazioni e i veri tentativi di essere diversi da come si è?».

«Non lo so» ho detto io. «Non ho un campionario abbastanza grande di storie assestate e stabilizzate.»

Marco ha detto «Una volta esaurita la fase in cui ti sembra di avere trovato la persona più interessante e affascinante del mondo, con tutte le qualità che ti mancavano e nessuno dei difetti che conoscevi?».

«Ti è capitato spesso?» gli ho chiesto, in un gracidare dilatato.

«No» ha detto Marco. «Ma ammesso che ci sia stata. Questa fase finisce e *trac*, è solo un gioco di ruoli, qualunque sia la persona con cui hai a che fare?»

«Non lo so» ho detto di nuovo. «Non sono mai riuscito a fare grandi considerazioni generali. Sono sempre stato abbastanza basso in quello che mi succedeva man mano.» Non era vero, se ci pensavo; lo dicevo solo perché questo mi sembrava un altro suo modo di tirarsi fuori, guardare le cose da una prospettiva esterna.

«Però è anche ridicolo fare finta di niente, no?» ha detto Marco. «Fare finta che non esistano meccanismi che si mettono in movimento ogni volta nello stesso modo identico. O fare finta che quello che stai vivendo sia un'eccezione totale.»

«Ma forse lo *è*» gli ho detto, con uno slancio da stagno. «Forse *esistono* delle eccezioni totali.»

«Davvero?» ha detto Marco, con il suo piccolo bicchiere già vuoto tra le dita. «E dove le hai viste, per esempio?»

Ho detto «Misia Mistrani, per esempio?».

C'è stato un arretramento nella sua espressione: l'ho visto andare indietro, con le pupille improvvisamente dilatate.

Gli ho detto «Può darsi che con una come lei non sia tutto così inevitabile. Con una intelligente e rapida e difficile da prevedere e insofferente e sincera e sempre alla ricerca di qualcosa come lei».

«E con una come lei cosa avrebbe potuto succedere, secondo te?» ha detto Marco con uno sguardo spaventato, fuori controllo. «Non sarebbe diventato un gioco di ruoli come con chiunque altra, secondo te?»

«Non lo so» ho detto io. «Uno avrebbe dovuto provare, credo.»

Marco si è passato una mano tra i capelli; ha detto «Cavolo di discorsi».

«Smettila, Marco» gli ho detto, sorpreso dalla rabbia che continuava ad attraversarmi. «Sono vent'anni che scappi e nascondi la testa sotto la sabbia come uno struzzo bastardo e vigliacco.»

«Cosa nei *sai* tu?» ha detto lui, in un tentativo di rimediare al suo allentamento di difese. «È facile farsi un bel quadretto in bianco e nero, dal di fuori, e mettersi a dare giudizi, dal di fuori. Senza neanche sapere com'era la faccenda per chi c'era dentro.»

«Guarda che l'hai vista più dal di fuori *tu* di me» gli ho detto; e non ne ero affatto sicuro, ma il rancore sopito e controllato di anni continuava a spingermi attraverso il folto di sentimenti e fatti senza più lasciarmi pensare.

Marco era pallido, mi guardava dall'orlo di una verità che anche a lui doveva sembrare incerta; ha detto «Tu non sai neanche di cosa parli. Non hai la minima idea di cosa ho passato, con Misia».

«E perché?» gli ho detto. «Perché è una donna complessa che non stava solo lì a gratificarti e farti sentire un dio tutto il tempo? Perché magari riusciva anche a metterti in crisi, ogni tanto? Perché richiedeva più tempo e più attenzione e più energia della media?»

«Smettila di dire idiozie» ha detto Marco, e non c'era più traccia di non-esserci nella sua voce o nel suo sguardo. «Tu hai una visione delle cose totalmente bidimensionale. Hai questo cavolo di lettura di superficie.»

«Ce l'avrai tu, la lettura di superficie» gli ho detto, a voce ancora più alta nella confusione vociante del pub. «Sei tu che hai sempre avuto paura di andare troppo a fondo. Di farti portare via l'anima o chissà cosa. Sei tu che ti sei tenuto ben lontano quando lei aveva bisogno di te.»

«Non aveva bisogno di me» ha detto Marco, ma adesso la disperazione stava prevalendo rapida sugli altri suoi sentimenti: il suo sguardo ne era allagato. «È sempre stata troppo impaziente e indipendente e dura e ostinata per avere bisogno di qualcuno.»

Gli ho detto «Ero *lì* quando aveva bisogno di te. Quando andava alla deriva perché tu non avevi voluto prenderti nessuna responsabilità e non avevi voluto riconoscere nessun legame, non avevi neanche voluto sapere del figlio che avevate fatto insieme».

«Se n'era *andata*» ha detto Marco, in un timbro sfibrato e lacerato da far paura. «E del bambino l'ho scoperto a Parigi, quando lei mi ha detto che era troppo tardi.»

«Ma non avevi fatto molto per scoprirlo prima» gli ho detto, con il sudore che mi colava lungo la tempia sinistra, la camicia bagnata come una vera pelle di rana. «Perché i tuoi film erano più importanti, no? Perché tutto il resto veniva dopo, no? Il grande artista che sa quali sono le sue priorità, no?»

«Perché ho cercato di *salvarmi*» ha detto Marco, con una voce così totalmente disperata da fermare a metà lo slancio con cui lo stavo incalzando. Si è angolato lungo la linea di un braccio, in un modo che lo faceva sembrare fragile come non lo avevo mai visto. Ha detto «Tu non hai idea di quanto possa essere faticosa, Misia. Di quanto possa essere dura e impaziente e intollerante. Ha questo modo di incalzarti e non darti tregua mai, chiederti tutto quello che hai fino all'ultima risorsa, azzerare tutto appena non sei all'altezza delle sue aspettative».

«E tu non avevi abbastanza da darle?» gli ho detto, senza riuscire a non essere animoso anche se ci provavo.

«Non sempre» ha detto Marco. «A volte mi sembrava di sì. A volte mi sembrava di avere fin troppo. A volte avevo così poco che mi bastava appena a sopravvivere. A volte avevo bisogno di stare solo, togliermi dalla corrente delle sue richieste. E lei non riusciva assolutamente a capirlo, lo considerava un tradimento.»

«Perché lei c'è così tanto» gli ho detto. «C'è sempre, quando hai bisogno di lei. Non è mai troppo stanca o troppo presa o troppo disperata.»

Marco ha buttato giù ancora un altro bicchierino di vodka, e lo faceva con un gesto nauseato ormai, come se fosse l'unica cosa che poteva fare. Ha detto «Quello che non capisco è perché non ti ci sia messo tu, con Misia, in tutti questi anni. Dopo che io mi ero rivelato un tale vigliacco inconsistente e avevo sgombrato il campo».

«Perché lei voleva *te*» gli ho detto, in un tono di rimprovero puro. «Io sono sempre stato il suo migliore amico, non è mai riuscita a vedermi in nessun altro modo. E tu non hai mai sgombrato il campo, in realtà.»

Marco ha detto «Anche se non c'ero? Anche se non scrivevo né telefonavo né mi facevo vivo proprio per non interferire? Per anni e anni e anni di seguito?».

«Sì» gli ho detto. «Non ha mai smesso di pensare a te, Misia.»

«Ma nemmeno lei si è mai fatta viva» ha detto Marco. «Non mi ha mai cercato.»

«Eri tu che dovevi farlo» gli ho detto, senza lasciar passare nessuna delle sue possibili ragioni.

Marco ha detto «Va be', comunque non mi pare che sia rimasta lì a languire e struggersi per sempre. Si è sposata il suo bravo giocatore argentino di polo, no?».

«Per sopravvivere, come dici tu» gli ho detto.

Marco ha sorriso nel modo più desolato del mondo; ha detto «Così è tutta colpa mia, alla fine?».

«Sì che è colpa tua» gli ho detto. «È tutta colpa del tuo non-esserci e del tuo esserci. Del fatto che lei non si è mai sentita libera di vivere in un modo che non avesse a che fare per mancanza o per reazione o per compensazione con te.»

Marco si è guardato intorno nel pub pieno di facce e di mani in movimento e di voci e suoni e risa e musica e fumo; ha detto «In pratica sono all'origine dell'infelicità di *tutti*, no? Oltre che della mia?».

Mi sono venute in mente a lampo due o tre frasi di risposta definitiva; ma da un istante all'altro mi ha preso un'estenuazione senza limiti, mi ha fatto socchiudere gli occhi. Sono andato all'indietro sulla sedia, ho pensato che forse ero sul punto di svenire per il caldo e la mancanza di ossigeno e tutta la vodka che avevo in circolo nel sangue.

Quattro

Ero nel profondo del sonno più impastato e opaco, ho sentito una vibrazione che scuoteva tutta la casa come un terremoto e mi faceva ballare il cervello e mi si concentrava in un punto doloroso alla spalla sinistra. Ho cercato di cambiare posizione, ma la pressione si è trasferita all'altra spalla e le scosse sono peggiorate; ho visto una vampata di luce attraverso le palpebre chiuse, sentito la voce di Marco che diceva «Livio, ti svegli? Livio!».

Ho aperto gli occhi e sono saltato su: mi è venuta una fitta lancinante attraverso la testa, nausea istantanea. Marco era in piedi davanti al mio letto, con la faccia stravolta e i capelli scarruffati. Gli ho detto «Cosa c'è?», avevo la lingua così spessa e pesante che non riuscivo a muoverla.

Lui non doveva sentirsi molto meglio di me, perché stava inclinato su una gamba come se fosse sul punto di piegarsi in due; ha detto «Sarah se n'è andata. Anche Carl».

«Dove?» ho detto. Avevo una nausea così forte che non capivo come fossi riuscito a dormire, ogni minimo movimento mi faceva venire voglia di vomitare.

«Via» ha detto Marco. «Mi ha già telefonato il suo avvocato, per diffidarmi dal cambiare la serratura della porta d'ingresso o far sparire quadri o altri oggetti. Voleva leggermi l'elenco completo di tutto quello che c'è qua dentro, gli ho detto che non ero molto in condizione di sentirlo.»

«Ma di chi è la casa?» gli ho chiesto, con la testa e il corpo invasi da brutte sensazioni amare e dolciastre, ricordi sfuocati di parole e gesti e sguardi della sera prima che tornavano indietro insieme all'alcool.

«Di tutti e due» ha detto Marco. «Ma gliela lascio, è inutile che si preoccupi tanto.»

Neanch'io ero molto in condizione di fare conversazione; appena ho provato a muovermi la nausea mi ha preso così forte che ho dovuto correre in bagno, vomitare tutto quello che avevo dentro.

Dopo non so quanto ho sentito Marco che bussava, diceva «Come va, Livio?».

«Male» gli ho detto, in un tono da relitto.

«Quando stai meglio fai la valigia» ha detto Marco attraverso la porta. «Ce ne andiamo.»

«Quando?» gli ho detto, seduto sul pavimento di piastrelle blu.

«Appena sei in grado di muoverti» ha detto lui.

Un'ora dopo eravamo davanti a casa nella vecchia Jaguar verde, tutti e due in uno stato penoso. Marco aveva preso solo qualche libro e qualche disco e qualche vestito e qualche sceneggiatura e lettera a cui teneva, aveva ficcato tutto in due vecchie valigie di cuoio dalle chiusure logorate. Almeno in questo era vero che non era cambiato: non aveva sviluppato nessun nuovo attaccamento alle cose nel corso degli anni, continuava ad avere bisogno di molto poco.

Ma era triste e perplesso, quando ci siamo allontanati dalla sua ormai ex casa, inclinati all'indietro nei vecchi sedili di pelle. Gli ho detto che anch'io quando mi ero lasciato con Paola avevo portato via solo un paio di valigie; lui ha detto «Dobbiamo avere lo stesso genere di malattia, io e te. Lo stesso virus di instabilità che ci fa ridurre sempre al minimo il bagaglio».

Poco alla volta il suo umore è diventato più vario, man mano che gli effetti dell'alcool si stemperavano e riprendeva a fluirgli dentro una corrente discontinua di energia. Ha detto «Non è strano? Anni chiuso in un tunnel di consuetudine con un'altra persona, e di colpo sei *fuori*, così. È una variazione di orizzonti abbastanza terrificante, no? Anche un sollievo incredibile». Io facevo di sì con la testa, cercavo di tirarmi fuori dai miei strascichi di nausea e sconcerto da scenari cambiati.

Ci siamo fermati in un bar in stile anni cinquanta a bere litri di caffè e mangiare qualcosa di spugnoso. Marco aveva una curiosità da marziano per lo spazio e i movimenti che lo attraversavano: si girava a guardare la gente agli altri tavolini, guardava una cameriera carina che lo aveva riconosciuto e gli sorrideva ogni volta che passava. Mi versava tazza dietro tazza di caffè, diceva «Bevi, Livio, bevi. Ti passa tutto».

A vederlo così non riuscivo quasi più a capire come avevo potuto parlargli in modo tanto duro la notte; mi sembrava vulnerabile, fuori dal contenitore di vite e di sentimenti che lo aveva protetto con efficacia a lungo. Mi sembrava bisognoso di aiuto e amicizia; avrei fatto qualunque cosa per dargliene.

Mi ha detto «È un po' come dover imparare a camminare di nuovo dopo avere usato le stampelle molto a lungo, no? Fa paura, ma hai questo senso di possibilità improvvisamente riaperte tutto intorno. *Piccole* possibilità, anche».

«A patto di non essere solo» ho detto io, con il caffè che mi colava sul mento tanto poco era ancora stabile il mio polso. «A patto di non essere buttato fuori nel mondo come un relitto, senza riferimenti né appoggi di nessun genere.»

«Sì» ha detto Marco. Mi ha scosso per una spalla, mi ha provocato nuove fitte lancinanti di mal di testa; ha detto «Livione, porco cane! Meno male che ci sei tu!».

Siamo andati verso il suo studio; lui guidava e guardava lungo i marciapiedi, ogni tanto sorrideva. Si è fermato davanti a un negozio di articoli da campeggio, ha detto «Arrivo subito». L'ho guardato andare verso l'ingresso, con un passo da camminatore sulla luna. Sono stato lì allungato all'indietro sul sedile con le orecchie che mi ronzavano, mi chiedevo come era possibile che un'organizzazione in apparenza quasi perfetta si dissolvesse così di colpo. Mi chiedevo se sarebbe successo anche senza il mio arrivo; se tutto sarebbe stato solo rimandato; se Marco avrebbe fatto marcia indietro invece di irrigidirsi nella sua posizione. Mi chiedevo se le cose che succedono nella vita di una persona succederebbero comunque, indipendentemente dagli altri che ci si trovano di mezzo, o se invece gli altri hanno un'influenza decisiva sugli eventi. Mi chiedevo come si potrebbe definire questa influenza: se è una vera responsabilità attiva o un semplice fattore concomitante, come una variazione nel tempo meteorologico o qualunque altro modificarsi dello scenario.

Marco è tornato fuori dal negozio con due grandi borse di

plastica, le ha buttate sul sedile di dietro. Mi sono girato a guardarci dentro, con un ritorno violento di nausea per la torsione del collo: c'erano due sacchi a pelo leggeri, due materassini da campeggio di gomma dura. Marco ha detto «Almeno abbiamo da dormire».

Allo studio la sua assistente e la sua segretaria ci sono venute incontro, sono rimaste molto stupite a vederci con le valigie in mano e i sacchi a pelo nelle borse. Marco ha detto «Trasferimento momentaneo»; loro guardavano senza capire.

La sua assistente era in uno stato di agitazione estrema: gli ha detto «È da due ore che cerco di chiamarti. Il telefono della macchina dev'essere rotto, dà sempre non-collegato».

«L'ho spento» ha detto Marco.

L'assistente ha inclinato la testa, ancora più perplessa.

«Noel Groper ha chiamato quattro volte per il clip» ha detto la segretaria.

«Stanno diventando tutti matti perché non ti hanno ancora sentito» ha detto l'assistente. «Wayne e Humphrey richiamano nel primo pomeriggio per la riunione del film. Jack Johnston ha detto di farti vivo appena arrivavi.»

Marco ha detto «Ahà», ma sembrava che pensasse ad altro, mi ha fatto cenno di seguirlo lungo il corridoio.

Il giovane montatore magro è venuto fuori a dirgli che il clip era finito, se aveva voglia di vederlo. Marco mi ha detto «Vieni, vieni». Sono andato con loro nella sala di montaggio; siamo stati in piedi a veder scorrere la microstoria di due minuti e mezzo, in sincrono perfetto con la musica finta cattiva degli Handsome Waste. Alla fine Marco ha detto «Va bene, va bene. Mandaglielo così. Non si meritano niente di più».

«A me sembra grande, Marco» ha detto il piccolo genio del montaggio, con uno sguardo sconcertato.

«È un bidone» ha detto Marco. «Come la loro musica. Una perfetta catena di cliché. Va benissimo.»

Mi ha fatto strada fino a una stanza, ha buttato sul pavimento i materassini e i sacchi a pelo; ha detto «Ci accampiamo qui, per il momento».

«E poi cosa pensi di fare?» gli ho chiesto, con una mano sopra la nuca dove mi faceva male a onde ricorrenti.

«Non lo so, vediamo» ha detto Marco. «Tanto non ci serve molto, no?»

«No» ho detto io, in un misto di incredulità ed entusiasmo, perdita parziale di orientamento.

L'assistente è arrivata a dire «Jack Johnston al telefono».

Marco ha esitato un istante; ha detto «Digli che non ci sono. Che lo chiamo quando arrivo».

L'assistente era ancora più sconcertata del montatore: potevo vedere la non-comprensione che le faceva contrarre i muscoli della faccia.

Marco mi ha detto «Perché non andiamo a fare due passi in un parco? C'è il sole, cosa stiamo qui dentro chiusi alla luce artificiale?».

Così siamo usciti tra gli sguardi allibiti della segretaria e dell'assistente e del montatore affacciato sulla porta della sua saletta, siamo andati in macchina fino al parco che aveva in mente Marco. Il sole era giallo pallido e l'aria era calda e avevo la testa e lo stomaco ancora indolenziti e un senso di ottundimento attraverso tutto il corpo, ma tenevo dietro a lui che poco a poco riprendeva il suo passo avido di terreno lungo i vialetti tra i prati. Avevo una sensazione curiosa, come se mi fossi svegliato per uno strano sortilegio nello spirito di vent'anni prima, quando io e Marco e Misia eravamo molto più incerti e vaghi, senza vincoli o ruoli o competenze accertate a limitare le nostre possibilità di movimento e di immaginazione. Mi sembrava che lo spazio intorno si stesse riaprendo nel modo più sorprendente, da tutti i lati; che potessimo andare e guardare dove ci pareva senza sentirci inchiodati né messi con le spalle al muro dalla realtà.

Marco doveva avere le mie stesse sensazioni, o era lui a passarmele nel modo contagioso che aveva sempre avuto, perché ha detto «È incredibile come finisci per entrare in un tipo di vita, tra i molti che avresti a disposizione, e da lì in poi tutto quello che fai succede in modo quasi automatico. Sei dentro un meccanismo altamente assistito, come il pilota di un aereo moderno che deve solo tenere d'occhio i computer di bordo e ascoltare i messaggi delle torri di controllo. Non devi fare più nessuna vera scelta che metta in discussione il percorso, devi solo valutare le opzioni che ti vengono proposte. Ci vuole una catastrofe o un miracolo, per venirne fuori».

«In questo caso cos'è stato?» gli ho detto; lo guardavo di

profilo, come avevo fatto un milione di volte per le vie di Milano vent'anni prima.

«In questo caso sei arrivato tu» ha detto Marco; rideva, si è tolto gli occhiali da sole.

«E se non fossi arrivato?» gli ho chiesto.

«Boh» ha detto Marco. «Forse sarei rimasto con Sarah per sempre. O forse sarebbe successa qualche altra catastrofe.»

Abbiamo camminato lungo i bordi di un laghetto dove nuotavano oche grigie e anitre di diverse varietà; la città era affacciata al di là degli alberi alti alla nostra destra. Ho detto «Senza Misia forse anch'io sarei rimasto a soffocare nella mia vita con Paola. E senza di me forse Misia sarebbe ancora in Argentina. È una strana catena di responsabilità che c'è tra noi, non è chiaro dove cominci».

«Ma anche Misia?» ha detto Marco, con un'incertezza improvvisa che gli faceva sbandare lo sguardo. «Pensavo che fosse rimasta ben salda nel suo matrimonio perfetto.»

«Saltato» gli ho detto. «È tornata in Italia. Si è portata Livio e il piccolo a Firenze, ha ripreso il suo vecchio lavoro al centro di restauro.»

Marco aveva rallentato il passo, mi sembrava che di colpo zoppicasse in modo più visibile. Ha detto «E stanno lì a Firenze da soli? Loro tre?».

«Più o meno» ho detto.

«Lei non ha nessuno?» ha detto Marco; si è rimesso gli occhiali da sole.

Gli ho detto «Ha una storia con un americano che lavora con lei al centro di restauro, ma non vivono nella stessa casa, per ora. Sono andati insieme in Grecia».

«Un altro uomo ultrarassicurante?» ha detto Marco. «Che in più si muove con agio perfetto attraverso la storia dell'arte?»

«No, no» ho detto io. «È uno molto normale e modesto e gentile. Una specie di ex hippy, a vederlo.»

Marco ha fatto di sì con la testa, sembrava che stesse già pensando ad altro.

Siamo arrivati a un padiglione-bar di legno bianco a poca distanza dall'acqua, con alcune piccole barche a remi tirate in secco sul prato dove le oche e le anitre venivano a prendere pezzi di pane dai bambini. Marco ha indicato una barchetta, ha detto «Facciamo un giro?».

E anche se il mio stomaco e la mia testa non erano ancora così ristabiliti da affrontare nuovi ondeggiamenti gli ho detto di sì, sull'onda dello spirito pre-adulto che sembrava scorrerci dentro. Avrei fatto qualunque cosa stupida o seria, con lui: sarei partito per una spedizione alla ricerca delle sorgenti del Nilo, pur di accompagnarlo fuori dai percorsi a cui mi era sembrato condannato per sempre.

Marco remava a scatti vigorosi: faceva uscire di taglio le pale dei remi a fine corsa, le faceva scorrere parallele all'acqua, lasciava una doppia scia regolare di gocce. Mi tenevo aggrappato ai bordi di legno, cercavo di pensare a tutt'altro per non farmi tornare la nausea, guardavo i bambini e le coppie e le intere piccole famiglie sulle altre barchette.

Marco ha detto «Secondo te sarebbe ora che lo rivedessi, mio figlio?».

«Che lo *ve*dessi, vuoi dire?» gli ho detto.

«Eh?» ha detto Marco, tendeva a perdere il ritmo dei remi. «Che gli parlassi, non so. È una cosa talmente strana, che ci sia una parte di me là e che lui abbia una parte di sé qui, e che né io né lui sappiamo niente uno dell'altro. È abbastanza assurdo, se ci pensi, no?»

«Abbastanza» gli ho detto. «A meno che non ci sia una ragione specifica per non volerne sapere niente, come è stato tra me e mio padre.»

«Ma in questo caso, invece?» ha detto Marco. «Come dovrei fare? Com'è che uno stabilisce un contatto?»

«Non ho idea» gli ho detto. «Forse nel modo più semplice. Prendi e vai, lo vedi, provi a parlargli.»

«E se lui non ne ha nessuna voglia?» ha detto Marco. «Se mi odia perché non mi sono mai fatto vivo fino adesso?»

«Eh, devi rischiare, credo» gli ho detto.

Lui si è girato: stava andando a sbattere contro una barchetta con tre bambini biondi, ha frenato con i remi.

Quando siamo tornati a riva ci siamo seduti a bere acqua minerale e mangiare foglie di lattuga non condita a un tavolino all'ombra; assorbivamo movimenti e frammenti di conversazioni da tutto intorno, stavamo zitti.

Dopo forse mezz'ora Marco ha guardato l'orologio, ha detto «Io devo dire qualcosa agli americani. Non posso continuare a non farmi trovare. Eravamo intesi di vederci domani».

«Cosa gli devi dire?» ho detto.

«Devo decidere per il film» ha detto Marco.

«In che senso?» ho detto.

«Se firmare il contratto così com'è» ha detto Marco. «Clausole allucinanti e interferenze sistematiche incluse.»

«Perizie psichiatriche incluse» ho detto io.

«Sì» ha detto Marco. «E tutto il resto.»

«E cosa pensi di fare?» ho detto.

«Non lo so» ha detto Marco. «Il mio agente dice che non c'è più molto margine di trattativa, ormai. O lo firmo così, o rischia di saltare tutto. Dopo otto mesi di incontri e riunioni e revisioni di sceneggiatura e promemoria e lettere e telefonate e teleconferenze e fax.»

«E allora?» ho detto.

Marco si è tolto gli occhiali da sole, li ha asciugati dal sudore con un tovagliolino di carta, se li è rimessi. Ha detto «Non posso non farlo, Livio. Ci ho investito troppo tempo ed energia. Più di un anno, se conti da quando ho cominciato a scrivere il trattamento. Per non parlare degli altri progetti messi da parte e delle proposte rifiutate. Se non avessi avuto i video-clip, sarei già rimasto a secco con i soldi da un pezzo».

«Ma la storia ti convince, almeno?» gli ho detto.

«La storia è un'idiozia, ormai» ha detto Marco. «All'origine non era male, ma poco alla volta è diventata niente. Passo dopo passo, adattamento alle leggi del mercato dopo adattamento. Verrà fuori un film d'autore, eh? Del resto è quello che vogliono anche loro, è l'unica ragione per cui stanno a perdere tempo con uno come me invece di rivolgersi ai loro servi abituali. Ma lo sai com'è un film d'autore in questa categoria di budget, no? Che genere di brutta macchina ibrida acchiappasoldi e cercarecensioni? Piena di finte idee e finte intenzioni e finti messaggi e finti sentimenti?»

«Ma dicevi che saresti riuscito a fare un bellissimo film» gli ho detto. «E a dire delle cose, malgrado tutto.»

«Non è vero» ha detto Marco. «Sono balle. Sono solo alibi del cavolo.»

Siamo stati zitti; ai tavolini intorno c'era gente che si alzava e si sedeva, gente che rideva, gente che faceva cenni di richiamo.

Marco ha detto «Ma *devo* farlo, anche se non ne ho più nessuna voglia».

Quando siamo venuti via l'aria era calda e ferma, la luce appena fuori dall'ombra faceva male agli occhi. Pensavo che avrei dovuto comprarmi un paio di occhiali come quelli di Marco; mi stava tornando fame.

La sera siamo andati a camminare dietro Piccadilly Circus; guardavamo i turisti esausti, i branchi di ragazzotti calati dalle periferie urbane, i manifesti dei teatri e dei cinema e dei concerti. Eravamo nervosi e stanchi e attraversati da impulsi contraddittori tutti e due, oscillavamo tra euforia da orizzonti liberi e sgomento da muri della realtà che tendevano a richiudersi, camminavamo veloci e parlavamo nonstop. Marco mi ha raccontato delle sue conversazioni telefoniche con gli americani per la riunione del giorno dopo; diceva «Se sentissi le voci che hanno. Se vedessi le loro *facce*. Hanno questi piccoli occhi a fessura, questo modo di fissarti senza emozioni apparenti. Ma come se fossero dei dispensatori di cose meravigliose, invece che di soldi. Come se avessero le chiavi di qualche giardino pieno di sogni e fantasie e desideri e dovessero decidere se lasciarti entrare o no. Come se sapessero che tu non puoi fare assolutamente a meno di loro». Ha detto «Pensa che cosa fantastica se quando siamo lì nel loro ufficio tutto vetri al sedicesimo piano, e abbiamo firmato tutte le carte e le clausole eccetera e loro fanno quei loro sorrisi senza labbra e senza suoni, io apro la finestra e mi butto di *sotto*. Così, senza dire niente. Sorrido anch'io e faccio una specie di inchino e mi butto. Ti immagini le loro facce? Tutte le loro convinzioni ben confermate e sedimentate che vanno in corto circuito nel giro di pochi secondi?».

«Ancora meglio uno di *loro*, allora» gli ho detto. «Firmi il contratto e gli dici di venire a guardare qualcosa giù in strada, e lo fai volare.»

Ridevamo, nel modo nervoso e infantile di quando camminavamo e facevamo considerazioni astratte e progetti non-realizzabili e deviavamo fiumi di immagini mentali con cui allagare i territori avari che avevamo intorno.

Marco ha detto «Sì, a parte il fatto che quel genere di finestre in quel genere di edifici non si aprono. Sono sigillate».

Rispetto al passato avevamo questo modo di tornare a terra di colpo, bloccare gli slanci più squilibrati con frenate realistiche: era quasi una sensazione fisica, si rifletteva nel nostro modo irregolare e zoppicato di camminare.

Ci siamo fermati a Chinatown a mangiare in un piccolo ristorante che Marco conosceva, abbiamo ordinato un paio di birre cinesi. Leggere com'erano ci hanno fatto effetto, forse per lo stato di vuotezza dei nostri stomaci: siamo diventati ancora più irrequieti e insofferenti, ci guardavamo intorno e parlavamo ad alta voce, tiravamo fuori tutto quello che ci veniva in mente.

A un certo punto Marco ha detto «Senti, io non lo faccio, il film con gli americani. Ho deciso».

«Davvero?» gli ho detto, senza riuscire a crederci.

«Sì» ha detto Marco. «È da ieri sera che ci penso. È che il tempo dura *poco*, Livio. Mi sembra di averne già buttato via troppo nelle cose sbagliate, non averne avuto per quelle che ne meritavano.»

«E allora?» gli ho detto.

«Allora domani li mando al diavolo» ha detto Marco. «È ancora meglio che saltare giù dalla finestra dopo avere firmato. Gli dico grazie tante, non ne ho più voglia. Tenetevi i vostri milioni di dollari per fare qualche altra idiozia meccanica e senza anima.»

«Grande» gli ho detto, con uno slancio che mi sembrava di non avere più avuto da troppo tempo, torrenti di immagini mentali che mi rendevano difficile stare seduto fermo.

Marco ha detto «A questo punto della mia vita voglio solo fare cose che mi *entusiasmano*. Cose in cui credo totalmente, senza nessun genere di riserva. Senza nessun patteggiamento o adattamento alla realtà o abbassamento di soglie, Livio».

«Puoi farlo, anche» gli ho detto. «Hai abbastanza credito e abbastanza seguito per farlo. Non hai nessuna ragione di andarti a vendere agli americani.»

«Nessuna» ha detto Marco. «Chi se ne frega del pubblico planetario. Se lo tengano. Io voglio fare dei film che la gente deve andare a *cercare*. Se avranno poco pubblico, meglio. E voglio *divertirmi*, mentre li faccio. Voglio improvvisare e cambiare e spiazzare il gioco quanto mi pare.»

«Zero considerazioni di mercato» ho detto io.

«Zero ragionevolezza» ha detto Marco. «Zero spiegarsi, zero giustificarsi.»

«Zero vendersi» ho detto io.

«Zero addolcirsi» ha detto Marco.

«Zero incastrarsi» ho detto io.

Abbiamo chiesto altre due birre, ma erano i sentimenti compressi che ci andavano in circolo con violenza crescente e ci infiammavano il sangue.

«Voglio fare un film sull'Italia» ha detto Marco. «Sul perché gente come noi ha dovuto andarsene. Sul perché abbiamo finito per fare gli esuli del cavolo e i disperati senza radici.»

«Sulla corruzione e il marciume molle e lento» ho detto io.

«Sulla vigliaccheria e l'ambiguità diffusa» ha detto Marco. «Sulla finta tolleranza che nasconde la prevaricazione sistematica.»

«Sui ladri che fanno le vittime» ho detto. «Sulla distrazione privata e il disinteresse pubblico.»

«Sui preti che fanno i ministri» ha detto Marco. «E i presidenti della repubblica che fanno i preti.»

«Sui delinquenti politici che continuano a prendere lo stipendio di parlamentare» ho detto io.

«Sui mafiosi dentro i partiti e nelle corporazioni e nei giornali» ha detto Marco.

«Sulle televisioni piene di scemi che parlano veloci e di tette finte e di sorrisi artificiali» ho detto io.

«Sulla disonestà e l'imbroglio che prevalgono sempre» ha detto Marco.

«Sui conflitti di interessi ignorati e i doppi giochi fatti passare come dimostrazioni di abilità» ho detto io.

«Sui sarti che si credono signori rinascimentali con le loro corti» ha detto Marco.

«Sulle simulazioni e le recite e le false notizie comprate e vendute» ho detto io.

«Sul paesaggio massacrato senza che nessuno dica niente» ha detto Marco.

«Sulle strade e le macchine che si sono mangiate tutto» ho detto io.

«Sui fabbricanti di strade e di macchine che si continuano a mangiare chi va in macchina» ha detto Marco.

«L'unico paese al mondo dove uno possa credere in qualcosa fino a sedici anni al massimo, se non vuole essere preso per uno scemo in ritardo cronico sulla vita» ho detto io.

«Voglio fare una specie di *arma* di film» ha detto Marco. «Invece di continuare a scappare e considerarmi fortunato perché trovo una nicchia dove rifugiarmi e posso viverci non male. Voglio fare una bomba da buttare nello stagno putrido.»

«Invece di continuare a fare finta di niente» ho detto io. «Invece di pensare che sia colpa nostra, che siamo noi difettosi.»

«E lo faremo *insieme*» ha detto Marco. «Con quattro soldi, come ai vecchi tempi. Non abbiamo bisogno di chiedere niente a nessuno, lo mettiamo insieme da soli. Tanto deve essere un film brusco e violento e tagliato netto. Bianco e nero, sedici millimetri. Io sto alla macchina da presa, tu fai le luci e tutto quello che hai voglia di fare. Troviamo qualche tecnico giovane e bravo che ha voglia di lavorare fuori dai soliti giri. Troviamo un distributore indipendente con un minimo di fiducia nel fatto che qualcuno vada al cinema a vedere un mio film.»

«Altro che semi-fantascienza con gli americani» ho detto io.

«E chiamiamo *Misia*» ha detto Marco. «Le chiediamo se ha voglia di fare un ritorno alla grande in un piccolo film totalmente azzardato.»

«Magari» ho detto io, come un surfista mentale che si lascia portare dall'onda. «Io e te e Misia di nuovo insieme, diventerebbe una specie di bomba davvero.»

«Sì» ha detto Marco, e il suo sguardo era cambiato, potevo vedere il genere diverso di elettricità che lo percorreva a rovescio. Ha detto «Cosa pensi, che ci starebbe? Che potrebbe pensarci davvero?».

«Forse» gli ho detto. «Se riusciamo a presentarle la cosa per quello che è. È abbastanza matta da farlo.»

Marco ha detto «Com'è diventata, Misia?».

«In che senso?» ho detto.

«Com'è?» ha detto Marco. «L'ultima volta che l'ho vista è stato in quell'ultimo film francese, forse otto o nove anni fa.»

«Eh, non è male» ho detto. «È anche meglio di quando aveva ventiquattro anni. Più interessante ancora, dopo tutti i passaggi e le trasformazioni che ha avuto.»

«Ma com'è?» ha detto Marco. «Che genere di stile? Che tipo di persona, voglio dire?»

«Molto vicina alla sua forma originale» ho detto io. «Ma

più ricca dentro, più complessa. Non ha perso niente, in questi anni. È a una specie di punto magico, dove tutto il meglio che ha viene fuori, finalmente.»

Marco faceva di sì con la testa, aveva le gambe così nervose che il tavolo ballava in una vibrazione continua. Ha preso il foglietto del conto, si è alzato.

Fuori in strada mentre camminavamo di nuovo veloci mi ha detto «Che poi non sarà per niente una cosa da matti, il nostro film. È da matti consumarsi la vita in storie in cui non credi o in cui credi solo a metà, e passare il resto del tempo a costruirsi alibi e ragioni di comodo e paraventi mentali».

«È vero» gli ho detto. «Totalmente d'accordo.»

Camminavamo veloci attraverso la città di notte, agitati e ipersensibili come alla vigilia di un'avventura straordinaria.

Cinque

Mi sono svegliato sul pavimento dell'ufficio di Marco, mezzo acciaccato per tutti i rotolamenti tra il materassino di gomma dura e il legno del pavimento e gli sgusciamenti dentro e fuori dal sacco a pelo che teneva troppo caldo. Marco doveva essersi alzato da un pezzo, era in una delle altre stanze che parlava con la sua assistente. Quando sono uscito dal piccolo bagno è venuto con due bicchierini di caffè dal distributore automatico nell'ingresso, ha detto «Ehi, Livione».

«Ehi» gli ho detto, con le dita che mi scottavano, la testa che friggeva di tutti i discorsi della notte prima.

Marco ha guardato l'orologio, ha detto «Tra meno di un'ora sono dai caimani».

«Madonna» gli ho detto. «Vorrei esserci anch'io, vedere che facce fanno. Ti accompagno fin lì.»

Marco ha fatto di sì con la testa, beveva a piccoli sorsi il suo caffè bollente.

Siamo andati in taxi, perché non c'era verso di parcheggiare sotto l'edificio della Panamax e Marco voleva conservare al massimo le energie. Non parlava molto, ma potevo vedere la tensione che gli si precisava dentro man mano che ci avvicinavamo: ogni tanto gli veniva una specie di riso nervoso, scuoteva la testa. Ha detto «Pensa il mio agente, dopo le battaglie infinite che ha dovuto fare in questi mesi per trovare punti d'incontro e compromessi accettabili e controclausole e controcavilli compensatori. Volevo chiamarlo stamattina, ma non ho avuto il coraggio, tanto vale che si prenda lo choc insieme ai caimani».

Ho riso anch'io; eravamo tesi e freddi come due che vanno a fare una rapina, con lo stesso grado di incertezza non-confessata riguardo alle possibili conseguenze finali.

«Come reagiranno?» gli ho chiesto, a bassa voce. «Secondo te?»

«Boh» ha detto Marco. «Forse non diranno niente. Saracinesche chiuse, basta. O forse faranno una scenata selvaggia, come davanti a un'offesa alla religione. Forse mi offriranno più soldi, penseranno che la questione sia tutta lì. Forse diranno che mi fanno causa, minacceranno di rovinarmi completamente.»

«Basta che tu sia preparato» gli ho detto.

«Lo sono, lo sono» ha detto Marco. «Non ti preoccupare.»

Eravamo già arrivati alla via, ha indicato al taxista dove accostare. Siamo scesi su un marciapiede d'incrocio percorso da gente rapida che andava da un ufficio all'altro o da un ufficio a un negozio o da un ufficio a un bar, siamo stati fermi qualche secondo a guardare gli impiegati in camicia e cravatta e le impiegate nei tailleur leggeri di cotone o lino, occupati da pensieri semplici come sembravano.

Marco mi ha indicato un edificio alto tutto vetri con la scritta rossa *PANAMAX* appena oltre l'incrocio, ha detto «I caimani». Quasi nello stesso momento un taxi ha accostato sotto la scritta e ne è sceso un grosso tipo biondastro vestito in un doppiopetto estivo, ha cominciato a guardare l'orologio e guardarsi intorno.

«È Ted Fitzwater, il mio agente» ha detto Marco. «Io vado» ha preso un respiro.

«Vai» gli ho detto, con il cuore che mi batteva. «Sconvolgili, i caimani. Dimostragli che non hanno le chiavi proprio di niente.»

«Di niente» ha detto Marco. Mi ha scrollato per una spalla, ha detto «Meno male che ci sei, Livio».

«Ti aspetto qui» gli ho detto, con un cenno verso il bar in stile pseudo-italiano alle nostre spalle. Ci siamo dati uno sguardo lungo e lui ha attraversato l'incrocio, è andato verso il palazzo dei caimani con il suo passo feroce, ha stretto la mano al suo agente, è sparito dentro insieme a lui.

Sono entrato nel bar, ho ordinato un cappuccino e una sfoglia alla crema; quando me li hanno dati ho trangugiato tutto in pochi secondi, in piedi al bancone e senza assaporare niente. Mi muovevo a scatti, continuavo a girarmi per tenere d'occhio il marciapiede attraverso la vetrina, vedere se Marco era già di ritorno. Mi chiedevo quanto sarebbe durata la faccenda: se Marco avrebbe comunque dovuto stringere la mano a tutti e sedersi al tavolo delle riunioni e ascoltare qualche discorso introduttivo prima di potergli dire che non se ne faceva più niente, o se avrebbe tagliato tutti i preamboli appena entrato dalla porta, senza preoccuparsi di rispettare nessuna forma. Mi chiedevo se i caimani americani l'avrebbero costretto ad ascoltare le loro recriminazioni prima di lasciarlo andare, o avrebbero fatto tentativi di convincerlo fino a estenuarsi; se sarebbero rimasti lì a guardarsi in faccia quando lui era già fuori dalla porta. Mi chiedevo se l'agente di Marco si sarebbe messo di mezzo e avrebbe complicato le cose; se Marco si sarebbe lasciato travolgere dai suoi istinti meno controllabili e avrebbe lanciato insulti e carte e anche oggetti; se i caimani avrebbero chiamato il loro servizio di sicurezza o addirittura la polizia. Mi tenevo pronto a tutto, come tanti anni prima quando avevo fatto il palo a Zurigo mentre Marco frugava dentro l'ex casa di Misia: mi immaginavo gli sviluppi e guardavo intorno, controllavo i movimenti nella strada in attesa di vederlo tornare.

Dopo forse venti minuti mi è sembrato chiaro che la faccenda era più complicata e faticosa di come avevamo sperato; potevo vedere Marco in vera difficoltà, da solo contro un fronte comune di sguardi e atteggiamenti e ruoli. Potevo sentire le minacce e i ricatti e le lusinghe che i caimani stavano mettendo in atto per cercare di convincerlo: lo sforzo che lui doveva fare per rispondere colpo su colpo. Mi veniva l'impulso di correre dentro il palazzo Panamax a dargli manforte, ma avevo paura che sarebbe stata una scena ridicola, e sapevo che Marco sarebbe riuscito a cavarsela benissimo da solo, il mio appoggio morale da fuori gli bastava.

Per l'irrequietezza sono uscito dal bar, ho fatto avanti e indietro lungo un piccolo tratto di marciapiede; sono tornato dentro. Guardavo i gesti dei baristi e degli avventori: le mani che versavano e le mani che aspettavano, le mani che afferravano brioche e sfoglie, le bocche che masticavano, le gole che deglutivano, le lingue che pulivano le labbra. Guardavo il modo in cui le persone si avvicinavano e allontanavano tra loro, occupavano una parte di spazio, ne cedevano una parte quando arrivava qualcuno di estraneo. Guardavo il mio riflesso in uno specchio, e mi rendevo conto di come da solo ero molto più in difficoltà di una persona media nei miei rapporti con il mondo, la mia facilità leggendaria di contatto evaporata da anni ormai. Ma avevo un senso esaltante di conforto all'idea di stare per buttarmi insieme a Marco e Misia in una nuova impresa come vent'anni prima; mi sembrava una rivalsa su tutti gli attriti e le resistenze passive e le delusioni che mi avevano danneggiato fino a quel momento, su tutte le cose che non mi piacevano e non mi appartenevano e mi rendevano difficile la vita. Pensavo che alla fine era questo che avevo sempre cercato, da quando ero un bambino acutamente infelice in uno scenario che mi sembrava estraneo fin nei più minuti particolari: non essere solo, fare parte di un piccolo gruppo di persone simili; ripararmi, farmi trascinare, scoprirmi un ruolo, mettere in gioco le capacità che avevo dentro allo stato dormiente.

Guardavo attraverso le vetrine: le macchine nella strada e la gente lungo i marciapiedi, le luci degli stop e i fumi di scarico, gli sguardi dritti e laterali e obliqui, gli attraversamenti, le accelerazioni di passo e i rallentamenti, le fermate improvvise davanti alle vetrine. Guardavo il mio orologio a intervalli sempre più ravvicinati, mi sembrava di avere una percezione del tempo sempre meno precisa.

Poi ho guardato ancora una volta verso le porte del bar, e Marco era già entrato, era già a due passi da me con una faccia come se fosse appena uscito da un'azione di guerra, il suo sorriso sbieco sulle labbra.

Gli ho detto «Allora? Com'è andata?». Ero totalmente focalizzato sui suoi lineamenti, senza il minimo margine di distrazione.

Marco ha fatto un gesto verso la strada, ha detto «Usciamo, magari? Facciamo due passi e ti racconto».

Il suo modo di non rispondermi subito mi ha provocato uno spasmo di allarme; me lo ha fatto stringere per un braccio quando eravamo quasi sulla porta, dirgli «Come l'hanno presa? È stata una brutta scena? Uno scontro selvaggio?».

«No» ha detto Marco senza guardarmi negli occhi. È uscito in strada, con me nella scia.

«E allora come è stato? Cosa è successo?» gli ho detto. Lo incalzavo con tanta intensità che la gente si girava lungo il marciapiede.

Marco si è fermato; ha messo le mani in tasca, sorrideva ma senza nessuna luce di comunicazione. Ha detto «È successo che ho firmato».

«Firmato cosa?» gli ho chiesto, non-ricettivo come poche volte in vita mia.

«Per il film» ha detto Marco; e già non riusciva più a reggere il mio sguardo, già l'aveva girato verso il traffico di nuovo.

«Quale film?» gli ho detto, con tutti i muscoli della faccia bloccati, le giunture del corpo non-elastiche, non-flessibili.

«Il loro» ha detto Marco. «Il *mio*. Insomma, quello che producono loro.»

Ci siamo guardati di nuovo negli occhi, nella intensa luce opalina della via tutta vibrante di traffico e di passaggi umani; avevo uno strano effetto di allontanamento dalla scena e da tutte le sensazioni collegate, a scatti progressivi.

Marco ha detto «È che non hanno reagito in nessuno dei modi che mi aspettavo». Faceva fatica a tirare fuori le parole, ma poi hanno cominciato a venirgli veloci: si addossavano una all'altra come i passanti a cui bloccavamo il marciapiede e che dovevano aggirarci di slancio.

Ha detto «Mi ero immaginato di vederli reagire tutti tracotanti e rigidi, con gli occhi socchiusi e i denti serrati, manifestazioni di pura arroganza del denaro. Invece quando gli ho detto che non volevo più fare il film erano *dispiaciuti*. Erano lì che mi guardavano con queste facce cadute, come un gruppo di ingegneri davanti a una costruzione infinitamente difficile che proprio quando sembrava pronta va a scatafascio per ragioni incomprensibili. Mi hanno fatto *pena*, di colpo».

«I caimani?» gli ho detto, senza sentire bene la mia voce, senza neanche essere più sicuro di cosa parlavamo.

«Sì» ha detto Marco. «Di colpo mi è sembrato uno spreco terribile di risorse, azzerare un lavoro di un anno così. Ero tutto pronto a uno scontro con dei puri nemici, e invece è tutto più complesso, Livio. Mi sono reso conto che questa gente crede davvero in me e nel film, apprezza davvero il mio lavoro. Sono dei grossi produttori americani, ma non è una colpa di per sé. È solo una questione di ruoli, anche qui. Quello che conta è il film, alla fine.»

«E il film che dovevamo fare sull'Italia?» ho detto io. «Il film in bianco e nero cattivo e sincero da girare con quattro soldi insieme a Misia?»

«Quello lo facciamo subito *dopo*» ha detto Marco. «Ma con la forza di avere fatto prima un grosso film che è stato visto in tutto il mondo. Con la forza di poter dire quello che vogliamo dire a *milioni* di persone, invece che a qualche decina di migliaia.»

Ma il colore e i suoni continuavano ad andarsene dalla scena: l'intera situazione depigmentata e ammutolita e allontanata con un'accelerazione che faceva paura. Vedevo tutto come in un vecchio televisore in bianco e nero, senza contrasto né profondità né luce, senza uno spazio percepibile tra Marco con il suo sorriso sbieco e il movimento dei passanti dietro di lui e quello delle macchine ancora dietro e le vetrine e le porte e le finestre degli edifici sullo sfondo.

Marco ha detto qualcosa in modo sempre più concitato, su come non poteva buttare per strada da un giorno all'altro i suoi collaboratori e come la separazione da Sarah gli sarebbe costata terribilmente cara e come era ridicolo comportarci da ventenni quando avevamo più di quarant'anni; ma le sue parole erano infinitamente lontane e prive di significato, presto ho smesso di sentirle del tutto. Lui ha allungato una mano verso un mio braccio, e non riuscivo più a leggere niente nel suo sguardo; mi ero già girato e correvo lungo il marciapiede, per strapparmi fuori dal quadro del vecchio televisore in bianco e nero a pura forza di gambe frenetiche elettrizzate dal panico e dall'angoscia e dal senso di non-accettazione allo stato puro.

Sei

A Milano ho passato uno dei periodi peggiori della mia vita; mi manca ancora il fiato dalla desolazione se ci ripenso. Mi sembrava che l'orizzonte si fosse richiuso in modo definitivo, senza nessuno degli squarci e nemmeno delle fenditure che avevo continuato a vederci perfino nei momenti più cupi e spenti. Dire che ero disilluso è poco: avevo un esaurimento totale di aspettative.

Era agosto, anche, e c'era la solita fuga in qualunque direzione dalla città come durante un'epidemia spaventosa. La mia fidanzata Monica mi aveva lasciato una lettera sul tavolo della cucina, dove mi ringraziava per non averle telefonato da Londra e diceva che aveva deciso di andarsene con due amiche in un villaggio-vacanze a Formentera. Ci sono rimasto male, ma non sorpreso: mi sembrava una cosa naturale e inevitabile, come il caldo terribile che mi incollava a terra e le zanzare-tigre che invadevano la casa ogni sera. Come la telefonata di Misia sul nastro della mia segreteria, arrivata proprio nei dieci minuti in cui ero sceso a fare due passi disperati per la strada, dove mi diceva che aveva cambiato programma riguardo a tutto e per il momento non tornava a Firenze e mi salutava tanto (riflessi di sentimenti mossi nella sua voce, distanza incolmabile).

I miei figli erano in Liguria con la mia ex moglie e il suo compagno avvocato, quando gli ho telefonato per dirgli che la settimana dopo li andavo a prendere per la nostra vacanza si sono messi a piangere tutti e due con un incredibile grado di disperazione. Dopo un paio di telefonate identiche Paola ha detto che forse per quest'anno era meglio che restassero con lei visto che erano contenti e si divertivano moltissimo; le ho detto che ero d'accordo. Mia madre era in vacanza in Sardegna con suo marito, mia nonna era morta, tutti i miei coinquilini se ne erano andati; mi sono lasciato affondare nel vuoto della città abbandonata come in uno stato semicomatoso. Non facevo niente, mi nutrivo di tè freddo e wafer al cioccolato tenuti nel freezer, stavo sdraiato sul pavimento del soggiorno con la televisione accesa ventiquattro ore su ventiquattro; respiravo lento, nel riverbero di voci e corpi e facce e musiche da un paese malato grave in vacanza totale.

A settembre la mia situazione invece di migliorare è peggiorata ancora. Ho ripreso a dipingere il minimo che mi serviva per pagare gli alimenti a Paola e sopravvivere, ma odiavo i miei quadri e odiavo l'idea di far parte del mercato dell'arte. Monica è tornata, i suoi racconti su quanto si era divertita al villaggio-vacanze a Formentera mi hanno avvilito al punto di farmi passare la voglia di rivederla, farmi buttare giù la cornetta le due volte che ha provato a richiamarmi. Milano mi sembrava più brutta e ostile che mai, la familiarità esausta e ingrigita di ogni via e facciata mi comunicava una tristezza intollerabile. Uscivo solo quando ero proprio costretto, ma ogni volta venivo assalito da decine di particolari che potevo ripescare tali e quali dalla mia infanzia triste e dalla mia adolescenza affogata e dagli altri anni schifosi di non-contatto e non-soddisfazione prima di conoscere Marco e Misia e cominciare a sviluppare illusioni insieme a loro. A volte tornavo indietro a metà strada; a volte continuavo a camminare senza direzione finché mi sembrava di essere sul punto di dissolvermi nella superficie sudicia di un marciapiede o sul dorso di un'automobile impastata di polvere nera.

Misia mi ha telefonato da Firenze, ma la gioia di sentirla mi si è bloccata a metà appena lei mi ha detto che era in partenza per Amsterdam dove le avevano dato da restaurare una collezione privata. Mi ha detto che era già stata a vedere i quadri e a trovare una casa e scuole dove iscrivere i suoi figli; era felice di avere un incarico così importante, ed entusiasta della città e del cambiamento. Mi ha detto che si era lasciata con l'americano, che la loro storia si era semplicemente sgonfiata appena avevano provato a vivere insieme giorno per giorno in Grecia. Mi ha detto che forse era arrivata a un punto nella vita in cui non aveva più voglia di trasformarsi per corrispondere alle aspettative e ai desideri di un uomo, come quando aveva fatto l'attrice per Marco e la brava moglie di casa per il suo primo marito e la pastora neo-medioevale per il suo uomo delle capre e la latifondista illuminata per Tomás; che adesso voleva solo essere se stessa, basta. Mi ha detto che Tomás le faceva ogni genere di pressioni e ricatti finanziari e morali per il piccolo Max, che le sembrava vagamente irreale essere vissuta così a lungo con lui in Argentina; che non riusciva a capire come la riconoscenza per essere stata salvata dalla droga avesse potuto portarla a passare anni in un ruolo che non le corrispondeva neanche nel modo più lontano. Mi ha detto che le faceva impressione pensare che senza il mio arrivo ci sarebbe forse rimasta imprigionata chissà quanto altro tempo; che ogni volta che ci pensava era grata di avere un amico come me. Mi ha detto che aveva scritto una lettera a suo padre e a sua madre e a sua sorella e a suo fratello dove li pregava di considerarla morta e di lasciarla in pace e smetterla di riferirsi a lei invece di assumersi ognuno le responsabilità che gli competevano. Mi ha detto che scriverla l'aveva intristita un po', ma che adesso si sentiva libera come non le capitava da quando aveva quattro anni. Mi ha detto che forse è inevitabile metterci molto tempo e molta energia e molti sentimenti rovinati prima di riuscire a togliersi di dosso la colla che ci attacca a terra e ci impedisce di muoverci liberi, ma che arriva il momento in cui bisogna provarci se non si vuole rinunciarci per sempre. Mi ha detto che dovevo assolutamente andare a trovarla ad Amsterdam; che c'era una stanza in più dove potevo stare quanto volevo, e strade e musei dove trovare nuove ispirazioni; che anche il giovane Livio e il piccolo Max ne sarebbero stati entusiasti.

Le ho detto che sarei andato; non le ho raccontato di Marco perché non avevo voglia di guastare neanche marginalmente il suo spirito così ottimista. Ma quando ho messo giù non ero molto più allegro di prima: tutto il movimento e l'allegria e l'indipendenza e la maturità nella sua voce avevano solo l'effetto di farmi sentire più opaco e inerte, incapace di ricavare niente di positivo dalla vita.

I miei figli li andavo a prendere ogni due settimane per stare con loro il sabato e la domenica, ma non avevo neanche lo slancio per portarli al cinema o a un teatro per bambini. Lasciavo che si attaccassero alla televisione per tutto il tempo che avevamo a disposizione insieme; a volte mi stravaccavo sul divano di fianco a loro, benché non avessero molte manifestazioni di cordialità nei miei confronti: scivolavo nel loro identico stato di passività ipnotica di fronte alle ballerine con i culi di fuori e ai presentatori-marionetta e alle presentatrici dai nasi e le labbra e gli zigomi atrocemente tagliati e svuotati e imbottiti e ricuciti, ai vecchi politici travestiti da nuovi politici che imperversavano in ogni programma con il loro teatrino ossessivo e ammiccante di parole del tutto prive di significati o intenzioni che non fossero quella di rimanere lì per sempre.

A volte quando la domenica sera riportavo i bambini da Paola e vedevo il giardino e la casa e le luci e i mobili di legno chiaro dentro, mi veniva da buttarmi per terra e chiederle se era disposta a riprendermi indietro, tenermi lì anche solo come factotum o come modesto produttore di reddito addizionale. Ma era troppo ostile per chiederglielo davvero: riprendeva in consegna i bambini appena oltre il cancello e quasi subito diceva «Ci vediamo» a voce secca, richiudeva ben fermo. Tornavo con la mia macchina francese dal motore debole e gli ammortizzatori molli verso la conca bassa e velenosa di Milano, come lungo un piano inclinato di sogni schiacciati al rullo compressore della realtà implacabile.

Sette

A metà ottobre sono andato a portare alcuni quadri dalla mia nuova gallerista, con un vero sforzo per non registrare niente del paesaggio o delle facce o dei dettagli secondari che vedevo attraverso i finestrini. La mia gallerista ha guardato i miei quadri appoggiati uno di fianco all'altro alla parete, mi dava occhiate di sguincio come se fossi un caso clinico; alla fine mi ha chiesto perché dipingevo in uno spirito così paranoico. Le ho detto che forse lo avevo sempre fatto; lei ha detto che adesso era molto peggio, tutti i colori più accesi e ridenti spariti dalle mie tele. Ha detto «Lo vedi come non ci sono più rossi né gialli né blu né verdi né azzurri? Non c'è più luce, non c'è più movimento, non c'è più vita, quasi. Se continui così forse è la volta che troviamo qualche critico importante che si appassiona a te. Basta che uno di questi giorni non ti spari. Il che non sarebbe male per il mercato, ma mi dispiacerebbe sul piano personale».

C'era qualcos'altro che la lasciava perplessa, mentre camminava avanti e indietro nel completo giacca e pantaloni del suo amico stilista, con lo sguardo tra il parquet e il bordo inferiore delle mie tele; le ho chiesto cos'era. Ha esitato solo un istante; mi ha detto «È che forse non hai ancora capito che fare il pittore non consiste solo nel dipingere quadri, belli o brutti che siano, Livio».

«E in cos'altro consisterebbe?» le ho detto, con la tempia sinistra che cominciava a sudare e un senso di soffocamento generalizzato.

«Be', tante cose» ha detto la mia gallerista. «Relazioni pubbliche. Coltivare un minimo di immagine che sia interessante e vendibile. Andare alle mostre degli altri per stare nel giro. Farti vedere, parlare con qualche collega e qualche giornalista. Fare una telefonata ogni tanto a qualche critico che conta per chiedergli consigli. Invitarlo a una visita nel tuo studio, mandargli qualche quadro in regalo. Sforzarti almeno un po' di essere cordiale con l'assessore alla cultura, almeno quando lo vedi qui da me in galleria. Tenerti in contatto con le redazioni dei giornali. Poi è chiaro che se conosci qualcuno all'ufficio mostre del comune, aiuta. Se conosci qualcuno che può dare una spinta con qualche televisione, anche locale, aiuta.»

«Io faccio il pittore» le ho detto. «Non faccio il ruffiano o il venditore di me stesso.»

«Però i tuoi quadri li vuoi vendere» ha detto la mia gallerista. «Altrimenti non saresti qui, credo. E se li vendi tanto varrebbe che avessero una quotazione di mercato che sale di mostra in mostra e di anno in anno, invece di restare fissa come il prezzo del pane.»

«Non so neanche più se li voglio vendere» le ho detto. «Non so se ho voglia di fare più niente, in questo paese.»

«Guarda che è così dappertutto, caro Livio» ha detto la mia gallerista. «Per fare il selvaggio e l'orso come vorresti, devi potertelo permettere. Se no ti assicuro che non è divertente. Non c'è ancora nessuno in giro che muoia dalla voglia di capirti, caro Livio.»

Sono venuto via come se avessi in tasca la conferma di una malattia definitiva: sentimenti guasti percepibili come un veleno che mi affiorava alla gola e agli alveoli dei polmoni, mi faceva camminare inclinato in avanti con la respirazione ridotta al minimo. Mi sembrava di essere arrivato a un punto morto nei miei rapporti con il mondo, per colpa mia più che del mondo; mi sembrava di avere buttato via tutta la curiosità e l'interesse e lo slancio che avevo avuto in dotazione e rinunciato a entrare in tutte le porte che mi erano state via via socchiuse o aperte, senza che questo mi avesse mai dato divertimento o soddisfazione né le chiavi di un'altra vita in cambio. Mi sembrava di essere andato avanti a sogni e percezioni illusorie e distorsioni della realtà invece di sforzarmi di decifrare i segnali leggibili e sviluppare un arsenale minimo di armi da difesa e offesa per quando ce n'era bisogno. Mi sembrava di avere rifiutato di crescere finché la vita mi si era ripiegata addosso, e anche allora avere continuato a comportarmi da non-adulto, senza capire niente né evolvermi, né smettere di affannarmi verso i primi miraggi che mi capitavano davanti. Mi sentivo a fine binario, a fondo botte: zero risorse residue.

Ho fatto un giro di quasi un'ora per tornare a casa, ingolfato nel traffico lungo percorsi sbagliati con un'inerzia da insetto su un terreno coperto di DDT. Mi avrebbe fatto piacere perdere tutti i pezzi lungo il percorso, disintegrarmi nel mio abitacolo di automobile prima di arrivare.

Ma sono arrivato, alla fine, e sono anche riuscito a trovare uno spazio libero per la macchina lungo il marciapiede, sono riuscito a camminare fino a casa. Mi sono fermato a guardare la brutta facciata in stile fascista: le cornici delle finestre che mi avevano fatto un'impressione così detestabile la prima volta che le avevo viste. Solo l'idea dei marmi verdastri dell'atrio mi faceva venire la nausea, l'idea della faccia pallida della portinaia dentro il suo acquario mi faceva incespicare. Sono andato verso la porta a vetri sperando almeno di non vederci il mio riflesso; il clacson di una macchina mi è arrivato ai timpani in una frequenza lacerante, mi ha fatto girare con uno scatto da nervi scorticati.

Dall'altra parte della strada c'era una vecchia Jaguar verde con il volante a destra, e sembrava più malconcia di quella di Marco ma era la sua, perché c'era lui che correva verso di me e mi faceva gesti affannati e gridava «Livio!».

Ho avuto una contrazione violenta di non-sentimenti, mi ha fatto deglutire e socchiudere gli occhi e girare la testa, andare dritto verso il portone.

Marco mi ha raggiunto a metà marciapiede, mi ha bloccato per un braccio, ha detto «Aspetta».

L'ho spinto di lato senza guardarlo, e non era facile perché eravamo a contatto, gli ho detto «Lasciami perdere. Non abbiamo più niente da dirci».

Marco ha perso la presa ma solo per due passi, mi si è parato davanti di nuovo; ha detto «Aspetta un secondo, Livio. Sono venuto qui apposta, accidenti. È da ieri notte che guido».

«Fatti tuoi» gli ho detto; cercavo di fissare le maniglie della porta a vetri ma non potevo evitare che lui mi entrasse nel campo visivo, stanco e spettinato e con la barba lunga. Gli ho detto «Tempo scaduto. Tanti cari saluti»; l'ho spinto di lato con una spallata, ho bruciato l'ultima energia che mi sembrava di avere per qualsiasi gesto.

«Stammi a sentire un secondo, porca miseria!» ha gridato Marco, con uno scoppio di volume che in un altro momento mi avrebbe colpito per come ricordava la mia voce-megafono di un tempo. Eravamo sotto l'androne, andavo veloce verso la porta a vetri, verso i marmi verdastri e l'acquario della portinaia. Marco ha gridato «Brutto bastardo, aspetta! Cosa credi di essere diventato, una specie di custode della coerenza assoluta? Che sta lì a giudicare gli altri appena si azzardano a commettere un errore? Per condannarli subito e chiudere ogni discorso per sempre?».

«Non erano discorsi» gli ho detto. «Almeno non per me.» Ero già oltre la porta a vetri, già la portinaia mi guardava non-cordiale da dentro il suo acquario, allarmata dai movimenti alle mie spalle. Sono andato verso l'ascensore, in uno strano conflitto tra voglia di sparire e voglia di tornare indietro e riempire Marco di pugni, fargli pagare tutta la desolazione in cui stavo annegando. Ho premuto il pulsante dell'ascensore con l'indice che mi tremava, chiuso in un tunnel ottico che arrivava alla piccola luce rossa.

Marco è entrato nell'atrio come un rapinatore, ha gridato «Guarda che li ho mandati al diavolo, se ti interessa! Ho lasciato il set dopo cinque giorni di riprese, se ti interessa! Ho una penale da due milioni di dollari sulla testa, se ti interessa! Sono fuori dai giochi seri del cinema per sempre, se ti interessa!».

L'ascensore era già arrivato, la lucina era diventata bianca come un minuscolo sole invernale, mi dava lo stesso genere di abbagliamento incerto. Mi sono girato a guardare Marco.

Era tre gradini di marmo verdastro più in basso, con le mani nelle tasche della giacca e lo sguardo irregolare e scontento di quando ci eravamo conosciuti, ma più disperato e anche ironico adesso, come un vagabondo caduto da grandi altezze. Ha gridato «Guarda che sono fatto in un solo modo, per quanto instabile possa essere, e non me ne restano altri da mettere in vendita, se ti interessa!».

L'ho guardato ancora dai miei tre gradini più sopra, e c'era la portinaia che ci guardava mezza fuori dal suo acquario come un grosso pesce-testimone di profondità; ho fatto qualche passo verso di lui e sono quasi rotolato giù, per via delle gambe che mi tremavano e delle lacrime che avevano cominciato a riempirmi gli occhi nel modo più ridicolo e incontrollabile.

Due ore più tardi, quando avevamo già passato il casello dell'autostrada Milano-Torino per andare verso la Francia e da lì verso il resto del mondo, ho raccontato a Marco di Misia ad Amsterdam.

Lui mi ha dato due o tre occhiate laterali, aveva una piega sulle labbra. Ha detto «Ed è lì da sola? Voglio dire, con i due ragazzi?».

«Sì» gli ho detto. «O almeno lo era l'ultima volta che l'ho sentita, quindici giorni fa.»

Marco guardava la strada, teneva le braccia dritte verso il volante. Sullo stereo c'era *Ramblin' On My Mind* in una versione di Eric Clapton registrata dal vivo negli anni settanta: la prima parte dove la voce si fa portare dall'onda elastica e incalzante del giro di blues che va e riprende. Marco si è girato girato girato verso di me, e non riuscivo a vedere i suoi occhi sotto le lenti scure ma riuscivo a vederli; ha detto «Ti scoccerebbe da morire fare una diversione per andarla a trovare?».

«Da *morire*» gli ho detto.

La chitarra elettrica aveva cominciato a salire di un semitono a ogni giro, nel punto dove la prima parte sta per saldarsi a *Have You Ever Loved A Woman*, con una brillantezza limpida e lancinante di cristallo e acciaio e acqua fusi insieme, libera fino a sembrare imprendibile eppure legata alle sue poche note, sopra il sostegno sensibile e ostinato e ripetitivo del piano e del basso elettrico e della batteria

Indice

OSCAR BESTSELLERS

«Di noi tre»
di Adrea De Carlo
Oscar bestsellers
Arnoldo Mondadori Editore

Questo volume è stato stampato
presso Mondadori Printing S.p.A.
Stabilimento NSM - Cles (TN)
Stampato in Italia. Printed in Italy

46404
2003